D0149352

ÜBERREICHT VON DER
DEUTSCHEN
FORSCHUNGSGEMEINSCHAFT
BONN-BAD GODESBERG

Die Entwicklung des jiddischen Schrifttums
im deutschen Sprachgebiet

Helmut Dinse

Die Entwicklung des jiddischen Schrifttums im deutschen Sprachgebiet

MCMLXXIV
J. B. Metzlersche Verlagsbuchhandlung
Stuttgart

Die in [ ] erscheinenden Zahlen verweisen auf die Anmerkungen

Umschlagbild: zeena a-reenah, Verf.: Jakob ben Isaak Aschkenasi.
Ed. Amsterdam 1648, Drucker: Immanuel Benbeniste.
Exemplar der Herzog August Bibliothek Wolfenbüttel.

ISBN 3 476 00277 2

 Satz und Druck: Georg Appl, Wemding.
Printed in Germany.

Inhalt

Worterklärungen VII
Vorbemerkung XI
Vorwort XIII
Einleitung XIX

I. Erste schriftliche Spuren jüdisch-deutscher Sprache 1

1. Die Juden in Deutschland vom frühen Mittelalter bis zur Auflösung der Großgemeinden im 15. Jh. 1

2. Die Anfänge jüdisch-deutschen Schrifttums 3
a) Jüdisch-deutsche Glossen in der religiösen hebräischen Literatur des Mittelalters 3
b) Ein jüdisch-deutsches Verspaar in einem Wormser Machsor vom Jahre 1272/73 8
c) Jüdisch-deutsche Glossare im 14./15. Jh. 9
d) Mittelalterliche volksmedizinische Traktate 12

3. Frühe religiöse Gebrauchsliteratur 15
a) Pentateuchübersetzungen 15
b) Gebetbücher 16
c) Ritualia 16

Frühe weltliche Sachliteratur 17
a) Privatbriefe 17
b) Gerichts- und Geschäftsurkunden 18
c) Kalender und Merkbücher 20

5. Mittelalterlicher jüdisch-deutscher Vortrags- und Lesestoff 21
a) Geschichtensammlungen 22
b) Gesellschaftsspiel und volkstümlicher Gesang 27
c) Der jüdische Spielmann und sein Repertoire 33
d) Geistliche Dichtung nach dem Muster der Spielmanns- und Narrendichtung 53

II. Die jüdisch-deutsche Literatur im 16. und 17. Jh. 64

1. Charakteristik des Zeitraumes 64

2. Neue literarische Formen 66

3. Erste Drucke 67

4. Die Frauenliteratur 69
a) Pentateuch-Paraphrasen und Bibelkommentare 72

b) Psalter, Gebetbücher und Minhagimsammlungen 84
c) Frühe Mussarliteratur 91
d) Spruchbücher 95

5. Die bürgerliche Literatur 97
a) Geschichtliche Bücher 99
b) Übertragungen deutscher Volksbücher 99
c) Volksmedizinische Schriften 101
d) Didaktischer Lesestoff 105
e) Reaktionäres Schrifttum 107
f) Purimspiele 113

6. Die kritische Mussarliteratur 116
a) Sittenspiegel 116
b) Sozialkritische Mussarbücher 118
c) Literarische Zeugnisse vom jüdischen Gesellschaftsleben des 17. Jhs. in Deutschland und Osteuropa 124
d) Lyrische Mussardichtung 129

III. Die Übersetzungsliteratur des 17. und 18. Jhs. 134

1. Bibelübersetzungen 134

2. Rituelles Schrifttum 136

3. Offizielles Gemeindeschrifttum 138

4. Erbauungs- und Unterhaltungsliteratur 140

IV. Der Untergang der jüdisch-deutschen Literatur 146

Anmerkungen 149

Anhang: Systematische Bibliographie des jüdisch-deutschen Schrifttums 163

Literaturverzeichnis 255

Namenregister 295

Ausschlagtafel: Verzeichnis der Abkürzungen zur systematischen Bibliographie des jüdisch-deutschen Schrifttums am Schluss des Buches

Worterklärungen

(Wo nicht besonders vermerkt, Ableitungen aus dem Hebräischen.)

ahasverus (*achaschwerosch*): im Buch Esther der hebräische Name des Perserkönigs Xerxes (485–465 v. Chr.).

berit mila, auch *berit bassar* (»Bund des Fleisches«): die Beschneidung des neugeborenen Sohnes, die am 8. Tage nach der Geburt als Symbol des Bundes zwischen Gott und dem Volk Israel vollzogen wird.

challa (»Teigabhub«): die religionsgesetzliche Abgabe von dem zum Backen bestimmten Teig, ursprünglich für den Opfergottesdienst im Tempel von Jerusalem bestimmt; gehört zu den drei rituellen Pflichten der jüdischen Frau.

chasan hakenesset (»Synagogendiener«): ursprünglich der Synagogendiener schlechthin, später bei Zunahme des liturgischen Gesangs an Bedeutung und Umfang Bezeichnung für den Vorsänger (Kantor).

cheder (»Stube«): ursprünglich das Lehrzimmer, später *darduk-cheder* (»Kinderschule«); die ostjüdische Elementarschule, in der der Knabe vom 4. bis 5. Lebensjahr an bis zum Übertritt in die *talmud-tora* (»Talmudschule«) bzw. *jeschiwa* (»Talmudhochschule«) unterrichtet wurde.

dajan (»Richter«): der Rabbinatsassessor.

darschan (»Ausleger«): der Prediger; volkstümlich abgeleitet aus *derasch* (»erbauliche Bibeldeutung«).

galuth (»Wegführung ins Exil«): die historische Tatsache des Vertriebenseins (Verbannung), gleichbedeutend mit Diaspora (griech. »Zerstreuung«).

gemara (»das Erlernte«, »das Vollendete«): Erörterungen der *mischna juda hanassis* seit der Zeit der Gaonen; nach herkömmlichem Sprachgebrauch zusammen mit der Mischna den *talmud* (s. dort) bildend.

genisa (»Versteck«): Aufbewahrungsort für das Heiligtum des Tempelbestandes unbrauchbar gewordene Gegenstände, insbesondere Schriftwerke, die nicht vernichtet, sondern lediglich der Benutzung entzogen wurden.

ghetto (von altfr. guect, guet, gait m. »Wacht« – dem entspricht die im bairischen Sprachraum geläufige Form Gehag, »Einfriedigung«): Bezeichnung für die Judenstraße bzw. das Judenviertel, einen von der übrigen Stadt abgesonderten Wohnbezirk der Juden.

hadlaka (»Lichtanzünden«): das Anzünden der Lichter am Vorabend des Sabbats und der Feiertage, auch der Chanukkalichter; eine der drei rituellen Pflichten der jüdischen Frau.

haftara, pl. *haftarot* (»Verabschiedung«): die Abschnitte der prophetischen Bücher, die den Abschluß der sabbatlichen Tora-Verlesung bilden.

haggada, agada (»Erzählung«): nicht-gesetzliche Teile der Talmudliteratur und -religion, im Gegensatz zu *halacha* (s. dort). Die volkstümliche *haggada schel pessach* (*Pessachhaggada*) wird zu Beginn des ersten und zweiten Pessachabends (*seder*) vom Hausvater verlesen. Sie erklärt (besonders den Kindern) die Bedeutung des Pessachfestes und der mit ihm verbundenen Bräuche.

hagiographen (griech. »Heilige Schriften« – hebr. *ketawim,* »Schriften«): dritte und letzte Abteilung der Bibel, 11 Bücher enthaltend:

a) *emet* (3 poetische Bücher, nach der rückwärtigen Reihenfolge ihrer Anfangsbuchstaben bezeichnet): *tehellim* (»Psalmen«) – *mischle* (»Sprüche Salomos«) – *hiob,*

b) 5 *megillot* (»Rollen«); die an Feiertagen gelesen werden; in der Reihenfolge der Feste: *schir ha-schirim* (»Hoheslied«) – *ruth* – *echa* (»Klagelieder«) – *kohelet* – *esther,*

c) 3 geschichtliche Bücher: *esra/nehemia* (bilden ein Buch!) – *daniel* – *dibre ha-jamim* (»Chronik I. u. II«, bilden ein Buch!).

halacha (»Wandel«): das Normative in der nachbiblischen Literatur, Religion und Sitte, im Gegensatz zur *haggada* (s. dort).

jom kippur (*jom ha-kippurim,* »Tag der Sühnungen«): der Versöhnungstag, letzter der 10 Bußtage, in strenger Buße (Verharren im Gebet, Fasten) begangen, gilt als der heiligste Tag des Jahres; am Tagesausgang findet ein besonderer Gottesdienst (*neila,* »Abschluß«) mit dem Blasen des *schofar* (s. dort) statt.

jom kippur katan (»Kleiner Versöhnungstag«): der Rüsttag zum Neumondsfest.

kabbala (»Überlieferung«): Bezeichnung für die jüdische Mystik auf der Grundlage der orientalischen Emanationslehre. Nach Absicht ihrer Verfechter, tritt sie – da ebenso ein Teil der Tradition und göttlichen Ursprungs wie das Gesetz – neben die Exegese der Midrasch. Ihr Hauptthema ist die Ergründung der Grenzen der Schöpfung und des sichtbaren Himmels, was mit Hilfe von Buchstabendeutung und Zahlenmystik erreicht werden soll.

machsor (»Kreislauf«): ursprünglich ein Kompendium der Liturgie und des Ritus, im engeren Sinne das Festtagsgebetbuch im Unterschied zum *sidur* (s. dort).

marranen (span. »Schweine« – hebr. *anussim,* »Gezwungene«): Schimpfwort für die im 16. Jh. in Spanien zwangsgetauften Juden, die nur zu geringen Teilen auch Bekenner ihres neuen Glaubens waren; zu Anfang des 17. Jhs. aus Spanien vertrieben.

megilla, pl. *megillot* (»Rolle«): die mittleren 5 Bücher der *hagiographen* (s. dort), insbesondere das am Purim-Fest verlesene Buch Esther.

midrasch (»Forschung«, »Schriftauslegung«): Exegese der Heiligen Schrift, wie sie von den Schriftgelehrten gepflegt wurde. Erwachsen aus dem gottesdienstlichen Vortrag im Anschluß an die Toravorlesung bildet ihre Lesung einen Hauptbestandteil des Gottesdienstes (Predigt) und des Volksunterrichtes.

minhag, pl. *minhagim* (»Führung«, »Sitte«): Bezeichnung für das religiöse Brauchtum und den gottesdienstlichen Ritus.

mohel (»der Beschneider«): Vollzieher der *berit mila* (s. dort).

nidda (»die Menstruierende«): das Traktat behandelt die Reinigungsvorschriften für die menstruierende Frau; eine der drei rituellen Pflichten der jüdischen Frau.

parnas (»Pfleger«, »Ernährer«): der Vorsteher der jüdischen Gemeinde.

pentateuch (griech. »Fünfbuch« – hebr. *chamischa chumsche tora,* »die 5 Fünftel der

Tora«, verkürzt *chumasch* genannt): der *sefer tora* (s. dort), bestehend aus den fünf Büchern Mosis.

pessach (»Vorüberschreiten«, »Verschonung« – nämlich der israelitischen Erstgeborenen): eines der drei Hauptfeste, an den Auszug des Volkes Israel aus Ägypten erinnernd. Wird u. a. mit Fasten der Erstgeborenen am Tage vor Pessach begangen; am 1. und 2. Abend: Sederfeier mit Verlesen der Pessach-*haggada* (s. dort).

pijut (»Dichter«): eigentlich jede Art von Poesie, im besonderen Sinne die zum synagogalen Vortrag bestimmte religiöse Dichtung.

purim (»Lose«): Freudenfest zur Erinnerung an die Errettung der Juden in der persischen Diaspora vor dem Anschlag Hamans durch Esther; so genannt, weil Haman das Los befragte, in welchem Monat er sein Ziel erreichen würde. Am Purimstag wird die Esther-Rolle (s. *megilla*) verlesen, außerdem Aufführungen scherzhafter Purim-(*achaschwerosch*)-Spiele.

rabbi, rab, reb: Anredeform, Umschreibung für »Herr«, »großer Mann«, »Lehrer«, »Meister«, »Oberhaupt« u. ä.

sabbat (»Ruhe«): der 7. Tag der Woche, der als Ruhetag heilig, weil in Erinnerung an die göttliche Weltschöpfung begangen.

sandok (griech. »Gevatter«): der Mann, der während der *berit mila* (s. dort) den Knaben auf dem Schoß hält.

schammesch (»Diener«): der Synagogendiener.

schochet (»Schächter«): der Mann, der die vorschriftsmäßige Schlachtung (*schechita*, »Schächten«) der zum Genuß erlaubten Säugetiere und Vögel vornimmt.

schofar: gebogenes, aus dem Horn des Widders gefertigtes Blasinstrument ohne Mundstück, das am *rosch ha-schana* und zum Ausgang des *jom kippur* (s. dort) geblasen wird.

sidur (»Ordnung«): das gewöhnliche Gebetbuch, im Gegensatz zum *machsor* (s. dort).

simchat-tora (»Gesetzesfreude«): Festtag zum Abschluß der jährlichen Toralesung, leitet den neuen Zyklus ein, wobei Umzüge mit Torarollen in der Synagoge veranstaltet werden.

sukkot (»Hütten«): das Laubhüttenfest (Erntedankfest), das als drittes und größtes der Hauptfeste begangen wird.

synagoge (griech. »Gemeinde« – hebr. *bet hakenesset*, »Gemeindehaus«): das Versammlungshaus zum Gottesdienst.

talmud (»studium«, »Lehre«, »Belehrung«): nächst der Bibel das Hauptwerk des Judentums; bezeichnet die beiden großen Literaturwerke, die die *mischna juda hanassis* sowie die Diskussionen der Gelehrtenschulen in der Amoräerzeit über diese Mischna umfassen, von denen das eine in Palästina, das andere in Babylonien entstanden ist.

targum (»Übersetzung«): Bezeichnung der aramäischen Tora- und Bibelübersetzungen.

tora (»Lehre«): die im *pentateuch* (s. dort) offenbarte Lehre Gottes, durch die Er denen, die sie annehmen, den rechten Weg zeigt. Sie enthält die Prinzipien jüdischer Gesellschaftsordnung und ihr Rechtssystem sowie die Grundlagen religiöser und ethischer Lebensführung, die im *talmud* im einzelnen ausgebaut und praktikabel gestaltet werden.

Der *sefer tora* bezeichnet die vom Toraschreiber auf eine Pergamentrolle (Torarolle) geschriebenen 5 Bücher Mosis.

Vorbemerkung

(1) Bei einer Berücksichtigung des *Verbreitungsgebiets* des erfaßten Schrifttums war es unnötig – und auch unmöglich, eine Aufteilung in eine westjiddische und eine ostjiddische Literatur vorzunehmen. Häufig hing es vom Zufall ab, ob ein Buch in Krakau, Lublin, Zürich, Prag oder Amsterdam im Druck erschien, da eine Vielzahl jiddischer Druckwerke von Wanderdruckern publiziert und von sogenannten »Packenträgern« vertrieben worden ist. Es sei daran erinnert, daß bis ins 19. Jahrhundert hinein das im Osten gedruckte Buch ebenso im Westen gelesen werden konnte und umgekehrt, weil die mundartlichen Unterschiede sich typographisch kaum niederschlugen.

(2) Die Übertragung jiddischer Texte erfolgte gemäß der von Siegmund A. Wolf in seinem *Jiddischen Wörterbuch* (Mannheim 1962) angewandten Transkriptionsmethode. Gelegentliches Abweichen von ihr erschien dort angebracht, wo es die Eigenart des zu transponierenden Textes erforderte.

Um einen Vergleich mit den deutschen Standardwerken zur jüdischen Literaturgeschichte zu ermöglichen, wurden die zitierten Buchtitel in der dort geläufigen Schreibweise wiedergegeben und auf eine der jiddischen Lautung entsprechende Transkription verzichtet.

Die den Titeln in Klammern beigestellten Nummern beziehen sich auf die angehängte systematische Bibliographie (vgl. S. 163 ff.).

Vorwort

Die vorliegende Publikation beschäftigt sich mit einem literaturhistorischen – oder besser literatursoziologischen Phänomen, das unter der Literatur der Völker keine Entsprechung findet. Im Vordergrund der Untersuchung steht die Bestandsaufnahme und literarische Einordnung des jüdisch-deutschen, d. h. des vornehmlich in Westeuropa verbreiteten älteren jiddischen Schrifttums. Es soll versucht werden, ein möglichst abgerundetes Bild solcher mehr oder minder deutschsprachigen Literatur der aschkenasischen Juden vom frühen Mittelalter bis ins 19. Jahrhundert zu zeichnen. Damit sei angedeutet, daß eine umfassende Beschreibung der Entwicklung des jiddischen Schrifttums über diesen Zeitraum bisher so gut wie fehlt. Zwar besitzt die Erforschung des Jiddischen eine bis in die Anfänge des Humanismus zurückreichende Tradition [1], aber die Behandlung der jiddischen Literatur wurde von der Jiddischforschung insgesamt recht zaghaft betrieben.

Sieht man einmal von paradigmatischen und chrestomatischen Beiträgen ab – sie alle gehen leider nicht über das Skizzenhafte hinaus – so findet sich in der Tat nur eine umfassende Darstellung dieses Schrifttums: Max Eriks [2] [di] *geschichte fun der jidischer literatur* (Warschau 1928). Bereits 15 Jahre früher erschien in Riga Elieser Schulmans *Die jüdisch-deutsche Sprache und ihre Literatur vom Ende des 15. bis zum Ende des 18. Jahrhunderts* (= *sefat jehudit-aschkenazit we-safruta* [...], herausgegeben von J. Ch. Tawjow). Überhaupt erwies sich die ostjüdische Jiddistik dieser Zeit, die ihren Höhepunkt durch die Institutionalisierung ihrer Forschung in der philologischen Sektion des Jiddischen Wissenschaftlichen Instituts (YIWO) [3] erreichte, auch in der Literaturwissenschaft recht fruchtbar. Neben den beiden genannten Arbeiten verdienen noch Salman Reisens Literaturlexikon (*leksikon fun der jidischer literatur, prese un filologie*, bd. 1–4, Wilne 1926–29) und Israel Zinbergs [di] *geschichte fun der literatur bai jidn* (Wilna 1930) als Gesamtdarstellungen hervorgehoben zu werden; erwähnenswert vielleicht auch noch Samuel Nigers *wegn jidische schraiber* (2 Tle., Wilna 1912), Max Eriks *wegn altjidischn roman un nowele* (Warschau 1926) und Max Weinreichs *bilder fun der jidischer literaturgeschichte* (Wilna 1928).

Die Beiträge der USA-Landesorganisation von YIWO (mit Sitz in New York) erstreckten sich im wesentlichen auf Einzeldarstellungen geringeren Umfangs, meist publiziert in »Pinkes«, einer Vierteljahrszeitschrift für Literaturgeschichte, Sprachforschung, Volkskunde und Bibliographie. Eigentlicher Wegbereiter der amerikanischen jiddischen Literaturforschung war Leo Wiener, der in seiner [The] *History of Yiddish Literature in the Nineteenth Century* (New York 1899) in den einleitenden Kapiteln auf die jüdisch-deutsche Literatur eingeht.

Aus verständlichen Gründen verlagerte sich bereits vor Ausbruch des 2. Weltkrieges der Schwerpunkt der ehemaligen ostjüdischen Jiddistik nach New York. Hier erschienen in den Jahren 1931–41 Meir Waxmans [A] *History of Jewish Literature* in vier Bänden, deren letzter der jiddischen Literatur gewidmet ist, und Abraham A. Robacks Versuch einer umfassenden Geschichte der jiddischen Literatur *The Story of Yiddish Literature* (1940). Nach dem 2. Weltkrieg inspirierten in den USA vor allem Samuel Niger (*derzeilers un romantistn*, New York 1946) und Elieser Schulman (*Yiddish Literature* in: American Jewish Yearbook 51/1950), mehr aus der Replik ihrer wissenschaftlichen Arbeiten heraus als durch originelle Veröffentlichungen, die jiddische Literaturforschung. Seit der Forschungstätigkeit der Judah A. Joffe und Judel Mark lag der Akzent der jiddischen Literaturwissenschaft dann eindeutig auf Gebieten des Volkskundlichen, eine Tendenz, die eigentlich schon der Tätigkeit der YIWO-Wissenschaftler zugrunde lag.

In Deutschland setzte die Erforschung der jüdisch-deutschen Literatur schon früh ein. In seiner *Bibliotheca Hebræa* (4 Bde., Hamburg 1715–1733) bringt Johann Christoph Wolf in vol. II, 453–460 bzw. vol. IV, 182–206 im Abschnitt *Versio Hebraeo-Germanica* bzw. *Versio Judaeo-Germanica* eine noch immer brauchbare Zusammenstellung der jiddischen Übersetzungen des Pentateuch und einzelner Bücher des Alten Testaments. Auch Julius Fürsts bibliographisches Handbuch der gesamten jüdischen Literatur *Bibliotheca Judaica* (3 Tle., Leipzig 1849–63) enthält manchen jüdisch-deutschen Titel.

Grundlegend für die jiddische Literaturwissenschaft in Deutschland war jedoch erst die Tätigkeit eines Moritz Steinschneider. Unter seinen zahlreichen, meist bibliographisch angelegten Arbeiten verdienen besonders seine Veröffentlichungen in Robert Naumanns bibliothekwissenschaftlicher Zeitschrift »Serapeum« [4] aufmerksame Beachtung. Einschränkend muß hier bemerkt werden, daß im Vordergrund seiner Publikationen die Behandlung des religiösen Schrifttums steht, ebenso wie in den im gleichen Zeitraum erscheinenden Darstellungen zur jüdischen Literatur des Leopold Zunz und Gustav Karpeles (beide handeln die jüdisch-deutsche Literatur recht beiläufig im Rahmen einer umfassenden jüdischen Literaturgeschichte ab). Daß jedoch auch eine volkstümlich-unterhaltende jüdisch-deutsche Literatur Verbreitung gefunden hat, zeigt andeutungsweise Avé-Lallemants Einführung in die jüdisch-deutsche Sprache und Literatur im dritten und vierten Teil seiner umfangreichen Abhandlung über das *Deutsche Gaunerthum* (Leipzig 1862) [5]. In der Auseinandersetzung mit ihm vermag auch Steinschneider nicht, diese Literatursparte gänzlich zu leugnen, wie sein in Richard Gosches *Archiv für Literaturgeschichte* (2/1872, S. 1–21) abgedruckter Vortrag *Über die Volksliteratur der Juden* beweist. Zwei Jahre vorher machte in derselben Zeitschrift (1/1870, S. 90–101) Hermann Lotze auf die jüdisch-deutsche Literatur aufmerksam. Aber trotz dieser grundlegenden Anregungen begegnete die deutsche Philologie der jiddischen Literatur mit konstanter Nichtbeachtung, die auch Karl Hildebrand in seinem Vortrag über die jüdisch-deutsche Literatur auf der 26. Versammlung deutscher Philologen und Schulmänner in Würzburg (30. 9.–3. 10. 1868) [6] nicht zu beheben vermochte. Das Desinteresse der deutschen Germanistik, die sich doch ansonsten nicht davor scheute, auch noch so schwachen Spuren deutschen Sprachguts zu folgen, erscheint ebenso unverständlich wie unverantwortlich. Staunend muß der Betrachter der wissenschaftlichen Szene feststellen, wie beispielsweise die ertragreiche Forschungsarbeit eines Max Grünbaum (1817–1898) mit unverhohlener Ablehnung von germanistischer Seite honoriert worden ist. Grünbaum, dem in jedem anderen Land die Anerkennung nicht versagt worden wäre, konnte in Deutschland seine Abhandlungen lediglich in der *Zeitschrift der Deutschen Morgenländischen Gesellschaft* unterbringen. Wie wegweisend auf dem Gebiete jüdisch-deutscher Literaturwissenschaft sein Wirken hätte sein können, zeigt die Anlage einer noch heute verwendbaren *Jüdisch-deutschen Chrestomathie* (Leipzig 1882). Ihr ist leider kaum Beachtung entgegengebracht worden. Das Werk mußte ein Torso bleiben, da Autor und Verlag sehr bald resignierten.

Sicherlich mag die hebräische Schrift, in der das Jiddische in der Regel wiedergegeben wird, einige Schwierigkeiten für eine umfassende Forschung weiter germanistischer Kreise bereitgehalten haben. Andererseits konnte diese »Schriftbarriere« – wie in heutigen Tagen – kaum als Begründung für die fast völlige Nichtbeachtung des Jüdisch-Deutschen im germanistischen Forschungsbereich herangezogen werden, widersprechen doch einer solchen bequemen Ausflucht die hebräischen Grundkenntnisse, die noch im vorigen Jahrhundert zum selbstverständlichen sprachlichen Rüstzeug eines Germanisten zählten. [7]

Um es deutlich auszusprechen:

Die Frage, weshalb das jüdisch-deutsche Schrifttum in der Germanistik nahezu traditionell ausgeschlossen blieb, läßt sich in der Tat leicht beantworten, wenn man um das Selbstverständnis der deutschnationalen Literaturgeschichtsschreibung seit dem 19. Jahrhundert weiß. Aus der romantischen Vorstellung von der dichtenden und schaffenden Volksseele erwachsen, umwob die wissenschaftliche Behandlung deutschsprachiger Literatur seit Gervinus ein germanisch-mythologisches Gespinst. »Die Taten und Schicksale des deutschen Volkes, sein Recht, seine Kunst, seine gesamte Kultur werden in unsrer Zeit mit einer Gründlichkeit erforscht, einer Wärme und Lebendigkeit dargestellt, von der frühere Jahrhunderte kaum eine Ahnung hatten. In diesem Kreise nimmt die Erforschung der deutschen Sprache und Literatur eine der wichtigsten Stellen ein. Nach langen Wanderungen in der Fremde sind wir endlich wieder in unsrer eignen Heimat eingekehrt« ließ Rudolf von Raumer vernehmen. [8] Deutsche Sprache und Literatur als Kraftquellen im Ringen um ein eigenständiges Deutschtum – so lautete die Devise, die später in der Zeit des Nationalsozialismus zu einer verheerenden ideologischen Plattform höchst abgeschmackter Literaturbetrachtung erweitert werden sollte. [9] Verständlich, daß im Rahmen dieser einseitigen, arteigenen Wissenschaftlichkeit alles Andersartige, Wesensfremde, als das nun einmal das Jüdisch-Deutsche anzusehen ist, unter gar keinen Umständen zu den »das Gesamtschicksal des deutschen Volkes mittragenden und mitgestaltenden Kräften« [10] gerechnet werden konnte. Und das, obwohl doch gerade der eben zitierte von Raumer frühzeitig genug vor einer isolierten Sprach- und Literaturbetrachtung eindringlich warnte: »Ein solches Verfahren könnte nur zu Verkümmerung und Barbarei führen, und nichts würde so sehr dem Geist und Bildungsgang unseres Volkes widersprechen. Ein Kulturvolk steht im lebendigen Zusammenhang mit den Völkern der Vergangenheit und Gegenwart, auf denen die Entwicklung der Menschheit ruht. Es lernt von ihnen allen und nimmt die überkommenen Elemente in seine Bildung auf.« [11]

Hermann Paul überwand sich sogar, diesen Gedanken auszuführen und die

Abstammung überkommener Elemente namentlich anzugeben: »Die germanischen Stämme haben die tiefgreifendsten Einflüsse von außen erfahren. Ihre nationale Kultur ist frühzeitig und immer von neuem durch römische, griechische und *jüdische* (vom Verf. hervorgehoben) Elemente reichlich durchsetzt.« [12] Auch Paul warnt vor einer engstirnigen, auf den nationalen Bereich beschränkten Verfahrensweise bei der Behandlung deutscher Sprache und Literatur: »So wenig wie ein einzelner Zweig der Kultur darf die Gesamtkultur eines einzelnen Volkes isoliert betrachtet werden. Dieselbe hat sich niemals so selbständig entwickelt, daß nicht andere Völker darauf Einwirkungen gehabt hätten. Diese sind soweit als möglich zu verfolgen.« [13]

Wie wenig vermochten doch diese löblichen Vorsätze den Alltag des germanistischen Wissenschaftsbetriebs zu befruchten; wieviel lieber gefielen sich die Träger deutscher Germanist in der Rolle des »vaterländischen Mahners« [14] als in der eines sachlich operierenden Wissenschaftlers! Wie tief der deutschnationale Geist wurzelte, mag uns das Beispiel Gustav Roethes (1859–1926) lehren, der sich besonders als »Erneuerer der Gesellschaft für Deutsche Philologie« Meriten verdiente. Von ihm wird berichtet [15], daß er bei seiner Berufung zum Nachfolger Müllenhoffs und Weinholds nach Berlin seine Zweifel, ob er auch der rechte Mann für diesen Lehrstuhl sei, mit der grandiosen Begründung verwarf, »die Erwägung, auf altpreußischem Boden wirken zu dürfen, habe entschieden.« Vielmehr empfand er es als »Pflicht und Schicksal, in Preußens Hauptstadt seine Kräfte für deutschen und preußischen Geist einzusetzen.«

Es verdient schon besondere Beachtung, wenn wir in dem von Paul edierten *Grundriß der germanischen Philologie* die Rückführung des »entschieden besten Spielmannsgedichts«, *Salman und Morolf*, auf jüdische Überlieferungen sowie die Erwähnung einer »bänkelsängerischen Umdichtung von Wirnts ›Wigalois‹ in jüdisch-deutschem Dialekt« vorfinden. [16] Ansonsten räumten die Standardwerke germanischer Sprachforschung und Literaturgeschichte zwar der Behandlung der englischen, niederländischen, friesischen und skandinavischen Sprache und Literatur einen breiten Raum ein, das dem Deutschen ungleich näher stehende Jüdisch-Deutsch blieb hingegen unbeachtet. [17] Und das, obwohl gelegentlich die Erkenntnis reifte, daß »das Jüdisch-Deutsche, eine Fundgrube für mittelhochdeutsches Sprachgut, noch umfassender wissenschaftlicher Bearbeitung harrt.« [18] Juden räumte man allenfalls einen Anteil an der deutschen Literatur nach 1848 (»Kompert und Genossen«) ein. [19]

An der Unterdrückung des Jüdisch-Deutschen und seiner Literatur vermochten auch die Publikationen eines Salomo Birnbaum, Leo Landau oder Matthias Mieses nichts zu ändern. Erst nach 1945 war die deutsche Germanistik geneigt, im Zuge der allgemeinen philosemtischen Strömungen in der BRD der Jiddistik einen bescheidenen Platz innerhalb ihrer Forschungen einzuräumen. Es war vor allem Franz J. Beranek, der diese Bereitschaft auszunutzen und mit Unterstützung der Deutschen Forschungsgemeinschaft eine Monopolstellung im jiddistischen Forschungsbereich in Deutschland aufzubauen wußte. Da das Jiddische Wissenschaftliche Institut (YIWO) in New York ihn sowohl als ehemals aktiven Antisemiten wie auch als philologisch inkompetent ablehnte, ist es ihm zu verdanken, daß die bundesdeutsche Jiddischforschung keine internationalen Kontakte herzustellen vermochte.

Neben der aus den Gedanken des nationalen Eigenwerts und der Eigenwüchsigkeit der deutschen Sprache erwachsenen Ignoranz der Germanistik für alles Ungermanische muß die Herabwürdigung des Jüdisch-Deutschen zu einem (im herabsetzenden Sinne der jüdischen Aufklärung definierten) Jargon als ein weiterer Grund für seine Diskriminierung bzw. Nichtbeachtung genannt werden. Eine geradezu arrogante Haltung der deutschen Hebraistik, die im »Judendeutsch« ein den Juden entehrendes Kauderwelsch, einen Jargon, der ihm Verhöhnung einbrachte [20], erblickte, verhinderte bis heute einen interdisziplinären Gedankenaustausch. Diese Sprachbetrachtung orientierte sich ausschließlich an der Rolle des Jiddischen als Quelle zahlreicher Rotwelschausdrücke. So darf es nicht verwundern, daß wir das Jüdisch-Deutsche grundsätzlich auf eine Stufe mit der Gauner-, Gossen- und Kundensprache gestellt sehen. Trotz aller Anstrengung gelang es auch Avé-Lallemant nicht, diese vorherrschende Fehleinschätzung des Jiddischen zu brechen – möglicherweise deshalb nicht, weil er das Jiddische ja gerade im Zusammenhang mit seiner Untersuchung über das deutsche Gaunertum behandelte. Allerdings war es Avé-Lallemant, der den deutschen Orientalisten des 16. bis 18. Jahrhunderts den Vorwurf nicht ersparte, das Jüdisch-Deutsche innerhalb ihrer Forschungen bewußt ausgespart zu haben. [21]

Ursprung und Entwicklung lassen eine Zuordnung des Jüdisch-Deutschen und seiner Literatur nur zum deutschen Kulturbereich zu und rechtfertigen somit ihre Behandlung im Rahmen germanistischer Forschung. Diese Feststellung hat die englische Germanistik gerade in jüngster Zeit veranlaßt, der Jiddischforschung einen hervorstechenden Platz einzuräumen. Allerdings dürften dafür auch Zufallserscheinungen, wie das Auffinden des Cambridger Manuskripts T.-S. 10 K. 22 (das eine jiddische *Dukus-Horand*-Hs. aus dem Jahre 1382 enthält) und überhaupt die günstige Nähe zum Material (man denke nur an die umfangreiche Sammlung jiddischen Schrifttums in der Oxforder ›Bodleiana‹) verantwortlich zu machen sein. Insgesamt verliert sich jedoch der Forschereifer in Einzelbereiche; es fehlt ein Bemühen um eine Gesamtdarstellung des Schrifttums, die seine Entwicklung vor dem Hintergrund der Sozialgeschichte der Juden in Deutschland aufzeigt und der jüdisch-deutschen Literatur den ihr gemäßen Stellenwert im deutschen Kulturbereich zuordnet.

Die Problematik einer solchen Darstellung liegt ohne Zweifel in der Zugehörigkeit der jiddischen Sprache und ihrer Literatur zum Jüdischen selbst. Mag eine rein linguistische Abhandlung, sich im Bereich der Lexik, Idiomatik oder Graphematik bewegend, noch den Ausweg einer bloßen sprachwissenschaftlichen Konstatierung bereithalten, so erzwingt die Behandlung des Schrifttums, wegen seiner unbedingten geistesgeschichtlichen Nähe zum Deutschen wie zum Jüdischen gleichermaßen, von selbst die Wertung: was ist jüdisch – was ist deutsch? Diese vordergründige Fragestellung ist in ihrer Oberflächlichkeit ebenso pauschal und platt wie die mannigfachen Versuche einer Beantwortung, etwa nach ethnologischen, religionswissenschaftlichen oder gar politischen Kriterien, die stets die Differenz, nie aber die Verbindung des Jüdischen *und* des Deutschen suchen. Jede Deutung der jüdisch-deutschen Literatur nach diesen Maßstäben schließt automatisch einen pro- oder antijüdischen Standort des Betrachters mit ein. Mehr noch – und hier wird der Bogen reichlich überspannt – der Betrachter selbst hat sich als Jude oder Nicht-Jude zu identifizieren. [22]

Das Dilemma eines Einbezogen-Seins in ein fortwährendes Spannungsfeld nichtwissenschaftsbedingter Polemik überschattete ständig eine sachliche Erörterung von Inhalt und Wesen des jiddischen Schrifttums. Nicht selten erstreckte sich dabei die Diskussion bewußt auf vordergründigem, unwissenschaftlichem Gebiet, zu eingefahren waren die Standorte der Beteiligten, zu impulsiv ihre Äußerungen. Im individuellen Engagement wurde nach subjektiver Motivation der Versuch unternommen, den Betrachtungsgegenstand einzubeziehen in das Hin und Her anti- und projüdischer Betrachtungsweisen. Es nimmt nicht wunder, daß sich im Rahmen einer solchen unsachlich arbeitenden Jiddischforschung gerade im Bereich der deutschen Philologie keine wissenschaftsbezogene Forschungsrichtung entwickeln konnte. »Die ständig betonte Universalität unserer Hochschulen hat kaum jemals der Jiddischforschung Raum geboten, wenn man von dem fruchtbaren, durch das Jahr 1933 jäh beendeten Wirken Salomo Birnbaums an der Hamburger Universität absieht.« [23] Die sog. arteigene Kultur- und Hochschulpolitik der Jahre 1933–45, »die in Deutschland Semitistik, Hebraistik und Jiddistik einem pseudowissenschaftlichen Antisemitismus dienstbar gemacht hatten,« [24] sind bis heute nicht überwunden. Daran vermag auch die Tatsache nichts ändern, daß mit dem inzwischen verstorbenen Franz J. Beranek ein Jiddist an der Gießener Universität einen germanistischen Lehrstuhl erhielt. Vielmehr ist dieses Einzelbeispiel symptomatisch für die Nachkriegsentwicklung der Jiddistik im Hochschulbereich der BRD und DDR. Kompetente Wissenschaftler wie Karl Habersaat, Siegmund A. Wolf u. a. vermochten ihre Forschungsarbeit lediglich in privater Sphäre zu absolvieren, unter welch unwürdigen Verhältnissen mag das Beispiel Karl Habersaats zeigen. Eine angemessene Unterstützung der Jiddischforschung durch die deutschen Hochschulen läßt bis heute auf sich warten.

Das Jiddische gilt als eine Nahsprache [25] des Deutschen, hervorgegangen aus mittelhochdeutschen Dialekten. Nach sprachsoziologischen Kriterien erweist es sich als ein in seiner sprachlichen Entwicklung zur Eigenständigkeit herausgebildetes Idiom, obwohl eine Abgrenzung nach linguistischen Maßstäben eine enge Verwandtschaft zum Deutschen erkennen läßt, die vergleichsweise dem Verhältnis des Niederländischen zum Deutschen entspricht. Dem Charakter einer voll ausgebildeten Umgangs- und Schriftsprache entsprechend sind Wortschatz, Grammatik und Syntax des Jiddischen durchaus eigenständig ausgebildet. Eine Bezeichnung des Jiddischen als eines deutschen Dialekts wäre daher vollkommen unzutreffend, zumal die Herausbildung eben dieses deutschen Dialekts die vollwertige Integration der Juden in den deutschen Kulturbereich über einen längeren, zusammenhängenden Zeitraum voraussetzte. Sprachgeschichtlich läßt sich jedoch die Herkunft des Jiddischen aus dem Deutschen, vornehmlich mittelhochdeutscher Dialekte, nicht ableugnen.

Das Zusammentreffen deutscher, hebräisch-aramäischer, slawischer sowie – in allerdings nur sehr geringem Umfang – älterer romanischer Elemente [26] in seinem Wortschatz verleihen dem Jiddischen das Wesen einer Mischsprache. Der Anteil der außerdeutschen Sprachelemente sollte jedoch nicht zu hoch geschätzt werden. Daß z. B. die Hebraismen 30 v. H. betragen sollen, wie gelegentlich behauptet worden ist, trifft keineswegs zu, vielmehr machen sie im modernen Jiddisch nur 5,38 v. H. aus. [27]

In der älteren Sprachstufe des Jiddischen sind die Slawismen verständlicherweise noch kaum nennenswert, während die wenig belegten Romanismen stets als spezifische Termini des sakralen Bereichs im ersten Stadium der jiddischen Sprachentwicklung in sehr geringem Umfang in den Wortschatz eingeflossen sind. So kann, im Ganzen gesehen, die Bezeichnung als Mischsprache lediglich geistesgeschichtlich durch die im Jiddischen belegte Verschmelzung deutschen Sprach- und jüdischen Geistesguts berechtigt angewendet werden. Im übrigen steht ein derartiger sprachschöpferischer Vorgang jüdischer Einwanderer im Sprachraum ihrer Wirtsvölker in der jüdischen Kulturgeschichte nicht vereinzelt da. »Als Ergebnisse eines annähernd gleichartigen Vorgangs sind das Jüdisch-Spanische (Ladino, Spaniolisch) und das Jüdisch-Persische (Juden-Persisch) zu betrachten; während das Jüdisch-Griechische und das Jüdisch-Italienische sowie einige andere jüdische Mundarten nicht bis zur Verselbständigung gediehen sind.« [28] Die Bezeichnung »Jiddisch« entstammt der um die Jahrhundertwende im amerikanischen Schrifttum auftauchenden Transkription »Yiddish« der schon seit Jahrhunderten üblichen spracheigenen Benennung »Jidisch« [29], was nichts anderes als eben »jüdisch« bedeutet.

Ein Verständnis für die Entwicklung des Jiddischen setzt die eingehende Kenntnis der jüdischen Geschichte in Europa, des jüdischen Galuth-Daseins [30] und der in diesem Zusammenhang entstandenen Wanderbewegungen der Juden voraus. Unerläßlich ist vor allem die Einsichtnahme in das Wesen des Judentums, in religiöser, soziologischer und geistesgeschichtlicher Beurteilung. Für die geistesgeschichtlichen und religionsgeographischen Bezüge [31] erscheint ein Begreifen des Phänomens »Judentum« dringend notwendig. Die Interpretation des Judentums darf dabei nicht ausgehen von seiner üblichen ethnologischen Bestimmung als ein historisch erwachsenes Stammestum, was neuesten Erkenntnissen nach ebenso unrichtig ist wie die anthropologisch orientierte Zuordnung der Juden zur semitischen Rasse. Insofern muß auch eine allgemein übliche Einordnung der Juden in eine klar bestimmbare biologische Einheit abgelehnt werden, gleichwohl sich unter den europäischen Juden zwei Grundtypen, die Sefardim [32] und die Aschkenasim [33] herausgebildet haben. Vielmehr bilden gemeinsames Schicksal, gemeinsame Religion und Volkszugehörigkeit die einzigen Zuordnungskriterien, sieht man einmal von einer gewissen seelisch-leiblichen Eigenart ab, die im einzelnen wohl kaum feststellbar, insgesamt jedoch durchaus spürbar ist und die bei noch so starker innerer und äußerer Assimilation nicht verloren zu gehen scheint.

Der Begriff des Judentums als kongruente Bezeichnung jüdischer Religion und Nationalität erfuhr stets zu Zeiten äußeren Drangsals eine Verhärtung, in Zeiten der Duldung oder gar Anerkennung von seiten ihrer Wirtsvölker interpretierten die Juden selbst das »Jude-Sein« allein als Zugehörigkeit zur jüdischen Religionsgemeinschaft.

Für die Klärung der Herausbildung des jiddischen Idioms in einem den Juden an sich fremden deutschen Sprachraum müssen die vorangestellten Erläuterungen dringend beachtet werden. Der Gedanke, daß dieses essentielle Attribut, nämlich das Attribut einer besonderen Religionsgemeinschaft als primäre Wesensbestimmung des Judentums, die jüdischen Spracheigenarten in bedeutendem Maße gefördert haben soll, entspricht zwar nicht den Vorstellungen konventioneller Linguistik, doch spricht diese Ignoranz keineswegs gegen eine Deutung der Entstehungsursachen des Jiddischen aufgrund gravierender religiöser Sonderstellung der jüdischen Minderheit im mittelalterlichen christlich-europäischen Raum. Warum sollte dem realen, psychologisch so wichtigen Moment dieser autochtonen Formkraft »Religion« nicht die Fähigkeit einer Sprachlenkung zuerkannt werden? Belegt doch die gewöhnlich vorherrschende sprachliche Sonderstellung der Juden unter ihren Wirtsvölkern eindeutig diese Annahme. Hinsichtlich des Jiddischen wird eine derartige Vermutung noch verhärtet, bedenkt man, daß im klerikal geformten mittelalterlichen Europa Form und Umfang eines Wortschatzes durch die Vorherrschaft und Vielzahl spezifischer religiös-ethischer Formulierungen sowie den rituellen Wortgebrauch gottesdienstlichen Brauchtums geprägt worden sind. Die an späterer Stelle aufgezeigte Entwicklung der älteren jiddischen Literatur im deutschen Sprachbereich wird für das Anfangsstadium der jiddischen Sprachgeschichte die überaus wichtige Funktion der liturgischen Sprache deutlich nachweisen. »Ein jedes kodifizierte, geschlossene Religionssystem hat eine liturgisch bevorzugte Sprache, die jedoch eine weit umfassendere und entscheidendere Rolle als bloß einer Kirchensprache spielt. In den Zeiten der

Hegemonie der Religion wickelt sich in dieser Sprache Kultur, öffentliches Leben, alles Denken und Fühlen und Schaffen der gebildeten Gläubigen ab.« Diese wichtige Feststellung Mieses' [34] trifft für die Juden und ihr Sprachverhalten in besonderem Maße zu, kann man doch behaupten, daß bei ihnen die Hegemonie der Religion permanent bestanden hat und noch anhält.

Hinsichtlich der Herausbildung und Entwicklung des Jiddischen ist unbedingt zu trennen zwischen dem ursprünglich in Westeuropa, zuletzt vor allem noch in den Niederlanden und Elsaß-Lothringen verbreiteten Jiddisch und dem, das durch die bereits im 12. Jahrhundert einsetzende jüdische Ostwanderung nach Osteuropa [35] getragen worden ist und sich dort im Laufe der Zeit zu einem eigenen Ost-Jiddisch entwickelt hat. Allerdings ist die herkömmliche Einteilung des Jiddischen in ein West- und Ost-Jiddisch, verbunden mit einer zeitlichen Gliederung in ein Alt-, Mittel- und Neujiddisch, wegen der Kombination geographischer und historischer Kriterien ebenso verwirrend wie sachlich ungenau. Zu bedauern ist, daß die geographische Einteilung in ein westliches und östliches Jiddisch innerhalb der germanistischen Terminologie in Deutschland gar unter dialektologischer Beurteilung vorgenommen wird, was der sprachgeschichtlichen Entwicklung des Jiddischen in keiner Weise gerecht wird. [36] Die Unsicherheit der deutschen Germanistik auf dem Gebiete der Jiddischforschung darf nicht verwundern, fehlen doch seit nunmehr 40 Jahren wissenschaftlicher Kontakt und Zusammenarbeit zwischen ihr und etwa den heute in den USA ansässigen Jiddischforschern – um nur die wissenschaftlich meistprofilierte Gruppe zu nennen. Daß dazu besonders die Ereignisse der jüngsten Vergangenheit beigetragen haben, braucht hier ebensowenig verschwiegen zu werden wie die Tatsache, daß die deutsche Germanistik auf dem Gebiete der Jiddischforschung, eben wegen dieser Vergangenheit, von einer eigentümlichen Unsicherheit und Befangenheit befallen zu sein scheint. Es mag zugute gehalten werden, daß die Schriftbarriere – das Jiddische bedient sich sowohl in der Kurrentschrift wie in der Drucktype hebräischer Schriftzeichen – für den Germanisten ein gewisses Maß an Schwierigkeit bereit hält. Auch dürfte das Fehlen eines umfassenden internationalen Austausches von Forschungsergebnisses auf einen gewissen Eigensinn der ehemaligen ostjüdischen Jiddisten zurückzuführen sein, denn sie publizieren ihre Arbeiten traditionell im modernem Jiddisch, also ebenfalls in hebräischen Schrifttypen.

Für die deutsche Philologie war »Jiddisch« ursprünglich die Bezeichnung der Sprache der Ostjuden, deren weltweite Verbreitung auf die um 1881 einsetzende und bei Ausgang des 1. Weltkriegs nochmals belebte Auswanderung von Jiddischsprechern aus den westlichen russischen Gebieten zurückzuführen ist. Ostjüdische Literaten wie Isaak Bär Levinsohn (1788–1866), Michael Gordon (1823–1890), Jehuda Löb Gordon (1830–1892), Michael Goldfaden (1840–1908), Eisik Meir Dick (1808–1893), vor allem aber die »Klassiker« Mendele Abramowitsch (1836–1917), Jizhak Leib Perez (1851–1915) und Scholem Alejchem (1859–1916) gaben diesem ostjiddischen Idiom in einem thematisch und sprachlich die ostjüdische Eigenart hervorkehrenden Schrifttum den artifiziellen Ausdruck. Und es mag schon etwas befremden, daß selbst die bekanntesten Werke der ostjüdischen

Schriftsteller unter den deutschen Juden erst im letzten Viertel des 19. Jahrhunderts bekannt geworden sind. Im übrigen hat dieses Ost-Jiddisch mit jenem westeuropäischen jiddischen Idiom, das durch das aufklärerische Judentum der Ära Mendelssohn zum Absterben verurteilt wurde, nur die Wurzel gemeinsam: »Das westliche Jiddisch kann insofern die ältere Schwester des Ostjiddischen genannt werden, als ihre Mutter das Mittelhochdeutsche ist. Da das Westjiddische stets dem Boden des deutschen Sprachbereichs verhaftet geblieben ist, kann seine im 19. Jahrhundert auch wissenschaftlich üblich gewesene Wertung als ›ein eigener Dialekt oder Jargon‹ des Deutschen nicht schlechthin abgelehnt werden« [37]. Damit ist jedoch nicht jene herabsetzende Bezeichnung des Jiddischen gemeint, wie sie die jüdischen Aufklärer gebrauchten, weil sie den Fortbestand der jiddischen Sprache als hinderlich für die Aneignung des Schriftdeutschen und somit der Emanzipation werteten.

Die internationale Jiddischforschung gliedert heute die jiddische Sprache in ein »Frühestes Jiddisch« (vor 1250) – »Altjiddisch« (1250–1500) – »Mitteljiddisch« (1500–1750) – »Neujiddisch« (nach 1750) und schließlich existiert daneben noch ein »Standard-Jiddisch«, das seit 1917 in der Sowjetunion geformt und gefördert worden ist. Letzteres unterscheidet sich vom »Neujiddisch« durch eine vereinfachte, normierte Orthographie sowie durch eine größtmögliche Eliminierung der Hebraismen. Diese Unterteilung des Jiddischen nach überwiegend historischen Gesichtspunkten hebt sich über das Stadium eines Provisoriums nicht hinaus und ist rein hypothetisch. Allein schon die prägnante Terminierung der einzelnen Zeitabstände der sprachlichen Entwicklungsstufen muß mit aller Entschiedenheit zurückgewiesen werden. Auch kommt bei dieser zeitlichen Einteilung das geographische Moment der Migration jüdischer Bevölkerungsgruppen und ihrer Sprache selbst zu kurz. [38]

Die ursprüngliche Bezeichnung »Jüdisch-Deutsch« für das im westlichen Europa entstandene und verbreitete ältere Jiddisch erscheint unbedingt geeigneter, wenngleich vor allem Birnbaum diese Bezeichnung moniert [39]. Für ihn kennzeichnet der Begriff Jüdisch-Deutsch, seltener auch Judendeutsch genannt, einen deutschen Dialekt der Juden, was jedoch, rein soziologischer Beurteilung zufolge, »die Jiddisch sprechenden Juden als innerdeutsche Kulturgruppe zur Voraussetzung hätte« [40]. Linguistisch scheint die Bezeichnung »Jüdisch-Deutsch« durchaus gerechtfertigt; denn sieht man einmal vom quantitativ geringfügigen Anteil an Hebraismen und einer bei allen jüdischen Bevölkerungsschichten gleichermaßen auftretenden eigentümlichen Sprechweise der deutschen Sprache ab, so lehnt sich das Jüdisch-Deutsche durchaus an mittelhochdeutsche Dialekte an. Außerdem waren – trotz aller religiöser, rechtlicher und wirtschaftlich-sozialer Sonderstellung der Juden im mittelalterlichen Europa – die gesellschaftliche und erst recht nicht die kulturelle Kluft zwischen ihnen und der nicht-jüdischen Bevölkerung so tief, wie sie Birnbaum bewertet. Daß die deutschen Juden dieser Zeit die deutsche Umgangssprache beherrschten, erforderte allein schon ihre wirtschaftliche Tätigkeit; auch sollte der Konsum populären deutschen Lesestoffs nicht zu gering geschätzt werden. Eine jüdische Anteilnahme an der deutschen Folklore war, wie wir später noch sehen werden, voll und ganz gegeben. Schließlich bedarf es nur des Verweises auf den jüdischen Minnesänger Süßkind von Trimberg (ca. 1250–1300), um festzustellen, daß auch eine aktive jüdische Teilnahme am deutschen Kulturleben stattgefunden haben muß.

Es kann unmöglich geleugnet werden, daß sich das Jüdisch-Deutsche über den Zeitraum seiner Entwicklung – etwa vom 9. Jahrhundert bis zur Mitte des 18. Jahrhunderts – sprachlich verändert hat. Allein schon die Ghettoisierung der deutschen Juden muß zur Sprachregulierung im Sinne einer gewissen Verselbständigung beigetragen haben. Allerdings hat sich diese sprachliche Entwicklung über einen längeren Zeitraum zwar stetig, aber doch sehr langsam vollzogen, was allein schon durch den überaus hohen Anteil des (mittelhoch-)deutschen Grundbestandes im Wortschatz des heutigen jiddischen Idioms belegt wird. Die Gründe für dieses sprachkonservative Verhalten können nur in der traditionellen Liebe und Pietät der Juden zu allem Althergebrachten zu suchen sein. Zudem bildet die Ehrfurcht vor dem Phänomen Sprache einen festen Bestandteil der jüdischen Religiösität, worauf auch die Bezeichnung »loschon ha-kodesch« (= heilige Sprache) für das Hebräische hinweist. Eine Überkompensierung dieser jüdischen Eigenart muß in dem bewußten Verzicht eine philologischen Behandlung aller hebräischen Literatur gesehen werden.

Fraglich bleibt, wann die Verselbständigung des Ostjiddischen begonnen haben mag. Es ist denkbar, daß sich dieser Prozeß über einen längeren Zeitraum hin erstreckt haben muß. »Die Frage nach dem Zeitpunkt oder besser Zeitraum, in dem das von den Juden Osteuropas gesprochene, jüdisch gefärbte Deutsch eigene Züge, besonders lautliche Besonderheiten zu entwickeln begonnen hat, die es von dem jüdischen Deutsch des Westens allmählich deutlich abhoben und entfernten, ist beim derzeitigen Stand der Jiddischforschung noch nicht zu beantworten.« Dieses harte Urteil S. A. Wolfs [41] über die zur Lösung dieses Problems nur unbefriedigend beitragenden Forschungsergebnisse der Jiddistik hat durchaus Berechtigung.

Die Genese der eigenständigen jiddischen Sprache Osteuropas muß schon in dem Ansatz zur Bildung eines genuin jiddischen Idioms innerhalb der jüdischen Gemeinschaften des deutschen Sprachgebiets gesucht werden. Dabei muß als nicht unwesentlicher Faktor der Sprachumbildung jenes bei konfessionellen Minderheiten nicht selten anzutreffende archaisierende Moment der Isolierung in Betracht gezogen werden. Unter Beibehaltung eines in großen Zügen unveränderten Wortschatzes erfolgte durch den Einfluß der slawischen Sprachumgebung eine deutlich erkennbare Änderung der Lautbildung, aber auch der Grammatik und Syntax innerhalb der von jüdischen Emigranten nach Osteuropa getragenen jüdisch-deutschen Sprache.

Die Gründe für die Entstehung des Jüdisch-Deutschen sind einerseits in dem Aufeinandertreffen zweier Religionen in ein- und demselben Kulturraum zu suchen, was »schon im ersten Anlauf die Bildung zweier Reihen von Termini technici kirchlicher, ritueller, religionstheoretisch-hierarchischer usw. Natur« [42] zur Folge hatte. Andererseits muß die enge wirtschaftliche Verflechtung der jüdischen mit der deutschen Bevölkerung, die notwendigerweise eine weitestgehende Beherrschung der deutschen Umgangssprache und einen gewissen Grad an Vertrautheit mit dem Schrift- und Urkundenwesen voraussetzte, die Annahme eines deutschen Idioms erzwungen haben. Sicherlich mag es verwundern, daß es unter diesen Voraussetzungen nicht zu einer vollständigen sprachlichen Assimilierung gekommen ist. Für eine Nichtannahme der deutschen Umgangssprache müssen einmal mehr das besondere jüdische Religionsgebaren, die strengen rituellen Vorschriften zu ständigem Gebet, Gottesdienst und dem Lesen in den hebräischen Schriften der Vorfahren verantwortlich gemacht werden. Man darf nicht vergessen, daß besonders die alte jüdische Schule, der Cheder, als konservative sprachlenkende Institution große Wirkung im Sprachverhalten der jüdischen Religionsmündigen erzielte. Von morgens früh bis spät abends erfolgte hier eine Unterweisung in der Liturgie und den Dogmen; an Hand von Bibel und Talmud wurden alle Gattungen der hebräischen Literatur eingehend studiert, ferner aber auch alle Probleme des Alltags mittels Bibel und Talmud erörtert. »Quantitativ und qualitativ war es die alte Nationalsprache, die die jugendlichen Köpfe beherrschte, und das Idiom des täglichen Lebens mußte diese Herrschaft verspüren.« [43] So leistete die hebräische Muttersprache den phonetischen, grammatikalischen und syntaktischen Elementen ihrer deutschen Rivalin erbittert Widerstand, »nachdem sie sich den ganzen physiologischen und psychischen Lautmechanismus ihres Trägers zunutze gemacht hat; ihm unbewußt, tritt sie jeden Augenblick an die Stelle der andern, fälscht sie, entstellt sie, modifiziert sie.« [44] Dieses Idealbild des praktischen jüdischen Glaubenslebens darf jedoch nicht darüber hinwegtäuschen, daß sich im Laufe der Zeit ein gewisser Grad an Ungeübtheit und – aus jüdischer Sicht – Ungebildetheit im Umgang mit dem hebräischen Schrifttum in weiten Kreisen der jüdischen Glaubensgemeinschaften eingestellt hat. Die Gründe dafür sind in der wirtschaftlichen Betätigung zu suchen, sie vermochte das rituelle Glaubensleben doch erheblich zu lockern, zumal der Wunsch der Vielzahl der jüdischen Bevölkerung in den deutschen Städten dahinging, sich zu assimilieren, was eine Liberalisierung religiöser Sitten und Brauchtümer nach sich zog. Der Anwendungs- und Geltungsbereich des Jüdisch-Deutschen erstreckte sich alsbald auf alle wichtigen Bereiche des häuslichen und geschäftlichen Lebens. Dabei gingen typische hebräische Bezeichnungen für lebensnotwendige, auch der deutschen Nachbarschaft eigene Gebrauchsgegenstände verloren und wurden durch deutsche Vokabeln ersetzt. Nach und nach wurde so das Jüdisch-Deutsche die Haussprache der jüdischen Familie, eine Entwicklung, an der die jüdische Frau als Trägerin und Hüterin des häuslichen Lebens erheblichen Anteil nahm. Die Rolle der Frau innerhalb der jüdischen Familie und somit ihr starker Einfluß auf viele Teile des jüdischen Gesellschaftslebens sollte trotz der Dominanz des Mannes im Kulturleben nicht unterschätzt werden! Zwar war »die Kultur des jüdischen Mittelalters vorwiegend männlich; vom Manne für den Mann gedacht und gebildet – wie ja überhaupt die jüdische Religion einen stark männlichen Charakter trägt,« [45] doch lag der Schwerpunkt der häuslichen Erziehung eindeutig in den Händen der Frau. Auch oblag ihr die Sorge um die Einhaltung der religiösen

Vorschriften in der Wohnung, besonders in der Küche, in der Kleidung sowie auf dem Gebiete der »Wohltätigkeit«, der Armen- und der Krankenpflege. Sie dominierte in den Bereichen der häuslichen Unterhaltung, indem sie maßgeblich für die Gestaltung der Spiele und Geselligkeiten verantwortlich war. Daß gerade die jüdische Frau aufgrund ihrer gesellschaftlichen Stellung mit ihrer christlichen Nachbarin verkehrte, versteht sich selbstredend; und so ist vor allem hier die Quelle deutscher Spracheinflüsse zu suchen.

Das gesprochene Jüdisch-Deutsch rückte in kurzer Zeit in Bereiche des Handels, Verkehrs, der Gerichtsbarkeit und auch des Unterrichts vor. Im schriftlichen Gebrauch vermochte es hingegen erst allmählich das Rabbinisch-Hebräische zu verdrängen, in welcher Form und in welchem Ausmaß, das belegen die ersten jüdisch-deutschen Glossen in den Bibelkommentaren des gelehrten Raschi (1040–1105) und seiner Zeitgenossen. Auch der schriftliche Gebrauch des Jüdisch-Deutschen wurde von der jüdischen Frau in ihrem Briefverkehr sehr gefördert. Anfänglich noch gemischtsprachlich – so in dem häufig auftretenden Typus des gemischtsprachigen Briefes, in inoffiziellen Verlautbarungen, Protokollen usw. – entwickelte sich bald ein vollgültiges, offizielles Schrifttum in reinem Jüdisch-Deutsch. Außerdem stellte die aus der Umgangssprache geborene neue Schriftsprache für talmudisch weniger bewanderte Männer eine willkommene Ablösung des Hebräischen als literarische Sprache dar. Die Folge davon war ein sich rasch verbreitendes jüdisch-deutsches Schrifttum.

Der Prozeß der Herausbildung des Jüdisch-Deutschen kann nicht annähernd nachgezeichnet werden – trotz aller bisher gewonnenen Erkenntnisse. Somit läßt sich auch das Alter dieser Sprache nur annähernd bestimmen. Eine eindeutige Klärung dieses Problems ist der Jiddischforschung bislang nicht gelungen. Linguistischen Kriterien zufolge weist das Jüdisch-Deutsche gewisse Parallelerscheinungen sprachlicher Entwicklung in Deutschland an der Schwelle des Mittelhochdeutschen zum Neuhochdeutschen auf, wie z. B. die Diphtongierung mhd. langer Vokale [46] und die Monophtongierung mhd. Diphtonge [47] sowie die Dehnung (Längung) mhd. kurzer Vokale in offener Akzentsilbe [48]. Diese lautlichen Erscheinungen würden die Entstehungszeit des Jüdisch-Deutschen in den Zeitraum des Übergangs von Mhd. zum Nhd. verlegen, doch weist das Jüdisch-Deutsche andererseits lautliche Merkmale auf, die über das Spätmittelhochdeutsche (bis 1350) zurückgehen. Dazu gehört der Erhalt der Auslautvokale in unbetonter Silbe, deren Abfall sich im Deutschen seit dem 11. Jahrhundert bemerkbar macht. [49] Über das Spätmittelhochdeutsche hinaus weisen auch jüdisch-deutsche Formen wie »poips« (= Papst, mhd. bābes, spätmhd. bābest), vor allem aber die Erhaltung des unterschiedlichen Gebrauchs des f-Lautes zwischen Sonoren, abgeleitet aus germ. p und germ. f. [50]

»Soziologisch betrachtet – Sprache als Ausdrucksmittel einer vor allem kulturell zusammengehörigen Gruppe – ist das Idiom der Juden Deutschlands grundsätzlich in dem Augenblick als jiddisch (= jüdisch) anzusehen, indem sie hier als eigene Gruppe siedeln. Da jedoch die ersten Jahrhunderte dieser Geschichte fast vollständig in Dunkel gehüllt sind, muß man sich mit dem 9. Jahrhundert als

Ausgangspunkt der aschkenasischen Sprache, des Jiddischen, begnügen.« [51] Und doch – trotz aller von Anfang an auferlegten, freiwilligen oder erzwungenen Sonderexistenz – kann das Bewußtsein auch dieser sprachlichen Sonderstellung der in Deutschland seßhaften Juden nicht so tief gelagert gewesen sein, wie es Birnbaum gerne hinstellen möchte. Unleugbarer Beweis ist dafür die von den Juden selbst geprägte Bezeichnung ihrer Sprache: »Taitsch«, was auf eine größtmögliche, bewußt herbeigeführte Anlehnung an die deutsche Umgangssprache hinweist. Ein ebenso stichhaltiger Nachweis dafür ist die mundartliche Entwicklung des Jüdisch-Deutschen selbst. Sie vollzog sich unzweifelhaft unter Einfluß deutscher Mundarten vornehmlich des oberdeutschen Sprachgebiets. Grundlegende Aussagen darüber konnte die Jiddischforschung bisher nicht erbringen, es fehlt eine systematische Untersuchung auf diesem Gebiet. Beraneks *Westjiddischer Sprachatlas* kann als eine solche nicht bezeichnet werden, weist er doch erhebliche Mängel auf und erscheint vor allem als ein nach methodologischen Gesichtspunkten wissenschaftlich diffuses »Ergebnis einer mehr als 35-jährigen Beschäftigung mit der jiddischen Sprache«*.

* Einleitung zum »Westjiddischen Sprachatlas« (S. 1). – Diese Bemerkung kann als vollwertiger Hinweis für das Zustandekommen des sich im großen und ganzen auf Wortbelege stützenden – und damit eher einen Wortatlas darstellenden – Kartenmaterials nicht herangezogen werden. Die Quellen der von *Beranek* »in den Jahren 1928–1961 [...] persönlich an Ort und Stelle aufgezeichneten« Belege werden mit der Begründung, daß die Einzelaufzählung der »vorhandenen, aber weit verstreuten literarischen Quellen« sich »angesichts der geringen Menge ihres tatsächlichen Ertrages« erübrige, leider verschwiegen. Interessanter sind da schon *Beraneks* Ausführungen über seine jiddistischen Arbeitsvorhaben in den von ihm herausgegebenen »Mitteilungen aus dem Arbeitskreis für Jiddistik« (MAJ). Für das Erfassen der Belege finden wir in MAJ I, S. 4 ff. aufschlußreiche Anhaltspunkte, dergestalt, daß der Sprachatlas zu einem nicht unerheblichen Teil durch das Ausschöpfen »an geeignete Gewährsleute« ausgesandter Fragebogen zustandegekommen sein muß (vgl. auch MAJ I, S. 21). – Nun läßt sich gegen eine derartige Methode nichts einwenden, wenn es darum geht, eine »Momentaufnahme« – und nur solche! – einer lebenden Sprache zu erstellen. Das westjiddische Idiom, das immerhin vor fast 100 Jahren in Deutschland ausgestorben ist, muß in seiner Dialektanalyse methodisch differenzierter und gesicherter behandelt werden. Unterschiedliche Sprachstufen können nicht, wie in Beraneks Sprachatlas, in einem Gesamtbild festgehalten werden; damit würde der Entwicklung, in der sich wohl jede gesprochene Sprache befindet, in keiner Weise Rechnung getragen. Anders verhält es sich mit der dialektologischen Aufschlüsselung eines noch gesprochenen Idioms innerhalb eines begrenzten Zeitraumes oder zu einem bestimmten Zeitpunkt, wie es Leiser *Wilenkin* in seinem »Jidischen sprachatlas fun ßowetnfarband« für das Ostjidische durchführte.

I. Erste schriftliche Spuren jüdisch-deutscher Sprache

1. Die Juden in Deutschland vom frühen Mittelalter bis zur Auflösung der Großgemeinden im 15. Jahrhundert

Ein Verständnis für die Herausbildung und Entwicklung jiddischen Schrifttums als ein Ergebnis deutsch-jüdischer Kulturgemeinschaft setzt notwendigerweise den historischen Überblick über das Schicksal der Juden im mittelalterlichen Deutschland voraus.

Daseinsform und Daseinsberechtigung der deutschen Juden erwuchsen im Spannungsfeld ihrer kulturellen, mehr noch sozialwirtschaftlichen Integration einerseits und ihrer religiösen Sonderstellung andererseits. Der Notwendigkeit der Karolinger folgend, die ihren Welthandel auszubauen wünschten, verdankten sie ihre Existenz im Karolingerreich. Aus Nord- und Mittelitalien in die Gebiete nördlich der Alpen einwandernd, schlossen sie jene Lücke im Sozialgefüge, die bis zu diesem Zeitpunkt einer weitsichtigen Handelspolitik Karls d. Gr. im Wege stand: der fehlende Kaufmannsstand. Ein bereits voll ausgebildeter italienischer Welthandel bot den Juden südlich der Alpen keinen weiteren Entfaltungsraum, und so folgten sie in großen Einschüben ihren bereits seit dem 4. Jahrhundert [52] auf deutschem Boden ansässigen Vorgängern. Ihrer Funktion als Handelsvermittler zwischen Nordeuropa und dem Orient einschließlich Indien konnten sie dank der Unterstützung durch die Karolinger voll und ganz gerecht werden. Allerdings darf man sich diesen Handel lediglich als eine Art Hausierhandel vorstellen: der jüdische Kaufmann suchte mit seinen Waren [53] seine Abnehmer selbst auf. Allein diese Tätigkeit bestimmte Richtungen und Wege der jüdischen Wanderungen der Galuth-Zeit [54].

Bereits im Frühstadium ihrer Niederlassungen im fränkischen Reichsgebiet erforderte die Sonderexistenz der Juden den kaiserlichen Schutz vor Zwangstaufen und Austreibungen. Der durch die Absonderung bedingten Rechtsunsicherheit der jüdischen Bevölkerung konnten Judenschutzbriefe, meist verbunden mit Privilegien, entgegenwirken, freilich unter der Bedingung besonderer wirtschaftlicher Leistungen. [55] Diese Schutzpraxis lebte nach der Teilung des fränkischen Reichs in der landesherrlichen Politik von Klerus und Kaiser weiter fort. In ihrer Folge konnte sich vor allem in den Judengemeinden der Bischofsstädte an Rhein, Mosel und Donau das geistige Judentum konstituieren. Es erwuchsen Judensiedlungen in Köln, Mainz, Worms und Speyer, in Trier, Metz und Regensburg. Für das Jahr 1096 wird für die rheinischen Judengemeinden eine Kopfstärke von insgesamt 12000 Juden angenommen, wovon knapp 1000 Juden in Mainz und knapp 800 Juden in Worms gelebt haben. Die Förderung der jüdischen Handelstätigkeit durch Karl d. Gr. und seine Nachfolger hatte eine starke Ausweitung jüdischer Siedlungstätigkeit auch auf mittel- und ostdeutsche Gebiete zur Folge. So entstanden z. B. im 10. Jahrhundert in Magdeburg und Merseburg kopfstarke Judenviertel. Im niederdeutschen Raum lassen sich keine größeren jüdischen Niederlassungen nachweisen, was für die Form und Entwicklung des Jiddischen von wesentlicher Bedeutung sein sollte. Erst später entstehen jüdische Gemeinden in Augsburg und Prag; in Frankfurt a. M. läßt sich eine fest organisierte Judengemeinde erst seit dem 12. Jahrhundert nachweisen.

Dank des besonderen Schutzes, der den Juden von seiten der landesherrlichen Obrigkeit widerfuhr, unterschied sich ihre rechtliche und soziale Stellung in dieser Zeit nicht grundlegend von jener der deutschen Bürger. In den ältesten Privilegien von Speyer und Worms (1084 bzw. 1090) wurde ihnen sogar das Recht des Erwerbs von Agrarboden zuerkannt. Ein besonderer Wohnplatz wurde ihnen nicht zugewiesen; daß sie sich dennoch in einer Judengasse bzw. einem Judenviertel niederließen, lag in ihrem freien Entschluß zu wohnlicher Absonderung. Die meisten Städte billigten den Juden das Bürgerrecht zu, welches sich schon allein im Recht des Bodenerwerbs dokumentierte. Kommunales Mitspracherecht oder die Ausübung von Gemeindeämtern wurden ihnen jedoch versagt. Stattdessen erlangten die Judengemeinden eine gewisse Selbstverwaltung durch einen eigenen Rat, an dessen Spitze der ›Parnas‹ stand, ein vom Judenrat gewählter ›Judenbischof‹ oder ›Judenmeister‹, der seine Bestätigung durch die christliche Obrigkeit erfuhr. Bis zu einem gewissen Grade übten die Judenräte eine Eigengerichtsbarkeit aus.

Seit dem 11. Jahrhundert legten kaiserliche Privilegien die Rechte der Juden als religiöse Sondergemeinschaft fest; doch vermochte sie dieser besondere Schutz nicht vor den großen Verfolgungswellen zur Zeit der Kreuzzüge zu bewahren. Als Folge wahrer Massenabschlachtungen in den Judengemeinden an Rhein und Mosel reduzierte sich die Kopfstärke der Juden in dieser Gegend erheblich. Viele Überlebende wanderten nach Osten – auch hier waren es die traditionellen Handelswege, die ihnen den Weg wiesen. Um sich den ständig zunehmenden Verfolgungen in den deutschen Städten zu entziehen, rückten sukzessiv neue Einwanderungswellen nach Polen, dem Baltikum und nach Westrußland. Zahlreiche Judengemeinden blühten gegen Ende des 12. Jahrhunderts im Raume Kiew, wohin sie auch ihre jüdischdeutsche Sprache trugen. Von der Mitte des 14. Jahrhunderts an, wurden Juden in west- und süddeutschen Städten nur noch befristet geduldet. An der Katastrophe der großen Pest wurde ihnen eine ursächliche Schuld zugesprochen, so daß sie aus den meisten größeren Städten ausgewiesen wurden.

Die Zeit bis zum ersten Kreuzzug (1096) kann uneingeschränkt als eine Blütezeit der Juden in Deutschland angesehen werden. Ein christlich-jüdischer Disput fand allenfalls auf geistig-religiösem Gebiet statt. Sieht man einmal von Einzelversuchen christlicher Bekehrung ab, so »missionierte« die Kirche im Mittelalter in jüdischen Kreisen nicht, auch Zwangstaufen waren Ausnahmefälle und besaßen lediglich lokale Bedeutung. Hervorgerufen durch die fruchtbare Tätigkeit jüdischer Gelehrter erfolgte in gewissem Masse sogar eine Annäherung christlich-abendländischer Geisteswelt mit dem Judentum. Religiös-philosophisches Schrifttum beeinflußte die christliche Theologie ebenso stark wie die jüdisch-arabische Naturwissenschaft und Medizin die Kenntnis der christlich-abendländischen Wissenschaftler erweiterte. Andererseits kann durchaus auch ein christlicher Einfluß auf das Judentum in dieser Zeit festgestellt werden, etwa in dem Einfließen gnostisch-dualistischer Lehren der Katharer in die jüdische Mystik, deren Spuren sichtbar die Kabbala trägt.

Die erfolgreiche wirtschaftliche Betätigung der Juden im Lebensmittel- und Sklavenhandel sowie im Geldwesen auf dem Gebiete der Pfandleihe, Zollpacht und Münzerei brachte von Beginn des 11. Jahrhunderts an Neid und Antipathie der aufstrebenden Wirtsvölker mit sich. Zwar konnte der Sklavenhandel der Juden durch päpstliche Verbote beschränkt werden, doch gelang es ihnen, weiterhin erfolgreich im Geldgeschäft tätig zu sein, insbesondere seit den Christen das Zinsnehmen durch Beschlüsse des 4. Laterankonzils (1215) strengstens verboten wurde. Der Ausbau des Zinsgeschäftes als Haupterwerbsquelle folgte einer wirtschaftlichen Notwendigkeit; denn hier mußten die Juden ihr Hauptbetätigungsfeld sehen, seit sie im Handel vor allem durch das christliche Zunftwesen doch erheblich eingeschränkt wurden. Angespornt durch die Angriffe von Vertretern der christlichen Kirche gegen die jüdischen Geldleihgeschäfte – hier taten sich besonders die Franziskaner als Orden der Armen hervor – verhärtete ein aufkeimender Antisemitismus nicht-jüdischer Bevölkerungsteile das Verhältnis zu den Juden in den Städten stetig. Neben den mit den Kreuzzügen verbundenen Judenverfolgungen erwies sich ein anderer charakteristischer Zug praktizierter christlicher Nächstenliebe wenig günstig für das Schicksal der Juden. Überlegener christlicher Stellung gemäß galt der Jude als ein »Verlorener«. Besonders dem talmudistischen, orthodoxen Judentum begegnete Hohn und Haß, als deren Folge die Beschuldigungen der Brunnenvergiftung, des Ritualmords und Hostienfrevels zu verstehen sind. »Die Judenschlacht des Jahres 1348 bildet ein besonderes Glied in der Kette mittelalterlicher Judenverfolgungen, sowohl was ihre Intensität, als auch was ihre örtliche Verbreitung betrifft. Die von der verheerenden Pest gepeinigten Gemüter klammern sich voller Verzweiflung an das Märchen von der Brunnenvergiftung durch die Juden; Tod und Vertreibung der Juden erscheint als eine unbedingte notwendige Präventivmaßregel, ein letzter Versuch, dem Verderben zu entgehen. In Süddeutschland beginnend, pflanzt sich das Judenmorden durch alle deutschen Lande fort, und innerhalb von ungefähr zwei Jahren sind in ganz Deutschland blühende Gemeinden zu Trümmerhaufen geworden.« [56] Im Zuge der Ostkolonisation des Deutschen Ritterordens fanden die Judenaustreibungen als radikaler Lösungsversuch des mittelalterlichen Judenproblems im östlichen Raum ihre Fortsetzung. Der östliche Schwerpunkt jüdischen Gemeindelebens verlagerte sich auf lange Zeit nach Litauen, das sich dem Einfluß des Deutschordens und deutscher Handelsstädte erfolgreich widersetzte. Innerhalb des östlichen regionalen Raumes sollten der Entwicklung des Jiddischen zu einem eigenständigen Idiom die wohl wesentlichsten Impulse verliehen werden.

2. Die Anfänge jüdisch-deutschen Schrifttums

a) Jüdisch-deutsche Glossen in der religiösen hebräischen Literatur des Mittelalters

Die Erforschung des älteren jiddischen Schrifttums liegt im Dunkeln. Relativ wenig auswertbare handschriftliche Texte aus dem frühen mittelalterlichen Lebensbereich der deutschen Juden sind erhalten geblieben. Das Wenige, das vorliegt, konnte sich oft nur in später angefertigten, sprachlich häufig veränderten Abschriften erhalten. Überhaupt lassen sich die Spuren ältesten jiddischen Schrifttums nur aus jüngeren Kopien verfolgen; es dürfte wohl keine jiddische Handschrift über das Jahr 1282, dem Datum der ältesten auf Papier geschriebenen rabbinisch-hebr. Handschrift, hinausreichen. Die Gründe für die mangelhafte Bewahrung alter jüdisch-deutscher Sprachdenkmäler müssen einmal in dem rein materiellen Verfall dieser vorwiegend zu Papier gebrachten Schriften zu suchen sein; denn nur selten wurde Pergament verwendet. Eine andere Begründung muß in der für den gläubigen Juden alter Observanz geringen Bedeutung dieser jüdisch-deutschen Literatur an sich gesucht werden. Jiddische Schriften besaßen nur einen geringen Wert, da sie weniger zur Kategorie der heiligen Bücher gerechnet wurden. Der Schreibstoff war billiges Papier, die Ausstattung ziemlich ärmlich, figurale Verzierungen fehlten beinahe vollkommen [57]. Die Aufnahme jiddischer Handschriften in den Bestand einer Bibliothek erfolgte höchst selten, was weniger aus einer Antihaltung heraus geschah, als vielmehr als Folge eines Nichtzurkenntnisnehmens alles dessen, was sich nicht unmittelbar auf die Gebiete des jüdischen Glaubens bezog. So sollte es nicht verwundern, daß von dem geringen überlieferten Schriftmaterial der frühen Epoche jüdischer kultureller Betätigung in Deutschland im wesentlichen nur religiöse literarische Zeugnisse erhalten sind. Weltlicher Lese- oder Vortragsstoff, wie wir ihn z. B. in dem im Codex T-S. 10. K 22 der Cambridge University Library enthaltenen Rollen- oder Merkbuch eines mittelalterlichen jüdischen Spielmannes vorfinden, konnte nur durch Zufall der Nachwelt überliefert werden. Der Hauptgrund für die Vernichtung alter jüdisch-deutscher Handschriften mag in den unerfreulichen Begleiterscheinungen der Judenverfolgungen des Mittelalters gesehen werden. Es hat wohl kaum eine Judengemeinde gegeben, die nicht gebrandschatzt worden ist. Während der Zeit des Schwarzen Todes und bei späteren Verfolgungen legten die Juden ihr Hauptaugenmerk in erster Linie auf die Bewahrung der (hebräischen) heiligen Schriften. Nur einer geringen Anzahl jüdisch-deutscher Schriften wurde diese Behandlung ebenfalls zuteil. In der Tat finden wir die meisten erhaltenen jüdisch-deutschen Sprachdenkmäler dieser Zeit in hebräischen Schriften vor, wo sie als Glossen oder Paralleltext den hebräischen Text begleiten.

Eine Festlegung der historischen Geburtstunde des jüdisch-deutschen Schrifttums fällt schwer, obwohl – wie es scheint – die Jiddischforschung stets bemüht war, die ältesten jiddischen Schriftspuren zu ergründen. Bloß verfuhr sie in diesem Bemühen häufig so blindwütig, daß sie jedes aufgefundene ältere Schriftstück jedesmal als *das* älteste Zeugnis jüdisch-deutschen Schrifttums kreierte. Die Folge dieser Euphorie war der Verlust einer klaren Linie, das eigentliche Ziel, die Rekonstruktion der literarischen Entwicklung, ging aus den Augen verloren. Ausgehend von jener unbefangenen Definition des Jüdisch-Deutschen als »eine etwas modificirte deutsche, jedoch mit hebräischen Lettern geschriebene Sprache« [58], die Steinschneider aus seiner umfassenden Kenntnis jüdisch-deutscher Literatur schöpft, bilden jene deutschen Einsprengsel in den rabbinischen Glossen und Responsen der frühmittelalterlichen jüdischen Bibelexegeten durchaus den Anfang jüdisch-deutschen Schrifttums. Bei Raschi (eigentlich Salomo ben Isaak; 1040–1105), einem in Frankreich wirkenden Exegeten und Talmudisten, der bezeichnenderweise auch 10 Jahre in Worms zugebracht hat, tauchen diese deutschsprachigen Bestandteile wohl zuerst auf. Ihre Verwendung erfolgt nicht ohne Kennzeichnung, daß es sich um Wörter einer fremden Sprache handelt, was durch den Hinweis »b'laschon« – oder abgekürzt »b'las« (sinngemäß: in fremder Sprache) – ausgedrückt wird [59]. Bezeichnend ist auch, daß dieser Gebrauch jüdischdeutscher Glossen von einem französischen Rabbiner eingeführt wurde; denn in Deutschland beschäftigte man sich zu dieser Zeit ausschließlich mit der empirischen Erlernung des Talmud. Eine philologische Auseinandersetzung mit seinem Wortbestand – wie sie beispielsweise in Frankreich, aber auch in anderen europäischen Ländern üblich war – blieb ungenutzt: »[...] es war genug, den Talmud zu verstehen, zu wissen, was er sagen wollte; woher die von ihm gebrauchten Wörter stammten, das war gleichgültig, das zu untersuchen, wäre eine allzu profane Beschäftigung gewesen« [60]. Raschi blieb somit einer der wenigen jüdischen Autoren dieser Zeit, die vereinzelt deutsche Vokabeln zur Erklärung biblischer und talmudischer Ausdrücke anführten. [61] Wichtig für dieses frühe Stadium jüdisch-deutscher Sprach- und Schriftentwicklung ist die semantische Zugehörigkeit der deutschen Glossen zum talmudischen Sprachgebrauch, was bei dem großen Einfluß, den der Talmud auch in der täglichen Praxis des jüdischen Lebens genoß, nicht verwundern sollte!

Einzelne jüdisch-deutsche Bestandteile, wie z. B. das Wort »Stut« (= Stute) und ähnliches, kommen im Kommentar zum *Buch der Chronik* vor. Dieses Werk, das um das Jahr 1140 erschienen ist, wurde ursprünglich Raschi zugeschrieben, doch konnte als sein wirklicher Verfasser ein deutscher jüdischer Gelehrter festgestellt werden. Ein interessantes deutsches Wort, das in diesem Chronikkommentar auftaucht, ist »bruderschaft«, in dem noch das ahd. »scaf« enthalten zu sein scheint [62]. Insgesamt bleibt jedoch die Zahl deutscher Glossen in hebräischen Schriften verschwindend klein – im Vergleich etwa zu arabischen, persischen, griechischen und romanischen Bestandteilen. [63] Für die Verwendung deutschen Sprachgebrauchs im religiösen jüdischen Schrifttum dieser Zeit ist, im Hinblick auf die zukünftige schriftliche Fixierung jüdisch-deutscher Worte, eine Tatsache von außerordentlicher Wichtigkeit: die Beibehaltung der hebräischen Schrift!

Zahlreiche Deutungsversuche dieser spezifisch jüdischen Eigenart, die auch im Jüdisch-Spanischen (Ladino), Jüdisch-Persischen und anderen jüdischen Mischsprachen zu verfolgen ist, begründen diese Schrifttradition mit der der jüdischen Religionspraxis eigenen Autorität von Althergebrachtem schlechthin. Ein Abweichen von der hebräischen Schrift, als der heiligen Schrift, bedeutet ein Verstoß gegen die religiösen Grundsätze des Judentums. Auch würde die Verwendung lateinischer Lettern das Gesamtbild des Schriftstücks erheblich stören, ein Mangel, der bei der allgemeinen Hochschätzung der Literatur als hauptsächliches Ausdrucksmittel jüdischer Kultur – bildende Kunst war ja aus religiösen Gründen verpönt – gegen den ästhetischen Geschmack erheblich verstoßen hätte. Maßgebend für die Beibehaltung der hebräischen Schrift mögen daneben rein praktischrationale Beweggründe gewesen sein. Die Kenntnis der hebräischen Schriftzeichen war unter den Juden auch noch im Mittelalter uneingeschränkt vorhanden. Da jüdische Literatur sich grundsätzlich an Juden selbst richtete, konnte überhaupt kein Gedanke sein, nicht hebräisch zu schreiben. Dazu bekräftigte eine besondere Eigenschaft der hebräischen Schrift diese Schreibgewohnheit in starkem Maße: der Eigenart des jüdischen Geistes entspricht ein grundsätzliches Streben nach Komplexität [64]. Diesem Streben kommt auf graphematischen Sektor das System der hebräischen Schrift sehr zustatten, da sie die Eigenschaft besitzt, die für eine Kommunikation notwendige Zeichenquantität auf ein Minimum zu reduzieren. Der dabei auftretende Verzicht auf phonetische Qualität muß keine großen Nachteile mit sich bringen: das Auslassen der Vokalzeichen wird durch den Sinnzusammenhang des Textes kompensiert. Dem Verzicht des Schriftsystems auf (phonetische) Eindeutigkeit steht somit ein Gewinn an Übersichtlichkeit und Konzentration des Textes gegenüber. Oberstes Gebot für die Gewährleistung einer einwandfreien Beherrschung dieses immerhin mit 22 Zeichen auskommenden »Stenogramms«, ist die ständige Übung im Lesen, eine Forderung, die durch die dominierende Rolle des religiösen Schrifttums im jüdischen Tagesablauf scheinbar bequem realisiert werden konnte. Doch zeigt die – allerdings materiell geringfügige – Veränderung in der Entwicklung des hebräischen Schriftsystems, daß die Schreib- und Lesegewandtheit im Verlauf des jüdischen Galuthdaseins gelitten haben muß, eine geistige Einbuße, die durchaus verständlich erscheint. Um den Mangel auszugleichen, genügte die Einführung von Vokalzeichen, die dem Konsonantensystem in Form von diakritischen Zeichen beigegeben wurden.

In der Konfrontation der hebräischen Schrift mit der deutschen Sprache erlebte ihre »Vokalisierung« eine weitere Entwicklung, die dahin führte, jene Zeichen, die im hebräischen Alphabet bereits eine nicht mehr eindeutige konsonantische Funktion ausübten, zu vollwärtigen Vokalträgern auszubilden. So wurde das Aleph (jidd. Ollef) dem deutschen a oder o entsprechend verwendet, das Waw (jidd. Woof) dem deutschen u oder o, das Jod (jidd. Jud) dem deutschen i oder e und schließlich das Ajin (jidd. Aijin) dem deutschen e entsprechend. Auch die deutschen Diphtonge konnten nun durch hebräische Zeichen wiedergegeben werden: au durch Waw + Jod (anfänglich auch durch doppeltes Waw), ei = ai durch doppeltes Jod, eu = äu durch Waw + Jod. Die Umlaute ö und ü wurden durch Waw und Jod umschrieben. Sie erfuhren später meist eine dialektbedingte Abschwächung zu e bzw. i.

Nicht unerwähnt bleiben sollte, daß auch im Gebrauch der Konsonanten eine erhebliche Vereinfachung eintrat, die, im einzelnen hier aufzuführen, jedoch eine besondere Studie erforderte.

Bereits die frühen jüdisch-deutschen Glossen in Bibelkommentaren, halachischen und ähnlichen Werken tragen die Züge dieser Schriftausbildung recht deutlich. In einem Kommentar des Isaak ben Jakob Alfasi (1013 bei Fez geboren, nach 1088 Lehrhausvorsteher im spanischen Lucena, wo er 1103 starb) wird z. B. das deutsche Wort »Mörser« durch »murser« (mem-waw-resch-sajin-jod-resch) umschrieben. [65] Einer der ersten deutschjüdischen Rabbiner, die in ihren Responsen jüdisch-deutsche Ausdrücke verwenden, ist der im 12. Jahrhundert in Mainz lebende R. Elieser ben Nathan. Auch in den Schriften R. Meir ben Baruchs aus Rothenburg a. d. Tauber (1230–1293) finden sich vereinzelte jüdisch-deutsche Glossen, ebenso bei seinem Schüler R. Mosche ha-Darschan, der im frühen 13. Jahrhundert lebte. [66]

Einen wichtigen Nachweis für den Entwicklungsstand des Jüdisch-Deutschen dieser Zeit, speziell für Umfang und Qualität des Wortgebrauchs, stellen die Glossen in den Ritualwerken des frühen 13. Jahrhunderts dar. Im *sefer ha-assufot* (Nr. 2) des Jehuda ben Jakob ben Elija aus Carcassonne ersetzen deutsche Worte die hebräischen Bezeichnungen der Ritualgegenstände zwar erst vereinzelt, doch kündigt sich bereits hier ein sprachlicher Prozeß an, der bezeichnend für eine allgemeine kulturelle und soziale jüdische Angleichung an die deutsche Umgebung ist. Diese jüdische-deutsche Annährung dokumentiert sich deutlich in dem wohl bedeutendsten deutsch-jüdischen Moralwerk dieser Epoche, dem weltbekannten, hebräisch abgefaßten *sefer chassidim* (= Buch der Frommen) des R. Jehuda ben Samuel Chassid (geb. in Speyer, von 1195 an in Regensburg lebend, wo er 1217 starb). Dieses ethische Werk – handschriftlich im Cod. Parma 3280 (1133) überliefert – enthält Morallehren und Erzählungen ethischen Inhalts, die auf die Judenheit in Deutschland starken Einfluß ausgeübt haben. Das Buch liefert für die Untersuchung jüdischen Lebens im mittelalterlichen Deutschland wichtige Erkenntnisse, die in dem Grundsatz zu vereinen sind: »An den meisten Orten richtet sich die Lebensweise der Juden nach der Lebensweise der Nichtjuden, die in derer Umgebung leben!« [67]

Es steht außer Zweifel, daß durch derartige assimilatorische Vorgänge keine Regulierung oder gar Aufhebung der religiös begründeten Sonderexistenz der deutschen Juden dieser Zeit stattgefunden hat. Diese Erkenntnis trifft jedoch nur den Kern jüdischen Geisteslebens, der äußere Rahmen jüdischer Lebensweise wird durch eine weitgehende Angleichung an die deutschen Verhältnisse und Lebensgewohnheiten charakterisiert. Es mag dahingestellt bleiben, wie weit äußere Einflüsse letztlich zur religiösen Nivellierung beitragen, Tatsache bleibt, daß für die Juden in Deutschland die wenig erfreulichen Begleiterscheinungen der Kreuzzugperioden diesen äußeren Einfluß nicht zu groß werden ließen. Eine tiefgreifende Konsolidierung des Judentums war stets die Folge und damit jene Seperatisierung deutscher Juden, die durch den äußeren Druck von sich aus erzwungen wurde.

Einen Höhepunkt zumindest der sprachlichen Assimilierung der Juden im mittelalterlichen Deutschland bilden die glossierten Pentateuchfassungen. Man kann diesen erheblichen Einschnitt in die hebräische Bibeltradition nicht hoch genug bewerten, stellt doch die Hl. Schrift den absoluten Mittelpunkt jüdischer Religionsausübung dar. Trotz der besonderen Bedeutung der Hl. Bücher sind nur wenige frühe Glossenbibeln überliefert. Grundsätzlich muß für die Niederschrift der Glossen ein jüngeres Alter angenommen werden als für die Bibelhandschrift selbst, was bereits aus der unterschiedlichen Schrifttype geschlossen werden kann. Die Bibelhandschriften, wie überhaupt alle bedeutenden hebräischen Schriften, sind in Quadratlettern niedergeschrieben, für die Glossen hingegen wurde meist die Kursivschrift verwendet. Der Altersunterschied sollte jedoch nicht zu hoch geschätzt werden. Nicht selten wird ersichtlich, daß die Glossierung vom Schreiber des Haupttextes selbst stammt, oft finden sich auch Glossen von verschiedener Hand. In einer Hamburger Glossenbibel (Nr. 7), einer Pergamenthandschrift (!) aus dem 13. Jahrhundert erscheinen von verschiedenen Schreibern nachgetragene Glossen am Rande, zwischen den Kolumnen und manchmal zwischen den Zeilen als Interlinearversionen. Ihre Kursivschrift hebt sich recht deutlich von der Quadratschrift des Haupttextes ab.

Nur wenig jünger ist eine glossierte Schrift, die die Bücher Josua bis Ezechiel enthält. Der Text dieses in Quadratschrift niedergeschriebenen Cod. Mainz 378 (Nr. 8) weist hebräische, jüdisch-deutsche und jüngere lateinische Marginalien auf.

Recht interessant sind Glossen, die ein Kommentar des Rabbi Salomo ben Isaak zu Propheten und Hagiographen aus dem 14. Jahrhundert (Nr. 9) enthält. Neben deutschen und französischen Glossen wie »kreid« (= dt. Kreide), »kraie« (= afrz. craie), »savon« (= afrz. savon) im Hagiographenteil erscheint im Kommentar zu den prophetischen Schriften diese originelle Übersetzung:

wo sol ich hin – wo sol ich her,
wo sol ich michs hin kern (= kehren)?
ich bins einzint (= entzündet) [68],
mein herz das brent,
ich kuens nit heilch (= heimlich) warn (= wahren).
da ßtet die herzalerlibst mein
di ich hab auf disr erdn.

b) Ein Verspaar im Wormser Machsor von 1272/73

Wesentlich älter als der eben erwähnte Text ist ein jüdisch-deutsches Verspaar in einem Wormser Machsor vom Jahre 1272/73 (Nr. 1), das als bisher ältestes datiertes jüdisch-deutsches Sprachdenkmal gilt [69]. Das Festtagsgebetbuch wurde von Simcha ben Jehuda im Auftrage seines Onkels Baruch ben Jizhak in Worms geschrieben, was kulturgeschichtlich insofern interessant ist, als ja Worms eines der frühen deutschen Zentren jüdischen Geisteslebens darstellt. Blatt 92r dieser Machsor-Handschrift führt das hebräische Initium'bedatho abiah hidoth' als Kennzeichnung eines Teils eines Pessach-Gebetes. [70] Die waagerechten Balken der Konsonanten Beth-Daleth-Ajin-Taw-Waw des ersten Bestandteils des Initiums sind hohl und enthalten in roter (braun-) punktierter Quadratschrift den jüdisch-deutschen Text:

gut tak im betage
se waer dis machasor in/ (oberer Balken)
bess hakenesseß trage! (unterer Balken)

»Ein guter Tag sei dem beschieden, der diesen Machsor in das Gotteshaus trägt!« – dieser Segenswunsch des Schreibers für den Besitzer des Gebetbuches bietet natürlich nur wenig Stoff für literaturhistorische Erörterungen; doch sollte wenigstens auf die bemerkenswerte Eigenart der Verse hingewiesen werden. Ohne Zweifel handelt es sich hierbei nämlich um ein Verspaar, das aus einem Vierheber und einem Sechsheber besteht:

gut ták ím betáge
se wǽr dis máchasór in béss hakenésseß tráge!

Besondere Aufmerksamkeit verdient der eigentümliche Unterschied in der Länge der Verse, doch fehlt es leider an vergleichbarem literarischen Material, als daß hier noch weitere Schlüsse erlaubt sind.

Es scheint fraglich, ob in sprachlicher Hinsicht der Schreiber den Wormser Dialekt getroffen hat. Ohne Zweifel handelt es sich bei dem Spruch jedoch um ein Zeugnis niederalemannischer Mundart, wofür Röll die merkwürdige Wiedergabe des a-e-Lautes als Indiz anführt [71].

Große Bedeutung kommt diesem Verspaar als Zeugnis jüdisch-deutscher Sprachgewohnheit deutscher Juden mindestens seit dieser Zeit zu. Die Tatsache, daß für einen Segenswunsch das traditionelle, formelhafte Hebräisch durchbrochen wird, läßt zweierlei Schlüsse zu: einmal muß das Jüdisch-Deutsche selbst im Sprachgebrauch deutscher Juden schon tiefe Wurzeln geschlagen haben, zum anderen orientierte sich das Jüdisch-Deutsche an den regionalen, ja sogar lokalen Sprachgegebenheiten. Unter sprachpsychologischer Berücksichtigung jüdischer Sprachusancen läßt der erste Rückschluß eine Datierung der Herausbildung des Jüdisch-Deutschen auf eine Zeit vor 1100 zu.

c) Jüdisch-deutsche Glossare im 14./15. Jahrhundert

Als Schriftsprache konnte das Jüdisch-Deutsche das Hebräische erst allmählich und nur in begrenztem Umfang ablösen. Dem Prozeß der Sprachumbildung mußten schließlich auch die geistigen Führungsgremien jüdischer Gemeinden Rechnung tragen. Sie beauftragten Schreiber, Wörterbücher zu einzelnen biblischen Büchern anzulegen. Diese Glossare waren vornehmlich für den Unterricht in Synagoge und Cheder bestimmt, ein Zeichen, daß das Jüdisch-Deutsche auch in diese wichtigen jüdischen Lebensbereiche Einzug hielt.

Aus dem frühen 14. Jahrhundert ist ein hebräisches Wörterbuch des Grammatikers Simson (Nr. 13) bekannt, das eingestreute deutsche Glossen in großer Zahl aufweist. Das wohl erste umfassende hebräisch-jüdisch-deutsche Glossar findet sich in der Hs. Berlin 701 vom Jahre 1394 (Nr. 14). Ein Glossar zum Hohelied sowie Worterklärungen zu Genesis 1 bis 1. Samuel, 12 und Josua bis Chronik bringt Cod. Reuchlin IX (Nr. 15), der aufgrund des Schriftcharakters, der Papierart und der sprachlichen Form auf 1399 datiert wird. Cod. Reuchlin VIII enthält ein Glossar zu Hohelied, Ruth und Threni in alemannischer Mundart. S. Landauer [72] datiert die Hs. aufgrund des Schriftcharakters auf 1410, doch dürfte S. Birnbaums Datierung 1430–40 stimmen, da sie sich auf vorhandene Wasserzeichen und Papierart stützt [73]. Bereits aus der Zeit um 1300 stammt ein hebräisches Glossar zum Hohelied, das um 1425 um eine jüdisch-deutsche Spalte (in alemannischer Mundart) erweitert worden ist.

Das wohl abgerundeteste und umfangreichste Wörterbuch legte David ben Jakob 1437/38 an. Sein Glossar umfaßt immerhin 104 Blatt, es führt alphabetisch angeordnet zuerst die hebräischen Wörter und daneben ihre jüdisch-deutsche Übersetzung an. Bemerkenswerterweise wurde als Schriftträger dieser Hs. Breslau 170 (Nr. 19) Pergament verwendet.

Hs. Berlin 310 (Nr. 20) enthält ein hebräisch-jüdisch-deutsches Psalmenglossar. Der Schreiber ist unbekannt, als Datum der Schriftlegung wird allgemein das Jahr 1490 angenommen, doch glaubt S. Birnbaum aus graphischen Gründen die Niederschrift auf das Jahr 1412 datieren zu können. [74]

Recht aufschlußreich für die Wiedergabe deutscher Laute durch das hebräische Schriftsystem dürfte das Fragment eines hebräisch-jüdisch-deutschen Glossars* sein, das sich im Anhang einer medizinischen Handschrift aus dem 14. Jahrhundert befindet. Wir finden es auf fol. 137 des Cod. Ambros. no. 100-T 30 sup. (Nr. 16):

hebräisch	*jüdisch*	*deutsch*
lechem	brōt	(= Brot)
majim	wassr	(= Wasser)
gebinah	kēs[a]	(= Käse)
bassar	vlēsch	(= Fleisch)
jajin	wīn	(= Wein)
malebusch	rok	(= Kleid)
chaluk	hēmd[a]	(= Hemd)
mechenass	bruoch	(= Beinkleider, Hose d. Priesters)
rezuah	guertl	(= Gürtel)
abenet	bruochguertl	(= Hosengürtel)
chuba	huot	(= Hut)
suss	roß	(= Roß)
chemur	ēsl[a]	(= Esel)
parah	kuoh	(= Kuh)
es	gēß	(= Geiß)
rachel	schāf	(= Schaf)
ajil	wīdr[a]	(= Widder)

* Anmerkungen zum Glossar: a) »līlachen« durchaus richtige Transkription; A. *Berliner*, der die Transkription in C. *Bernheimer*, Codices Hebraici Bybliothecae Ambrosianae, Florentiae 1933, p. 192 f. besorgte, vermutet fehlendes n: (Lī(n)lachen.

b) *Berliner* transkribiert kēß (Chaph-dopp. Jod-Schin) mit Küsse, was weder inhaltlich, erst recht aber nicht für die Schreibgewohnheiten des Verfassers des Glossars zutreffen kann.

c) *Berliner* vermag das mit Beth-Koph-Aleph umschriebene Wort »bēk[a] (= Becher) nicht zu transkribieren.

d) »havin« wird mit He-Beth-Chaph-Waw umschrieben. *Bernheimer* könnte durchaus ein Lesefehler unterlaufen sein: Chaph für Jod und Waw für Nun; anderseits könnte auch »havche« (Diminutiv!) transkribiert werden, auf gar keinen Fall aber »hako«, wie *Berliner* es liest, was sowieso keinen Sinn ergäbe.

makel	ßtap	(= Stab)
sif	ßwert	(= Schwert)
chidum	ßpieß	(= Spieß)
sachin	mēssr^{a}	(= Messer)
mapa	tōch	(= Tuch)
sadin	līlachen	(= leinendes Bettuch)[a])
chesset	kēß	(= Kissen)[b])
gidul	phulwe	(= Pfühl)
char	kutin, chussin	(= Polster)
tibah	kißtl	(= Kästchen)
bassah	bēk^{a}	(= Becher)[c])
sefer	buoch	(= Buch)
kearah	schussl	(= Schüssel)
chaf	lefl	(= Löffel)
sir	havin	(= Topf)[d])
tarenegul	hān^{a}	(= Hahn)
tarenegulet	huon	(= Huhn)
berabur	kapun	(= Kappe)
cheleb	humt	(= Hund)
chatul	kāz^{a}	(= Katze)
achebar	mūß	(= Maus)
jad	hant	(= Hand)
regel	vuoß	(= Fuß)
rosch	hāpt	(= Haupt)
zuar	halß	(= Hals)
asnajim	ōrn	(= Ohren)
chatam	nās^{a}	(= Nase)
mezach	ßtirn	(= Stirn)
scher	har	(= Haar)

Für die Transkription der deutschen Laute können folgende Schlüsse gezogen werden:

1. einem auslautendem Konsonanten wird ein Schluß-Aleph (hochgestelltes ^{a} umschreibt stummes e) nachgestellt, wenn der sinntragende Vokal der Stammsilbe lang gesprochen wird (z. B. hān^{a});

2. ē (langes e) wird durch doppeltes Jod umschrieben (z. B. kēß, Kissen, kēs^{a}, Käse);

3. ā (langes a) wird oft durch Waw wiedergegeben (z. B. schāf, hār);

4. sch-Laut erscheint im Schriftbild als Koph mit darübergestellter Tilde (ק̃), während Schin scharfes s kennzeichnet (z. B. schāf, schussl, vlēsch);

5. m steht vor stimmhaften Verschlußlauten oft für n (z. B. humt);

6. ue wird durch punktiertes u wiedergegeben (z. B. guertl).

Die Bemühungen der Glossatoren, eine verfeinerte Technik in der Anlage ihrer Wörterbücher zu erlangen, lassen Arbeiten erkennen, die nur wenig später als der

Cod. Ambros, no. 100 entstanden sind. Im Cod. Plut. II. N. 45 der Bibliotheca Laurentiana in Florenz (Nr. 25) findet sich ein Glossar zum Buche Hiob, das deutlich die Merkmale einer vervollkommneten Übersetzungstechnik trägt. Es wird darin zuerst deutsch, dann hebräisch erklärt. Zu Beginn heißt es:

isch ein Mann ein her. loschun odun chemu isch hadomoh [75].

Das Wörterbuch eines deutschen Juden enthält Cod. Palat. 417 (Nr. 21), geschrieben im 16. Jahrhundert. Das Glossar bringt Worterklärungen bis zum Artikel *semer*, der Anfang ist defekt, es beginnt:

l. a. (= loschun aschkenas) walt loschun rozoh chemu abi ibechun [...] [76].

Der inhaltliche Aufbau der meisten Glossare weist thematische Gruppierungen der niedergeschriebenen Vokabeln auf. So lassen sich Komplexe wie »Körperteile«, »Nahrungsmittel«, »Kleidung«, »Bedarfsgegenstände«, »Haustiere« u. a. m. feststellen, wobei in ihrer kontinuierlichen Anordnung nicht unbedingt eine ordnende Hand bemerkt werden kann. Innerhalb der Sachgruppen erfolgt die Reihenfolge der Artikel jedoch nicht willkürlich. Nahrungsmittel werden z. B. in der Rangfolge ihrer kultischen Bedeutung angeordnet, ein Prinzip, das auch bei der Aufzählung der Gegenstände des täglichen Bedarfs zur Anwendung gelangt. Körperteile werden in ihrer Reihenfolge von unten nach oben festgehalten, man beginnt bei den Füßen und endet beim Haupt.

Ein solches thematisch abgegrenztes Wörterbuch enthält Cod. Palat. 52 in der Vaticana (Nr. 4), der einen aus verschiedenen Quellen zusammengetragenen hebräischen Kommentar zum Pentateuch zum Inhalt hat. Darin werden u. a. hebräische Tiernamen wie »Hirsch«, »Einhorn«, »Hindin«, »Leopard« usw. jüdisch-deutsch glossiert. Nach der Schreibweise zu urteilen (z. B. »lipart«, Leopard; »hirz[a]«, Hirsch), stammen die Glossen aus einer oberdeutschen Mundart. [77] Die Handschrift wurde am 21. Ijar (Sonntag) 5203 (= 1442) beendet, wie aus dem Kolophon zu entnehmen ist.

d) Mittelalterliche volksmedizinische Traktate

Unter den jüdisch-deutschen Textübertragen erfreuten sich kleinere Stücke medizinischen Inhalts besonderer Beliebtheit. Ein derartiges medizinisches Traktat bringt Cod. Vaticanus 45 (Nr. 434) auf fol. 95v [78]:

wiltu einen feil aus einer wunden zihen,
es sei mensch oder vih[a],
so nim stein fefer un stoß den
un mach ein flaster drus
un leg das uber die wund[a].

Die Beliebtheit von Schriften (volks-) medizinischen Inhalts dokumentieren besonders schon früh angelegte jüdisch-deutsche Sammlungen von Beschwörungsformeln und Rezepten aus dem 12. und 13. Jahrhundert. Eine solche Beschwörungsformel finden wir in der Hs. Wien 153, die den Titel *sefer ha-sufrat* (Buch des Gelehrten) (Nr. 433) trägt. Die Handschrift selbst, die u. a. medizinische Gebiete,

z. B. der Geburtshilfe, zum Inhalt hat, ist nicht datiert. Ein Anhaltspunkt für die Festlegung des Schriftjahres könnte der im Manuskript enthaltene Scheidebrief aus Worms vom Jahre 1307 sein, doch dürfte der medizinische Teil wesentlich älter sein. Für eine frühere Datierung dieser Stücke spricht auch die sprachliche Form zweier auf Bl. 88b und Bl. 89a befindlichen jüdisch-deutschen *Segen gegen die Bärmutter*. Beide Formeln sind von jüdischer Hand nachträglich zu Papier gebracht worden; die erste besteht aus 6 Zeilen, sie befindet sich am unteren Blattrand, die zweite, 5 Zeilen umfassend, steht quer am linken Blattrand. Der hebräische Abschnitt dieser Blätter behandelt im übrigen medizinische Kuren, von denen mehrere in das Gebiet der Geburtshilfe gehören. Von den beiden jüdisch-deutschen Stellen ist nur die erstere lesbar; denn beide sind von einem Besitzer des Codex – wohl aus religiösen Purismus – mit Galläpfeltinte überstrichen worden. Die unterschiedliche Lesbarkeit beider Formeln ergibt sich aus der unterschiedlichen Qualität des Schriftmaterials: der erste *Segen* scheint mit besserer Tuschtinte niedergeschrieben zu sein. Diese Tatsache und der nachweislich unterschiedliche Schriftcharakter der beiden Formeln lassen auf zwei verschiedene Schreiber schließen.

Die erste Beschwörungsformel lautet:

bermuter legdich bißt as alt als ich,
bringßt du mich zu der erd^{a},
du mußt mit mir begraben werden!
ein buch^{a} heißt d'bibl^{a}.
bermuter leg dich nidr^{a} –
du solt dich legen nider an din recht^{a} stat.
das g'but dir di heiligen goltes kraft:
wermut un hegemut un legemut un das fig
un vilia tara.
das vare under min sol darunder kanichs wol verduldn^{a}.
da vlußt under ein bodemloser se: da gat in ein gratloser
visch, den solt essen. un solt menschlichß gar vergessen!
aßaßanda an sand^{a} drei^{a} mer menin:
di haten z'hand min g'derm^{a}.
d'ein schlechtß, d'ander rechtß, d'drit inßtet ruktß.
viliuß e viliuß!
viliatur!
avija! brech^{a} das vili a tar enzwei^{a}!
das sol mir sin z'buß vir di bermuter,
das si war in goltes namen.
amen!

Der Erhalt volksmedizinischen Schrifttums ist umso wertvoller als dieser volkstümliche Stoff allen Schichten der jüdischen Bevölkerung gemein war. Für den Großteil des folkloristischen Guts ist man auf Vermutungen angewiesen. Eine Literatur dieser Art konnte nicht überliefert werden, weil sie einerseits im Bewußtsein der Menschen nicht notwendig existiert haben mag, zum anderen sich die schriftliche Fixierung volkstümlichen Stoffes wegen seiner stark ausgeprägten mündlichen Überlieferungstradition weitgehend erübrigte. Mittelalterliche Lieder in jüdisch-deutscher Sprache sind beispielsweise in ihrer ursprünglichen Form kaum erhalten. Besser steht es da schon mit Sprichwörtern und Redensarten sowie mit mittelalterlichen Legenden. Einige hundert Sprichwörter und Redeweisen enthalten z. B. der *brantspigel* (S. 116) und das Spruchbuch *zuchtspigel* (vgl. S. 117); jüdisch-deutsche Legenden früherer Zeit sind in zwei größeren Sammlungen erhalten geblieben: dem *maasse-buch* (vgl. S. 111) und dem *sefer maasse nissim* (vgl. S. 113).

Anders hingegen verhält es sich mit alten jiddischen volksmedizinischen Sammlungen, jenem seltsamen Gemisch mittelalterlicher Wissenschaft und Scheinwissenschaft, Aberglaubens und Glaubens, Rezepten und Beschwörungen, *segullot* und *refuot,* die aus Gründen ihrer Nützlichkeit und praktikablen Anwendbarkeit schon früh gesammelt worden sind. Derartige Heilmittellehren und Arzneibücher haben sich aus den Anfängen jüdisch-deutschen Schrifttums erhalten können. Es war der ›Rofe‹, der jüdische Arzt, der sie in pseudowissenschaftlicher Beflissenheit zu Papier brachte, mehr durch pekuniäres Nützlichkeitsdenken bewogen als durch den Glauben an ihre Heilwirkung.

Es fällt auf, daß diese Art jüdischer Folklore sich stark an den deutschen Volksglauben anlehnt. Aus diesem Grunde gebührt dem obigen *Segen gegen Bärmutter* besondere Beachtung, muß man doch wissen, daß derartige Beschwörungsformeln germanisch-mythischen und christlichen Ursprungs sind. Sie bilden im übrigen einen nicht unerheblichen Bestandteil christlich-mittelalterlicher volksmedizinischer Literatur [79].

Die Übernahme dieses fremden Kulturgutes mag auf orthodoxe Juden befremdend genug gewirkt haben; es scheint auch, daß der Schreiber selbst Anstoß am christlichen Element des *Bärmutter-Segens* genommen hat. Wie anders sollte die Verstümmelung des Wortes Gott zu »golt« zu erklären sein? [80] Ohne Zweifel muß er Anstoß an der Nennung des christlichen, dreieinigen Gottes genommen haben. Um so mehr muß es verwundern, daß derartige Formeln durchaus nichts Ungewöhnliches im jüdischen Krankenkult darstellten. Im allgemeinen dürfte es sich sogar nur um bloße Umschriften deutscher Originale gehandelt haben, wie auch ein Fragment, das *von allen Kräften des Aderlassens und der Adern, nach den Schriften der Ärzte* handelt, beweisen kann. Die Schrift – aufbewahrt im Historischen Archiv der Stadt Köln (Nr. 432) – wurde 1396/97 angelegt [81]; die in ihr enthaltenen medizinischen Vorschriften bringen wenig Jüdisches. Es handelt sich lediglich um die Umschrift eines deutschen Originals, übrigens in thüringisch-obersächsischer Mundart.

Jüdisch-deutsche medizinische Schriften nach hebräischer Vorlage sind erst aus späterer Zeit erhalten. So z. B. ein im Jahre 1474 in Mestre (Italien) geschriebenes umfangreiches Rezeptbuch, welches möglicherweise sogar die Frau des Mose Meschullam angefertigt hat. Der Hauptteil dieser in der Württembergischen Landesbibliothek in Stuttgart befindlichen Handschrift (Nr. 435) bestand ursprünglich aus 1248 Rezepten und Bewirkungsverfahren, die im Auftrag des Rabbi Seligmann Nürnberk aus verschiedenen hebräischen medizinischen Schriften zusammengestellt worden sind.

Eine ähnliche Schrift vom Jahre 1508 findet sich ebenfalls in Stuttgart (Nr. 437). Allerdings hat dieser *sefer ha-refuot* (Heilmittelbuch) einen wesentlich geringeren

Umfang: ursprünglich enthielt es nur 506 Rezepte, von denen nun noch die Nummern 1–10 und 412 ff. fehlen.

sefer ha-refuot ist auch der Titel einer von dem jüdischen »Medizinmann« Immanuel Salonik 1494 zusammengestellten jüdisch-deutschen Rezept- und Beschwörungsformelsammlung. Der Kompilator, der mehrere Jahre in der Türkei zugebracht haben soll [82], schöpft aus hebräischen, arabischen und lateinischen Quellen – wie er selbst versichert. Sein Werk ist in einer Oxforder Handschrift (Nr. 436) überliefert.

An späterer Stelle soll noch einmal auf dieses volksmedizinische Schrifttum eingegangen werden. Dabei wird festzustellen sein, daß sich Charakter und Inhalt dieser über ein Vierteljahrhundert verbreiteten Literatur nur geringfügig verändert haben.

3. Frühe religiöse Gebrauchsliteratur

a) Pentateuchübersetzungen

Erste Anzeichen eines sich eigenständig entwickelnden jüdisch-deutschen Schrifttums fanden wir in den glossierten Bibeln vor, doch kann hier selbstverständlich von einer eigenständigen jüdisch-deutschen Bibelliteratur nicht gesprochen werden. Die Glossen sind allenfalls – in des Wortes wahrer Bedeutung – literarische Randerscheinungen. Allerdings sollte ihre Bedeutung für die Entwicklung des jüdischdeutschen Schrifttums wegen der genannten Überwindung religiöser Schranken nicht unterschätzt werden. Zudem leiten sie für das geistliche jüdisch-deutsche Schrifttum einen Prozeß ein, der in der Drucklegung vollständiger Bibelübersetzungen seinen Höhepunkt findet.

Innerhalb der rituellen Ausübung jüdischer Glaubenslehre kommen den biblischen Büchern die wohl wichtigste Rolle zu: seit Esras Tagen wurde aus der Tora der göttliche Wille dem jüdischen Volk öffentlich vorgetragen. Das geschah am Sabbat, an Feiertagen, an Gerichts-, Markt- und überhaupt allen Tagen, an den denen sich das Volk in Versammlungen zusammenfand. Die Verkündigung der in den Hl. Büchern offenbarten göttlichen Lehre wurde sehr bald in den Gottesdienst einbezogen, wo sie Hauptbestand der synagogalen Vorträge bis heute geblieben ist.

Das Bemühen der deutschen Juden, ihre gottesdienstliche Sprache schon früh der Umgangssprache anzupassen, mag verständlich genug erscheinen, doch glückte der Prozeß der Sprachverschiebung nicht auf Anhieb. Die frühen jüdisch-deutschen Pentateuchübersetzungen können keineswegs als gelungen angesehen werden, stellen sie doch durchweg wortgetreue Übertragungen hebräischer Originale dar, die Stil und Sprachgeist gänzlich verleugnen. Prosaische »Verdeutschungen« des Pentateuch, der Haftarot und der fünf Megillot liegen in Handschriften des 14.–15. Jahrhundert vor: Hs. Berlin Or. 4°, 310, Hs. Berlin Or. 4°, 691, Hs. Hamburg 35, Hs. München 152 und Hs. Karlsruhe 8. [83] Nach linguistischen Maßstäben lassen sie sich auf urtypische Vorlagen des 13. Jahrhunderts zurückführen. [84]

Ursprünglich erfolgte die Einteilung des Bibeltextes nach einer Jahrtausend alten Tradition. In der Konfrontation mit dem abendländischen Christentum brachte der von den christlichen Bibeln sich unterscheidende Aufbau jedoch Nachteile mit sich. Es war z. B. bei den häufigen jüdisch-christlichen Disputationen schwierig, auf gemeinsame Zitierstellen zu verweisen. Von diesem Dilemma zeugt eine jüdisch-deutsche Psalmenausgabe, die in einer Handschrift (Nr. 10) aus dem Jahre 1490 überliefert ist. Die Kapitelzahlen sind vom Schreiber am Rande nach der jüdischen Einteilung, von späterer Hand (und mit roter Tinte) nach der christlichen Einteilung vermerkt.

b) Gebetbücher

Vermutlich früher als die ersten jüdisch-deutschen Bibelübertragungen entstanden Gebetbücher, in denen dem hebräischen Text eine jüdisch-deutsche Übersetzung beigegeben wurde. Besonders seit jüdische Frauen dem Gottesdienst beiwohnen durften, hatten sie das Bedürfnis, die Gebete zu verstehen und das vom Chasan Vorgetragene zu begreifen. Wie wir aber wissen, verstanden die jüdischen Frauen in der Regel das Hebräische kaum, so daß schon früh Übersetzungen der liturgischen Gebete angelegt werden mußten.

Die Beteiligung der Frauen am Gottesdienst war besonders an Sabbaten und Feiertagen sehr groß. Eines der ältesten überlieferten jüdisch-deutschen Gebetbücher ist ein Festgebetbuch, ein sog. Machsor, das Gebete für Sabbat- und Feiertagsgottesdienst enthält. Das in der Hs. Berlin Or. 4°, 960 (Nr. 203) überlieferte Gebetbuch soll angeblich im 12. Jahrhundert entstanden sein. [85]

Das älteste datierte Machsor mit Gebeten für das Neujahrsfest und den Versöhnungstag nach dem Ritus der Prager Judengemeinde findet sich in der Hs. Budapest 395 in der Bibliothek des Prof. David Kaufmann (Nr. 204). Die Handschrift wurde im Jahre 1465 angelegt. [86] Ein ähnliches Festgebetbuch enthält Cod. Or. 795. 11 der Universitätsbibliothek Cambridge (Nr. 205), es soll angeblich 1481 in Prag geschrieben worden sein. Die Gebete darin sind für den Versöhnungstag und das Laubhüttenfest bestimmt.

Nach dem Muster der Machsorübersetzungen wurde bald auch das allgemeine Gebetbuch (Seder Tefillot, Sidur) ins Jüdisch-Deutsche übertragen, so daß vom 14. Jahrhundert an rein jüdisch-deutsche Gebetbücher im Umlauf sind, was für die Rolle des Jüdisch-Deutschen nunmehr auch als rituelle Sprache nicht ohne Bedeutung sein sollte.

c) Ritualia

Zu den jüdisch-deutschen rituellen Schriften, deren Entstehung maßgeblich der aktiven Teilnahme der jüdischen Frau am Gottesdienst zu verdanken sind, gehören die sog. *Minhagim*-Bücher. Es sind dies liturgische Werke, die u. a. Vorschriften und Belehrungen über fromme Lebensführung und religiöse Alltagspraxis enthalten. Anfangs wurden zunächst noch die wichtigsten Termini in den hebräischen Minhagimschriften durch jüdisch-deutsche Wörter erklärt, später erfolgten dann Übertragungen hebräischer Originale ins Jüdisch-Deutsche. Das älteste erhaltene Exemplar ist der Cod. Paris 586 (Nr. 231), Ende des 15. Jahrhunderts in Venedig geschrieben. Verziert ist die Handschrift mit allerlei groben Miniaturzeichnungen, die, so primitiv sie auch sind, doch erheblichen kulturhistorischen Wert besitzen. Aus ihnen entnehmen wir manchen Hinweis auf das spätmittelalterliche (religiöse) Leben deutscher Juden. Auf den letzten Blättern erscheinen Familiennotizen, deren erste aus dem Jahre 1503 stammt.

Minhagim-Bücher erfreuten sich im jüdischen Familienkreis großer Beliebtheit, so daß die relativ große Anzahl derartiger überlieferter Schriften nicht verwundert. Unter den vornehmlich im 16. Jahrhundert entstandenen Minhagim-Sammlungen sind noch zu nennen: Cod. Paris 587 (Nr. 232), Cod. Paris 588 (Nr. 233), Cod. Paris 205 (Nr. 234), Cod. Berlin Or. 4°, 639 und Cod. Berlin Or. 4°, 1049; die letztgenannte Handschrift enthält zwei Minhagim-Fassungen [87]. Weitere Minhagim-Schriften finden sich in der Bibliographie Nr. 235 ff.

4. Frühe weltliche Sachliteratur

a) Privatbriefe

Es darf als sicher angenommen werden, daß bereits vor der Herausbildung einer eigentlichen jüdisch-deutschen Literatur, das Jüdisch-Deutsche im privaten Briefverkehr zur Anwendung gelangte. Anfangs trat in den noch gemischtsprachigen Briefen das Jüdisch-Deutsche neben das Hebräische, doch schon bald verschwanden die hebräischen Schriftpassagen gänzlich, abgesehen von den üblichen Anrede- und Grußfloskeln.

Frühe Proben jüdisch-deutscher Briefe sind leider nicht erhalten; denn selbst Geschäftsbriefe, die später ebenfalls jüdisch-deutsch abgefaßt worden sind, galten als zu unbedeutend, als daß man sie über den notwendigen Zeitraum hinaus behalten und gesammelt hätte. Der wohl älteste überlieferte private Brief wurde im Jahre 1478 geschrieben. Er findet Erwähnung in M. Sterns *Urkundlichen Mitteilungen* (in: Jb. d. jüd.-lit. Ges. 22/1931-32, S. 40) und ist identisch mit jenem Brief des Bayrischen Staatsarchivs in München, den S. Birnbaum in *beth jakob*, (Lodz) 8/1931, S. 18, Nr. 71/72 erwähnt. Heute befindet er sich im Haupt-Staatsarchiv in München unter Gemeiners Nachlaß (Nr. 290); sein Text lautet:

> libe wrondin du libe kron ich kasven (= schreibe) di(r) vil
> du entw(erst) mir nichzet ob du nit kasven kanst ōn di
> di inuiim (= Foltern)
> ich wer (= werde) morgen mit dem irun (= Ratsherr) reden
> ob ich dein sach kont (= könnt) zu gut auß machen
> schik di haub wider herau' (= heraus) heiß daß loch dahran
> wer machen koch rein pulver in einß afil
> hoßt wol h iomin (= Tage) schreib gut douzsch (= deutsch?)
> nei ein [...].

Das Schriftstück trägt den deutschen Vermerk: »das zettelin hierin hat man in der Jakob Judin vanknueß gefunden«.

Weitere jüdisch-deutsche Privatbriefe enthält die Bibliographie von Nr. 291 an.

b) Gerichts- und Geschäftsurkunden

Sehr bald rückte das geschriebene Jüdisch-Deutsche als Urkundensprache in die Bereiche des Handels, Verkehrs und vor allem der Gerichtsbarkeit vor. Zu den ältesten datierten jüdisch-deutschen Schriftstücken zählen juristische Urkunden aus dem 14. Jahrhundert. Den Urfehdebrief des Zürcher Juden Jedidja, Sohn des Chiskia vom Jahre 1385 verwahrt das Schweizer Staatsarchiv in Zürich (Nr. 264), wo es als Blatt 287 der Zürcher Rats- und Gerichtsbüchern unter den Protokollen des Jahres 1385 abgeheftet ist. Der Inhalt des in hebräischer Kursivschrift niedergeschriebenen Dokuments erlaubt interessante Rückschlüsse auf die rechtliche Stellung der Juden in Zürich: Der Jude Jedidja bar Chiskia schwört der Stadt Zürich Urfehde und gelobt, in Zukunft »keinen von zürch, noch niman der zu zin gehört, numer uf kein verömt gericht anoch uswendik ir setat der(e)iben noch laden sol in kein w(e)is.« Er bekräftigt seinen Eid: un hon ich zu ir keinem icht zu seberechen, darum sol ich zu ir ichelichen das recht suchen und von īm nemen zu zürch in der setat und nin'z an ders wo, bei dem eid, den ich gesworen hon!« [88]

Diese Abweichung von der im Mittelalter praktizierten jüdischen Eigengerichtsbarkeit ist nur zu verstehen, wenn man weiß, daß die Zürcher Juden im Jahre 1383 geschworen hatten, ihre internen Rechtsstreitigkeiten vor dem Bürgermeister und dem Rat der Stadt Zürich auszutragen und keinesfalls ihre Rechtshändel vom Hohen Rabbi(Judenmeister) von Rothenburg oder Worms schlichten zu lassen.[89] Das vorliegende Schriftstück bezieht sich auf den Verstoß des Juden Jedidja bar Chiskia gegen diesen Rechtsusus, der die Gefangensetzung und Bestrafung Jedidjas zur Folge hatte. Nach seiner Haftentlassung schwört er Urfehde, d. h. bekräftigt eidlich, daß er sich weder an seinen Richtern noch an seinem Kläger rächen werde.

Rückschlüsse auf die Umgangssprache der Zürcher Juden zu dieser Zeit erlaubt die Urkunde nicht unbedingt; denn der für den Stadtrat bestimmte Urfehdebrief stellt lediglich die Umschrift einer deutschen Vorlage dar. [90] Dem nichtjüdischen Empfänger des Dokuments tragen Wendungen wie »Hr Mose buch« u. ä. Rechnung, die die Begriffe jüdischen Kultes, wie in diesem Falle »Tora« ersetzen. Daß sich die jüdischen Verfasser des Schriftstücks durchaus der Tatsache bewußt waren, die offizielle deutsche Rechtssprache zu benutzen, geht eindeutig aus der zweiten Zeugenaussage hervor: »Ich habe gesehen, daß er geschworen hat und geheißen wurde, nach deutscher Schreibweise zu unterzeichnen.« [91]

Ein fast gleichaltriges juristisches Schriftstück ist der Urfehdebrief des Rabbiners Meir ben Baruch ha-Levi von Erfurt vom 12. September 1392 [92], der sich im Stadtarchiv Frankfurt a. M. (Nr. 265) befindet. Der als Judenmeister in Frankfurt a. M. wirkende Rabbiner wurde auf Verwendung König Wenzels aus dem Frankfurter Gefängnis entlassen [93] und mußte Urfehde schwören, in die auch die Frankfurter Judenschaft einbegriffen wurde. Der Urfehdebrief ist in zwei Exemplaren erhalten: einem deutschen und einem jüdisch-deutschen [94]. Verfasser der jüdisch-deutschen Fassung ist Meir ben Baruch ha-Levi selbst [95].

Außer den beiden Urfehdebriefen aus dem ausgehenden 14. Jahrhundert sind noch zwei jüdisch-deutsche Verpflichtungsurkunden vom ersten und letzten Drittel des 15. Jahrhunderts handschriftlich überliefert: die Verpflichtungsurkunde des Jekutiel ben Benusch vom Jahre 1435 (Nr. 267) sowie ein Urfehdebrief vom 10. Januar 1475 (Nr. 268).

Jüdisch-deutsche Registervermerke zu deutschen Urkunden, die Juden betreffen, finden sich in zahlreichen Schriftstücken des 15. und 16. Jahrhunderts. Es sind dies kurze, formelhafte Vermerke, die den Inhalt der betreffenden Urkunde meist in einem einzigen Satz zusammenfassen. So enthält z. B. eine Urkunde, die die Erneuerung der alten Judenprivilegien in Regensburg durch Kaiser Maximilian sicherstellt, den jüdisch-deutschen Registervermerk:

kasav bestetung mimelex makßimiian ior. h. (= iorum hodo) im virzehn hundert und vaunf un nounzigten jor –

zu deutsch: Bestätigungsurkunde des Königs Maximilians, dessen Majestät erhalten sei, im vierzehnhundertfünfundneunzigsten Jahr (Nr. 271).

Daß die Regensburger Juden auch noch Mitte des 15. Jahrhunderts ihre Eigengerichtsbarkeit besaßen, bezeugt ein jüdisch-deutscher Vermerk auf einem Gerichtsbrief des Conrat Graefenrewter, Schultheiß zu Regensburg, vom 10. April 1453 (Nr. 269), eine Aussage über den Kauf eines Schuldbriefes betreffend:

gerichzt hendel mischpet (= Rechtsprechung) im schulhof (= Synagogenhof).

Klageschriften von Juden wurden in zweifacher Ausfertigung erstellt. Ein Schriftstück, in deutscher Sprache verfaßt, ging dem Rat der Stadt zu; das jüdisch-deutsche Exemplar erhielt der Judenmeister. Die jüdisch-deutsche Fassung einer Regensburger Klageschrift des Geutz von Fiderholz über das ihm von seinem Stiefvater zugefügte Unrecht ist an den Gemeindediener der Regensburger Judengemeinde Menzel (Schammesch) adressiert. Die vom Domprediger Baldasar ins Deutsche übertragene Ausfertigung der vor dem 12. Februar 1518 angefertigten Klageschrift geht an Siegmund Schwebl, Ratsherr der Stadt Regensburg (Nr. 274).

Der Inhalt der Klage, den die Schrift ausführlich schildert, liefert einige interessante Anhaltspunkte über die wirtschaftlichen Verhältnisse, verwandtschaftlichen Beziehungen und daraus resultierenden Erbschaftsstreitigkeiten einer Regensburger Judenfamilie zu Beginn des 16. Jahrhunderts:

Menzl schamesch ich tu oich das zu wissen un' hakohol (= der ganzen Gemeinde) zu sagen den großen gewalt un' das groß un'recht das uns weisen ist wider varen in regenspurk vun unserm stif vater man (= Kurzform für Mendel). doch red ich vun mich alein. das erst do wir sein gesessen zu altorf do ist mein vater selig ab gangen mit tot. do ist mein muter selig morgen gob[a] gewest sechs hundert gulden. do hot si genomen den mendel vun regenspurk un' hot im vor sprochen un' gegeben drit halb[e] hundert gulden reinisch. das ander virt halb[e] hundert gulden reinisch uns armen un derzogen weisen zu halten zum besten. un' si gekauft hot das hous do der man (= Mendel) inen sizt. vun der gemein judisch heit das jederman zu wissen is. do sol er inen sizen do weil si lebt. un' noch irem tot do sol das hous uns brudern heim gevalen. das hous hot sie gekauft un' hundert gulden

reinisch. di drit halb[e] hundert gulden di hot er under sich gebrocht mit vreter rei[e] un' mit bubrei[e] as den einer unser var munder gegeben meinem stif vater zwei hunder gulden gelt un' gelt wert. al adas das in ein hous gehort. as mein vater ist gewest ein reich man. er sol uns halten un' zihen drei jor lang mit essen mit drinken mit kleidern mit lernen noch jodschen orden. der es nit geton hot das is er gewest. das ich nit mer [96] bin bei[e] im gewest ein jor. also hot er sich also arm gemacht un' er sei ver dorben. un' hot mein arme geschwistrech gehalten as ein vreter un' bsowicht un' keinerlei[a] hot gehalt was er uns hot zu gesagt das einer ganzen judisch heit zu wissen is. mer kan mir armen man nit werden. mein gelihen gelt das ich oft hab[e] gevordert sebs un' geschikt hab[e] andert loit an im er meiner gespot hot un' verleikt mir armen man das mein. mer is einer ganzen judisch heit zu wissen do mein geschwistrech ist bei[a] im gewest do hot er sich also arm gemacht un' hot vor sezt di housen (= hosen) von bein um brot. auf eim schim (= zum Schein) un' hot ein ganze gemein judischheit das ir vor halten das er uns vor driben hot ous dem hous hunger halben. also bald as die drei[e] jor ous woren do tet er sich her vor un' vand sich das einer ganzen judischheit wol zu wissen war. as gut as sechzehn hundert gulden das hot er gewonnen mit unserm gelt also wol as mit seinem gelt. nun bin ich izunt am jungsten gewesen zu regenspurk un' hab[e] an in geschikt den elzten rebe mit namen r. meir un' gevordert hab[e] das mein gelihen gelt und hab[e] g'begert mit im zu rechnen vor guten loiten was mir zu geburt mir zu mein teil. do hot er sich lossen merken er wol mich um troiben (= vor Gericht ziehen, klagen). do weil ich nit hab[e] un' wol also vor mir kumen as vor meinem bruder mosche. den hot er iber tobert (= betäubt) in einem trunk un' bos loit der zu geholfen haben. noch hot er mich gebrocht um al mein silber geschir bis auf ein koupf (= Becher) den wil ich drein wogen riterlich bis ich meiner scheden ein kum. un' tu im zu wissen das ich im ab[e] sag[e] meinem Stif vater mendel zu regenspurk seinem leib[e] un' seinem gut. un' einer ganzen gemein judisch heit un' auch einer ganzen gemein stat regenspurk das si sich nichs derfen guz[e] zu mir vor sehen. wolt got von himel das di burger un' ein ganze gemein vun regenspurk solt wissen den großen gewalt der mir geschicht mir armen man von dem mendel meinem stif vater. es mocht got von himel der barmen.
ich goez[e] von vider holz[e].

Zeugenaussagen von Juden wurden meist auch in jüdisch-deutscher und deutscher Fassung angefertigt. Oder aber das deutsch abgefaßte Schriftstück erhielt einen jüdisch-deutschen Nachsatz, der die Aussage des Zeugen zusammenfaßte, wie wir es in einem Rückvermerk am Ende des ersten von fünf Berichten über einen Giftmordprozeß gegen den Bischof von Bamberg (23. Juni 1509) lesen können (Nr. 273).

Die wohl umfangreichste Kategorie jüdisch-deutscher juristischer und Geschäftsdokumente bilden die Schuldbriefe. War der Schuldner ein christlicher Bürger, was in der Regel der Fall war, so wurden die Wechselbriefe in deutscher Formulierung ausgestellt und erhielten lediglich einen jüdisch-deutschen Rückvermerk, etwa in dieser Form (Nr. 270):

an dem briv haben wir antpfangen mea (= hundert) sehu' (= sehuvim: Gulden) rein' (= reinisch) un' alen ribis (= Zinsen) bis auf den hoitigen tag iom (= Tag) dolet (= 4) kaphbes (= 22) veodar (= Weadar) resch-kaph-he (= 225, d. i. 1468) acher (= nach) greorg (= 16. März 1468).

c) *Kalender und Merkbücher*

Neben den aufgezählten Arten von Geschäfts- und Gerichtsschriftstücken sind noch Kalender und Merkbücher zu nennen, die ebenfalls zum weltlichen Gebrauchsschrifttum zu rechnen sind. Die meist private Aufzeichnungen enthaltenden Diarien sind durchweg jüngeren Datums. Sie gehen selten über das 16. Jahrhundert hinaus. Das älteste bisher aufgefundene Notizbuch in einer Oxforder Handschrift (Nr. 2206 im Katalog von Neubauer/Cowley) enthält bemerkenswerterweise Aufzeichnungen, die im Zusammenhang mit den Judenverfolgungen in allen Teilen Deutschlands in der Zeit von 1417–1547 stehen.

Im übrigen mag darauf verwiesen werden, daß nicht wenige jüdisch-deutsche Handschriften, oft als »Familienreliquie« gehalten, auf den Vorsatzblättern wichtige Daten der Familiengeschichte enthalten.

5. *Mittelalterlicher Vortrags- und Lesestoff*

Erste Hinweise jüdischer Folklore in Deutschland finden sich im *sefer chassidim* des R. Jehuda ben Samuel (12. Jahrhundert). Dort werden Kinder- und Hochzeitslieder erwähnt, die von den Juden in lokaler deutscher Mundart vorgetragen wurden. [97] Derselben Quelle sind Hinweise zu entnehmen, wonach *Ritterromanzen* und eine um die Mitte des 12. Jahrhunderts verfaßte deutsche *Kaiserchronik* als Unterhaltungslektüre bei der jüdischen Bevölkerung sehr beliebt waren. [98]

Legende, Sage und Heldenlied, Schwank und Fabel, Sprichwort und Rätsel, vor allem aber volkstümliches Spiel und Lied sind der Quell mittelalterlicher jüdisch-deutscher Unterhaltungsstoffe, die weniger in schriftlicher Form festgehalten wurden, als vielmehr mündlich vorgetragen, eine rasche und weitreichende Verbreitung erlangten. Hauptsächlichen Anteil an Entwicklung und Vermittlung des volkstümlichen Vortrags- und Lesestoffs nahmen berufsmäßige Vortragskünstler, fahrende Spielleute, Gilgulim, Lezim und Meessim, wie sie uns in den Figuren des »Marschalik« und des »Badchen« im osteuropäischen Judentum noch im frühen 20. Jahrhundert als professionelle Unterhalter und Spaßmacher bei festlichen Gelegenheiten begegnen.

Nicht unterschätzt werden sollte auch die maßgebliche Beteiligung der jüdischen Frau an der Sammlung und Überlieferung der Unterhaltungsstoffe. Sie war es, die für die Geselligkeit im Familienkreis verantwortlich war. Zu ihren Obliegenheiten zählte u. a. die regelmäßige Sabbatlektüre, die sich weit weniger auf die Gebiete der Religion als vielmehr der Folklore erstreckte.

Spiel, Tanz und Gesang der deutschen Juden des Mittelalters tragen ebenso deutlich die Züge ihrer christlichen Umgebung wie die religiös gefärbten Sagen und Legenden. Die volkstümliche jüdisch-deutsche Literatur dieser Zeit schöpft nicht nur aus dem unersättlichen Vorrat mittelalterlicher Märchen und Sagen, sondern auch aus christlich-religiösen Quellen. [99]

Jüdisch-deutsche Unterhaltungsstoffe sind selbstverständlich auch der mündlichen und schriftlichen Überlieferung der Kabbala und der talmudisch-midraschischen Agada entnommen. Darüber hinaus fließen in nicht unbedeutendem Maße orientalische und indische Volkserzählungen ein. So lassen sich z. B. die im jüdischen Volksmund sehr beliebten *Fuchsfabeln* (vgl. S. 107) auf indische Fabeln zurückführen, die im *pantschatranta* gesammelt sind. Dieses wie der Pentateuch fünfteilige Fabelbuch, das im übrigen als eine der ältesten Fabelsammlungen gilt, enthält Gespräche zwischen zwei Schakalen, deren Namen später das beliebte Märchenbuch *kalila we-dimna* (Nr. 479) seinen Titel verdankt. Die Beliebtheit der Fabeln im jüdischen Volke erscheint begreiflich, vereinen sie doch in sich Wahrheit, Weisheit und Witz, also Gaben, die den Herrschenden der Welt nur in verkleideter Form zugetragen werden durften. [100]

a) Geschichtensammlungen

Unter den jüdisch-deutschen Legenden und Sagen dominieren – allein schon ihres Umfangs wegen – zwei abgeschlossene Sammlungen: der Regensburger und der Wormser Zyklus. Beide Sammlungen sind reichlich spät, nämlich erst im 16./17. Jahrhundert zur Veröffentlichung gelangt, die Wormser Legenden unter dem Titel *maasse nissim der stat wormeisa* (vgl. S. 113), der Regensburger Zyklus im *maasse-buch* (vgl. S. 111).

Der *sefer maasse nissim* geht zurück auf die Kompilation jüdischer Volkserzählungen des Wormser Schammesch R. Jiftach Josef Juspa ben Naftali Hirz, genannt Juspa Schammesch. Bei der Anlage der Sammlung wirkte die Persönlichkeit des Kompilators stark mit. Juspa Schammesch, 1604 in Fulda geboren, daselbst Schüler der von R. Pinchas Hurwitz (Appellant von Prag) geleiteten Gesetzesschule, kam 1623 nach Worms. Dort nahm er sein Studium in der Gesetzesschule des R. Elia Loanz auf, bis er 1648 zum Schammesch der jüdischen Gemeinde berufen wurde. Während dieser Zeit wohnte er im Hause des Josua ben Jussuf Oppenheim, des Großvaters des späteren Bibliophilen. Bis zu seinem Tode im Jahre 1678 blieb er im Amt des Schammesch und Vertrauensmanns der jüdischen Gemeinde in Worms, wo er sich wegen seiner mutigen Haltung während der Pest, die 1666 im jüdischen Viertel wütete, auszeichnete. Sein Sohn Elieser Liebermann, der nach dem großen Brand des Wormser Ghettos (1689) nach Amsterdam zog, übersetzte die hebräisch niedergeschriebene Legendensammlung seines Vaters und gab sie 1696 in jiddischer Fassung heraus.

Der Großteil der Geschichten ist sehr alt und reicht bis ins Mittelalter zurück. Im Vorwort des *sefer maasse nissim* ist zu lesen, daß ein Teil der Erzählungen sich zur Lebzeit des Juspa Schammesch ereignet habe, ein anderer Teil habe dieser von älteren Bekannten mitgeteilt bekommen. Tatsächlich läßt sich die Überliefererkette mindestens zwei Generationen vor Juspa Schammesch zurückverfolgen. Die erste Geschichte *worum asaufil gesiruß* (=*rabbinische Beschlüsse*) *senen farzeilt gewesen in Wormeis, wos der chate* (= *Sünde*) *is gewesen*? hat Juspa Schammesch noch in Fulda von seinem Lehrer R. Pinchas im Jahre 1620 erzählt bekommen. R. Pinchas wiederum hat sie von seinem Lehrer R. Falk gehört.

Eine andere Autorität in der Überliefererkette ist der Wunderrabbi Elia ha-Sakan ben Mosche ben Josef Loanz, kurz Elia Loanz genannt, der Enkel des Anwalts der deutschen Juden im 16. Jahrhundert R. Josef (Josel, Joselmann) von Rosheim. R. Elia wurde 1555 oder 1564 in Frankfurt am Main geboren, verbrachte eine Zeit seines Lebens in Krakau und wurde schließlich Rabbiner und Leiter der talmudischen Lehranstalten in Worms, Fulda, Hanau und seit 1615 wiederum in Worms, wo er 1636 starb. Bekannt wurde er u. a. durch sein Werk *wikkuach ha-jajin we-ha-majim* (vgl. S. 48), einem in Jüdisch-Deutsch wiedergegebenen Disput zwischen Wasser und Wein über ihre Vorzüglichkeit als Getränk. [101]

Das 1602 erstmals veröffentlichte *maasse-buch,* von dem in einem späteren Kapitel noch ausführlich die Rede sein wird, faßt jüdische Legenden aus Regensburg zusammen. Die Erzählungen ranken sich um R. Jehuda Chassid und R. Schmuel, seinen Vater. R. Jehuda, in Speyer geboren und aufgewachsen, kam 1195 nach Regensburg, wo er 1217 starb. Seine Rolle in der Regensburger Judengemeinde vermag nicht eindeutig festgestellt werden, doch dürfte er hohes Ansehen genossen haben. Das Werk *rokeach* seines Schülers R. Eleasar ben Jehuda, genannt Rokeach (1237 in Worms gestorben), spricht mit Achtung und Anerkennung von ihm. Berühmtheit erlangte R. Jehuda ben Samuel ha-Chassid durch seinen bedeutenden *sefer chassidim* (*Buch der Frommen*), ein mystisches und mit deutschem (!) Volksglauben gefärbtes Moralbuch in hebräischer Sprache, das – wie bereits festzustellen war – wichtige Mitteilungen über das mittelalterliche Leben der deutschen Juden enthält.

Beide Geschichtensammlungen ähneln sich im Stil und Umfang. Die Legenden sind mystisch gefärbt und tragen den Charakter volkstümlicher Kabbalistik in sich, was auf die ungünstigen äußeren Lebensumstände der Juden, vor allem auf die ständige Bedrohung und Todesangst zurückzuführen ist. Ein starker Unterschied zwischen beiden Zyklen besteht doch: die Wormser Legenden bleiben eng verbunden mit der Stadt, die Schauplätze des Geschehens sind stets Wormser Straßen und Häuser (»Zur Sonne«, »Zur Krone« u. a.), die aber nicht in direkter Beziehung zur eigentlichen Geschichte der Juden in Worms stehen. Auch einzelne Geschichten enthalten nichts unbedingt Jüdisches. Eine Legende deutet z. B. den Namen der Stadt Worms und erklärt, warum in ihrem Wappen ein Schlüssel abgebildet ist. Die Regensburger Legenden hingegen ranken sich um lebendige Gestalten: Juden, Rabbinen und Wundermänner, aber auch um Geister und Dämonen. Die Geschichten sind typische Lobpreisungen, besonders der beiden Mystiker R. Schmuel und R. Jehuda Chassid. Regensburg selbst spielt als Ort der Handlung eine ganz nebensächliche Rolle. Die Legenden spielen in Mainz, Speyer und Köln. Dieser charakteristische Unterschied zwischen beiden Zyklen ist leicht zu erklären: Bauten und Straßen von Worms müssen stets standortgebunden bleiben, während die Hauptfiguren der Regensburger Legenden, die wundersamen Rabbinen, sich nicht fortwährend in Regensburg aufhalten, sondern meist andere Städte besuchen. Mit ihnen wandert der Schauplatz des Geschehens. Die Folge davon ist, daß die Regensburger Geschichten phantasievoller und losgelöst von historischen Fakten erscheinen, während die reale, geschichtliche Verbundenheit des Wormser Zyklus auffällt.

Um diese Feststellungen zu untermauern, sei gesagt, daß der Held der Regensburger Legenden, R. Jehuda Chassid, auch einmal als Titelfigur in einer Wormser Wundergeschichte auftritt. Es ist die Legende, in der seine mit ihm schwanger gehende Mutter eine wunderbare Errettung erfährt. Als sie nämlich in einer engen Gasse, die an der »Weiberschul« in Worms vorbeiführt, von einem Pferdegespann überfahren zu werden droht, wölbt sich die Mauer ein und bietet ihr Unterschlupf.

Es sollte an dieser Stelle nicht versäumt werden, darauf hinzuweisen, daß gerade diese Legende in ähnlicher Form auch zum Kreis der Raschi-Legenden gehört. Allerdings spielt sie im französischen Troyes und berichtet von einem nämlichen Wunder, das der Mutter des berühmten Salomo ben Isaak, genannt Raschi, die im 6. Monat schwanger ist, widerfährt. [102]

Besonders die Regensburger Legenden erinnern stark an die Heldenerzählungen anderer Völker. Allerdings reifen die Helden der jüdisch-deutschen Sagen und Legenden weniger körperlich heran als vielmehr geistig und sittlich. So erzählt die Legende, daß R. Jehuda Chassid erst spät zu seiner moralischen »Bekehrung« durch ein Wunder gelangt. In seiner Jugend ist er ein unwissender und unwürdiger Mensch, der bis zu seinem 18. Lebensjahr Streifzüge mit Pfeil und Bogen unternimmt, wenig Lust hat, in der Tora zu lernen und von starker Abneigung gegen das Gesetzesstudium ist.

Die Quellen jüdisch-deutscher Legenden sind nicht selten fromme christliche Erzählungen, die sich in judaisierter Transformation großer Beliebtheit im Ghetto erfreuten. Die Legende vom heiligen St. Emmeran erlebte ihre Umwandlung zur Legende vom Rabbi Amram (Emram). Dieser leitete eine Talmudschule in Köln. Da seine Eltern in Mainz wohnten, bat er seine Schüler, ihn nach seinem Tod in einen Kahn zu legen, der ihn rhein*aufwärts* nach Mainz bringen sollte. Also geschah es! Erstaunt über dieses Wunder erwarten Christen und Juden den Kahn am Ufer des Rheins in Mainz. Der Nachen legte jedoch nicht dort an, wo sich die Christen versammelt hatten, sondern dort, wo die Juden standen. Die öffneten den Sarg und fanden R. Amrams Mitteilung vor, ihn im Grabe seiner Eltern beizusetzen. Doch die Mainzer Christenheit ermächtigte sich des Sarges und ließ über der Begräbnisstätte die Kirche St. Emmeran erbauen. R. Amram fand in seinem Grab keine Ruhe; er erschien seinen Schülern in jeder Nacht im Traum und bat sie, seinen Leichnam auf dem Judenfriedhof zu bestatten. Da nahmen sie seine Gebeine und begruben ihn dort, sein Grab aber ist bis heute ein Geheimnis geblieben.

Diese volkstümliche jüdische Legende ist lediglich die Umformung der christlichen Wundergeschichte vom Tode des heiligen St. Emmeran, von dem erzählt wird, daß sein Leichnam auf einem führerlosen Ochsengespann nach Aschheim kam, wo sein toter Körper ohne menschliche Hilfe auf ein Schiff gelangte, das ihn die Donau *hinauf* nach Regensburg brachte.

Sowohl der christlichen wie auch der jüdischen Legende ist eine Quelle gemein, die – wie Liebrecht [103] nachgewiesen hat – auf eine alte germanische Sitte zurückzuführen ist: das Schiffsgeleit verstorbener Helden. Im übrigen erzählte die Kölner Christenheit dieselbe Legende von ihrem Heiligen Maternus. [104]

Besonderes Interesse verdienen die Geschichten, die sich um die legendäre Gestalt des Propheten Elias weben, der, ähnlich Jesus Christus in einer Vielzahl europäischer Legenden und volkstümlicher Erzählungen, die Rolle des Erlösers und Wundertäters übernimmt. Es hilft den Menschen in ihren Nöten und führt sie aus Elend und Bedrängnis heraus.

Eine Legende berichtet, wie der Prophet Elias einem jungen Ehepaar erscheint und es vor die Wahl stellt, Anstrengungen und Mühsal in der Jugend oder im

Alter zu erdulden. Wie Eustacius in der 110. Erzählung der *Gesta Romanorum* zieht das junge Paar die Beschwernis der Jugend und die Annehmlichkeit des Alters vor. [105]

Die jüdische Volkserzählung *Vom König und Falken* [106] geht unzweifelhaft zurück auf eine nichtjüdische mittelalterliche Legende. Die *maasse* erzählt die Bestrafung des Falken, der den Adler getötet hat. Nach dem göttlichen Gesetz der Tora verfällt derjenige, der den König tötet, dem Tode. So auch der Falke, der den König der Vögel, den Adler, erwürgt hat. Eine ähnliche Erzählung enthält Nummer 90 der *Cento Novelle Antiche.*

Sicherlich bildet eine der Quellen des *maasse-buchs,* das ebenfalls in Basel erstmals 1580 erscheinende Werk *kaftor we-ferah* des Jakob Luzzatto. Aber auch Luzzattos Erzählungen sind keineswegs originell, sondern greifen auf italienische *Novellini* zurück. [107]

Maasse 293 der Edition Gaster enthält die Legende von König Frederick (oder Frandik), der die 11 Weisen von Israel überreden möchte, Wein mit ihm zu trinken. Die Weisen haben unter drei Sünden zu wählen: Genuß von Schweinefleisch, Trunkenheit oder Ehebruch, indem sie mit Christenfrauen schlafen. Sie wählen die Trunkenheit – und die anderen Gesetzesübertretungen folgen nach. Diese Legende ist abgeleitet aus Luzzattos Sammlung, wir finden sie auch in Wesselkis Sammlung christlicher Legenden, *Mönchslatein,* Ed. Leipzig 1909, Nr. 17 und 81.

Die Maasse *Vom treulosen Bruder* (Ed. Gaster, no. 204), ebenfalls in Wesselkis *Mönchslatein,* Nr. 116, greift auf mittelalterliche Quellen wie *Gesta Romanorum* u. a. zurück. Die Geschichte, die im *maasse-buch* sehr anschaulich wiedergibt, wie eine unschuldige Frau zur Untreue verführt wird, rechnet Thompson [108] zu einem weit verbreiteten Typ mittelalterlicher Volkserzählungen, der auch im Bereich arabischer Folklore anzutreffen ist.

Es bedarf wohl keiner weiteren Beispiele, um die enge Verbundenheit alter jüdisch-deutscher *maassioss* mit Märchen, Sagen und Legenden der europäischen, speziell der deutschen Christenheit nachzuweisen, auch wenn einige jüdische Literaturwissenschaftler diese folkloristische Assimilation gerne leugnen würden. Gaster irrt, wenn er behauptet, die Affinität jüdischer Rabbi Amram- und christlicher St. Emmeram-Legende sei durchaus nicht so eindeutig, wie es den Anschein habe. [109] Seine Begründung, dieselbe Legende würde auch von Rabbi Eleasar ben Nathan [110] erzählt, was die Benutzung einer jüdischen, d. h. hebräischen Quelle nahelegt, ist keineswegs stichhaltig und übersieht die Tatsache, daß die gleichen Legenden gewöhnlich auf verschiedene Helden zugeschnitten werden. Dies ist durchaus ein gewöhnliches Phänomen der Folklore überall auf der Welt.

Meitlis glaubt sogar, daß, »obwohl man diesen und ähnlichen adoptierten und aus der Fremde entliehenen Sagen und Märchen ein eigenes jüdisches Gewand angelegt hat, [...] sie zuweilen in ihrem Grundton der jüdischen Erzählung fremd und als solche auch leicht erkennbar [blieben]«. [111] Derartige Behauptungen sind einfach unsinnig und eher emotional als sachlich begründet. Sollte die talmudisch-midraschische und die agadische Literatur so arm und dem jüdischen Volk so fremd geworden sein, daß sie als Quelle volkstümlicher Erzählungen versiegte? Nein, es sind durchaus auch Legenden des *maasse-buchs* auf talmudisch-midraschische Vorbilder zurückzuführen. [112]

Die ›Judaisierung‹ christlicher epischer Stoffe, die Anpassung christlicher Erzählungen an das jüdische Milieu, mag sie bewußt oder unbewußt vor sich gegangen sein, zu leugnen ist sie keinesfalls. Vielmehr ist dieser Vorgang charakteristisch für die Entwicklung der jüdischen Kultur im mittelalterlichen Deutschland. Indem sie im Laufe der Zeit die Züge außerjüdischen Ursprungs und Einflusses ablegt, verleugnet sie schließlich die Herkunft und wird als ein eigenes Produkt jüdischen Volksgeistes ausgelegt.

An dieser Stelle sollte dem naiven Trugschluß vorgebeugt werden, die große Beliebtheit geistlicher Volkssagen und Legenden ließe auf einen hohen Grad an Religiösität schließen. Weniger der oft nur oberflächliche religiöse Gehalt der *maassioss* als vielmehr die Unkompliziertheit der Handlungsführung, das Geheimnisvolle, das die Sagengestalten umgibt und schließlich die wunderbaren Geschehnisse selbst reizten den einfachen Juden zum Anhören und Weitererzählen dieser Geschichten. Die Auswahl des Unterhaltungsstoffes mag begrenzt und unmittelbar durch die Umgebung des alltäglichen Lebens beeinflußt gewesen sein. Man sollte schließlich nicht vergessen, welch erdrückende Dominanz Kirche und Religion auch im letzten Winkel mittelalterlichen Daseins besaßen. Und doch vermag der religiöse Stoff allzu oft nur den Vordergrund der *maassioss* ausfüllen, die eigentliche Tiefe, die Sinngebung des Erzählten wird bestimmt und getragen von der profanen Intention einer nicht selten sinnlichen Gedankenwelt. So sind eindeutig erotische Züge in einigen Sagen und Legenden durchaus nicht selten!

Die Wormser Legende *Von der Königin von Saba im Haus zur Sonne* (Nr. 21 des *sefer maasse nissim*) erzählt von einem armen Mann, dem die Königin von Saba erscheint. Sie verspricht ihm Reichtum, macht aber zur Bedingung, daß er zwölf Tage und Nächte mit ihr zusammen sein soll. Die zweite Bedingung ist, daß von dieser Abmachung kein anderer erfahren dürfe. Der Mann willigt ein und erhält tatsächlich reiche Geschenke. Aber die ganze Angelegenheit kommt der Ehefrau höchst verdächtig vor. Sie spürt ihrem Mann nach und findet ihn mit der Königin zusammen. Zur Strafe verliert der Mann alles Vermögen. Die Königin erscheint von nun an nicht mehr, sie tötet sogar die zwei Kinder, die sie mit dem Mann gezeugt hat.

Eine andere Legende, die eine deutliche sexuelle Symbolik aufweist, finden wir in einer alten jiddischen Handschrift aus Italien verzeichnet: *maasse me-wirms* (Geschichte aus Worms; Nr. 482). Sie hat folgenden Inhalt:

Ein Rabbi in Worms mit Namen Salman hat einen artigen und frommen Sohn. Eines Tages spielen die Schüler des Rabbiners Versteck, wobei dieser Jüngling seine Spielgefährten in einem hohlen Baum sucht. Er endeckt eine Hand, meint, es sei die seines Freundel und stößt spaßeshalber mit seinem Zeigefinger hinein. Es ist aber nicht sein Freund, sondern eine Fee, die den Finger abbricht und mit sich nimmt. Sie erscheint in seiner Hochzeitsnacht und tötet seine Frau; so geschieht es auch mit seiner zweiten Frau. Erst die dritte Ehefrau vermag, die Fee um Gnade flehend, am Leben zu bleiben. Zur Bedingung macht diese allerdings, daß der

Ehemann an jedem Tage eine Stunde mit ihr verbringen muß. Das Weib spürt beiden nach und findet sie nach einer gewissen Zeit im Schlaf versunken vor. Sie versucht behutsam, ihren Gatten aus der Umarmung der Fee zu befreien und legt deren lange Hand auf eine Bank. Doch die Fee erwacht, rafft sich auf und will sich auf die Ehefrau stürzen. Diese vermag sie aber zu besänftigen, und zuliebe der Sittsamkeit und Höflichkeit der Ehefrau, gibt die Fee den Finger des Mannes heraus und verschwindet auf Nimmerwiedersehen.

Die Wiege dieser Sage, die rund hundert Jahre vor Juspa Schammesch aufgezeichnet worden ist, hat unzweifelhaft in Worms gestanden, worauf schon ihr Titel hinweist.

Derselbe Cambridger Codex aus der ersten Hälfte des 16. Jahrhunderts enthält übrigens noch zwei andere Erzählungen: eine *maasse me-dansk* (Geschichte aus Danzig) und eine *maasse me-manz* (Geschichte aus Mainz). Die letzte Geschichte handelt von zwei feindlichen Brüdern, die Danziger *maasse* bringt eine Verkleidungsgeschichte, ein beliebtes und oft verwendetes Motiv mittelalterlicher Erzähltechnik:

Eine schöne jüdische Frau wird von ihrem Mann verlassen, der in ein fernes Land reist. Sie folgt ihm nach, als Mann verkleidet. Die Tochter des Landeskönigs verliebt sich unsterblich in sie (ihn). Zum Glück kann die Frau ihren Mann ausfindig machen. Er muß an ihrer Stelle die nächtliche Verabredung mit der Prinzessin einhalten. Am darauffolgenden Morgen gelingt es beiden Ehegatten auf einem Schiff zu entfliehen, nicht ohne den Thronschatz mit sich zu nehmen.

In linguistischer Hinsicht weist diese Geschichte einige interessante Besonderheiten auf. Es fließen beispielsweise *italienische* Vokabeln in den jüdisch-deutschen Text ein, was die Vermutung rechtfertigt, daß diese Handschrift in Oberitalien zusammengestellt worden ist.

b) Gesellschaftsspiel und volkstümlicher Gesang

Eine andere Form kurzweiliger Unterhaltung bot das Spiel im Haus und auf der Straße. Trotz der manchmal lebensbedrohlichen Lage blieb das jüdische Leben im allgemeinen fern allen Asketentums und Mystizismus. Vielmehr war es erfüllt von heiterer Unterhaltung, von geselligem Spiel, Tanz und Gesang. Die männliche Jugend maß Kraft und Geschicklichkeit im sportlichen Spiel. Seit der biblischen Zeit erfreute sich das Ballspiel großer Beliebtheit, auch wird berichtet, daß Jugendliche an einem großen, gewichtigen Stein ihre Hebekraft zu messen pflegten. Geeignete Gelegenheit zu sportlichem Wettkampf bot sich bei der Einholung des Bräutigams.

Ein sehr beliebtes Gesellschaftsspiel war das Versteckspiel, wie wir bereits in *maasse me-wirms* sahen. Dieselbe Cambridger Handschrift enthält die Beschreibung einer besonderen Form dieses Spiels:

> se spileten ein spil, da heißt man in taitschen
> kugi bergilisch. [113] das spil man aso: einer muß sich
> ein bukan un' die andern verbergen sich. der sich hot

ein gebukt, der muß sie ale suechen bis er sie ale
gefint, die sich verborgen haben.

Allein schon die deutsche mundartliche Bezeichnung dieses Zeitvertreibs, »Gutzeberglein«, weist darauf hin, daß sich jüdische Spielarten nicht wesentlich von den deutschen Gesellschaftsspielen unterschieden haben. [114]

Das höchste Ansehen unter den Gesellschaftsspielen genoß das Schachspiel. Besondere bildliche Darstellungen, Abhandlungen und Gleichnisse, die sich an das Spiel anlehnen, beweisen seinen hohen Wert. Es sollte den Verstand schärfen und das Gemüt beruhigen, aber auch für kurze Augenblicke Weltvergessenheit spenden. Schachparabeln haben ihren Ursprung im orientalischen Raum, wo sie neben der Fabel die einzige Zuflucht waren, despotischen Machthabern Wahrheiten mitzuteilen. Es gibt eine alte persische Parabel, die uns die Taktik dieser seltsamen Art von Meinungsfreiheit verrät: Das Regierungsgeschick des Herrschers wird in einem Schachspiel dargestellt. Während der König nur einen Schritt zur Seite, vor- oder zurückgehen darf, durchlaufen die Minister das gesamte Gebiet. [115]

Die jüdisch-deutsche Literatur griff dieses Thema schon früh auf, allerdings findet sich kaum noch ein Nachweis dafür. Ein bereits im frühen 12. Jahrhundert von Abraham ben Meir Ibn Esra (1092–1167) verfaßtes Rätsel über das Schachspiel mit dem Titel *chida* (= Rätsel) taucht in jüdisch-deutscher Fassung in einem Wilhermsdorfer Druck erst wieder im frühen 18. Jahrhundert (Nr. 455) auf, doch ist anzunehmen, daß diese Ausgabe auf weitaus ältere zurückgreift. Loblieder über das Schachspiel dürfte es in jüdisch-deutscher Fassung schon im Mittelalter gegeben haben, vielleicht jenem Gedicht über das Schachspiel ähnlich, das in der Frankfurter Ausgabe von 1726 zu Leon da Modenas (1571–1648) *maadanne melek* als Vorspann erscheint.

Das Kartenspiel hat keine literarische Behandlung erfahren; sieht man einmal von Verboten und Erlässen von seiten jüdischer Moralapostel ab, so finden wir es in keiner Schrift erwähnt. Das überrascht um so mehr, als doch die Kartenmalerei und der Vertrieb von Spielkarten schon früh in jüdischen Händen lag. Der zufällig erste namentlich bekannte Kartenmaler war ein Jude, der um 1300 lebte. Der Verkauf von Spielkarten lag im ausgehenden Mittelalter weitgehend in den Händen jüdischer Händler, die die in Italien erstmals verbreiteten Spielkarten mit nach Deutschland brachten. Hier fanden sie in jüdischen Kreisen starken Absatz, besonders in der Zeit nach dem großen Judenschlachten (1349), wo Vergnügungs- und Spielsucht um sich griffen.

Dagegen fanden sog. Losspiele in der jüdisch-deutschen Literatur ihren Niederschlag. Es waren dies Spiele, in denen eine Art Schicksalsbefragung vorgenommen wurde. Sie waren in christlichen Kreisen als »sortes sanctorum« ebenfalls sehr beliebt. Anfänglich benutzte man für dieses Spiel die Hl. Schrift, indem man sie willkürlich aufschlug und das erste Wort des Blattes, auf welches das Auge fiel, als prophetische Deutung für bevorstehende Ereignisse ableitete. Später schlug man statt in der Bibel in sog. Losbüchern nach. Für den Bereich der jüdisch-deutschen Literatur lassen sich derartige Spielbücher allerdings erst aus dem beginnenden 16. Jahrhundert nachweisen.

Eine besondere Schicksalsbefragung war das Lösen von Knotenseilen, wovon der *sefer ha-goral* des »Jünglings« Pheibel (Phöbus) ben Löw Präger vom Jahre 1713 (Nr. 472) noch Zeugnis ablegt.

Eine andere Unterhaltung boten Rätselspiele, die besonders zu Chanukka veranstaltet wurden. Dabei verwendete man Rätselschriften wie sie uns auch in der deutschen Literatur des 13. Jahrhunderts begegnen. Für die Rätselbücher wurden nicht selten halachische Sätze herangezogen, doch war ein solches Unterhaltungsmittel nur in jenen Kreisen üblich, wo noch Vertrautheit mit der talmudischen Literatur herrschte.

Diese Schriftgelehrtheit war auch für Spiele notwendig, in denen Sprüche der Hl. Schrift als Spielmittel eingesetzt wurden. Ein Spieler mußte einen Spruch aufsagen, mit dessen Ende der folgende Spieler einen neuen Spruch zu bilden hatte.

Ein anderes, weites Feld jüdischer mittelalterlicher Folklore machte der volkstümliche Gesang aus, der sich, bis auf einige beliebte religiöse Hymnen, nicht wesentlich vom deutschen Volksgesang unterschied. Eines dieser beliebten geistlichen Gesänge, die sich bis in die Gegenwart erhalten haben, ist das *Einheitslied.* Es ist in jüdisch-deutscher Version in einer illuminierten Pessachhaggada aus der ersten Hälfte des 15. Jahrhunderts enthalten (Nr. 305). Das rituelle Lied für die Feier der ersten Pessachabende hat die Bitte um den Wiederaufbau des Tempels in Jerusalem zum Inhalt. Der Bittgesang wird verständlich, wenn man weiß, daß die Pessach-Agende im Diaspora-Judentum lediglich einen symbolischen Ersatz für das eigentliche Pessachfest, in dessen Verlauf die Opferung eines Lammes im Tempel stattzufinden hatte, darstellen konnte. Das Lied, nach seinem hebräischen Text auch *addir-hu-lied* genannt, ist ein Lobgesang zu Ehren Gottes, der mit vielen lobenswerten Attributen belegt wird. Der alphabetisch angeordnete Liedtext schließt im deutschen Ritus mit den Worten:

addir hu, addir hu, jiwne wesso b'korow bimhero,
bimhero b'jomenu b'korow el b'ne el b'ne
b'ne wescho b'korow!

Dieser Refrain ist nicht in allen Riten von gleicher Länge und Häufigkeit. Die jüdisch-deutsche Version in der oben erwähnten Pessach-Haggada, erlangte große Popularität und fand sogar Eingang in die Haggada der Sefardim (Amsterdam 1612). M. Schwab gibt in seinem *Repertoire des Articles relatifs à la Littérature juives* [116] folgende Umschrift des Refrains an:

ainiger got, nun bauwe dein Tempel schire,
also schir, also schir,
in unseren tagen schire [...].

Die Beliebtheit mag neben dem tendenziösen Aussagewert besonders auf die ausdrucksvolle Melodie zurückzuführen sein. Allerdings variiert die Melodie je nach Ritus, behält jedoch die ihr eigene Melancholie. [117] Diese als »bi-mehera« bekannte Singweise wurde im übrigen schon früh notenschriftlich überliefert, so in der Haggada von Rittangel 1644. [118]

Das jüdisch-deutsche *Einheitslied* erscheint in mehreren hebräischen Haggadadrucken, so auch in der prachtvoll ausgestatteten Prager Haggada von 1526. Dies läßt den Schluß zu, daß das Lied ursprünglich auch jüdisch-deutsch verfaßt worden ist. Die hebräischen Fassungen wären dann lediglich Übersetzungen. Wie es auch gewesen sein mag, der Brauch, dieses Lied ins Repertoire der rituellen Vorträge aufzunehmen, wurzelt tief und geht auch daraus hervor, daß bei der Übersetzung der Haggada ins Italienische das *Einheitslied* in jüdisch-deutscher Version übernommen worden ist. [119] Kurios erscheint jedoch die Tatsache, daß gerade dieser jüdisch-deutsche Hymnus dort verloren geht, wo das Jüdisch-Deutsche immer mehr zunimmt: in den ersten Sidur-Ausgaben, die die Haggada aufnehmen.

Ebenso beliebt wie das *Einheitslied* mag das *chad-gadja-lied* gewesen sein. Dieses 10 Strophen umfassende humoristisch-satirische Lied finden wir in der Darmstädter Pessach-Haggada aus dem 15. Jahrhundert (Nr. 306). Eine andere populäre Fassung aus dem 16. Jahrhundert bringen S. M. Ginsburg und P. S. Marek in ihrer *Sammlung jüdischer Volkslieder in Rußland* [120]. Es genügt hier, eine Strophe des Liedes zu seiner Charakteristik wiederzugeben:

hat haschem (= Gott) jot borach (= Segenszeichen) aropgeschikt:
a baumele arop, a baumele arop.
baumele sol barelech wakßen,
baumele sol barelech wakßen.
baumele wil nit barelech wakßen,
barelech wilen nit falen, barelech wilen nit falen!

Zunz [121] führt das Lied auf die Nachahmung eines deutschen Volksliedes aus dem 15. Jahrhundert zurück, doch weist Kahler [122] nach, daß das Lied sowohl im Deutschen wie im Jiddischen auf wesentlich ältere orientalische Quellen zurückgeht. Ähnliche Lieder finden sich auch im Englischen, Französischen, Italienischen, Polnischen und Russischen, kurz bei allen europäischen Völkern. Da derartige Lieder auch in Siam und Persien Verbreitung gefunden haben, darf man vermuten, daß die Urquelle in jenen Parallelen zu suchen ist, die das indische *pantschatantra* enthält. Was bereits für die Volkserzählungen festzustellen war, trifft auch hier zu: es »kommen für die Fragen der Motiv- und Typenwanderung folkloristischer Stoffe, die ja eine großräumige Betrachtung voraussetzen, [...] die Länder des Nahen Ostens wegen ihrer einzigartigen Schlüsselstellung zwischen Europa einerseits und Süd- und Ostasien andererseits in Betracht.« [123] Es kann also mit Sicherheit angenommen werden, daß das *chad-gadja-lied* – auch wenn es nicht spezifisch jüdischen, d. h. jüdisch-deutschen Ursprungs ist – keine Nachahmung eines deutschen Liedes ist. Vielmehr läßt sich eher das Gegenteil beweisen! Ein dem *chad-gadja-lied* ähnliches Lied *vom Zicklein* hat Aufnahme in Arnim und Brentanos Sammlung deutscher Volkslieder *Des Knaben Wunderhorn* [124] gefunden. Es führt dort den Titel *Für die Jüngelcher von unsern Leut*. Damit liegt hier ein eindeutiger Nachweis für eine gegenseitige Befruchtung deutsch-jüdischer Folklore vor.

Jüdische Folklore hat, wie wir sehen, also durchaus auch Aufnahme beim deutschen Volk gefunden. Andererseits sperrte sich die jüdische Bevölkerung Europas nicht vor dem Einfluß ihrer christlichen Umgebung. Schon recht früh sind deutsche volkstümliche Lieder in den jüdischen Liederschatz eingedrungen, wo sie mehr oder minder stark eine Veränderung erfahren haben und im Laufe der Jahre »judaisiert« worden sind.

Nach dem Muster deutscher Volkslieder entstanden im 15. und 16. Jahrhundert eine Menge jüdisch-deutscher Lieder, doch vermitteln diese Lieder keine spezifisch deutsche Folklore, sie gehören, in allerlei Varianten natürlich, zum Volksgut jedes europäischen Landes.

Besonders eine Art volkstümlicher Lieder fand im europäischen Raum starke Verbreitung: die sog. *Rätsellieder*, die als Verstandesmittel, zur Probe und Übung des Scharfsinns vorgetragen wurden. Diese Sitte von Frage und Antwort im europäischen Volksgesang entstammt gleichfalls dem Orient. Oftmals blieben nur einige Verse oder Strophen erhalten, sie wanderten dann von Volk zu Volk, von Land zu Land.

Was für ein König ist ohne Land?
Was für ein Wasser ist ohne Sand? –
Der König auf dem Schilde ist ohne Land!
Das Wasser in den Augen ist ohne Sand!

Diese Verse eines deutschen Rätselliedes stimmen mit der letzten Strophe eines jüdisch-deutschen wörtlich überein. [125]

Die Verse dieses jüdisch-deutschen Liebesliedes:

fun ale beimlech sol weren peneß (= Schreibfedern),
fun ale wasserlech sol weren tint;
tint un peneß wet fort nischt kleken (= ausreichen),
zu beschreiben meine zoruß fun azind.

finden sich im Serbischen, Neu-Griechischen und im Deutschen [126]:

Wenn gleich der Himmel papieren wär',
Und jedes Sternlein ein Schreiberl wär',
Und schriebe ein jedes mit sieben Händ',
So schrieben sie meiner Liebe kein End'!

»Liebe« – dieses deutsche Wort gebrauchten die Juden nicht, eine Behauptung L. Wieners [127], die schlichtweg unsinnig ist. Sie kann auch nicht dadurch gestützt werden, daß man nachweist, das Wort »Liebe« finde sich in keinem jüdisch-deutschen Wörterbuch. Widerlegen läßt sich Wieners Behauptung allein schon mit dem Hinweis auf den Gebrauch des Wortes »Liebe« in den von Juden gelesenen deutschen Ritterromanzen. Andererseits läßt sich »Liebe« durchaus schon früh im Sprach- und Schriftgebrauch deutscher Juden nachweisen, wie das folgende alte jüdisch-deutsche Tanz- und Liebeslied beweist: [128]

jungfreilein, wolt ir nicht
mit mir ein tenzlein tun?
ich bitt, ir wolt mirß nit far ibel hon,
frelich muß ich sein, frelech muß ich sein,
deweilen ich eß hab und kann.

eier zarter junger leib
hat mich in *lieb* ferwunt,

ach eier auglein klar,
darzu eier roter mund.
schlißt eier arem ein,
feinß lieb, wol in die mein,
so wird mein herz gesund.

»Liebe« ist keineswegs nur in der jüdisch-deutschen Sprache anzutreffen, sondern auch im Leben der deutschen Juden. Zwar wurde der Sexualtrieb von orthodoxen Juden als ein moralisches Übel verdammt, doch in der Masse des jüdischen Volkes, besonders bei den weniger gebildeten Schichten zählten Liebesaffären durchaus zum Alltäglichen – nicht umsonst wendet sich später die »Mussar-Literatur« mit Nachdruck gegen diese »Unmoral«.

Das oben zitierte Lied stammt aus einer Sammlung jüdisch-deutscher Volks- und Gesellschaftslieder, die eine um 1600 in Worms angelegte Sammelhandschrift enthält. [129] Kompilator dieser Liedersammlung (Nr. 304) ist der Wormser Parnas Eisik Wallich (eigentlich: Eisik ben Mosche Abraham Wallich), der am 19. September 1632 in Worms gestorben ist. Die letzte Strophe des letzten Liedes der Sammlung verweist auf den Kompilator: [130]

ich welt mich gern steln ganz wild,
mus iber mein dank sein gestilt,
eß hilft mich doch kein spreissen.
ale menschen musen ach darfun,
wen eß got der almechtig wil han –
spricht *eisik walich* wirmeißan.

Nicht nur dieser Hinweis spricht für Eisik Wallich, sondern auch die Tatsache, daß in einem der Lieder zwei Verse vorkommen, die wörtlich einer Dichtung Caspar Scheits entnommen sind. Scheit, der Verfasser des *Grobians* und eines *Totentanzes*, wirkte ebenfalls in Worms. Für Worms als Herkunftsort des Schreibers spricht weiterhin, daß einige Lieder der Sammlung Dörfer aus der Umgebung von Worms erwähnen. Ferner dürfte in diesem Zusammenhang nicht unbeachtet bleiben, daß zur Zeit der Schriftlegung in Worms eine Meistergesangsschule bestanden hat.

Eisik Wallichs Sammlung, die wahrscheinlich in der Zeit von 1595 bis 1601 angelegt worden ist, enthält neben einem Purimspiel vierundfünfzig volkstümliche Lieder, von denen nur zwölf typisch jüdischen Charakter besitzen. Die Mehrheit ist dem deutschen Volksliedgut entlehnt. Die Lieder sind ausnahmslos in jüdisch-deutscher Sprache geschrieben, nur ein Brautlied erscheint in paralleler hebräischer Lesart. [131]

Eine andere bemerkenswerte Liedersammlung ist von Menachem Oldendorf zusammengetragen worden (Nr. 303). Oldendorf, der 1450 in Frankfurt a. M. geboren wurde, seinen Lebensabend in Italien verbrachte, übte den Beruf des Kopisten aus. Außerdem war er als Hauslehrer beschäftigt – in einem Lied der Sammlung – no. 31 – beklagt er sich heftig über den schlechten Lebensstand dieses Berufes. Die Handschrift enthält dreiundvierzig Lieder, die Oldendorf um 1501 zusammengetragen haben soll. Die durchweg aus dem 15. Jahrhundert stammenden Lieder haben meist hebräischen Text, nur fünf haben jüdisch-deutschen Paralleltext. Im übrigen hat Oldendorf nur vier der Lieder selbst verfaßt, die anderen entstammen verschiedenen hebräischen Quellen, hauptsächlich zum talmudistischen Lumdim-Kreis gehörend.

c) *Der jüdische Spielmann und sein Repertoire*

Edition und Behandlung des Cambridger Codex T-S. 10. K. 22, der 1953 emphatisch als jiddisches *Gudrunslied* angeblich neuentdeckt der Germanistik vorgestellt wurde, warf wieder einmal die Frage nach der Existenz jüdischer fahrender Spielleute im Mittelalter auf. Tatsächlich hat es einen professionellen jüdischen Volkssänger gegeben. Seine Bezeichnung im jüdischen Volksmund war »der singer«, und so hieß er auch noch zu Anfang des 17. Jahrhunderts (z. B. der berühmte Prager Volkssänger R. Schlomo Singer, S. 132). Daß hier dennoch der aus der deutschen Literaturwissenschaft entlehnte Terminus »Spielmann« beibehalten werden soll, liegt in der großen Ähnlichkeit des jüdischen »singer« mit seinem christlichen Kollegen, dessen Technik und Thematik er nur allzu oft kopierte, begründet.

Trotz der reichen Behandlung, die besonders auch der deutsche Spielmann in der Literatur erfahren hat, umschließt die Gestalt des Volkssängers im mittelalterlichen Europa ein dichter Nebel, den nicht zuletzt verschwommene romantisierende Vorstellungen gewoben haben. Es ist nahezu unmöglich, ein getreues, vorurteilsfreies Bild des mittelalterlichen Spielmanns zu entwerfen, zu sehr haben Konzilsbeschlüsse, Obrigkeitserlässe, klerikale Hetzpredigten u. a. m. stets nur das Niedrig-Abstoßende und Verwerfliche an dieser Berufsgruppe hervorgekehrt. Die Tatsache leugnend, daß der Spielmann auch Anteil am religiösen, musikalischen Vortrag nahm, wird sein Betätigungsfeld grundsätzlich im Profanen gesucht. Attribute der Laszivität, Obszönität und allzu derber Realistik werden ihm dabei stets unterstellt. Das so entworfene Bild gleicht eher einer Karrikatur als einer tatsächlichen, der Wirklichkeit entsprechenden Zeichnung, ein Umstand, zu dem das Fehlen fundierter soziologischer Grundlagen ebenso beigetragen hat wie das Unterlassen eines vergleichenden Überblicks über alle zu befragenden Quellen und einer Gesamtbetrachtung der im großen und ganzen unter gleichen Lebensbedingungen lebenden fahrenden Spielleute innerhalb und außerhalb Europas. [132]

Aber nicht nur die schöpferischen Qualitäten des mittelalterlichen Spielmanns sind umstritten, auch seine Herkunft ist es. Mittelalterliche Handschriften belegen die Berufskünstler mit einer Vielzahl von Namen, und doch werden lateinische Bezeichnungen wie »mimus«, »jokulator«, »scurra«, »histrio« etc. häufig kategorisch mit »spîlman« glossiert. »Die schreibkundige Herrenschicht machte terminologisch im allgemeinen keinen Unterschied zwischen Berufskünstlern höheren oder niederen Grades (Musikanten, Possenreißern, Clowns), da alle Fahrenden, die weder Macht noch Reichtum besaßen, gering eingeschätzt wurden. Die Seßhaften, als die das zum Leben materiell Notwendige Gebenden, wurden von den ›vnsteten‹ als Bittende angegangen, was sie nur selten zu einer begrifflichen Differenzierung veranlaßte. Alle diejenigen, welche vor den Türen und Tischen der Reichen demütig aufwartend erschienen, waren für die hinter den Tischenden Sitzenden von gleichem Rang« [133]: ›varende lûte‹, die ›vnstet‹, d. h. heimatlos umherzogen und um Lohn für ihre Darbietungen bettelten.

Auch die Juden – oder gerade sie! – hatten ihr fahrendes Volk, das besonders in den Zeiten schwerster Verfolgung die Straßen Europas bevölkerte. In der klassischen Zeit der Bettelei rotteten sich jüdische Männer, Frauen und Kinder zu organisierten Bettelbanden zusammen. An ihrer Spitze stand der »auberschte«. Im Zuge der anwachsenden Kriminalität wurden aus ihnen Räuberbanden, die nicht nur den jüdischen Gemeinden arg zu schaffen machten. [134]

Eine andere Kategorie fahrenden jüdischen Volkes stellten die verkrachten Talmudstudenten dar, die ähnlich den heruntergekommenen christlichen Studenten ein Wanderleben führten. Anfangs noch dem Ruf berühmter jüdischer Talmudgelehrter folgend, zogen sie bald nicht nur des Studiums wegen, sondern aus nervösem Wandertrieb heraus von Stadt zu Stadt, von Lehrer zu Lehrer. Die Lebensbedingungen waren recht hart, die Straßen nicht sicher, Not und Elend waren die täglichen Drangsale. Nicht nur der Talmudstudent ergriff den Wanderstab, bald reihten sich in das Heer der großen wandernden Masse auch Lehrer und Prediger, Rabbiner und Schammesch ein. Der Wanderprediger war ein typisches Produkt dieser Zeit.

Unter den jüdischen Fahrenden, die bis in die Neuzeit durch Europa zogen, befanden sich auch der »sofer« und der Kopist, »der schreiber fun ale frume weiber«, der gelegentlich am Schluß einer Handschrift mitteilt, daß er »gekumen is fun toitschen in welsch land« oder umgekehrt. Ende des 16. Jahrhunderts nahm seinen Platz ein anderer Träger und Überlieferer jiddischen Schrifttums ein: der Wanderdrucker und Buchhändler, der auf seinen Reisen handschriftliche Vorlagen aufsammelte, um sie mit mitgeführten primitiven Druckwerkzeugen zu vervielfältigen und zum Kauf an seinem jeweiligen Aufenthaltsort anzubieten.

Eine andere wichtige Gruppe des jüdischen Wandervolkes waren die Narren, Lozim (= Possenreißer), Badchanim (= Spaßmacher) und Liznim (= Musikanten, die noch im 18. Jahrhundert so genannt wurden). Unter ihnen befanden sich nicht selten »narrische« Frauen, die oft nur als Prostituierte das Gros des Wanderheeres begleiteten. Vertreterinnen dieses Standes finden wir in einem Verzeichnis der Prager Juden von 1546.

Als die Zahl der Fahrenden ständig anstieg, wuchs mit der sich vergrößernden Konkurrenz auch das Bedürfnis, mit allen erlaubten und unerlaubten Mitteln zu Einnahmen zu gelangen. Der soziale Abstieg war katastrophal; er führte wie von selbst in die Kriminalität. Man lebte alsbald vom Schwindel, von Lug und Trug, vom Spiel und vom Diebstahl. Einige ernährten sich durch Geschichtenerzählen, andere tanzten auf dem Seil, verdingten sich als Narren und Spaßmacher oder handelten mit Altkleidern. Nicht selten lebten Männer vom Ertrag der Liebesdienste ihrer Ehefrauen, Töchter oder »Begleiterinnen«.

Unter dem Druck der Erlässe und Strafverfolgungen von seiten der Obrigkeit begannen sich die wandernden Unterhalter zu trennen, zu differenzieren und zu spezialisieren. Es bildete sich der eigentliche »Spielmann« heraus, der von »âventiuren« sang, Geschichten aus alter Zeit und von der Liebe erzählte. Wir wissen kaum etwas über das Repertoire des jüdischen Spielmanns, noch weniger über seine Person und seinen Bildungsstand. Allgemein kann jedoch festgestellt werden, daß er in der deutschen Literatur bewandert gewesen sein mußte. So läßt z. B. die jüdisch-deutsche spielmännische Bearbeitung des *Artus-Romans* Episoden aus dem *Wilhelm von Orlens* des Rudolf von Ems einfließen. Kann für den überwiegenden Teil der uns überlieferten jüdischen Spielmannsdichtung große Beeinflussung durch deutsche Vorbilder festgestellt werden, so wissen wir dennoch nicht, wie groß dieser Einfluß, der sich sowohl in der Thematik, erst recht aber in der stilistischen Form bemerkbar macht, im Gesamtwerk jüdischer Spielmannsdichtung gewirkt hat. Doch ist festzustellen, daß selbst in Liedern spezifisch jüdischen Inhalts diese formale Anlehnung zum Vorschein kommt; Strophenbau, Reimtechnik, Rhytmus und Melodie sind deutschen Vorbildern entlehnt, ebenso wird auf christliche Epithetik zurückgegriffen. Z. B. erhält Mordechai in der Spielmannsfassung der *megillat esther* das Epitheton »gots sun«, während die Königin als »spigel aler frauen« bezeichnet wird. Mosche heißt Moses, Schlomo wird Salomo genannt – oder in Anlehnung an *Salman und Markolf* auch Salman. Selbst jüdische Ritualgegenstände erfahren eine derartige Übertragung: »derbkuchen« steht für »mazuth«, um nur ein Beispiel zu nennen. Diese »Germanismen« gehören jedoch organisch zum Pathos jüdischer Spielmannsdichtung, spiegelt sich doch in ihr die Diskrepanz jüdisch-deutscher Umgangssprache und literarischer bzw. rhetorischer Hochsprache. Letztere verfolgt einen stilistischen Zweck, indem sie von der Alltagssprache ablenken und den Vortrag würdigen soll. Ansonsten werden christliche Tendenzen der Vorlagen leicht übergangen, man beschränkt sich auf die reine Fabel. Wo der moralisierende Charakter der Erzählung zu spezifisch christlich wird, nimmt der jüdische Spielmann Kunstgriffe vor, die sich auch sprachlich niederschlagen. Christliche Lobpreisungen werden verändert oder fortgelassen, so im jiddischen *Sigenot,* wo der Marienkult eliminiert werden mußte. »Almechtiger heiliger got« ersetzt dort z. B. »Marie, du, die reine Magd«, oder »denn die keusche Magd Herre von Himmel und ihr Liebes Kind« wird ersetzt durch »denn der almechtiger herre und sein liber gesind«. [135]

Das Repertoire jüdischer Spielleute umfaßte die Bearbeitungen christlicher Stoffe, Gedichte aus dem Kreis deutscher Heldensagen und deutscher und italienischer Ritterromane, daneben aber auch talmudische und midraschische Stoffe, die nach dem Vorbild deutscher Spielmannstechnik bearbeitet worden sind. Von den Aufzeichnungen der Spielleute ist nur geringes handschriftliches Material erhalten geblieben. Die Jiddischforschung gab sich in den meisten Fällen mit Mutmaßungen zufrieden, die sie aus vielen indirekten Hinweisen, wie sie es ausdrückte, abzuleiten glaubte. Einige dieser Vermutungen treffen durchaus zu, andere wiederum sehen an der Wirklichkeit vorbei oder interpretieren die in der Literatur auftauchenden Hinweise auf *Dietrich von Bern, Meister Hildebrand* oder andere Stoffe deutscher Spielmannsepik nach eigener Maßgabe. Damit soll nicht gesagt werden, daß diese Heldensagen den Juden unbekannt geblieben sind – eine derartige absurde Behauptung widerlegt schon allein die Verwendung dieses Stoffes im jüdisch-deutschen *Sigenot* des Münchener Codex 100. Wenn hier jedoch ein Überblick über den Vortragsstoff des jüdischen Spielmanns zu geben ist, so können grundsätzlich nur Stoffe

Berücksichtigung erfahren, die sich in alten jiddischen Handschriften überliefert haben.

Sicher, Hinweise auf *Dietrich von Bern* finden sich z. B. in der Einleitung zu Elia Levitas *Baba-Buch* (1507), wo es heißt: »eß senen wider aufgestanen ditrich fun bern un meißter hildebrant di selbigen hern«. Auch Michael Adam klagt in der Einleitung zu seiner Konstanzer Pentateuch-Ausgabe (1544), daß die Frauen ihre Zeit mit dem Lesen der närrischen Bücher *ditrich fun bern* und *hildebrant* verbringen. Schließlich kritisiert der Herausgeber des *maassebuchs* noch 1602 diese »törischten« Bücher in seinem Vorwort; doch alle Einwände beziehen sich auf die deutschen Bearbeitungen des Sagenstoffs und nicht auf jüdisch-deutsche Schriften. Zudem erfolgte die Kritik wohl eher aus verständlichem Konkurrenzgehabe als aus tiefer Sorge um das Seelenheil jüdischer Leser. Die Behauptung, allein die Tatsache, daß einige jüdische Werke den metrischen Stil des deutschen Spielmannsliedes von *Dietrich von Bern* nachahmen [136], beweise schon, daß dieser Stoff zum Repertoire jüdischer Spielleute zählte, ist einfach gegenstandslos. Die Dietrich-von-Bern-Singweise gehört ebenso zu den Archetypen mittelalterlicher weltlicher Melodik wie das *Hildebrandslied* und das *Herzog-Ernst-Lied.*

Es muß hier eingestanden werden, daß das jüngere *Hildebrandslied* im Lied Nr. 51 der Liedersammlung Eisik Wallichs jüdisch-deutsch bearbeitet worden ist; doch ist die Fassung so eigenständig, die Bearbeitung so frei, daß hier allenfalls die Anlehnung an den Stoff, nicht aber an das deutsche Spielmannslied eingeräumt werden darf.

Auch das *Herzog-Ernst-Lied* ist – sieht man einmal von einer 1597 in Fürth gedruckten Bearbeitung ab – in keiner jüdisch-deutschen Version erhalten geblieben. Wohl finden sich in Oldendorfs Liedersammlung vier Lieder *be-nigun herzog ernst,* d. h. nach der Singweise des *Herzog-Ernst-Liedes.* Es sind dies das religiös-didaktische Lied *helechet cheman* (= Der rechte – religiöse – Brauch) des Jakob Gelnhausen aus der ersten Hälfte des 15. Jahrhunderts; ferner ein Sabbatlied, hebräisch und jüdisch-deutsch ebenfalls in der ersten Hälfte des 15. Jahrhunderts von R. Salman aus Erfurt verfaßt, ein satirisches Lied gegen die Spielleidenschaft von Samuel ben Mose Uri Hogerlin, hebräisch und jüdisch-deutsch verfaßt, und schließlich ein hebräisches Lied des R. Jakar, Vater des R. Salman aus Erfurt. Im 16. und 17. Jahrhundert sang man auf den Judengassen eine größere Reimdichtung, die in der Herzog-Ernst-Strophe gehalten war: den Meistergesang *Ritter von Steiermark* des Martin Meier (1507). Das Lied ist ebenfalls in der Wallich-Sammlung enthalten.

Gereimte spielmännische Bearbeitungen europäischer Ritterromane waren in jüdisch-deutscher Version bereits im Mittelalter im Umlauf. Aus dem Artus-Kreis sind, außer einer Reihe von Drucken, drei Fassungen in Handschriften überliefert: Hs. Hamburg 289, Hs. Hamburg 255 und eine Cambridger Handschrift aus der Trinity-College-Bibliothek (Loewe no. 135; Nr. 399, 400, 401). Die beiden Hamburger Handschriften sind nur im Fragment erhalten, es fehlen Teile des Anfangs und vom Ende. Der Cambridger Codex ist nahezu komplett. Alle Handschriften scheinen nur späte Kopien älterer Vorlagen zu sein, die Sprache weist auf das 14. Jahrhundert. Wie auch die Hamburger Handschriften ist die Cambridger eine gereimte Bearbeitung des zwischen 1204 und 1210 von Wirnt von Grafenberg verfaßten höfischen Versepos *Wigalois*, dem der französische Ritterroman *Guinglain li bel inconnu* des Renauld de Beaujeu als Vorlage gedient hat.

Der Schreiber der Cambridger Handschrift ist ein gewisser Scheftil aus Kojetin in Mähren. Er gehört zu jenen Schreibern, die da »dinen gern ale vrumen weiber«. Diese Gruppe von Lohnschreibern wird uns an späterer Stelle noch als Träger der sog. Patroneß-Literatur begegnen. Es handelt sich bei diesen Kopisten um Schreiber, die sich in den Dienst reicher jüdischer Frauen, im 16./17. Jahrhundert in Oberitalien lebend, stellten, um für ein oft kärgliches Entgelt Handschriften zu vervielfältigen.

Ein Vergleich mit Wirnts *Wigalois* läßt den Schluß zu, daß Scheftils Kopie, wie auch die beiden Hamburger Schriften, auf eine jüdisch-deutsche spielmännische Version von *kinig artus hauf* aus dem 14. Jahrhundert zurückgeht. Der Verfasser des Epos schrieb in rheinfränkischer Mundart; als Vorlage muß ihm eine der Fassungen von Wirnts Ritterroman gedient haben, worauf einige übernommene typische Redewendungen hinweisen. Allerdings sind christliche Motive im großen und ganzen vermieden worden. Der Anfang des Cambridger Codex ist nur unvollständig erhalten, es fehlt ein Blatt. Zu Beginn der ersten vollständig erhaltenen Seite heißt es: [137]

> [...] zu gen un' zu reiten
> al tag zu alen zeiten,
> nie ward lenger gespart.
> man hort vil vrumdi mer e er tag ward.
> di große herschaft gewert menche jar.
> was ich oich sag, das ißt war:
> das einß tagß daß geschach,
> das man nit vrumdi mer hort nach sach.
> bis auf den tag eß sich verdoch
> zu essen woß dem gesind noch.
> das was nieman gescheh'n
> un' hat kein man min geseh'n [...]

Das Ende der Cambridger Handschrift ist im Gegensatz zu beiden Hamburger Exemplaren erhalten:

> da machten sie ein schonie hochzeit,
> daß weder for noch nach is geseit,
> nie kein schoner ward geton.
> nun lossen mir die red stom.
> widuwilt ward ein mechtig her
> un' gewan rechte große er.
> dernach sein schweher starb,
> sein kuingreich er ganz derwarb.
> sein vater un' sein muter furen mit vroiden heim in ir land
> un' auch sein elter vater, der kun weigant.
> der starb auch schir
> un' lang dernach sein vater, der kin her.
> die erbt al widuwilt alein
> un' blib sizen zu der wachßenstein.

un' warb al sein tag noch eren,
der selwig jung heren.
er tet dernoch mit streiten groß ding genuek:
menche risen gezwerk er totschlug.
doß fon widuwilt hot ein enden.
got sol unß sein hilf senden
un' al unß firen zu hant
in daß heilig lant
noch unserm herzenfiger,
ausau bit un' begert der schreiber,
der da dint gern ale vrumen weiber.

Es folgt noch das Kolophon:

der daß buch geschriben hot,
der ißt fon gotein (= Kojetin) aus der stot.
er sizt gegen das tor uiber,
er ißt fon lauten vrom un' bider.
er ißt fon den holz ein man,
davon die rabinim auß schnizen kan.
scheftil mit sein namen genant,
der da ißt unter ale gute schlemer bekant.

Aus dem keltisch-bretonischen Sagenkreis soll es außerdem noch eine jüdisch-deutsche *Tristan- und-Isolde*-Version in spielmännischer Bearbeitung gegeben haben [138], doch ist die handschriftliche Aufzeichnung dieses Epos verloren gegangen. Möglicherweise waren auch jiddische Fassungen des *Parzival*- und des *Florus- und-Blancheflore*-Stoffes im Umlauf, doch lassen sich auch hierüber wegen fehlender handschriftlicher Überlieferung keine Aussagen machen.

Eine gereimte Bearbeitung des französischen höfischen Romans vom *Kaiser Oktavius* liegt in der Hs. München 100 vor. Dieser Stoff mag ebenso zum Spielmannsrepertoire gehört haben wie der *Genoveva*-Stoff. Eine jüdisch-deutsche *Genoveva*-Fassung ist aber nicht überliefert, auch nicht eine Version des Romans *von der guten Florentia.* Der letztgenannte Romanstoff wird allerdings in zwei Episoden des *maasse-buchs* behandelt. [139]

Großes Aufsehen erregte in Kreisen der Jiddistik und Germanistik die Veröffentlichung des Cambridger Codex T.-S. 10. K. 22, der 1957 von L. Fuks erstmals herausgegeben worden ist. Die heute 42 Blätter umfassende Handschrift (Nr. 398), die 1896 aus dem Bestand der in der Genisa der jüdischen Gemeinde Fostat nahe Kairo aufgefundenen hebräischen Handschriften nach Cambridge gelangte, enthält im wesentlichen das Repertoire eines jüdischen Spielmanns. Die Schrift wurde Ende 1382/Anfang 1383 zusammengestellt. Nach Jahren ausführlicher Diskussion um diesen Codex erscheint es an dieser Stelle unnötig, erneut auf seine Geschichte und die verschiedenen Editionen einzugehen [140]. Zahlreiche Beiträge über den literarischen Stellenwert des Inhalts der Handschrift sind geliefert worden, so daß es hier genügen sollte, den Inhalt kurz zu skizzieren.

Die Handschrift beginnt mit einem nur fragmentarisch erhaltenen epischen Gedicht, dessen Inhalt nicht mit Sicherheit anzugeben ist. Wahrscheinlich handelt er über den Erzvater Moses. Insgesamt umfaßt dieses Stück 56 Zeilen der Handschrift, die vorletzte Zeile teilt den Namen des Verfassers des Gedichts nur verstümmelt mit. Vermutlich lautet er »Jizhak, der Schreiber«. Die letzte Zeile enthält sinnigerweise die Bemerkung »ßlik«, einen hebräischen Ausdruck für »Schluß«, dem wir im Verlauf der Sammelhandschrift noch mehrmals begegnen. Er kennzeichnet stets den Abschluß inhaltlicher Abschnitte.

An das Gedicht schließt sich ein 220 Verse umfassendes *Lied vom Paradies* an. Sein Titel ist nur bruchstückhaft zu entziffern: (.)*hn mgn edn edn* (= [...] *me-gan eden*). Der Verfasser des Liedes ist der genannte Jizhak, der auch als Autor des sich anschließenden 482 Zeilen zählenden Gedichts über die Jugend Abrahams, *abraham abinu*, genannt wird. Namentlich nicht vermerkt ist der Verfasser des sich anschließenden Gedichts über den frommen Josef, *josef ha-zadik*, das in 80 Versen die verhängnisvollen Beziehungen der Frau Potifars zu Josef schildert und dessen Standhaftigkeit und Tugend lobend hervorkehrt.

Die sich an das Gedicht vom tugendsamen Josef anschließende gereimte *Fabel vom sterbenden Löwen* umfaßt 50 Zeilen. Zu Anfang fehlt der Titel der Fabel; Zeile 46 bringt den Namen des Dichters: der schriber Abraham. Bemerkenswert das Kolophon, das in Zeile 48–49 das Datum 3 Kislev lifrat (katan), d. i. 9. November 1382, enthält.

Folio 20 r der Handschrift ist vollkommen unleserlich und wurde bei den verschiedenen Editionen ausgelassen. Folio 20 v enthält die Liste der Wochenabschnitte des Pentateuchs in hebräischer Sprache sowie ein hebräisch-jüdisch-deutsches Glossar der Namen der Steine im Brustbild des Hohenpriesters. Beide Stücke bilden im inhaltlichen Zusammenhang der Gesamthandschrift eigentümliche Fremdkörper, deren literarische Bedeutung schwer zu ermitteln sein dürfte. Am Ende der Liste der fünf Bücher Mosis und der aus ihnen an Sabbaten zu lesenden Abschnitte folgt das Datum 1382/83.

Ab Folio 21 r schließt sich jenes Epos an, das die Handschrift in wissenschaftlichen Kreisen so populär und interessant gemacht hat. Die Vielfalt der Aussagen über den *Dukus Horant* als eine jiddische Gudrunversion, die rund 150 Jahre älter ist als die älteste überlieferte mhd. Gudrunfassung, soll wie folgt zusammengefaßt werden:

Das 1051 Zeilen umfassende *Dukus-Horant*-Epos, dessen Ende im übrigen unvermittelt abbricht [141], bringt den Kernteil des Gudrunepos, den sog. Hildeteil*. Dabei dürfte es außer Zweifel stehen, daß der jüdische Spielmann in seiner Bearbeitung auf das mhd. Gudrunepos eines unbekannten Dichters vom Jahre 1233 zurückgegangen ist. Die mhd. Vorlage verwendet wiederum zahlreiche Motive aus

* Das Gudrunepos besteht aus drei Teilen: Vorgeschichte (1. bis 4. Abenteuer), Hildeteil (5. bis 8. Abenteuer) und Gudrunteil (9. bis 32. Abenteuer). Für den die Brautwerbung Horants um Hilde enthaltenden Hildeteil finden sich ältere Vorstufen gleicher Themenstellung: im altenglischen Heldenkatalog »Widsith« (um 700 entstanden), im isländischen »Skaldskaparmál« des Snorri *Sturlusson* (1178–1241), im 5. Buch der »Historia danica« des dänischen Geschichtsschreibers Saxo Grammaticus (um 1200), im »Rolandslied« des Pfaffen *Konrad* (um 1130) und schließlich im »Alexanderlied« des Pfaffen *Lamprecht* (um 1140). Das ursprüngliche tragische Ende des Hildeliedes erfährt in der spielmännischen Bearbeitung verständlicherweise einen glücklichen Ausgang. – Das jiddische Fragment liegt zeitlich nach dem um 1233 entstandenen mhd. Kudrunepos.

König Rother. Beiden Vorlagen folgte der jüdische Spielmann und setzte zahlreiche eigene Einfälle hinzu. Das Ergebnis war ein verändertes Kurzepos, das auffällige christliche Motive gegen spezifisch jüdische austauscht, wie z. B. jene Szene nachweist, in der Lorant die Königstochter zu sich bittet, um ihren Wünschen nachzukommen. Solche Behandlung einer Königstochter wirkt befremdend für mittelalterliche höfische Verhältnisse und entspricht keinesfalls jener in allen mhd. Dichtungen verkündeten »hövescheit«. Sie wird jedoch verständlich, wenn man um die Stellung der Frau im Judentum weiß.

Vom Stil her erinnert der *Dukus Horant* stark an mittelalterliche deutsche Heldenlieder. Seine Strophen sind vierzeilig: zwei Langzeilen folgen zwei Kurzzeilen. Das metrische System jeder Zeile ist jedoch ziemlich gelockert: jede Halbzeile besteht aus vier Hebungen, aber die Zahl der unbetonten Silben zwischen den Hebungen bleibt frei. Hingegen wird das Reimschema der Strophe starr beibehalten: A-A/B-B.

Nicht nur die stilistische Form des *Dukus Horant* ähnelt deutschen Vorbildern, auch der Inhalt des Epos entspricht eher einer nicht-jüdischen Gedankenwelt. W. Schwarz [142] kommt zu dem Schluß, daß das Epos die auf den Vortrag eines christlichen Kollegen zurückgehende Niederschrift eines jüdischen Spielmanns ist. Wahrscheinlich ist die Schrift noch in Deutschland entstanden. Menhardt [143] nennt Regensburg als möglicher Entstehungsort. Die mitteldeutsche Mundart, in der die Dichtung gehalten ist, gibt darüber allerdings keinen Aufschluß.

Das Repertoire des jüdischen Spielmanns enthielt neben den epischen Reimdichtungen lyrische Vortragsstoffe. Aber auch diese vornehmlich in ernstem Ton verfaßte, oft traurig-elegische Lyrik weist epische Züge auf: religiöse Poesie wird mit profaner Erzählung verwoben, so in Sabbatliedern, die jene oftmals breit angelegten Legenden von den zwei Engeln, die in der Nacht zum Sabbatfest in den jüdischen Stuben erscheinen, zum Inhalt haben. Insgesamt jedoch dominiert in der Spielmannslyrik eindeutig das fromme, lehrhaft-religiöse Element. Die sakrale Tendenz war durchaus vom Spielmann erwünscht, wollte er seinen Vortrag doch klar abgegrenzt wissen vom meist lustigen, humorigen, nicht selten derben Gesang des Narren.

In der Wallich-Sammlung finden wir z. B. ein elegisches Klagelied eines Spielmanns, das in dreizehn Strophen die Verderbtheit der geldgierigen Menschen anprangert. Das Lied des verbitterten Spielmanns endet mit einer Klage darüber, daß er nicht pfeifen und tanzen kann wie die Narren:

der uns doß lied nei gesang
un bracht eß zu einem außgang,
der kan doch weder feifn noch tanzn –
du almechtiger got!
gib īm dein rot,
wi er sein sach sol angreifn.
er is in der welt
un hot derzu kein gelt
alhi auf diser erden.
gerecht un frumkeit
is iderman der leit –
her got, woß wil draußn werdn?

Es gelang dem Spielmann nicht immer, seinen ernst gemeinten Vortrag frei von humorigen, beifallsheischenden Wendungen zu halten. Besonders Tanz-, Trink- und Liebeslieder wurden eher unterhaltend als lehrhaft vorgetragen, was nicht zuletzt auf häufig benutzte deutsche Vorlagen zurückzuführen war. Die originelle jüdisch-deutsche Lyrik dieser Zeit erstreckte sich im wesentlichen auf Didaktisch-Religiöses, worunter besonders die Sabbatlieder herausragten. Sabbatlieder fehlen in keiner jüdisch-deutschen Liedersammlung; sie müssen wohl als die älteste lyrische Gattung der jiddischen Dichtkunst angesehen werden. Verständlich, daß sie in größerer Anzahl überliefert worden sind. Oldendorfs Sammlung enthält z. B. zwei Sabbatlieder aus dem 15. Jahrhundert; drei ältere Sabbatlieder finden sich in der Hs. Hamburg 209 aus dem 16. Jahrhundert, eines davon umfaßt zehn Strophen (zu je zehn Versen). Die 10. Strophe weist auf den Verfasser hin:

der uns doß semirot (= Lied, eigentl. Plural!) noi gesang,
der is uns aln in bekant,
er is fun zerechs (Zürich) auß der stot,
benjamin is er genant.
er sang uns doß un noch fil mer,
nun behit uns got far aler not
un farlei uns milde dein hant,
so bitn wir im, doß eß wol gat. –
ei, sekß tog beschuf got himl un di erd,
am sibndn rut got, der wert.

Das Lied läßt im übrigen den typischen Aufbau eines Sabbatliedes erkennen: die erste Strophe leitet ein, die beiden folgenden bringen die Erzählung von den zwei Engeln, Strophe 4 und 5 sind der Vorbereitung auf das Sabbatfest gewidmet und bringen eine Anleitung, wie das Fest ehrenvoll begangen werden soll. Daran schließen sich die beiden *mussar*-Strophen für die Frau an, Strophe 8 und 9 enthält Lobpreisungen auf das Sabbatfest, die 10. Strophe klingt endlich mit einem Segen aus.

Außer am Sabbattag wurden noch an den verschiedenen Fest- und Feiertagen feierliche Gesänge vorgetragen: Sehr beliebt waren Purim- und Chanukkalieder sowie Toralieder für die verordneten Ruhetage. Sie alle gehörten mit zum Repertoire des jüdischen Spielmanns. Drei Pessachlieder führt Wagenseil in seiner *Belehrung der Jüdisch-Teutschen Red- und Schreibart* (1699) [144] an. Das erste der »drey Lieder/welche die Juden/sonderlich die Weibsbilder unter denselben/ sowol sonsten/ als sonderlich an dem Oster-Fest zu singen pflegen« ist eine volkstümliche Fassung des *Einheitsliedes* (vgl. S. 29 f.):

almechtiger got nun bau dein tempel schire/
also schir/ un' also bald/
in unsern tagn schire/
nun bau/ nun bau/ nun bau/
dein tempel schire/
jo schire. –
barmherziger got/ großer got/ dehmhaftiger got/
hocher got/ wirdiger got/ senfter got/
cheneter got/ trauter got/ judscher got/
kreftiger got/ lebendiger got/ mechtiger got/

namhaftiger got/ ßißer got/ ebiger got/
farchtsamer got/ zarter got/ kiniglicher got/
reicher got/ schener got/
tu bißt got un nimant min/
nun bau dein tempel schire/
also schir un' also bald/
in unsern tagn schir/
jo schire/
nun bau/ nun bau/ nun bau dein tempel schire.

Das zweite Lied bringt die volkstümliche Version des *el-bonoh*-(= Gott-der Erzeuger)-Gesangs:

einß/ das weiß ich: einig is unsr got;
der da lebt un' der da schwebt
im himl un' ăch auf der erd.
zwei/ un' das ist abr mer/ un' das selbig
weiß ich: zwei tafl mosiß/
einig is unsr got usw. [...]
drei/ un' das is abr mer/ un' das selbig
weiß ich: drei sein die fetr [145]
zwei tafl mosiß/
einig is unsr got usw. [...]
fir/ un' das is abr mer/ un' das selbig
weiß ich: fir sein die mitr [146]
drei sein die fetr/
zwei tafl mosiß/
einig is unsr got usw. [...]
finf/ un' das is abr mer/ un' das selbig
weiß ich: finf sein die bichr [147]
fir sein die mitr/
drei sein die fetr/
zwei tafl mosiß/
einig is unsr got usw. [...]
sekß/ un' das is abr mer/ un das selbig
weiß ich: sibn sein die feirung [149]
finf sein die bichr/
fir sein die mitr/
drei sein die fetr/
zwei tafl mosiß/
einig is unsr got usw. [...]
sibn/ un' das is abr mer/ un' das selbig
weiß ich: sibn sein die feirung [149]
sekß sein die lernung/
finf sein die bichr
fir sein die mitr/
drei sein die fetr/
zwei tafl mosiß/
einig is unsr got usw. [...]
acht/ un' das is abr mer/ acht sein die baschneidung [150]
sibn sein die feirung/
sekß sein die lernung/
finf sein die bichr
fir sein die mitr/

drei sein die fetr/
zwei tafl mosiß/
einig is unsr got usw. [. . .]
nein/ un' das is abr mer/ un' das selbig
weiß ich: nein sein die gewinung [151]
acht sein die baschneidung/
sibn sein die feirung/
sekß sein die lernung/
finf sein die bichr/
fir sein die mitr/
drei sein die fetr/
zwei tafl mosiß/
einig is unsr got usw. [. . .]
zehn/ un' das is abr mer/ un' das selbig
weiß ich: zehn sein die gebot/
nein sein die gewinung/
acht sein die baschneidung/
sibn sein die feirung/
sekß sein die lernung/
finf sein die bichr/
fir sein die mitr/
drei sein die fetr/
zwei tafl mosiß/
einig is unsr got usw. [. . .]
eilf/ un' das is abr mer/ un' das selbig
weiß ich: eilf sein die schtern [152]
zehn sein die gebot/
nein sein die gewinung/
acht sein die baschneidung/
sibn sein die feirung/
sekß sein die lernung/
finf sein die bichr/
fir sein die mitr/
drei sein die fetr/
zwei sein die tafl mosiß/
einig is unsr got usw. [. . .]
zwelf/ un' das is abr mer/ un' das selbig
weiß ich: zwelf sein die geschlecht [153]
eilf sein die schtern/
zehn sein die gebot/
nein sein die gewinung/
acht sein die baschneidung/
sibn sein die feirung/
sekß sein die lernung/
finf sein die bichr/
fir sein die mitr/
drei sein die fetr/
zwei sein die tafl mosiß/
einig is unsr got usw. [. . .]
dreizehn/ un' das is abr mer/ un' das selbig
weiß ich: dreizehn sein die sitn [154]
zwelf sein die geschlecht/
eilf sein die schtern/

zehn sein die gebot/
nein sein die gewinung/
acht sein die baschneidung/
sibn sein die feirung/
sekß sein die lernung/
finf sein die bichr/
fir sein die mitr/
drei sein die fetr/
zwei sein die tafl mosiß/
einig is unsr got usw. [...]

Das dritte Pessachlied ist schließlich eine Bearbeitung jenes beliebten *chad gadja*-Liedes, das zum Bestand der Pessach-Haggada gehört:

ein ziklein, ein ziklein,
dos hot gekauft dos fetrlein
um zweie schiling fenig.
ein ziklein! ein ziklein!

do kam dos kezlein,
un' aß dos ziklein,
dos do hot gekauft mein fetrlein
um zweie schiling fenig.
ein ziklein! ein ziklein!

do kam dos hintlein
un' biß dos kezlein,
dos do hot gegessn dos ziklein,
dos do hot gekauft mein fetrlein
um zweie schiling fenig.
ein ziklein! ein ziklein!

do kam dos schteklein
un' schlug dos hintlein,
dos do hot gebissn dos kezlein,
dos do hot gegessn dos ziklein,
dos do hot gekauft mein fetrlein
um zweie schiling fenig.
ein ziklein! ein ziklein!

do kam dos feiarlein
un' farbrent dos schteklein,
dos do hot geschlogn dos hintlein,
dos do hot gebissn dos kezlein,
dos do hot gegessn dos ziklein,
dos do hot gekauft mein fetrlein
um zweie schiling fenig.
ein ziklein! ein ziklein!

do kam dos wassrlein
un' farlescht dos feiarlein,
dos hot farbrent dos schteklein,
dos do hot geschlogn dos hintlein,
dos do hot gebissn dos kezlein,
dos do hot gegessn dos ziklein,

dos do hot gekauft mein fetrlein
um zweie schiling fenig.
ein ziklein! ein ziklein!

do kam der okßn
un' trank dos wassrlein,
dos hot farlescht dos feiarlein,
dos hot farbrent dos schteklein,
dos do hot geschlogn dos hintlein,
dos do hot gebissn dos kezlein,
dos do hot gekauft mein fetrlein
um zweie schiling fenig.
ein ziklein! ein ziklein!

do kam der schochet [155]
un' schechet den okßn,
der do hot getrunkn dos wassrlein,
dos do hot farlescht dos feiarlein,
dos do hot farbrent dos schteklein,
dos do hot geschlogn dos hintlein,
dos do hot gebissn dos kezlein,
dos do hot gegessn dos ziklein,
dos do hot gekauft mein fetrlein
um zweie schiling fenig.
ein ziklein! ein ziklein!

do kam der malech hamoves [156]
un' schechet den schochet,
dos er hot geschecht den okßn,
dos do hot getrunkn dos wassrlein,
dos do hot farlescht dos feiarlein,
dos do hot farbrent dos schteklein,
dos do hot geschlogn dos hintlein,
dos do hot gebissn dos kezlein,
dos do hot gegessn dos ziklein,
dos do hot gekauft mein fetrlein
um zweie schiling fenig.
ein ziklein! ein ziklein!

do kam unsr libr hergot
un' schecht den malech hamoves,
der do hot geschecht den schochet,
dos er hot geschecht den okßn,
dos er hot getrunkn dos wassrlein,
dos do hot farlescht dos feiarlein,
dos do hot farbrent dos schteklein,
dos do hot geschlogn dos hintlein,
dos do hot gebissn dos kezlein,
dos do hot gegessn dos ziklein,
dos do hot gekauft mein fetrlein
um zweie schiling fenig.
ein ziklein! ein ziklein!

Andere religiöse Liedarten, die zum Vortragsstoff des Spielmanns gehörten, waren Mussar-, Wikkuach- und »getliche« Lieder. Bei den Mussarliedern handelt es sich um religiös-mystische Gesänge, nicht selten auch *gottesfürchtige Lieder* genannt. Die Wirkkuachlieder haben Wettstreite z. B. zwischen Wein und Wasser, Chanukka und den anderen Festen u. ä. zum Inhalt. Häufig sind es auch »judaisierte« Bearbeitungen deutscher Wettlieder. Die *getlechen lider* schließlich sind allgemein besinnliche Lieder und Lobgesänge zur Ehre Gottes, die angefüllt mit biblischen Motiven sind. Diese »getlichen« Lieder müssen bereits vor 1427 gesungen worden sein; denn der berühmte Maharil (eigentlich: R. Jakob Levi Mölln, verstarb 1427), der als Rabbiner in Mainz wirkte und auf die Gestaltung des Ritus, speziell des synagogalen Gesanges der deutschen Juden starken Einfluß ausübte [157], kritisiert eindringlich diesen volkstümlichen religiösen Gesang.

Am Ende des 16. Jahrhunderts tat sich besonders der Prager Rabbiner Jakob ben Elia ha-Levi Tepliz, auch »frum Reb Jekub« genannt, als Verfasser solcher *göttlicher Lieder* hervor. Ein anderer Prager, Meir ben Simson Werters, »der in der altschul tat scheurim [158] sogn«, verfaßte Lobgesänge und Straflieder, wobei er aus hebräischen Vorlagen schöpfte. Seine Übertragungen ins Jüdisch-Deutsche wirken allerdings recht schwerfällig und treffen den Stil der hebräischen Originale selten. Weitaus begabter in der Übersetzung hebräischer Lieder ist der unbekannte Verfasser der in der Hs. München 347 befindlichen »getlechen« Lieder. Diese Lieder wurden vom Übersetzer in den ins Jiddische übertragenen geistlichen Lehrroman des sefardischen Gelehrten und Dichters Abraham ben Samuel ha-Levi Ibn Chisdai (12. Jh.) eingeflochten. Insgesamt versuchte der Übersetzer eine kongeniale jüdisch-deutsche Fassung zu liefern – was ihm, trotz der schwierigen stilistischen Form der hebräischen Vorlage, auch gelungen ist. Geglückt ist auch die anonyme Übersetzung eines Trinkliedes des Salomo Ibn Gabirol (1021–1070). Eine vergleichende Gegenüberstellung der jüdisch-deutschen Version [159] mit einer hochdeutschen, ebenfalls poetischen Übersetzung des hebräischen Originals durch A. Geiger[160] mag über den kunstvollen Stil und die einfühlsame Nachgestaltung der jüdisch-deutschen Fassung interessante Aufschlüsse geben:

mein guter alter schterker wein,
wasser wil dein meinßter sein!
kein gesang wil in mein maul hinein:
vol wasser, vol wasser!

ich hob kein wein, –
di augn mein, –
ich hob kein wein, –
di augn mein:
rinen wasser, reinen wasser!

wi wil doß brout in mir gein? –
mein geschpeis hot kein geschmak mein,
weil di becher far mir schtein:
mit wasser, mit wasser!

ich hob kein wein, –
di augn mein, –
ich hob kein wein, –
di augn mein:
rinen wasser, reinen wasser!

leicht bin ich gleich zu diser frißt
as der frosch im wasser ist.
mein maul, as er is, grißt
mit gesang wasser, mit gesang wasser!

ich hob kein wein, –
di augn mein, –
ich hob kein wein, –
di augn mein:
rinen wasser, reinen wasser!

Es endet der Wein, –
O qualvolle Pein!
Das Auge tränet:
von Wasser!
Der Siebziger[a]), der ist voll Jugendfeuer,
Weg treibt ihn das Neunziger-Ungeheuer[b]).
Nun lasset das Singen! –
Das Glas will nicht klingen:
Voll Wasser, voll Wasser, voll Wasser!
Wie soll ich die Hand nach dem Brote ausstrecken?
Wie kann denn dem Gaumen die Speise noch schmecken?
Ich werde ganz wild, –
Weil die Gläser gefüllt:
Mit Wasser, mit Wasser, mit Wasser!
Durch Moses ward ruhig das Meer und sein Tosen,
Der Nil ward zum Sumpf; doch bei unserm Mosen! –
Ach Himmel, da träuft's,
Ach Himmel, da träuft's:
Von Wasser, von Wasser, von Wasser!
Ich werde am Ende dem Frosche noch gleich
Und quake mit ihm in dem Wasserteich.
Der wird es nicht müd',
Zu schreien das Lied:
Quak Wasser, quak Wasser, quak Wasser!
So werde Einsiedler dein Leben lang,
Dich labe kein Trunk, dich erfreu' nicht Gesang.
Und der Kinder Chor,
Er schrei' dir ins Ohr:
Gib Wasser, gib Wasser, gib Wasser!

In seinem Repertoire vereinigte der jüdische Spielmann einzelne Vortragsstücke unterschiedlichen Gehalts. Diese Abwechslung – hier einmal der epische Unterhaltungsstoff, dort der geistliche Gesang – entsprang durchaus nicht einem unbestimmten Zufall, sondern mußte wohl in der Absicht des Spielmanns gelegen haben. Der professionelle Sänger wußte schließlich genau, was er seinem Publikum schuldig war, und so paßte er seinen Vortrag der jeweiligen Stimmung seiner Zuhörer an. Einer fröhlich gestimmten Versammlung bot er unterhaltende, kurzweilige Stoffe an, einem betrübten und niedergeschlagenen Publikum widmete er ernste, religiöse Hymnen, an deren Inhalt sich die versammelte Menge wieder aufrichten konnte. Gefühle der Dankbarkeit und Zufriedenheit wußte der Spielmann durch einen sentimentalen, geistlichen Lobgesang zu erwecken. Einer derartigen psychologischen Behandlung der Zuhörerschaft war meistens auch die Länge seiner vorgetragenen Gedichte angepaßt. Möglicherweise genügte schon ein Gesang wie das nur 56 Zeilen umfassende Mose-Lied des Cambridger Codex T-S. 10.K.22 (vgl. S. 38 ff.), um eine trübsinnige Stimmung zu ändern. Bestimmt erzielte der Vortrag des sich anschließenden *Liedes vom Paradies* eine ebensolche Wirkung. Ein Vortrag kleiner religiöser Dichtungen, wie z. B. des Gedichts über die Jugend Abrahams, dauerte schon etwas länger und wird wohl seine 1½ Stunden beansprucht haben, während für den *Dukus Horant* immerhin mehrere Rezitationsabende nötig waren. Möglicherweise trug der Spielmann diese längeren Epen auch nur fragmentarisch in größeren Abschnitten vor.

Die Tätigkeit der Spielleute wird in ihren Dichtungen mit »sagen« oder »singen« umschrieben. Einige Werke wurden nach einer festgelegten Melodie vorgetragen, andere hingegen frei rezitiert. Vielleicht ist eine Gesetzmäßigkeit festzustellen, nach der jene Dichtungen mit festem Strophenbau gesungen, die Gedichte mit unregelmäßiger Metrik, wie z. B. die spielmännische *Artusversion*, hingegen frei vorgetragen wurden.

Insgesamt konnten nur zwei feste Melodien jüdischer Spielmannsepik überliefert werden – und diese hat der jüdische Spielmann von seinem christlichen Kollegen entlehnt: die *Herzog Ernst*-Melodie und die *Ritter von Steiermark*-Melodie. Die *Herzog Ernst*-Singweise, die im 13. Jahrhundert aufkam, ist identisch mit der *Bernerweise*, der Singweise des *Dietrich von Bern*.

Herzog Ernst-Singweise [161]

In dieser Art wurden vor allem die *Dietrich von Bern*-Lieder rezitiert. Von diesem Heldengesang hat sich allerdings aus der jüdischen Spielmannsepik keinerlei Nachweis erhalten, sieht man einmal vom *Sigenot* ab, der ebenfalls in dieser Melodie zum Vortrag gelangte. Andere Gesänge *be-nigun herzog-ernst* oder *be-nigun ditrich-fun-bern* finden sich in Oldendorfs umfangreicher Liedersammlung. Noch 1599 erscheint in den in Basel veröffentlichten *semirot we-teschbachot loschumerinu* (Lieder und Gesänge in der Sprache des Gesangs) ein von Elia Loanz verfaßter *wikkuach ha-jajin we-ha-majim* (Wettstreit zwischen Wein und Wasser; Nr. 397) *be-nigun ditrich-fun-bern.*

In der *Ritter von Steiermark*-Singweise, die auf eine deutsche spielmännische Fassung des Hildebrandliedes aus dem 13. Jahrhundert zurückgeht, finden sich noch Anklänge altgermanischer Skôpentradition. Der Hildebrandston ist im übrigen der Nibelungenstrophe ähnlich, weist aber im Gegensatz zu dieser vier gleichgebaute Langzeilen auf. [162]

Singweise des *Hildebrandsliedes* [163]

Die Abschnitte im Vortrag des Spielmannes, in der Cambridger *Dukus Horant*-Handschrift so treffend mit »ßlik« (= Schluß) gekennzeichnet, sind wohl auf Ruhe- und Verschnaufpausen des Sängers zurückzuführen. Verschiedene große Dichtungen, wie der Artusgesang in den beiden Hamburger Handschriften des 16. Jahrhunderts (vgl. S. 36), zerfallen in einzelne Abteilungen, denen vom Inhalt her keine Abschnitte entsprechen. Hier bilden die Unterteilungen lediglich Pausenbezeichnungen im Vortrag des Spielmanns, der nach einer gewissen Zeit mit dem Zuruf an die Hörer »welt ir nun stil gedagen (= wollt ihr nun still schweigen)« die allgemeine Unterhaltung unterbricht und seinen Vortrag, wieder aufnimmt. Diese Übergangsfloskel war auch deshalb so beliebt, weil sie sich ohne weiteres auf »[...] sagen« reimt, womit dann in dem folgenden Vers der weitere Verlauf des Vortrags abgekündigt wurde, etwa in dieser Form:

welt ir nun stil gedagen –
fun dism stul wil ich oich wunder sagen [...]

Andere »Kunstpausen« des Sängers verstehen sich aus seinem Wunsch nach Bier und Wein: [164]

noch mus widuwilt ausau lang gefangen sein,
bis ir mir gebt zu trinken guten wein,
da wil ich īm helfen wol,
schenkt ir mir anders ein grouß glas fol.

Diese Manier jüdischer Spielleute finden wir auch bei seinem deutschen Kollegen. Allein im deutschen Spielmannsepos vom *Herzog Ernst* taucht innerhalb von 89 Strophen – was ungefähr einem zweistündigen Vortrag entsprach – dreimal das Verlangen nach Wein auf: [165]

Ob man dem Singer nicht gît wîn,
Sô wil erz lâzen bliben.
Wan er în nicht gehelfen kan,
Daz sie kumen wider heim,
Er wil vorhin ze trinken han.

Im 16. Jahrhundert, als der epische Gesang verstummte, blieb dem jüdischen Spielmann nur noch das schmale Gebiet ernster, geistlicher Lyrik. An seine Stelle trat nun langsam ein anderer Spezialist professioneller Unterhaltungskunst: der Badchen. Zusammen mit dem Narren, dem »Lustikmacher«, dem »Komedianten« und einer Vielzahl von Akrobaten und Artisten fand sich der Badchen auf Hochzeiten und zu anderen festlichen Gelegenheiten ein. Anfänglich blieb sein Programm noch ausschließlich im Bereich religiös-lehrsamer, oft frömmelnder Unterhaltung, später vermischte er dann seinen ernsten Vortrag mit allerlei närrischen Einlagen, die dem Wunsche seines Publikums Rechnung trugen. So kam es, daß sich der Badchen zu einer tragenden Figur des volkstümlichen jüdischen Hochzeitsritus entwickelte, der nicht nur am Hochzeitszeremoniell mit seinen Liedern beteiligt war, sondern auch während der immerhin oft bis zu einer Woche andauernden Festlichkeiten für Spaß und Unterhaltung sorgte. Im Laufe der Zeit hatte der Badchen alle anderen professionellen Unterhaltungskünstler überlebt. Er war noch bei Hochzeiten unter den Ostjuden im späten 19. Jahrhundert ein gern gesehener Gast.

Den wichtigsten Bestandteil seines Repertoires bildeten naturgemäß Hochzeitslieder, von denen sich ein Teil an die Braut, ein anderer an den Bräutigam und schließlich ein dritter an das Brautpaar richteten. Im Zentrum der Badchenlieder stehen drei Hochzeitszeremonien: das »meien«, das »flechten« und das Führen des Brautpaars »in seier gemach«. Das »meien« bedeutet die Ankunft des Bräutigams im »schulhof«, wobei er von einer Vielzahl von Verwandten und Bekannten begleitet wird. Alle tragen brennende Kerzen. Danach führt man unter ebenso starker Anteilnahme die Braut herbei. Die Versammelten werfen Weizen und Korn über das Brautpaar und rufen dabei »fruchpert sich un mert sich«. Schließlich geleitet man die Braut wieder zurück in ihr Haus, während der Bräutigam sich mit seiner Begleitung in der Synagoge zum Beten versammelt.

In der Brautstube findet unterdessen die zweite Zeremonie statt: das »flechten«. Der Braut werden die Haare geflochten, man schmückt sie mit Ringen, die sie vorher als Geschenk erhalten hat. Endlich führt man sie zum Traubaldachin. Von dieser Zeremonie handeln die sog. *basezenisch-lider*. Nach vollzogener Trauung geleitet man das Paar ins Brautgemach (»in seier gemach«), wobei der Badchen ein letztes Mal in Erscheinung tritt und eine große *mussar-red* hält, in der er die Braut an die Frauengebote erinnert.

Eines solcher Hochzeitslieder entnehmen wir einem Liederbuch (Cat. Bodl. 3680), das aus dem 17.–18. Jahrhundert stammt. Das Lied ist aber nachweislich älter, was man aus dem Umstand ersieht, daß die Trauung an einem Mittwoch stattfinden soll – wie es im Text heißt. Erst vom 17. Jahrhundert an bestand bekanntlich der Brauch, am Tag vor Sabbat zu trauen [166]. Als Liedprobe sollten die ersten sechs Strophen genügen:

jung freilein, ir seit gebetn,
jung freilein un ale gemein.
far der kalla (=Braut) woln mir tretn,
wol far der kalla so rein -
so rein:

scheine kalla, los dir singn und sogn,
wol fun der alte sitn,
wi du dich solßt farhaltn un fartrogn,
weil nun der schtul schteit in der mitn -
der schtul in di mitn:

der schtul is geschtanen
wol mit bet behangt,
scheine kalla, los dich nit farlangn,
dein berocho (= Segen) is schir in land –
dein berocho is schir in land:

dis *mitwoch* mustu fri aufschtein,
so firt man dich zu der *mein*,
so warft man dich mit weizn un korn,
derzu kumt grouß un klein,
ăch die ganz gemein–
ăch die ganz gemein:

do tut dich antschposen
mit ein gold ringlein,
scheine kalla, du darfst sich falosn,
noch der chuppo (= Traubaldachin) wert es sein dein –
wert es sein dein:

nun, libe kalla, farnem mich gor ebn
un batracht dich wol in dein greßtn freidn,
un denk du werßt nit eibig lebn,
un fun der welt du mußt meidn –
du mußt meiden.

Eine weitere Gattung berufsmäßiger Unterhaltungskünstler begegnet uns im Narren. Er taucht in der jiddischen Literatur allerdings erst im 15. Jahrhundert auf, doch muß es ihn bereits früher als Berufsstand gegeben haben. Eine jiddische Minhagim-Handschrift aus dem 15. Jahrhundert, Cod. Paris 586 (Nr. 231), enthält eine Federzeichnung, die einen jüdischen Narren darstellt. Die Zeichnung zeigt das bekannte Narrenkostüm mit der Schellenkappe. Eine Anmerkung bezieht sich auf das Bild: »der nar is wraulich (= fröhlich) am klein purim«. Eine ähnliche Bemerkung findet sich auch zu Beginn des Purimspiels in der Wallich-Liedersammlung:

fumei, ir libn geseln!
got geb oich ein gut purim!
ich kum arein mit meine scheln [...]

In einem Prager Judenverzeichnis vom Jahre 1546 stehen vier professionelle Narren mit dem Vermerk »blaser« in der tschechischen Rubrik und »nar« in der deutschsprachigen Rubrik verzeichnet. Sie heißen Kaufmann, Ralmann, Rouse und Schimeon. Rouse ist der Name eines »narrisch waibs«. [167] Noch zweihundert Jahre später wird der Narr im gleichen Kostüm abgebildet. Eine Illustration zu dem Purimspiel *akta esther mit achaschwerosch*, welches 1720 in Prag aufgeführt worden ist (vgl. S. 115), zeigt drei jüdische Narren fröhlich tanzend und musizierend.

Aus dem, was hier festgestellt worden ist, geht hervor, daß die Verbindung des Narren zum Purimspiel sehr eng gewesen sein muß. Und tatsächlich finden wir den Narren an der Wiege des jiddischen Schauspiels, das in seiner Frühzeit ausschließlich im Purimspiel begründet war. Der Narr organisierte arme Talmudstudenten zu einer von Haus zu Haus ziehenden Truppe, die lustige Lieder mit schauspielhaften Einlagen vortrugen. Ein solches Lied findet sich ebenfalls in der Wallich-Sammlung. Es beschreibt, wie der Narr in Begleitung eines Studenten in ein Haus eintritt und seine Begleiter vorstellt:

ich kum arein mit meine schelen,
wegen dem kinigß bachorim (= Studenten) –

Die Studenten singen dann ein Lied im Purimstil:

gebt aher doß beßte essn,
doß ir hobt in den hous –
di bachorim woln schtudirn
mit einem glos also der –
mir weln chelukim (= Dank) sogen,
wol in der schissl blos –

Unter den Studenten befand sich der kostümierte Purim-König: der »kinig«. Auch die anderen hatten sich verkleidet: sie trugen Säcke und hölzerne Ziegenköpfe. Alle zusammen führten einen wilden und ausgelassenen Tanz auf. Zum Schluß sang wieder der Narr, man sollte ihn und seine Spieler belohnen mit »vil visch«, »vrische wek«, »vleisch« und »vir virtel virne (= reifer) wein«.

Noch ein anderes komisches Spiel wurde von den Narren zur Purimzeit aufgeführt: das Spiel *fun taub jeklein*, das wir aus einem anderen Lied der Wallich-Sammlung kennen.

Das Treiben der Narren, ihr Spiel und ihr Vortrag fanden beim jüdischen Volk starken Anklang. Ihre Darbietungen wurden begierig verfolgt, zumal das Vorgetragene leicht verständlich und nicht selten mit derber Erotik erfüllt war. Die Wallich-Sammlung enthält ein in diesem Sinne typisches Lied von einem gewissen Eisik Kittel, das zu allem Überfluß auch noch in der Singweise des ernst-religiösen *akidath-jizhak*-Lieds (S. 58) vorgetragen wurde und entsprechend anhebt: »judscher stam fun rechter art [...]«, was gewiß nicht seine Wirkung verfehlt hat.

Der Hang der deutschen Juden zu einer bis dahin kaum gekannten Lebensbejahung erscheint vor dem Hintergrund des allgemeinen Taumels und Tanzes, die in den rheinischen Städten bald nach dem Schwarzen Tod um sich griffen und bis ins 15. Jahrhundert anhielten, durchaus verständlich. In den jüdischen Gemeinden entstanden sehr bald Nachbildungen von Plätzen des Frohsinns und der Kurzweil. Ein typisches Produkt dieser Zeit sind die »Tanzhäuser« die bald in allen Judengemeinden Deutschlands einer ausgelassenen Gesellschaft Platz zur vergnüglichen Unterhaltung boten. Inmitten der »wraulichen« Gesellschaften wirkte der jüdische Narr, der nicht nur das Kleid seines christlichen Berufskollegen anzog, sondern auch dessen künstlerische Ausdrucksformen zu kopieren versuchte. Der Narr fand sich zu allen Festlichkeiten ein; seine Anwesenheit war besonders auf Hochzeiten, die in jüdischen Kreisen ja gewöhnlich bis zu einer Woche dauerten, erwünscht, und er verstand es gut, sich alsbald in den Mittelpunkt des fröhlichen Treibens zu stellen. Seine verschiedenen Namen können wir aus Quellen jener Zeit entnehmen. Er heißt dort »Lez«, «Nar», «Marschalik» oder »fröhlicher Jud«, im speziellen auch »Klesmer« oder schlichtweg »Musiker«. Fröhliche, witzige, meist mehrdeutige und hintergründige Lieder gehörten zu seinem Repertoire ebenso wie die Unterhaltungsmusik, die teils seine Aufführungen untermalte, teils aber auch für sich dargeboten wurden. Daneben füllten eine Reihe komischer Spiele sein Programm aus, er gab Kunstproben von Akrobatie und Clownerie, wußte aber auch durch eine Art Ausdruckstanz, wie z. B. den »Totentanz«, sein Publikum zu fesseln.

Der Narr bemühte sich nicht nur, seine Zuhörer zu unterhalten, er verstand es auch, wo es angebracht war, in beißender Satire Kritik an den sozialen Mißständen, denen die »armeleit« unterworfen waren, zu üben. In einem Bettlerlied, das die Wallich-Sammlung überliefert hat, verurteilt jener Verfasser, der uns vorhin in einem Lied der Sammlung als fröhlicher »lustikmacher« am Purimsfest begegnet ist, das Verhalten der Bamberger Parnasim den armen Juden gegenüber in beißender Ironie. Es ist jener unbekannte Narr, der als Schöpfer des Schwankliedes »fun taub jeklein« das Publikum zu erheitern versuchte. Die Kritik an den Führern der Bamberger Judengemeinde bezieht sich auf deren Beschluß, keine »armeleit« mehr bei Hochzeiten und anderen Festlichkeiten zu dulden. Bitter wird beklagt, daß die Armen der Gemeinde, die gewöhnlich zu einem »Armen-Essen« eingeladen wurden, mit einer Kleinigkeit bei Hochzeiten abgespeist werden, so daß sie hungrig wieder abziehen müssen, während sich die Festgemeinschaft die Bäuche vollschlägt:

mir armen musn klogn woß aufkumt im olem (= Volk),
woß do is gescheen im bamberger land,
wi di parnossim ontun der armen grousse schand.
si hobn ein takonoh (= Satzung) gemacht,

si hobn ober nischt wol getracht,
wen ein oscher (= Reicher) ßeudoh (= Mahl) hot,
so hot soln kein oni (= Armer) drauf freien,
drum darf sich kein oni auf kein ßeudoh mer preien. [168]

d) Geistliche Dichtung nach dem Muster der Spielmanns- und Narrendichtung

Die Dichtungen der Spielleute und Narren erregten schon früh das Mißtrauen der jüdischen Geistlichkeit, die diese volkstümlichen, sich meist auf deutsche Quellen stützenden Vortragsstoffe als töricht und dem Judentum abträglich verwarf. Nur allzu häufig sind in den Vorworten religiöser jüdisch-deutscher Schriften und Drucke des 15. und 16. Jahrhunderts abwertende Kritik und Ablehnung gegenüber dem Einfluß der verderblichen weltlichen Poesie zu finden. Um jedoch »konkurrenzfähig« bleiben zu können, mußte die religiöse Dichtung jenen Stil und Ton kopieren, die Spielmannsepen und satirische Dichtungen beim jüdischen Volk beliebt gemacht hatten. In der Nachahmung der spielmännischen Heldenlieder wirkte die auf biblische Stoffe zurückgreifende Unterhaltungslektüre jüdischer »Gelehrter« gequält und steril. Sie erreichte aus diesem Grund auch nie die Beliebtheit der Spielmannsepik.

Einzig der in der Nibelungenstrophe niedergeschriebene *sefer schmuel* ragt aus der Gruppe eintöniger Reimfassungen biblischer Bücher durch angenehme Lebendigkeit der Fabel und einen guten Schreibstil heraus. Das mag allein daran liegen, daß der biblische Samuelstoff jene Ansprüche erfüllen kann, die für die wirkungsvolle Gestaltung der spielmännischen Heldengeschichte ausschlaggebend sind: eine einheitliche, konzentrische Handlung, die eine überragende Figur zum Mittelpunkt hat. Vor dem Hintergrund der jüdischen Volksgeschichte läuft die vielbewegte Lebensgeschichte Davids ab, die von den Anfängen des israelitischen Königstums bis zum Lebensabend Davids reicht. Zwei weitere Gestalten der Erzählung sind Samuel und Saul; doch sind die Ereignisse, die um diese beiden kreisen, lediglich begleitende und kontrastierende Handlung im Rahmen der Gesamterzählung. So ist die einleitende, sich allerdings eingehend mit König Saul befassende Episode nichts anderes als ein Auftakt zum Auftritt des Helden David. Alles über Saul Berichtete wird letztlich nur zur Einführung Davids verwendet.

Sprache, Stil, Vers und Reim des *Schmuelbuchs* sind der spielmännischen Heldendichtung angepaßt. Es kam dem Verfasser keineswegs darauf an, unbedingt eine lehrreiche jüdisch-deutsche Fassung der beiden Bücher Samuelis der Heiligen Schrift, jedem Juden aus der Geschichte seines Volkes ohnehin bekannt, zu schaffen. Gestützt auf die religiöse Fabel wollte er vielmehr ein unterhaltendes volkstümliches Werk entstehen lassen, das Erzählungen enthalten sollte, die der mittelalterlichen Epik und der feudalistischen Weltanschauung dieser Zeit nahestanden. Einzig diesem Zweck entspricht die äußere Form des *Schmuelbuchs,* für die der gesamte stilistische Apparat jüdisch-deutscher, nein, deutscher Epik angewendet worden ist. Nicht nur die Überformung des biblischen Stoffes – das in der Nibelungenstrophe abgefaßte Gedicht mußte im Grund jedem orthodoxen Juden ein Greuel sein – auch die Phraseologie und Epitetik weisen ihre deutschen Vorbilder aus. Der ritterliche Pathos der Dichtung beeinflußt die eigentliche religiöse Handlung stark. Nicht selten werden Kampfesszenen geboten, die im Geiste deutscher Heldensagen breit beschrieben sind. Volkstümlich-grob und humoristisch fließen mancherlei erotische und pikante Episoden in den Ablauf des Geschehens ein. Insgesamt gewinnt man den Eindruck, daß der religiöse Gehalt der biblischen Vorlage den Verfasser des *Schmuelbuchs* recht wenig beeindruckt hat.

Der belletristische Charakter des Gedichts wird noch durch talmudische und midraschische Sagen und Märchen dort verstärkt, wo diese zur Ausschmückung des Epos verwendet werden. F. Falk, der sich in jahrzehntelanger Arbeit mit dem

Schmuelbuch beschäftigte und einen umfangreichen textkritischen Apparat überließ [169], hat eingehend die »jüdischen Quellen«, die »deutschen Vorbilder« und den »Wort- und Formelschatz des Schmuelbuchs in Anlehnung an deutsche Vorbilder« dargestellt. [170] Es ist diesem hier nichts mehr hinzuzufügen, doch sollte noch auf eine wichtige Bemerkung Falks, die die biblische Quelle des *sefer schmuel* betrifft, hingewiesen werden. [171] »Die Hauptquelle des Dichters bilden die Bücher Samuelis der Heiligen Schrift. Als er aus diesen seine biblische Epopöe verfaßte, war der hebräische Text noch in *einem* Buch Samuel zusammengefaßt, in dem *sefer schmuel*; erst in späterer Zeit (1517) wurde die Zweiteilung durch Daniel Bomberg in den Druck der hebräischen Bibel eingeführt. Unser Epos ist daher nur unter dem Namen *das schmuel buch* bekannt geworden, und weder in den Handschriften, noch in den Drucken finden wir an der Stelle, wo die Dichtung in den Inhalt des zweiten Buches Samuel übergeht, irgend einen Hinweis hierauf oder eine bezügliche Überschrift.« Man kann nur vermuten, wie nachteilig sich eine zweiteilige biblische Vorlage ausgewirkt hätte. Möglicherweise hätte sich auch im Handlungsablauf ein Bruch ergeben; denn man weiß nicht, ob man der Dichtkunst des Verfassers und seiner stilistischen Fähigkeiten in dieser Beziehung hätte vertrauen können. Andererseits wiederholt er nicht jenen Konstruktionsfehler der Heiligen Schrift, die den letzten Lebensabschnitt Davids ins *Buch der Könige* überführt.

Das Alter des Schmuelbuches kann nicht genau angegeben werden, doch glaubt Falk aufgrund der formalen Beschaffenheit, des Stils sowie inhaltlicher Mitteilungen im Text die Entstehung des Werkes ins 15. Jahrhundert legen zu können. [172] Aus dem 16. Jahrhundert sind zwei Handschriften sowie ein kleines handschriftliches Fragment (Nr. 403–405) erhalten, außerdem die Drucke Augsburg 1544 (Ed. princ.), Krakau 1578, 1585 und 1593 sowie Prag 1609 und Basel 1612 (alle Nr. 402). [173] Steinschneider (Nr. 406) verzeichnet außerdem die handschriftliche Kopie des Jakob Jehuda Levi, die der Schreiber im niederländischen Städtchen Groenlo am 16. Aw 1658 beendet hat, doch ist diese Handschrift verschollen. Die Schlußverse in der Hs. Paris 92 (Nr. 403) bringen uns auf die Spur des Verfassers des *Schmuelbuches*. Dort findet sich nämlich nicht nur der Name des Kopisten, Sanwel, sondern auch zwei Verse aus dem Original, die den Namen des Dichters mitteilen: Mosche Esrim Wearba, der »das Buch mit seiner Hand gemacht hat«. Ähnliches mußte wohl auch die beschädigte Hs. Hamburg 313 enthalten haben; denn vor der Schlußschrift des Schreibers Liwa von Regensburg [174] sind Textbrocken zu entdecken, die dem Text der Pariser Handschrift entsprechen. [175] Näheres konnte bisher über Mosche Esrim Wearba nicht in Erfahrung gebracht werden. Eine Identität mit jenem Talmudisten gleichen Namens, der als ein aus Deutschland stammender, zwischen 1470 und 1480 in Palästina lebender jüdisch-deutscher Schreiber vorgestellt worden ist, besteht keinesfalls. [176] Allein die Feststellung, daß Mosche Esrim Wearba nicht unter den fahrenden Spielleuten, Gauklern und Possenreißern zu suchen ist, mag zutreffen. Mosche Esrim Wearba dürfte vielmehr ein in der rabbinischen Literatur belesener Wanderprediger gewesen sein, der sich auch im deutschen Volksepos ausgekannt hat. [177]

In der Art des *Schmuelbuches* folgten bald Bearbeitungen anderer biblischer Stoffe; doch scheiterten alle Nachahmungen sowohl stofflich wie auch stilistisch im Vergleich zum Vorbild. Einmal fehlte die zentrale Figur, wie sie David im *Schmuelbuch* darstellt, zum anderen war den Verfassern der poetischen Bearbeitungen von *Josua, Buch der Könige, Buch der Richter, Daniel, Jona* u. a. der Stil der Volksepik zu wenig vertraut, so daß in ihren Werken die lebendige Schilderung dem Vorrang des vermittelten, oft lehrhaften biblischen Stoffs weichen mußte.

Die gereimten Bearbeitungen der Bücher *Josua* und *Richter* liegen in einer verderbten Sammelhandschrift der Königlichen Bibliothek zu Parma vor. Diese Handschrift (Nr. 409 u. Nr. 411) stellte der Schreiber Mosche ben Mordechai in den Jahren 1510–11 in Mantua zusammen. Die Bearbeitung der biblischen Vorlagen beruht hier im wesentlichen auf einer Kürzung des Bibeltextes. Nur wenige midraschische Ausschmückungen vermögen den Text aufzulockern, so daß beide Epen recht trocken und wenig unterhaltsam wirken. Von beiden biblischen Büchern liegen auch gedruckte Ausgaben vor, die alle jedoch auf ältere handschriftliche Vorlagen zurückgehen: die gereimte Bearbeitung des *Buches der Richter* liegt in der Ed. Mantua 1546, die Josuafassung in der Ed. Krakau 1588 (oder 1594?) vor. Die Krakauer *Josua-Ausgabe* folgt wahrscheinlich einer älteren, nicht mehr aufzufindenden Mantuaer Edition. [178]

Zu den gelungensten Nachahmungen des *Schmuelbuches* [179] muß man den *sefer melochim* (Buch der Könige; Nr. 407, 408) zählen. Er liegt in einer Handschrift der Bibliotheca Rosenthaliana (Amsterdam) aus dem letzten Viertel des 16. Jahrhunderts und in drei Drucken – Ed. princ. Augsburg 1543, Ed. Krabau 1582 und Ed. Prag 1607 – vor. Die Dichtung selbst stammt, wie Falk nachgewiesen hat [180], aus der zweiten Hälfte des 15. Jahrhunderts, doch sprechen äußerer Aufbau und Schreibstil gegen die Annahme, es könnte sich um eine zweite Schöpfung des Mosche Esrim Wearba handeln. Vor allem die Langatmigkeit der Dichtung spricht dagegen. Lebendige Passagen, wie z. B. Kampfesszenen u. ä., bleiben nur auf wenige Strophen beschränkt, während sonst der biblische Stoff eintönig breit und ermüdend vorgetragen wird. Allerdings erreicht das *Melochimbuch* in Ausmaß und Vielfalt des verwendeten midraschischen und talmudischen Sagenstoffs das *Schmuelbuch* annähernd. Vor allem die Gestalt des Königs Salomo wird in Sagen eingewoben. Als ein anderes volkstümliches Stilmittel werden Sprichwörter und Redensarten reichlich verwendet. Trotzdem erreichte das *Melochimbuch* nicht die große Beliebtheit beim jüdischen Volk wie das *Schmuelbuch*, worauf schon die geringe Zahl späterer Nachdrucke hinweist.

Andere, in der Art des *Schmuelbuchs* durchgeführte Bearbeitungen biblischer Bücher liegen in den jüdisch-deutschen Reimdichtungen des Buches *Jona* (Nr. 415, 416), *Hiob* (Nr. 417) und *Daniel* (Nr. 413, 414) vor. Das erstmals 1557 in Basel bei Jakob Kündig gedruckte *Danielbuch* geht auf eine sehr eigenständige Bearbeitung des biblischen Stoffes durch einen unbekannten Dichter zurück. Allerdings läßt die Vorrede in der Baseler Ausgabe keinen Zweifel daran, das auch das *Danielbuch* das *Schmuelbuch* zum Vorbild hatte:

das büchlein heißt daniel, der was vrom un' wol getôn,
wi der teutsch schemuel hot es weis un' dôn.

Die zweite Gruppe gereimter biblischer Erzählungen, die den Ton der Spielleute nachzuahmen versuchten, waren die *Esther-Gedichte*. Diese von geistlichen Schriftstellern gegen die von Narren und Studenten aufgeführten derben Estherspiele konzipierten Bearbeitungen des biblischen Estherstoffes gaben bald einen beliebten Vortrags- und Lesestoff für das Purimfest ab. Die Popularität der Esthergedichte war sehr groß, dafür sorgten schon allein die in großer Vielfalt verwendeten midraschischen Quellen. In der gereimten Esther-Paraphrase der Hs. Oppenheim 111 (Nr. 418), geschrieben von Jussuf ben Jekub im Jahre 1544 unter Benutzung einer älteren Kopie des Eisik Schreiber, schöpft der Verfasser aus nicht weniger als sechs Midraschquellen: Massechet Megilla, Esther Rabba, Midrasch Abba Gorion, Targum Scheni, Targum Raschun, Midrasch Megilla. Auch die beiden anderen handschriftlichen Überlieferungen des Esthergedichts, Hs. München 347 (Nr. 419) und Hs. Hamburg 34 (Nr. 420), benutzen den Targum Scheni als wichtigste Midraschquelle. Jedoch ist jede der drei Reimdichtungen von verschiedenen Autoren unabhängig voneinander gearbeitet worden. Alle drei Esther-Paraphrasen stammen aus dem 14. Jahrhundert, wenn auch die Kopien im 16. Jahrhundert angelegt worden sind. Die von einem unbekannten Schreiber gefertigte Münchener Handschrift geht auf eine Vorlage zurück, die im Rheingebiet entstanden sein muß. Die Hamburger Kopie vom Jahre 1590 hatte vermutlich eine alemannische Fassung zur Vorlage. Als Schreiber nennt sich ein gewisser Koppelmann, der identisch mit Jakob ben Samuel Bunem Koppelmann, dem Verfasser des (hebräischen) *targum schel ha-masch* (Freiburg 1584) [181] und den jüdisch-deutschen *mischle schualim* (Fuchsfabeln, S. 107) sein soll. Obwohl die Autoren der Esthergedichte mit einem breiten Midraschapparat arbeiten, enthalten ihre Dichtungen nur wenige Hebraismen. Die Oxforder Handschrift, die ja bekanntlich sechs Midraschquellen ausschöpft, benutzt sogar an Stelle von Mordechai und der Königin die Epitheta »gots sun« und »schpigel aler frauen«. In der Münchener Handschrift ist die Schreibweise für Mosche »Moses« und für Schlomo »Samuel«. In der Hamburger Handschrift tauchen noch die meisten Hebraismen auf, doch dürfte sich diese Relation zu den anderen Schriften schon allein aus ihrem Umfang ableiten lassen. Das in der Hamburger Handschrift enthaltene Esthergedicht ist nämlich ein recht gewaltiges Werk von der Größe des *Schmuelbuchs*. Die defekte Handschrift zählt immerhin 1483 Strophen zu je acht Versen, wobei der fehlende Beginn noch zu berücksichtigen ist. Die Reimdichtung schildert ausführlich in lebendigem und humorvollem Stil Anekdoten und Episoden, wobei die zentrale Figur Haman noch mehr dominiert als in der biblischen Vorlage.

Midraschim fanden beim jüdischen Volk deshalb so großen Anklang, weil sie die biblische Geschichte nicht in gewohnt lehrhafter Form vortrugen, sondern in einem lebendigen Historienroman. Der nicht allzu lange *midrasch wajoscha* – der Titel leitet sich vom Anfangswort des Werkes ab – zählt zu den populärsten Midraschim. Er handelt über Exodus 14,30 ff. Das hebräische Original stammt aus dem 11.–12. Jahrhundert und wurde zuerst 1519 in Konstantinopel gedruckt. Der im Stil eines Spielmannsepos ins Jüdisch-Deutsche übertragene Midrasch erschien vor 1687 in Prag im Druck, doch läßt die sprachliche Analyse der 92 Strophen zu sieben Zeilen umfassenden Dichtung auf eine Vorlage des beginnenden 16. Jahrhunderts schließen. Der gereimte jüdisch-deutsche *midrasch wajoscha* (Nr. 406) wurde später noch einmal in Prag nachgedruckt. Seine Popularität läßt sich leicht erklären, enthält er doch in seinem zweiten Teil die beliebte Legende von Geburt und Kindheit Mosis. [182]

Der *midrasch wajoscha* gilt als eine der Quellen des *akidath jizhak*-Liedes (Nr. 309, 310), das in poetischer Form die Opferung Isaaks beschreibt. [183] Der Inhalt der Legende ist bekannt; die der midraschischen Quelle entlehnte Stelle bezieht sich auf Abrahams Versuchung durch den Satan, der ihn mit allen Mitteln davon abhalten will, seinen Sohn Isaak als Zeichen seiner unerschütterlichen Gottesgläubigkeit zu opfern. Neben dem *midrasch wajosche* werden noch andere midraschische Quellen ausgeschöpft, die Louis Ginzberg [184] eingehend dargestellt hat. Das *akidath jizhak*-Lied selbst spiegelt die naive religiöse Begeisterung des Verfassers wieder. Der Ton ist fromm, wie schon der Anfang des Liedes erkennen läßt:

> iudscher schtam di(e) werdi (= werte) art,
> der fun abraham abhinu (Erzvater Abraham) giborn ward
> un' fun sara, di muter zart,
> di sich in gots dinst ali beid nit hobn geschpart. [185]

Trotz des stark religiösen Pathos kann die Anlage der Dichtung nach dem Muster spielmännischer Epik nicht geleugnet werden. Redewendungen, wie sie die 34. Strophe der Pariser Handschrift enthält, sind typisch:

> nun weln mir den ßoton lossn schtein (= stehen)
> un' weln singn fun abraham un' jizhak mein. [186]
> da si nun weiter hobn an zu gein (= gehen),
> da hobn an zu krign eliser un jizmael ali zwein.

Das Gedicht wurde in einer besonderen Singweise vorgetragen, die sich noch bis ins 17. Jahrhundert erhalten konnte. Ein 1670 in Prag veröffentlichtes *schen lid fun win* wurde ebenso »be-nigun akidath« gesungen wie das fünfzehn Jahre später, ebenfalls in Prag erschienene Lied von den zehn Geboten *eseret ha-dibarut be-nigun akidath*.

Das *akidath jizhak*-Lied ist in drei Handschriften des 16. Jahrhunderts überliefert, deren älteste um 1570 von dem Schreiber Jehuda Schalit angefertigt worden ist. Die Schrift (Nr. 308) geht aber eindeutig auf eine ältere Vorlage des 15. Jahrhunderts aus dem oberdeutschen Sprachgebiet zurück. Ebenfalls Kopien älterer Originale enthalten Hs. Hamburg 209 (Nr. 307) und Hs. Paris 589 (Nr. 309). Die Hamburger Handschrift bringt den Text des Liedes in einer oberdeutschen Mundart, als Verfasser (sicher nur Schreiber!) nennt sich ein gewisser Jizhak Kutnam, der im Jahre 1574 seine Arbeit beendete. Die dritte Handschrift schließlich entstand 1579 in Oberitalien. Zwar wird der Name des Kopisten mit Anselm (Anschel) Levi (s. S. 75) angegeben, doch steht im Text vermerkt, daß die Schrift auf einen gewissen »Pichl« Schalit zurückgehe. Somit könnte es sich bei diesem Exemplar um eine Abschrift der erstgenannten Handschrift vom Jahre 1570 handeln.

Das *akidath jizhak*-Lied zählte zu den meistgesungenen religiösen Hymnen der aschkenasischen Judenschaft. Seine große Popularität beruhte in erster Linie auf seinem volkstümlich-sentimentalen Ton, seiner Kürze und seiner einfachen Metrik. Jede Strophe besteht aus vier gleichartig gereimten Versen. Diese Merkmale mögen andererseits aber auch der Grund dafür gewesen sein, daß Melodie und Metrik des frommen Liedes nicht selten als Auftakt ironischer Lieder der jüdischen Narren herhalten mußten. Derartige Persiflagen haben dem Hymnus jedoch seine Beliebtheit nicht nehmen können, und so ist es kein Wunder, daß noch im 18. Jahrhundert *akidath jizhak*-Drucke verlegt worden sind (Nr. 310).

In ihrer Lyrik setzten die Autoren der geistlichen Dichtung des 16. Jahrhunderts den von den jüdischen Spielleuten vorher eingeschlagenen Weg fort. Sie verfaßten eine erhebliche Anzahl von Sabbat- und Feiertagslieder, aber auch einige der beliebten Wettstreitlieder flossen aus ihrer Feder. In R. Abigdor ben Isaak Kara aus Prag und Menachem Oldendorf begegnen uns die fruchtbarsten Liedschöpfer dieser Zeit, die ihre Dichtungen durchweg dem Ton populären deutschen Volksgesangs anpaßten. Der ernste, religiöse Gehalt ihrer Texte spricht jedoch eine deutliche Sprache, deren »Jüdischkeit« schließlich eine asketische Richtung einschlug. Den in dieser Beziehung wohl markantesten Beitrag leistete der viel zitierte Menachem Oldendorf mit seinem *Patenlied*, das tiefgreifende Gedanken über den Tod enthält. Ein ähnliches, mystisches Lied aus dem Jahre 1505 weist eine Handschrift der Cambridger Universitätsbibliothek auf. [187]

Oldendorf ist auch der Verfasser des poetisch bedeutendsten Wettstreit-Liedes *Wettstreit zwischen dem guten und dem bösen Triebe*. Andere *Wikkuach-Lieder* stammen von Salman Runkel (*Wettstreit zwischen Chanukka und den anderen Festen*, Nr. 394, 395), Alexander ben Isaak aus Treis an der Mosel (*Wettstreit zwischen dem Reichen und dem Armen*, Nr. 396) und dem bereits genannten Elia Loanz (*Wettstreit zwischen Wein und Wasser*, Nr. 397).

Eine weitere Gattung geistlicher Dichtung war die Spruchdichtung jüdischer Schriftgelehrter des 15. Jahrhunderts. Diese schöpften bei der Anlage ihrer Spruchsammlungen vornehmlich aus den ethischen *Mussarbüchern*, aber auch dem Volksmund wurde so manche Spruchweisheit entnommen und in Reime gefaßt. Lebhafte Aufnahme fanden die geistlichen Spruchbücher in den gedruckten Spruchsammlungen des 16. und 17. Jahrhunderts: *mareh mussar* (vgl. S. 117f.), *sefer ha-jirah* (vgl. S. 95) u. a.

Schließlich seien noch die Spottlieder erwähnt, die geistliche Satiriker nach dem Vorbild der Narrendichtung schufen. Angriffsziele dieses ironischen Gesangs waren grundsätzlich alle religiös verwerflichen Eigenschaften der Menschen, wie z. B. der Spieltrieb, der in einer umfangreichen Satire gegen das Würfelspiel des Samuel ben Mose Hogerlin – enthalten in der Oldendorf-Sammlung – stark kritisiert wird.

Ihre bedeutendsten Vertreter hatten diese Satiriker in den Reihen der Melamdim. Diese Wanderlehrer waren es, die ständig die verwerflichen Lebensgewohnheiten und unreligiösen Sitten ihrer Glaubensbrüder verdammten und anprangerten. Ein bekannter Vertreter dieser Gruppe war Mosche Kohen, der ein bekanntes Pamphlet auf einen gewissen David *fun ustiluing* verfaßt hat. Das Gedicht ist in einer

Oxforder Handschrift [188] vom Jahre 1554 enthalten, doch ist der Stoff – wie der Inhalt nachweist – wesentlich älter. Die Handlung spielt in Talheim in der Nähe Heilbronns. Dort ist dieser David als Diener des reichen Grundbesitzers Simson beschäftigt. Der Reichtum seines Dienstherrn erfüllt David mit Neid, und er beschließt, dessen Gut und Geld mit List und Tücke an sich zu bringen. R. Simson kommt ihm jedoch auf die Schliche und vertreibt den habgierigen Diener aus seinem Haus. Das 38 Strophen lange Lied ist in der Art der satirischen Narrenlieder gestaltet, es beginnt im Stile des Meistergesangs:

> wolt ir hern ein noiß gericht (= Gerücht) [189]
> un woß zu solaim (= Sontheim) is geschicht,
> so gar in kurzn zeitn? –
> ein klein weil mußt ir schtil gedagn,
> hipsch obentoier wil ich oich sagn,
> nit lenger durft ir breitn (= drängen).

Ein anderer dichtender Wanderlehrer war Mosche ben Mordechai (s. S. 56), der den Spitznamen »Hunt« (= Hund) trug. Er tat sich als Verfasser gereimter *Josua-*, *Richter-*, *Jesaja-* und *Jona*-Paraphrasen sowie einer jüdisch-deutschen *Psalter*-Fassung und einer poetischen Bearbeitung der Legende vom Tode Mosis, *petirat mosche*, hervor. [190] Von ihm stammt auch ein recht umfangreiches Spottlied auf die Schwächen der aus Deutschland nach Oberitalien emigrierten Juden. Die Umdichtungen der biblischen Bücher, nach dem Muster der Rosengartenstrophe gebaut und darüber hinaus auch andere stilistische Nachklänge der Spielmannsdichtung aufweisend, dienten eher der kurzweiligen Unterhaltung als einer didaktischen Unterweisung. Ähnliches trifft auch für die Psalterparaphrase zu. In der Legendendichtung schließlich beweist Mosche ben Mordechai seine poetische Begabung aufgrund gelungener stilistischer Eigenarten und eines flüssigen Schreibstils. Der Ton des Spottgedichts ist volkstümlich-derb und gegenständlich nah gehalten. Außerdem zeugt die Satire von einer intimen Kenntnis der Verhältnisse deutsch-italienischer Juden. Das sollte jedoch nicht verwundern, zog er doch selbst zu Beginn des 16. Jahrhunderts nach Brescia. Das Bemerkenswerte an seinen Dichtungen sind die ironischen Anmerkungen, die auch in die biblischen Werke eingestreut sind. Sie erreichen in seinem Spottlied einen kunstvollen Höhepunkt.

Eine hohe Blüte erreichte die jüdisch-deutsche Melamdim-Dichtung in den Werken des Elia Levita Bachur (Germanicus), dem die Hebraistik und Jiddistik einen breiten Raum ihrer Forschungsarbeit gewidmet haben. Der 1469 in Ipsheim an der Aisch nahe Nürnberg [191] geborene Elia Levita (eigentlich: Elijahu ben Ascher ha-Levi Aschkenasi), wanderte Ende des 15. Jahrhunderts nach Italien – ob infolge der Judenverfolgungen in Deutschland oder aus eigenem Antrieb, in Italien das Hebräischstudium aufzunehmen, wissen wir nicht. Im Jahre 1496 war er bereits in Venedig ansässig, ging jedoch 1504 nach Padua, wo er – wie schon in Venedig – jüdische und christliche Schüler in der Bibelkunde und in der hebräischen Grammatik unterrichtete. Schon nach fünf Jahren mußte Levita die Stadt unter Zurücklassen seines Besitztums verlassen, weil die Truppen der Liga von Cambrai die Stadt erobert und geplündert hatten. Er kehrte zunächst nach Venedig zurück, siedelt aber bereits 1514 nach Rom über, wo er die Bekanntschaft des judenfreundlichen gelehrten Ordensgenerals der Augustiner, Egidio de Viterbo, machte. Levita unterwies Egidio, den späteren Kardinal von Rom, im Studium des Hebräischen und der Kabbala. Dreizehn Jahre lang lebte er im Hause seines Gönners, der ihn zur Schriftlegung seiner bekannten (hebräischen) grammatikalischen, massoretischen und lexikographischen Werke anregte. Von diesen erschienen allerdings nur die drei grammatikalischen Werke *sefer ha-bachur* ([1]Rom 1517, [2]Isny 1542), *sefer ha-harkaba* ([1]Rom 1518, [2]Venedig 1546) und *pirke elijahu* ([1]Pesaro 1520, [2]Venedig 1546) während dieser Zeit im Druck.

Nach der Einnahme Roms durch das Heer Karls V. (1527) mußte Levita Rom verlassen, abermals um all sein Vermögen, vor allem aber um einen großen Teil seiner Manuskripte gebracht. Zwei Jahre wanderte er von Stadt zu Stadt, bis er schließlich wieder in Venedig in der Druckerei Daniel Bombergs als Korrektor eine Anstellung fand. Daneben erteilte er begüterten und hochgestellten Christen Hebräischunterricht. So wurde er 1532 vom Patriarchen von Aquila und 1535–36 auf Vermittlung Egidios vom französischen Gesandten in Venedig, George de Selve, dem späteren Bischof von Lavaure, aufgenommen. Danach erhielt er verschiedene ehrenvolle Rufe, eine Professur an einer christlichen Lehranstalt anzunehmen. Aber er leistete keinem Folge, um nicht als eine Ausnahmeerscheinung unter den ansonsten verfolgten und geknechteten Juden Europas zu gelten. Stattdessen nahm er 1540/41 die Stelle eines Korrektors in der neugegründeten Druckerei des Paulus Fagius (vgl. S. 76) an, wo er dann auch einen Teil seiner eigenen Werke herausgab bzw. neu verlegte. Seit dieser Zeit gilt er als der eigentliche Begründer der hebräischen Sprachwissenschaft in Deutschland. 1544 kehrte Levita, nach einem kurzen Zwischenaufenthalt in Konstanz, nach Venedig zurück, wo er bis zu seinem Tod am 28. Februar 1549 seine Arbeiten fortsetzte.

Die Jiddischforschung hat nachgewiesen, das Levitas jüdisch-deutsche Werke sämtlich vor 1514 verfaßt worden sind, d. h. bevor ihn die Unterstützung seines Gönners Egidio aus seinem Lehrerberuf zur Laufbahn eines bedeutenden Gelehrten führte. Unter seinen jüdisch-deutschen Dichtungen ragen die Versromane *bovo d'antono*, kurz *Bovo-Buch*, und *paris un vienna* heraus.

Das *Bovo-Buch* (oder *bovo-maasse*) ist die Versübertragung des berühmten englischen Romans *Sir Bevis of Southhampton*. Der Stoff dieses anglonormannische, keltische, deutsche und orientalische Elemente vereinigenden Abenteuerromans war in Europa bereits seit dem 12. Jahrhundert verbreitet. Während des 13. Jahrhunderts erschienen epische Bearbeitungen in englischer und französischer Sprache; die erste italienische Umdichtung, die sog. venezianische Fassung, entstand gegen Ende des 13. Jahrhunderts, die zweite, von Levita benutzte sog. toskanische Umarbeitung um das Jahr 1400. Den Titel übernahm Levita wörtlich der italienischen *Historia di Buovo d'Antone*, die ihrerseits den Titel von der den englischen Originaltitel austauschenden französischen Version übernommen hatte. Die jüdisch-deutsche Reimdichtung ahmte auch die Metrik der toskanischen Vorlage nach, alle 650 Strophen wurden in ›ottava rima‹ mit dem Reimschlüssel *abababcc* gefaßt.

Levita arbeitete über ein Jahr am *bovo-buch*, was er uns selbst mitteilt:

doch wil nenen for,
wer doß buch hot gemacht un geschribn:
elijahu bachur nent er sich zufor,
ein ganz jor hot er deriber fartriben,
un hot eß gemacht doß selbig jor
doß man zeilt zwei hundert un sechzig sibn. [192]

Die Umdichtung wurde also 1507–08 abgeschlossen; es ist anzunehmen, daß sie auch bald darauf in Padua im Druck erschienen ist. Allerdings ist die älteste erhaltene Ausgabe die Ed. Isny 1541, die Max Weinreich [193] 1931 in Zürich entdeckte. Ferner sind die Drucke Prag 1660, Amsterdam 1661, Frankfurt a. M. 1691, Wilhermsdorf 1724 und Prag 1767 bekannt. Joffe [194] nennt noch ein in seiner Bibliothek befindliches Exemplar mit fehlendem Titelblatt. Außer in diesen Ausgaben ist das *Bovo-Buch* auch noch in zwei Handschriften des 16. Jahrhunderts überliefert. [195]

Gegen Ende des 18. Jahrhunderts büßte das *Bovo-Buch* seine ursprüngliche Kunstform ein und erschien von nun an als plumpe prosaische Volkserzählung, die lediglich noch die Sensationen und das Unglaubwürdige des Romans hervorkehrten. Nach Weinreich [196] soll eine solche Volksausgabe zwischen 1770 und 1780 in Zolkiew in Galizien erschienen sein. Seit dieser Zeit wurde der Titel in *Baba-Buch* umgeformt, was zunächst noch als Umschreibung für eine Altweibergeschichte [197] galt, später dann als *baba-maasse* zum sprichwörtlichen Synonym für jede unglaubliche oder Lügengeschichte wurde. 1790 wurde das gekürzte *Bovo-Buch* oder vielmehr *Baba-Buch* in Frankfurt a. O. erneut herausgegeben, wie überhaupt die Editionen zu dieser Zeit ausschließlich im östlichen Europa im Druck erschienen. Der durchschlagende Erfolg des *Bovo-Buches* überdauerte viele Generationen, was möglicherweise darauf zurückzuführen ist, daß das Buch reine Unterhaltungslektüre bot und weder religiöse Ambitionen verfolgte noch vorwandte. Noch bis über die Mitte des 19. Jahrhunderts sind Neudrucke zu verzeichnen, bis das *Bovo-Buch* mit dem Aufschwung der neueren jiddischen Literatur gegen Ende des 19. Jahrhunderts in Vergessenheit geriet. Erik verzeichnet für den Zeitraum von 1824 bis 1860 neun Editionen des *Bovo-Buches,* die allein in Wilna im Druck erschienen sind – eine fürwahr uns heute unwahrscheinlich erscheinende Popularität!

Obgleich künstlerisch ungleich höher stehend, war dem zweiten Versroman Levitas *paris un wienna* auch nicht annähernd der literarische Ruhm des *Bovo-Buches* beschieden. Es ist auch nur ein Exemplar der Ed. Verona 1594 bisher ermittelt worden. [198] Die Entstehungszeit von *paris un wienna* bleibt unklar, man nimmt an, daß Levita es in Venedig zwischen 1509 und 1514 geschrieben hat. [199]

Als Vorlage diente dem Dichter eine italienische Prosabearbeitung des provenzialischen höfischen Epos *Paris et Vienne* (13./14. Jahrhundert), dessen Titel Levita unverändert beibehielt. Die äußere Form des *Bovo-Buches* kehrt in *paris un wienna* wieder: auch der zweite Roman Levitas weist die achtzeilige Stanzenform auf. Der Charakter des höfischen Milieus wird in *paris un wienna* besser getroffen als im *Bovo-Buch.* Auch erlangen die vom Dichter einfließenden Glossen zur dargestellten Handlung hier eine abgeklärtere Reife bürgerlicher Jovialität, wie sie sich bereits in entsprechenden Anmerkungen Levitas im *Bovo-Buch* als Ausdruck anmaßender Überlegenheit über das Rittertum und seine Epoche andeutete.

Während seines zweiten Aufenthaltes in Venedig in den Jahren 1509–1514 lebte Elia Levita nicht in den besten Verhältnissen. Die Konkurrenz unter den jüdischen Hauslehrern in Venedig war groß, so daß Streitigkeiten nicht vermieden werden konnten. Besonders ein gewisser Hallel Cahan setzte Levita arg zu. In einem an Pietro Aretino erinnernden Pasquill erwehrt er sich dessen polemischen Angriffen. Das Pamphlet trägt den Titel *hamabdil*; Erik nimmt an, daß es um 1514 entstanden ist. [200] Das Gedicht ist in zwei Kopien des 16. Jahrhunderts überliefert, einer Handschrift der Trinity-College-Bibliothek in Cambridge und einer Handschrift der Bodleiana in Oxford. [201] Von den insgesamt 75 Strophen des *hamabdil* enthält der Cambridger Codex die ersten 68, der Schluß fehlt, läßt sich aber leicht aus der Oxforder Handschrift rekonstruieren. Bei dieser fehlen wiederum die ersten 20 Strophen.

Ein anderes beißendes Pasquil verfaßte Elia Levita in dieser Zeit unter dem Titel *srifa-lid*. Das möglicherweise zum Purimfest des Jahres 1509 [202] entstandene Gedicht rechnet ebenfalls in scharfer Ironie mit den persönlichen Gegnern Levitas ab. Allerdings ist sein Inhalt kaum noch zu verstehen, da bei der Überlieferung des Textes einige Strophen aus der Mitte und vom Ende des Liedes verloren gegangen sind. Wir finden das *Srifa-Pamphlet* in den genannten Handschriften, die auch das Pasquill *hamabdil* überliefert haben. Der Text der Oxforder *Srifa-Fassung* weicht jedoch vom Text des Cambridger Manuskripts ab. Interessant ist, daß die Oxforder Handschrift 1554 niedergeschrieben worden ist, die Aktualität der Dichtungen bestand also noch fünf Jahre nach dem Tode Levitas. Die Cambridger Handschrift entstand früher, sie wurde wohl in den ersten zwei Jahrzehnten des 16. Jahrhunderts angefertigt.

Einem weiteren jüdisch-deutschen Werk Elia Levitas, seiner 1545 erstmals in Venedig gedruckten Psalmenübersetzung, begegnen wir noch an späterer Stelle (vgl. S. 84).

II. Die jüdisch-deutsche Literatur im 16. und 17. Jahrhundert

1. *Charakteristik des Zeitraumes*

Die wirtschaftliche Entwicklung und die gesellschaftspolitischen Umschichtungen in der frühkapitalistischen Zeit brachten kulturelle Veränderungen mit sich, denen sich auch das Judentum nicht widersetzen konnte – und wollte. Führend in Wirtschaft und Kultur wurde das aufstrebende Bürgertum, das den Feudalgewalten, Adel und Klerus, die politische Vorherrschaft streitig machte. Neue weltanschauliche Zielsetzungen und kulturelle Formen stellten sich als ein Ergebnis des erfolgreichen Kampfes des städtischen Bürgertums gegen die feudale Ideologie ein. Die Wissenschaft, bisher der Theologie allein zum Zwecke der Bestätigung ihrer Lehren untergeordnet, geriet nun, vertreten durch die bürgerlichen Gelehrten, mehr und mehr in Widerspruch zu den kirchlichen Lehren. Auch Kunst und Literatur, die vorher überwiegend der Verherrlichung der Kirche und der Verbreitung ihres Weltbildes dienten, erlebten nun, durch das bürgerliche Weltbild bestätigt, eine fruchtbare Renaissance, die vom wirtschaftlich fortgeschrittensten europäischen Land, Italien, ausging.

In Deutschland vollzog sich der Aufstieg des Bürgertums im 15. Jahrhundert beeinträchtigt durch die territoriale Zersplitterung und die damit verbundene regional ungleiche Wirtschaftskraft. Es waren vor allem die großen städtischen Zentren, in denen sich die Philosophie des Humanismus und ihre daraus resultierende Literatur verbreiten konnten. Befruchtend auf die literarische Entwicklung wirkte sich die technische Vervollkommnung des Buchdrucks aus, deren Ergebnis eine bis dahin nie gekannte Verbreitung des Schrifttums war.

Für die Juden brachte die politische Erstarkung der Städte das Ergebnis, daß nach der Katastrophe von 1348/49 das Recht zur (Wieder-)Aufnahme von Juden auf die Städte überging. Gleichzeitig damit erwuchs den Städten das Recht der Ausnutzung der jüdischen Wirtschaftskraft, indem allein sie die Judensteuer festsetzen konnten. Schon von der Mitte der fünfziger Jahre des 14. Jahrhunderts an wurden wieder Juden aufgenommen, doch legten die Städte ihnen neue Beschränkungen auf. So wurde das Wohnrecht zeitlich befristet, was die Juden ganz und gar – durch die Notwendigkeit einer stets aufs neue zu beantragenden Verlängerung des Aufenthaltrechtes – von der Gunst der städtischen Behörden abhängig machte. Darüber hinaus wurden ihnen bestimmte Straßen und Viertel zugewiesen, die sich dann allmählich zu abgeschlossenen Ghettos entwickelten. [203]

Die wirtschaftliche Lage der Juden nach den großen Verfolgungen von 1349 war äußerst schlecht, da die Erwerbsmöglichkeit durch Leihgeschäfte zunächst noch beschränkt war. Nach dem schwarzen Tod bestand eine allgemeine gesetzliche Beschränkung des Geldhandels, die es den Juden nicht möglich machte, ihre Tätigkeit auf diesem Gebiet auszuüben. Erst allmählich und nicht an allen Orten gelang es ihnen, versehen mit ausdrücklichen Rechten der Städte, durch Geld- und Pfandleihe eine Existenz in der sozialen und wirtschaftlichen Ordnung zurückzukaufen. Allerdings bedeutete die Beschränkung des Zinsfußes eine nicht unerhebliche Beeinträchtigung der wirtschaftlichen Lage. Eine Tätigkeit im Handwerk oder Warenhandel verwehrten ihnen die städtischen Zünfte.

Das Rechtsleben der Juden wurde in Deutschland von 1500 an durch ›Judenordnungen‹ bestimmt; sie gewährten ihnen bloß einen engen Lebensraum und unterschieden in der rechtlichen Praxis deutlich zwischen ›christlicher Freiheit‹ und ›jüdischer Dienstbarkeit‹. Ein Recht auf Niederlassung konnte nur durch zeitlich befristete, mit hohen Gebühren belastete ›Geleitbriefe‹ erworben werden. Eine Vielzahl von Juden konnte die Zahlungsmittel nicht aufbringen. Sie mußte in die ländlichen Gebiete oder nach Polen und Rußland abwandern, wo sie vom Hausier- und Viehhandel lebte. Der wirtschaftlichen Zwangslage folgte stets die soziale Unsicherheit, so daß ein großer Teil der Judenschaft gezwungen war, formell den Schutz des Landesherrn zu suchen. Die enge Bindung an den Schutzherrn, nicht unerheblich für dessen wirtschaftliche Entwicklung, insbesondere für den Ausbau seines Finanzwesens, führte letztlich zum Hofjudentum, aus dem sich später dann der Status des Hofbankiers ableitete.

Das Verhältnis von Christen und Juden wandelte sich als Folge des Humanismus zum Vorteil der jüdischen Minderheit. Der wissenschaftliche Aufbruch »zu den Quellen zurück« brachte die christlichen Gelehrten zum Studium des Hebräischen. Nicht selten unterwiesen jüdische Lehrer christliche Theologen im Lesen der hebräischen Bibelquellen. Christliche Hebraisten wie Sebastian Münster, Johannes Buxtorf d. Ä. und Johannes Buxtorf d. J. wirkten an den Universitäten. Johannes Reuchlin glaubte, eine Übereinstimmung der christlichen Mystik mit der jüdischen Kabbala zu sehen. Er verteidigte das Recht der Juden auf ihre Schriften [204] und wandte sich gegen den getauften Juden Pfefferkorn, der auf Bestreben der Dominikaner Ortwin Gratius und Jakob Hochstraten von Kaiser Maximilian I. ein Mandat auf Einziehung der hebräischen, angeblich christenfeindlichen Bücher der Juden erwirken wollte. Maximilian schloß sich jedoch dem Gutachten Reuchlins an, der im Oktober 1510 den Talmud als einen durchaus gerechtfertigten Gegenstand eines ernsthaften Studiums bezeichnete. Aus seiner humanistischen Grundhaltung heraus verteidigte Reuchlin grundsätzlich das Recht der Juden auf ihren Glauben.

Erst Luther verschärfte den christlich-jüdischen Konflikt erneut. Zunächst noch voll Verständnis für die Glaubenshaltung der Juden, kehrte sich seine Haltung um, als er feststellen mußte, daß sie sich konstant auch seiner reformatorischen Heilslehre entzogen. Zwar dachte er nicht an eine physische Ausrottung der jüdischen Glaubensgemeinden in Deutschland, doch begegnete er der jüdischen Religion in theologischer Hinsicht mit unerbittlicher Strenge, empfahl sogar (1543) ihr Schrifttum und ihr Gotteshaus als Zentren des jüdischen Glaubensrituals zu zerstören. Entgegen jeder wirtschaftspolitischen Vernunft verlangte er die absolute soziale Schwächung der Juden, um sie so bereit zu machen für den zwangsweisen Empfang der christlich-lutherischen Lehre. In diese Forderung stimmten Luthers reformatorische Mitstreiter und Nachfolger heftig mit ein; unter ihnen besonders Bucer, der dem Landgrafen von Hessen, Philipp dem Großmütigen, eine strenge Judenordnung empfahl, deren Folge die rigorose Verelendung aller Juden sein sollte.

Die Einsicht der Territorialfürsten in die wirtschaftlichen Notwendigkeiten überwog jedoch. Nicht zuletzt war es dem persönlichen Einsatz des Sprechers der deutschen Judenheit, Josel von Rosheim, zu verdanken, daß die soziale Stellung seiner Glaubensgenossen und ihre wirtschaftlichen Verhältnisse erträglich gehalten werden konnte.

2. *Neue literarische Formen*

Als Resultat des bürgerlichen Aufstieges, befruchtet durch die humanistische Philosophie, begann nach der Überwindung der sozialen Kämpfe in der Reformationszeit ein goldenes Zeitalter der Literatur. Gedruckte Werke, in ständig steigender Zahl verlegt, fanden Zugang zu breiten Schichten der Bevölkerung. Auch das jiddische Schrifttum blieb von der Evolution der Literatur, die in erster Linie technisch bedingt war, nicht unbeeinflußt.

Die Ergebnisse humanistischer Wissenschaft und der Geist der Reformation fanden allerdings auf dem Boden der jüdischen Gassen und in der Synagoge wenig Nährstoff. Zu groß war die konservative Haltung der jüdischen Glaubenslehrer. Der Gegensatz zwischen den neuen virulenten Geistesströmungen der christlichen Welt und der traditionellen jüdischen Geisteshaltung wurde für die Juden zu einem unerträglichen Zustand. Im Strom der aufstrebenden Nationalliteraturen der europäischen Völker, denen zumindest das Merkmal der Volkssprache gemein wurde, übernahm das Jüdisch-Deutsche die Rolle des Hebräischen und Aramäischen in der Gestaltung der talmudisch-rabbinischen Literatur. Die Hl. Schrift verlor ihre uneingeschränkte Bedeutung im jüdischen Bildungs- und Erziehungssystem. Schon seit langem dominierte der Talmud und seine verschiedenen Kommentare. Für die religiöse Literatur wirkten sich besonders die neuen kabbalistischen Strömungen in Polen aus. Was jedoch beinahe noch entscheidender für die Charakteristik der literarischen Gestaltung jiddischer Literatur im 16. und 17. Jahrhundert war, scheint der Beginn gravierender sozialer Differenzierungen unter den Juden gewesen zu sein. Als Ergebnis der unterschiedlichen wirtschaftlichen Stellung der arrivierten Stadtjuden und Hofjuden sowie der schlecht und recht sich ernährenden Landjudenschaft stellte sich sehr bald ein gesellschaftliches Gefälle ein, das Anlaß zu ersten, noch primitiven literarischen Versuchen gesellschaftlicher Kritik gab.

Dem wichtigsten Faktor des literarischen Umschwungs begegnen wir jedoch in der sich stetig entwickelnden Technik des Buchdrucks, die nicht nur eine professionale Umschichtung der Träger jiddischer Literatur mit sich brachte, sondern vor allem auch eine gravierende Veränderung der literarischen Form bedingte. Von den berufsmäßigen Unterhaltungskünstlern des Mittelalters überlebte nur noch die Gruppe der Komödianten und Akrobaten, die sich schließlich in der Gestalt des Badchen zusammenfanden. Neben »spilman« und »nar« verschwanden auch die Kopisten der Handschriften, die »schreiber fun ale frume weiber«, als Verbreiter des Schrifttums. Der Verfasser jiddischer Werke wurde von da an ein Gelegenheitsschreiber, der zu seiner Beschäftigung überwiegend aus pekuniärem Trachten und durch eine Menge von Zufälligkeiten gelangte.

Das Sympton des veränderten literarischen Bewußtseins war der Niedergang der spielmännischen Epik und der geistlichen epischen Dichtung. Die Hauptursache für das Verstummen dieser Vortragsliteratur wird im Untergang der deutschen Spielmannsliteratur als dem Vorbild der jiddischen Spielmannsepik zu suchen sein. Auch gehen die neuen literarischen Strömungen vom Osten aus, wo die spielmännische Dichtung weniger dominiert hatte. Der wesentliche Grund für das Verstummen der epischen Dichtung muß im gewandelten Geschmack einer sich in ihrer Ordnung grundlegend veränderten, differenzierten Gesellschaft gesucht werden. Ihr hatte die höfisch-feudalistische Dichtung der Vergangenheit wenig zu sagen.

Das Aufblühen des Buchdrucks vergrößerte den Kreis der Literaturrezepienten, was gleichzeitig eine individuellere Streuung der Leser zur Folge hatte. Man war nun nicht mehr auf den Vortragskünstler angewiesen, sondern konnte allein für sich selbst der Lektüre nachkommen, wann immer man wollte. Die Rezitationstechnik stützte sich auf Reim und Rhythmus, Melodie und Klang des vorgetragenen Stoffes. Die eigenständige Lektüre konnte auf derartige poetische Stilmittel verzichten. Der Reim wurde prosaischer und wich schließlich ganz der prosaischen Erzählform. Vorerst aber bestimmte die gereimte Prosa noch für einen langen Zeitraum das literarische Feld. Lyrisches und historisches Lied, Reimbibel, Mussar, Purimspiel und schließlich auch der Briefstil bauten weitgehend auf dieser Dichtform auf. [205]

Eine weitere stilistische Veränderung deutete sich dann am Ende des 16. Jahrhunderts an. In der *lang megille* (vgl. S. 79), einer 1589 in Krakau herausgegebenen Estherparaphrase, läßt sich der Kampf um die vorherrschende stilistische Richtung deutlich beobachten: der Verfasser wechselt im Textverlauf unvermittelt von gereimter zu reiner Prosa und umgekehrt über. Noch steckte die prosaische Paraphrase in den Kinderschuhen.

Die langatmige, dem Zeitgeschmack widerstrebende epische Heldendichtung wich in der bürgerlichen Literatur anekdotenhaften Erzählungen, die geradewegs die Intrige schildern und den Gang des Geschehens schnell vorantreiben, um schließlich die Auflösung in einer formelhaften Nutzanwendung zu bringen. Es blühten die *maassioss* auf, kurze anekdotenhafte Novellen, und die Fabeln, die dem Vorbild eines Hans Sachs nachzueifern trachteten. Wie eng die weltliche jüdisch-deutsche Literatur in ihrer Entwicklung auch im 16. und 17. Jahrhundert Anlehnung an deutsche literarische Vorlagen suchte, zeigen letztlich die zahlreichen deutschen Volksbücher, die ins Jiddische übertragen worden sind.

3. Erste Drucke

Während sich eine größere Anzahl hebräischer Drucke schon vom 15. Jahrhundert nachweisen lassen – die älteste hebräische Inkunabel stammt aus dem Jahre 1475 – sind jiddische Drucke erst vom Jahre 1534 an aufzuzeigen. Das erste deutschsprachige Werk in hebräischen Lettern, der *sefer schel r. anschel* wurde 1534 in Krakau gedruckt. Dieses auch unter dem Titel *markebet ha-mischne* (Nr. 28) bekannte jüdisch-deutsch-hebräische Glossar zur Bibel stellte Rabbi Ascher Leml (= R. Anschel) nach dem Vorbild von R. Isaak ben Nathan Kalonymos *meir nethib* (Vendig 1523) zusammen. R. Anschel war Rabbiner der polnischen Gemeinde in Krakau [206], er starb im Jahre 1532, knapp hundert Jahre alt. Über die Bedeutung des Buchdrucks spricht sich R. Anschel im Vorwort seines Bibelglossars sehr deutlich aus. Er sieht die Rolle des Buchdrucks darin, daß man von nun an alle verborgenen und bisher unbeachtet gebliebenen Handschriften an den Tag bringen kann, um sie breiten Leserkreisen zukommen zu lassen. Damit war tatsächlich das Programm des jiddischen Buchdrucks im 16. Jahrhundert festgelegt: alte Handschriften sollten hervorgebracht und möglichst vielen Lesern auch aus den sozial schwachen Schichten zugänglich gemacht werden. [207] So gesehen stellte der jiddische Buchdruck geradezu eine Fortsetzung der Handschriften dar, was sich natürlich auch auf den Preis der ersten Druckwerke auswirkte. Sie konnten nur finanziell gut gestellte Juden erwerben, was alle guten Vorsätze bezüglich der Streuung jiddischer Drucke in Frage stellte.

Die frühen jiddischen Drucke sind keineswegs zu vergleichen mit jenen billigen Heftchen aus Löschpapier späterer Zeit. In ihrer Ausstattung machen sie durchweg einen ordentlichen, ja künstlerischen Eindruck; sie besitzen schöne Titelblätter, die Drucktypen sind rein und oft ausgeschmückt, das Papier ist teuer und haltbar. Die Ausschmückungen des Titelblattes wurden sehr häufig von christlichen Buchausgaben übernommen, eine Angewohnheit, die daraus resultierte, daß ein Teil der jiddischen (und auch hebräischen) Frühdrucke in christlichen Druckereien angefertigt worden war. Das Titelblatt der *Maasse-Buch*-Ausgabe von 1602 (vgl. S. 111), gedruckt bei Konrad Waldkirch in Basel, ziert z. B. eine Zeichnung des berühmten Malers Hans Holbein. Sehr prachtvoll ist die jiddische Ausgabe des *jossipon* (vgl. S. 99) angelegt. Das tausend Seiten umfassende, reich illustrierte Werk, 1546 bei Michael Adam in Zürich im Druck erschienen, sollte über hundert Jahre ein Musterbeispiel jiddischer Buchdruckerkunst bleiben. Kunstvoll gestaltet sind auch die Erstausgaben des *Schmuelbuches* (vgl. S. 54 f.) und des *Melochimbuches* (S. 56) sowie des *taitsch chumasch* (vgl. S. 76). Die Zeit der verschmierten, dünnen und schlechtgedruckten Heftchen kam erst in der zweiten Hälfte des 17. Jahrhunderts – nicht zuletzt als ein Ergebnis der Verarmung der jüdischen Bevölkerung infolge des 30-jährigen Krieges. Die Geldmittel für den Erwerb von Druckwerken wurden rar, eine Realität, die die Verleger und Buchhändler berücksichtigen mußten. Um dennoch auf ihre Kosten zu kommen, durften die Bücher und Hefte nur in billigster Aufmachung erscheinen. Die Hauptlieferanten solcher minderwertiger Drucke waren für lange Zeit die jüdischen Druckereien in Prag.

Trotz der kostspieligen Ausstattung der frühen Druckwerke – nicht alle waren so kunstvoll und kostbar gestaltet wie die *josippon*-Ausgabe – mußten die Bücher ihre Käufer gefunden haben. Wie anders ist sonst der beliebte Werbespruch der Verleger »gut papeier is auch nischt teier« zu verstehen? Überhaupt war es üblich, daß der Verleger im Vorwort den vorzüglichen Druck und das gute Papier lobte.

Er beklaget aber auch regelmäßig seine eigenen finanziellen Nöte, um im gleichen Atemzug den geringen Preis des Buches anzupreisen. Dieser geschickte Werbetrick wird wohl seine Wirkung nicht verfehlt haben. Es ist anzunehmen, daß eine beträchtliche Anzahl von Druckwerken gekauft worden ist, was schon allein die Vielzahl der bestehenden Druckereien beweist, die ja alle von diesem Gewerbe zu leben hatten.

Die literarische Bewegung des 16. Jahrhunderts ging, wie bereits vermerkt, vom Osten aus. In der zweiten Hälfte des 16. Jahrhunderts wurde Krakau das wichtigste Zentrum jiddischen Druck- und Verlagswesens. Die Tätigkeit der jüdischen Verleger konzentrierte sich vor allem auf die Druckerei des Isaak ben Ahron Proßnitz (aus der Stadt Proßnitz oder Prostiz in Mähren). Seine Druckerei existierte über ein halbes Jahrhundert, von 1569 bis 1626. Nach seiner Rückkehr nach Proßnitz im Jahre 1600 [208] führten seine Söhne die Druckerei weiter. Doch gingen die Geschäfte bald so schlecht, daß sie 1626 in Konkurs gehen mußten. Der Grund für den finanziellen Ruin der Druckerei muß in der harten Konkurrenz der westlichen Druckereien gesucht werden. Trotz der Verbote der Obrigkeit kauften die polnischen Juden auch die Druckerzeugnisse aus Deutschland und Italien. Isaak ben Ahron Proßnitz gab viele jiddische Nachdrucke heraus, doch druckte er auch einige originelle Werke. Unterstützt wurde er dabei von seinem Korrektor Samuel ben Isaak Pihem (= von Böhmen), der sein Handwerk in Venedig erlernt hatte. Interessant ist, daß der Verleger Schalom ben Abraham die Absicht hatte, in der Proßnitz'schen Druckerei eine jiddische Gesamtbibel drucken zu lassen, doch scheiterte dieses Vorhaben aus den verschiedensten Gründen. Erst hundert Jahre später erschien die erste jiddische Gesamtbibel in Amsterdam.

Ein anderer Druckort im Osten war Lublin, wo seit 1616 jiddische Drucke erschienen. In Prag erwuchs die Produktion jiddischer Bücher seit Ende des 16. Jahrhunderts mit der Gründung der Druckerei der Familie Bak, die mit geringen Unterbrechungen über zwei Jahrhunderte hindurch tätig bleiben konnte. Einzelne Frühdrucke stammen aus Basel, Augsburg und den bekannten italienischen Druckorten, doch bleibt ihre Anzahl im Vergleich zu den im Osten erschienenen jiddischen Titeln gering.

4. Die Frauenliteratur

Die Druckkursive der ersten jiddischen Bücher ist das sog. »waiber-taitsch«, eine Art Kurrentschrift, die der Raschi-Schrift sehr ähnelt. Nur wenige Werke sind in der Raschi-Schrift gedruckt (z. B. *paris un wienna*, Verona 1594 – vgl. S. 62); der erste Druck in Quadratlettern ist das 1709 in Frankfurt a. M. herausgegebene Gebetbuch *liebliche tefillo oder greftige arznei* (vgl. S. 88). Der Ausdruck »waiber-taitsch« ist sehr bezeichnend, richtete sich doch eine große Zahl der im Druck erschienenen Werke speziell an die jüdische Frau. Ihr hoher Anteil an der Herausbildung und Förderung des Jüdisch-Deutschen und seiner frühesten Literatur zeichnete sich bereits deutlich ab (S. XXIV, 16 f.). Ein weiter Bereich des Schrifttums kann als reine

Frauenliteratur bezeichnet werden, geschrieben in einer volkstümlichen Art zur Erbauung, Zerstreuung, aber auch Belehrung der Jüdin. Darüber hinaus wurden diese literarischen Produkte auch begierig von jenem Teil jüdischer Männer und Jugendlicher aufgenommen, dem das Tora- und Talmudstudium, aus welchen Gründen auch immer, ebensowenig zugänglich war wie der jüdischen Frau. Geschrieben wurde die sich aus religiösen wie weltlichen Stoffen gleichermaßen zusammensetzende Frauenliteratur weniger von den geistigen und geistlichen Größen als vielmehr von Literaten, denen die Bedürfnisse der einfachen, wenig gebildeten Leser bestens vertraut waren. So ist es kein Wunder, daß sich – wohl einmalig im Bereich der jüdischen Literatur – auch Frauen als Autoren und Herausgeber solcher Werke auszeichneten. Ihre schöpferische Leistung blieb zwar meistens im zeit- und stoffbegrenzten Rahmen – Übersetzungen von Gebeten, Psalmen und freie Nachdichtungen religiöser Stoffe – doch größere Beachtung als ihre literarische Leistung verdienen die Anzeichen eigenständiger, also weiblicher Initiative, und sei es nur, um eigene Interessen kundzutun. Um die literarischen Anliegen der jüdischen Frau kümmerte sich bald intensiv eine große Gruppe berufsmäßiger Schreiber, die anfangs bloß bereits Vorhandenes kopierten, allenfalls noch übersetzten, später dann durchaus Eigenschöpfungen hervorbrachten. Es waren meist Hauslehrer, Vorbeter und Talmudjünger, die sich als »weibersche schreiber« versuchten. Sie alle besaßen zwar kein großes Wissen, dafür aber umso mehr ein treffliches Gespür für die Wirklichkeit des Alltags und die Psyche des unbefangenen, von Tora- und Talmudstudium nicht verbildeten Menschen, insbesondere der Frau.

Als Schöpfer jiddischer Frauenliteratur trat als erster der ›Schreiber‹ hervor. Er trug bezeichnenderweise den Untertitel »diner fun ale frume weiber«, was dem Umstand zu verdanken war, daß sich diese Bezeichnung in der Periode der Reimdichtungen als treffliche Ergänzung zu »schreiber« eignete. Der »weibersche schreiber« war Professionalist, der von seiner Tätigkeit mehr schlecht als recht lebte. Er versorgte »meidlech« und »frume weiber« mit Lesestoff, wofür ihn seine Auftraggeberinnen mit Geld- oder Naturalgaben belohnten. Die Anreden für die Auftraggeberinnen, die stets im Nachwort der Kopien lobende Erwähnung fanden [209], lauteten »patronin« oder »generin« [210]. Daß die Handschriften für einen individuellen Leserkreis angefertigt worden sind, erfahren wir auch aus den Anreden, die oft mitten im Text eingeschaltet werden. In der Hamburger *Esther*-Handschrift (Nr. 420) findet sich die Bekräftigung »daß glaub du mir for war« (Bl. 30). Ähnliches ist auch in der Oxforder *Hohelied*-Handschrift vom Jahre 1538 (Nr. 77) festzustellen.

Die »weiberschen schreiber« sind nicht zu verwechseln mit jenen Kopisten, die jüdisch-deutsche Handschriften aus hebräischen Quellen zusammenstellten. Diese führten den Titel »sofer« (= Schreiber) vor ihrem Namen, worin sich gewissermaßen ein in ihrer Schriftkundigkeit begründetes Standesbewußtsein dokumentierte. Entsprechend ihren hebräischen Vorlagen gestalteten die »sofer« ihre Bearbeitungen in einem ernsten, oft stereotypen Stil. Dagegen klebten die »diner fun ale frume weiber« weniger an den Quellenschriften. Sie verstanden das Hebräische kaum und legten infolgedessen ihre Arbeiten weniger gründlich, weniger systematisch an.

יוסיפון

זה הספר הנכבד חב
רו איש אלהים גבור חיל משוח מלחמה
כהן לאל עליון הנקרא יוסף בן גוריון ה
הכהן ונחלק הספר הזה לששה מאמרים
והם ששה ספרים וכל ספר וספר לפרקים
והם צו פרקים . והיה האיש הזה נורא
מאד בחכמה ובתבונה וגדול היחס מש
משועי הכהנים אשר היו בירושלים גם
השם ית׳ חלק לו יתר שאת ויתר עז בר
ברשות בבית יהודה ועם כל
שרי רומה היתה לו
יד ושם ׳

Abb. 1: jossipon, übersetzt von: Michael Adam, Ed. Zürich 1546. Drucker: Christoph Froschauer (Prachtausgabe). Exemplar der Stadtbibliothek Frankfurt a. M.

מגילת אסתר

דיא מגילה אין לשון הקודש. אונ׳ דער
נוך דאז טייטש דרויף גאר שין פֿער
טייטשט אונ׳ מיט דען חיבור. אונ׳ מיט
אלי מדרשים אונ׳ פשטים אונ׳ חדושים
אונ׳ שיני מעשים אונ׳ גאר שיני שטראף
דיא מן דינן הוט גימאלט די דא ניט זיין
ניא מער גידרוקט גיוואָרן :

גידרוקט אין דען יאר ד״ז אן צילן [illegible]ינך
טויזנט דרייא הונדרט פֿונפֿציג. אונטר
דען גיוועלטיגן קינג זיגמונדש דר דריט

פה קק קראקא

ע״י יצחק בן החו׳ אהרן
ז״ל מפרוסטיץ יצ״ו.
הדופס פה ק״ק
קראקא.

Abb. 2: megillat esther, Ed. Krakau 1589. Drucker: Isaak ben Ahron Proßnitz. Exemplar der Bayerischen Staatsbibliothek München

Es konnte durchaus inmitten eines Machsorbuches oder einer Psalmenübersetzung eine »maasse« eingeflochten sein, ein Lied oder – nur um den Platz auszufüllen – Abschnitte sehr persönlichen Inhalts.

Worin bestand nun die Belohnung der Schreiber? In der Regel wird er wohl Geldmittel für seine Arbeit erhalten haben. Aus der Notiz einer Besitzerin der Machsor-Handschrift Add. 27.071 des Britischen Museums erfahren wir den Preis, den sie für den Erwerb der Handschrift bezahlen mußte. [211] Sie teilt mit, daß sie das Exemplar aus zweiter Hand für 5 Taler erworben hat. Die Schrift der Besitzerin weist auf das 16. Jahrhundert als Zeitpunkt des Kaufes hin. Zieht man von den 5 Talern einen gewissen Betrag als Aufpreis ab, so dürfte der Schreiber mit ungefähr 3–4 Talern für seine Arbeit entlohnt worden sein. Um sich über diese Bezahlung einen Begriff machen zu können, muß man wissen, daß die Handschrift 401 Blatt im Folioformat umfaßt. Sie ist prachtvoll ausgestattet, die Buchstaben sind reich ornamentiert und mit verschiedenen Tinten geschrieben.

Oft war es auch üblich, den Schreiber mit Naturalien zu entgelten. Dann wurde er von seiner »Gönnerin« eingeladen und bewirtet. Je nach Umfang der Handschrift wiederholten sich solche Einladungen. Es kam sogar vor, daß der Schreiber regelmäßig Gast im Hause seiner Patronin war. Er war dann gewissermaßen als Hausschreiber angestellt und verdingte sich gleichzeitig als Hauslehrer. Ein besonderer Brauch verlangte von der Patronin, ihrem Schreiber an Festtagen einen Teller mit guten Speisen zu stiften. [212] Im Vorwort zum *Hohelied*-Cod. Oppenh. 1217 bittet der Schreiber Jizhak ben Mordechai ha-Kohen aus Krakau seine Patronin:

> lecht (= leicht) wet (= werdet) ir gedenken
> lechubud (= zu Ehren) jom-tob (=d. Festtags) mir einen
> /gutn bissn zu schenken,
> as der sitn is weit un breit.
> un schikn ein teler [...]

Das gestiftete Mahl fiel nicht immer reichlich aus. Dann kam es vor, daß der Lohnschreiber seinen vollen Teller seiner geizigen »Gönnerin« zurückbringen ließ, ein Fall der allerdings höchst selten eintrat, zu sehr waren die Kopisten auch auf noch so kleine Gaben angewiesen! Ihr Leben war hart, für die Anfertigung einer Handschrift benötigte selbst ein guter Schreiber Wochen. Man kann davon ausgehen, daß er 10–15 Blatt täglich schrieb. Legen wir für die Anfertigung der oben zitierten Oxforder Handschrift eine Tagesleistung von 10 Blatt zugrunde – das Manuskript ist sehr sorgfältig geschrieben und reich ausgeschmückt – so wird Jizhak ben Mordechai schon über zwei Monate beschäftigt gewesen sein. Bei der geringen Entlohnung von 3–4 Talern – dieses war der übliche Preis für eine Kopie – und einem Teller Fleisch an Festtagen konnten die Lohnschreiber unmöglich satt werden. Hunger war ihr ständiger Begleiter – kein Wunder, daß Jizhak schreibt, daß er sich am besten fühle, wenn er äße. In seiner Phantasie malt er sich aus, wie er am Neujahrstag nach Hause kommt und einen mit Makkaroni, Fladen, Gebratenem und Gesottenem gedeckten Tisch vorfindet. In arge Bedrängnis müssen die Schreiber gekommen sein, wenn sie ein opulentes Mahl zu beschreiben hatten. In der *Esther*-Hs. München 347 (Nr. 419) wird ein solches Festmahl am Purimsfest eingehend geschildert. Der Schreiber hatte kaum selbst zu essen – und doch verlangte man von ihm, ein üppiges Festessen in allen Einzelheiten zu beschreiben. Welche Ironie des Schicksals!

Der Leserkreis der handschriftlichen Übersetzungen und Kopien ist uns bekannt: es waren die reichen »gescheftigen und tuichtigen« jüdischen Frauen in Deutschland und Oberitalien. Dem Schreiber war die Mentalität seiner Auftraggeberin wohlbekannt; so verschiedenartig ihre Wünsche waren, so vielfältig erscheint der Charakter des gesamten Schrifttums der »weiberschen schreiber«. In der Gestaltung des Inhalts und in der Auswahl der Stoffe hatte der Schreiber reichliche Freiheit. Den Kern der von ihm gestalteten Literatur bildete ein streng religiöser Stoff, der jedoch früh mit weltlichen Erzählungen durchwoben wurde.

Im 16. Jahrhundert wichen die Handschriften immer mehr zurück und machten Druckwerken Platz, ein relativ später Wechsel, der daraus resultierte, daß die frühen Drucke meistens teurer zu erstehen waren als die Handschriften. Zudem brachten die frühen Drucke zunächst noch nichts Neues. Sie stellten durchweg eine direkte Fortsetzung der Handschriften dar, was sich vor allem stilistisch bemerkbar machte. In der gedruckten Cremoner Pentateuchübersetzung von 1560 (s. S. 76) taucht z. B. noch die typische Anredefloskel eines »weiberschen schreibers« auf:

ich der schreiber –
ale weiber
un frume leiber
tu ich rufen.

Erst zu Beginn des 17. Jahrhunderts erhielten die Druckwerke einen Anstrich von Massenliteratur. Sie wurden billiger, durch eine breite Streuung zugänglicher und – was besonders wichtig war – sie wandten sich an alle Leserschichten. Vor allem die Frauenbibel *zeenah-u-reenah* (vgl. S. 77), die seit ihrem Erscheinen um 1600 eine rasche und weite Verbreitung innerhalb der jüdischen Familien gefunden hatte, verwischte den Unterschied zwischen dem privaten Schrifttum der reichen jüdischen Frau und der Literatur der breiten Masse. Ohne Übertreibung kann gesagt werden, daß die Frauenbibel in keiner jüdischen Familie, und wäre sie noch die ärmste, je gefehlt hat. Aber auch nach dem Übergang zur Massenliteratur verschwand die auf eine reiche »Gönnerin« oder »Patronin« individuell zugeschnittene Literatur als literatursoziologisches Phänomen nicht gänzlich. Noch im 17. Jahrhundert erschienen Mussarschriften und Frauengebetbücher, die ausschließlich auf Bestellung reicher jüdischer Frauen gedruckt wurden.

a) Pentateuch-Paraphrasen und Bibelkommentare

Eine herausragende Stellung innerhalb der Frauenliteratur nahmen Glossare, Kommentare und Bearbeitungen des Pentateuchs und einzelner biblischer Bücher ein. Besonders beliebt waren die haggadischen Ausdeutungen der Hl. Schrift, wie ja überhaupt die erklärende Haggada in den ältesten Bibelkommentaren dominierte. In der für Frauen bestimmten Literatur rückten die haggadischen Kommentare an die erste Stelle und vermochten sogar Übersetzungen und Paraphrasen des Pentateuchs oder einzelner biblischer Bücher in den Hintergrund zu drängen. Vorbild der Auslegungen war Raschi, dessen Kommentar sie regelmäßig wöchentlich exzerpierten. Daß diese Bibelkommentare keinesfalls als rein sachliche, philosophische Erklärung Anwendung fanden, ergab sich aus der reichhaltigen Ausschöpfung der Midraschim, der talmudischen Haggada und der späteren Sagenliteratur, denen die Kommentare ihr belletristisches Element verdankten. Ein Standardwerk dieser Art sind die 1593 erstmals in Lublin gedruckten *chibbure leket* (Sammlungen der Lese), dessen Verfasser, der Krotoschiner Chasan Abraham ben Jehuda, bei der Anlage seines Kommentars über die Propheten, Hagiographen und die fünf Megillot aus älteren Kommentaren des Raschi, Ibn Esra, Kimchi u. a. schöpfte. Das hebräisch geschriebene Werk enthält in Klammern die Verdeutschung schwieriger Termini. Eine zweite Auflage des Kommentars erfolgte 1612 ebenfalls in Lublin (Nr. 39).

Im selben Stil verfuhr Jakob ben Samuel Bunem Koppelmann in einem Glossar der wichtigsten Termini zum vorangestellten *targum chumasch megillot* (1584), einer aramäischen Paraphrase der fünf Megillot (Nr. 38). Ebenfalls auf Raschi und älteren midraschische Schriften baut ein Kommentar zum Pentateuch und zu den Haftarot auf, den Isaak ben Simson ha-Kohen ins Jüdisch-Deutsche übersetzte. Er wurde 1608 zusammen mit dem Text *chumasch im perusch* (Nr. 40) in Prag herausgegeben.

Technisch anders gestaltet sind Kommentare, die mit jüdisch-deutschen Paraphrasen einzelner Schriftpassagen verknüpft worden sind. Ein handschriftlicher Psalmenkommentar aus dem 16. Jahrhundert (Nr. 34) übersetzt einzelne Psalmen samt Kommentar ins Jüdisch-Deutsche, teils legt er den Text originell jüdischdeutsch aus. So legte auch Jechiel ben Schalom seinen Sprüchekommentar (Nr. 35) und seinen Hiobkommentar (Nr. 36) an. Jechiel benötigte für die Anfertigung seiner letztgenannten Schrift zehn Monate, weshalb man annehmen darf, daß er nicht nur der Schreiber sondern auch der Verfasser der Kommentare war. Am Rande sei erwähnt, daß der Vater des Jechiel ben Schalom, der als Arzt in Linz am Rhein wirkende Schalom ben Joez war. Sein Schwiegersohn Mose ben Jakob schrieb 1583 den *Spiegel der Arzenei* des Laurentius Fries ins Jüdisch-Deutsche um (s. S. 102).

Zu den verbreitesten und populärsten Büchern zählten Hiob-Kommentare, die noch Ende des 18. Jahrhunderts herausgebracht wurden. Ihre Beliebtheit geht in erster Linie auf den Charakter des biblischen Buches selbst zurück, das für die Exiljuden Trost und Hoffnung spendete. Nicht selten identifizierten jüdische Emigranten ihr Schicksal mit dem Leidensweg des Hiob, und besonders die ersten neun Kapitel des Buches Hiob reizten zum Vergleich mit der eigenen Lebenslage. So finden wir im Cod. Uffenbach 36 vom Anfang des 17. Jahrhunderts eine Auslegung gerade dieser neun Kapitel (Nr. 37). Noch 1789 fertigte ein Schreiber den Cod. Hebr. Sim. Nr. 29 (Nr. 42) auf Bestellung an. Die Handschrift enthält die auf Abraham ben Mordechai Farisol (gest. 1525) zurückgehende jüdisch-deutsche Übersetzung eines Kommentars zum Buche Hiob.

Selbstverständlich spiegelt sich in den Auslegungen des biblischen Textes die geistige Haltung des Kommentators selbst in besonderem Maße wider. Je nach Auswahl der Autoritäten, auf die er sich beruft, begegnen uns im Kommentar die verschiedensten philosophischen Richtungen des Judentums. Ganz deutlich tritt der Einfluß der Kabbala im *taitsch sohar* hervor. Dieser aus kabbalistischen Sohar-Auszügen zusammengesetzte Pentateuchkommentar wurde zum zentralen Buch der von Polen ausgehenden neuen mystischen Strömungen des 17. und 18. Jahrhunderts, weshalb es auch noch heute von den Ostjuden heilig gehalten wird. Der Verfasser der 1711 erstmals in Frankfurt a. M. im Druck erschienenen Pentateuchauslegung war Zebi Hirsch ben Jerechmiel Chotsch aus Krakau, nach ihm führte das Werk ursprünglich den Titel *nachalat zebi* (Erbteil des Zebi – Nr. 41).

Die jüdisch-deutschen Bibelübersetzungen umfaßten zunächst noch ausschließlich das Fünfbuch. Im Anhang der Pentateuch-Bearbeitungen erschienen meistens die zum festen Bestand der synagogalen Liturgie zählenden Haftarot, Prophetenabschnitte, die für den Vortrag am Sabbat oder an Feiertagen bestimmt waren und nach der Verlesung des jeweiligen Pentateuch-Wochenabschnitts (Sidra) im Laufe eines Jahres von Anfang bis Ende verlesen wurden. Zusätzlich fanden in der Regel im Anhang der Pentateuch-Paraphrasen noch die fünf Megillot (Rollen) Berücksichtigung. Sie umfassen Prediger, Esther, Hoheslied, Ruth und die Klagelieder, wobei die Reihenfolge der schriftlichen Niederlegung je nach Ritus wechselte. Diese Megillot, zur Erinnerung an die Tempelzerstörung zum Vortrag am Laubhüttenfest, Purim, Pessach, Wochenfest und 9. Aw bestimmt, wurden wegen ihrer liturgischen Bedeutung verschiedentlich ins Gebetbuch aufgenommen. Sie erscheinen z. B. nach dem Festgebetbuch in der Hs. London Ar. Or. 27 aus dem Jahre 1590 in der Reihenfolge Hoheslied (fol. 374b ff.), Ruth (fol. 378b ff.), Klagelieder (fol. 381b ff.), Ecclesiastes (fol. 386a ff.) und Esther (fol. 394b ff.). [213]

Die zu gottesdienstlichen Zwecken angelegten Pentateuch-Handschriften behielten durchweg ihre Rollenform bei. Neben der Tora-Rolle dominiert unter den Schriften die Esther-Rolle, Megillat Esther, die am Purimfest vorgelesen wird. In einer pergamentenen Esther-Rolle aus dem 14. oder 15. Jahrhundert [214] befinden sich zwischen und über den Spalten des hebräischen Textes kleine jüdisch-deutsche Reimdichtungen zur Erklärung der Abbildungen. Diese Bilder zum Text der Esther-Rolle deuten ein bemerkenswertes Abweichen von überkommenen, strengen religiösen Traditionen an, das nur aus der Bedeutung des Estherstoffes und des Purimfestes für das jüdische Volk zu interpretieren ist und in den Fastnachtsspielen ähnlichen Purimspielen eine ausgesprochene Übersteigerung erfahren hat.

Der Titel *megillat esther* hat sich schließlich auf die gedruckten jüdisch-deutschen Estherparaphrasen übertragen, deren erste 1589 in Krakau in der Proßnitz'schen Druckerei erschienen ist. Diese Paraphrase schildert die Estherlegende vorzugsweise nach dem Targum Scheni. Die umfangreichen Anekdoten und Erzählungen, vermischt mit Auslegungen, Deutungen und moralischen Folgerungen haben dazu geführt, der Esther-Rolle die volkstümliche Bezeichnung *lang megille* (Lange Rolle – Nr. 71) zu geben. Diese Maßnahme wurde schließlich so populär, daß »Megillat« im Titel beinahe jeder längeren biblischen, aber auch privaten Lebensbeschreibung enthalten ist, so z. B. in der aus den Büchern der Makkabäer zusammengestellten *megillat antiochus* (Prag o. J., 8°; Amsterdam o. J., 8°) [215], der von Samuel Sanwel Poppert verfaßten *megillat mordechai* (Altona 1730, 8°), ebenso in der bekannten autobiographischen Erzählung *megillat eba* (vgl. S. 120) des Jomtob Lipmann Heller.

Der Estherstoff wurde in jüdisch-deutscher Bearbeitung im Verlauf von über einem Jahrhundert mehrmals neu herausgegeben, wobei der Originaltitel in abgewandelter Form gebraucht wurde. Nach dem *targum scheni* ist eine gleichnamige Bearbeitung eines unbekannten Autors erstmals 1649 in Amsterdam veröffentlicht worden (Nr. 72). Juda Löw ben Josef Mehler übernahm für seine Paraphrase, im Jahre 1663 vom bekannten Uri Phoebus ben Ahron ha-Levi (S. 135) in Amsterdam verlegt, den Originaltitel *megillat esther* (Nr. 73). Eine freie, recht populäre Estherparaphrase wurde Ende des 17. Jahrhunderts in Frankfurt a. M. unter dem Titel *megilla arucha* (Lange Rolle – Nr. 74) veröffentlicht. Die letzte jüdisch-deutsche Estherbearbeitung, eigentlich eine Paraphrase der zwei Targumim zu Esther mit eingestreuten Haggadas und Midraschim, verfaßte Ahron ben Mordechai aus Trebitsch [216]. Das *mezach ahron* (Stirn Ahrons – Nr. 75) benannte Werk wurde 1718 in der Druckerei des Johann Koelner in Frankfurt a. M. erstellt.

Analog zur *lang megille* erhielt die rein jüdisch-deutsche Fassung der *pirke abot* (Abschnitte der Väter – Nr. 116) in der Ed. Frankfurt a. M. 1697 den Titel *lang perakim*. Dieses Spruchbuch bezieht sich auf ein Traktat der Mischna, das die Überlieferungskette und die Wahlsprüche der älteren bekannten Lehrer aus der Zeit des zweiten Tempels enthält. Das mehrfach gedruckte Werk (Nr. 117) geht auf die Handschrift des Anselm (Anschel) Levi vom Jahre 1579 zurück. Diese Handschrift – Cod. Paris 589 – stellt einen Sammelband dar, dessen erster Teil die *Sprüche der Väter* mit jüdisch-deutscher Übersetzung und einer Auslegung enthält (Nr. 116). Der Kommentar beginnt mit der Überschrift:

> doß heißt die mesichta (= Traktat) fun die abot,
> darum doß die abot drinen genant sein.

Wegen seines streng ethischen Gehalts und seines in sich abgeschlossenen Inhalts wurden die *Sprüche der Väter* frühzeitig zur Grundlage sabbatlicher Vorträge, so daß sie bald regelrechter Bestandteil des allgemeinen Gebetbuches wurden. Hierbei muß man zwischen der auf die Handschrift zurückgehenden Übersetzung, die schon 1562 in den Gebetbuchausgaben mit deutscher Übersetzung Aufnahme fand, und der im Rahmen der gesamten Übersetzung des Gebetbuchs übertragenen Perakim unterscheiden. Demnach dürfte Eriks Datierung der Handschrift auf 1579 unrichtig sein! [217]

Die Übersetzungen des Pentateuchs und einzelner biblischer Bücher haben – so sehr sie sich auch hinsichtlich ihrer grammatisch korrekten, d. h. wortgetreuen Übersetzung und ihrer mundartlichen Besonderheiten voneinander unterscheiden – eines gemeinsam: sie folgen alle Raschis haggadischen Deutungen und lassen midraschische Ausschmückungen in reichem Maße in den Text einfließen. Insgesamt wirken die Übersetzungen dadurch interessant und anziehend. Sie lassen nicht nur jenen unbedingt belehrenden Zwang der hebräischen Vorlage vermissen, sie beziehen sich auch oft bei der Beschreibung der historischen Gestalten und Ereignisse auf nahestehende Erscheinungen und den gegenwärtigen Sprachgebrauch. [218] Die eigentliche Absicht der jüdisch-deutschen Bibelübersetzungen, die Erbauung und Unterhaltung der jüdischen Frau, erreichte mit der Frauenbibel *ze'enah u-re'enah* (Kommt her und seht – nach Cant. 3,11) einen unvergleichbaren Höhepunkt. Der Erfolg der *zenne renne* (Nr. 55), wie sie in der Umgangssprache genannt wird, wäre jedoch ohne die bahnbrechenden Vorarbeiten vorausgegangener Pentateuchbearbeitungen undenkbar gewesen.

Voneinander unabhängig erschienen 1544 zwei jüdisch-deutsche Pentateuchfassungen im Druck (Nr. 48, 49), deren eine, vom Konvertiten Paulus Aemilius bearbeitet, in Augsburg zur Veröffentlichung gelangte. Die zweite Bearbeitung gab Paulus Fagius in Konstanz heraus. Nach dem Zeugnis des Zürchers Conrad Gesner (in den Pandekten von 1548, vol. 1, p. 92) besorgte die letztgenannte Übersetzung Michael Adam, ein Konvertit, der vielleicht mit Leo Juda, dem Freund und Schüler des Reformators Zwingli identisch war. Ein Anteil des Paulus Fagius [219] an der Pentateuchbearbeitung läßt sich nicht mit Sicherheit feststellen, doch spricht manches dafür, gab er doch bereits 1543 in Konstanz eine kommentierte Ausgabe der ersten vier Kapitel dieser Übersetzungen (Cat. Bodl. 1188) heraus. Jedenfalls ist die Konstanzer Pentateuchausgabe die Arbeit mehrerer Autoren gewesen, wie man ohne weiteres der Vorrede entnehmen kann. Im übrigen ist die Übersetzung in alemannischer Mundart des 15. Jahrhunderts gehalten. Die Bearbeiter haben also mit Sicherheit eine ältere Vorlage aus diesem Sprachgebiet benutzt und ihre mundartlichen Besonderheiten treu bewahrt. Vieles spricht dafür, daß auch die Augsburger Ausgabe des Paulus Aemilius auf die gleiche Quelle zurückgeht.

Bisher ist diese Vorlage nicht ermittelt worden, doch könnte möglicherweise die den Drucken stark ähnelnde Pentateuchübersetzung im Cod. De Rossi Jud. germ. 1 (Nr. 44) dafür in Frage kommen. Sie ist angeblich im 15. Jahrhundert zu Papier gebracht worden und enthält wie die beiden Drucke neben dem Fünfbuch die prophetischen Lektionen (Haftarot) und eine Übertragung des Buchs Esther und des Hohelieds, wahrscheinlich unvollständig die fünf Megillot der Editionen von 1544.

In die Megillot der Konstanzer Ausgabe, insbesondere ins Hohelied fließen midraschische Gleichnisse ein, die den Text recht geistreich und reich an Wortspielen begleiten. In dieser Art noch unterhaltener erscheint die von Löb Bresch (eigentlich Juda ben Moses Naftali) revidierte und erweiterte Ausgabe des Konstanzer Pentateuchs, die am 10. April 1560 die Druckerei des Vincentio Conti [220] in Cremona verließ. Wurde die Ähnlichkeit der 1545 in Venedig herausgegebenen Psalmenübersetzung des Elia Levita (vgl. S. 84) mit dem Psalter des Konstanzer Chumasch nur schwach offenbar, so tritt sie in diesem *taitsch chumasch* (Nr. 51) klar hervor, und zwar in solchem Ausmaße, daß Rückschlüsse auf die Abhängigkeit der beiden Pentateuchausgaben mit der Levita'schen Psalmenübertragung unausbleiblich sind. Wie wir wissen (vgl. S. 61), war Elia Levita in den vierziger Jahren des 16. Jahrhunderts in der Druckerei des Paulus Fagius als Korrektor tätig, ehe er 1544, nach kurzem Zwischenaufenthalt in Konstanz (!), nach Venedig zurückkehrte. Es liegt auf der Hand, daß zwischen der Konstanzer Pentateuchausgabe und seiner Psalmenübersetzung ein Zusammenhang bestanden haben muß. Mit Bestimmtheit war Elia Levita einer der Bearbeiter des Konstanzer Pentateuchs, wenn nicht sogar die gesamte Ausgabe auf seine Handschrift zurückgeht. Vielleicht ist der zitierte Cod. De Rossi Jud. germ. 1 sein Werk oder die allerdings recht frühe Kopie seiner Originalschrift? Möglich, daß es aus urheberrechtlichen Gründen zwischen Fagius und Levita zum Eklat kam, eine Annahme, die den überstürzten Aufbruch Levitas aus Konstanz erklärt.

1583 gab Israel Sifroni [221] in Basel einen durchgesehenen und von Druckfehlern bereinigten Neudruck der Ed. Cremona 1560 heraus (Nr. 52), deren Nachdrucke später nochmals in Basel (1603?) und Augsburg (o. J.) verlegt wurden. Die Prager *Chumasch*-Ausgaben von 1608 (?) und 1610 (Nr. 53 u. 54) gehen ebenfalls auf die Ed. Basel 1583 zurück. Der Prager *taitsch chumasch* von 1610 enthält midraschische Ausschmückungen, die Isaak ben Simson ha-Kohen lieferte. Diese Bearbeitung wurde besonders populär und erlebte zahlreiche Neuauflagen.

Der *taitsch chumasch* rief das vielleicht meistverbreitete jüdisch-deutsche Werk auf den Plan: die *zenne renne* (Nr. 55). Diese Frauenbibel, eine mit den üblichen Zugaben, den Prophetenlektionen zu den liturgischen Pentateuchabschnitten und den fünf Megillot versehene Pentateuchbearbeitung entstand Anfang des 17. Jahrhunderts. Ihr Autor war der Janowaer Rabbiner Jakob ben Isaak Aschkenasi, der im Jahre 1623 in Prag starb. Der Titel, der im Hebräischen *ze'enah u-re'enah* lautet, ist dem Hohenlied 3,11 entlehnt. Er charakterisiert treffend die bunte Vielfalt des Inhalts, der mit seinen Erklärungen, Deutungen und Gleichnissen mannigfache Erfahrenswerte des täglichen Lebens widerspiegelt. Allerdings wird dem Verfasser diese Anspielung allenfalls unbewußt vorgeschwebt haben, vielmehr mag er an die weibliche Leserschaft gedacht haben und wollte sie mit dem Titel animieren: »Gehet hinaus und schauet, ihr Töchter Israels!«

Die *zenne renne* war das klassische Produkt der religiösen Erneuerung im östlichen Judentum. Sie war Ausdruck einer neuen mystischen, kabbalistischen Verinnerlichung, die in Polen ihren Ausgangspunkt nahm. Dementsprechend fand die *zenne renne* zunächst nur im polnischen Raum Verbreitung und noch in der vierten, 1622 in Basel herausgegebenen Ausgabe ist im Titelblatt zu lesen, daß das Buch in Deutschland sehr selten anzutreffen sei. Die einfache, verständliche und gefällige Darstellung ihres Inhalts ließ die Frauenbibel jedoch auch bald in den westjüdischen Kreisen Eingang finden. Vermöge ihrer einfachen Auslegung des göttlichen Wortes und der biblischen Historie sowie dank ihrer einprägsamen Bilder aus der Geschichte des jüdischen Volkes wurde sie *die* Erziehungs- und Bildungsgrundlage für die jüdische Frau schlechthin. Die Sammlung von Anekdoten, Parabeln und Legenden, die als Folge von Erzählung, Frage und Antwort formal der Aufzeichnung eines Gesprächs gleicht, unterrichtete die Jüdin über alle traurigen und freudigen Anlässe religiöser Gedenk- und Festtage. Sie klärte sie über ihre Frauen- und Mutterpflichten auf, empfahl ihr Tugend und Wohlverhalten nach den Gesetzen als höchste Ideale. Als göttlicher Lohn versprach sie höchstes Mutterglück: Söhne, die durch ihre Gesetzeskenntnis glänzen würden. Man mag die Psychologie, die das Buch erfüllt, primitiv nennen, und doch entsprach sie einer richtigen Einschätzung der Psyche der jüdischen Frau. Die Frauenbibel kam um 1600 einem dringenden Bedürfnis nach, doch hat sie auch heute noch zumindest in orthodoxen Familien ihre

Lebenskraft erhalten können. Seit ihrer ersten Veröffentlichung Ende des 16. Jahrhunderts [222] folgten in rascher Folge bis ins 19. Jahrhundert hinein eine unvergleichlich große Anzahl von Neuauflagen und Nachdrucken. Dabei dürfte zu ihrer großen Volkstümlichkeit und ihrer weiten Verbreitung sicher der Umstand beigetragen haben, daß die *zenne renne* als regelmäßige Sabbatlektüre in der Familie gehalten wurde. Ohne Übertreibung kann man sagen, daß die Frauenbibel noch bis ins 19. Jahrhundert hinein in keinem jüdischen Hause fehlte.

Vom Verfasser der *zenne renne* stammt auch eine Sammlung von Erläuterungen einzelner Pentateuchabschnitte, die 1622 in Lublin erstmals im Druck erschien. Dem *meliz joscher* (Fürsprecher bei Gott – Nr. 61), so der Titel des Werkes, dessen eigentlicher Zweck in einer lehrhaften Unterweisung zu suchen ist, war kein großer Erfolg beschieden. Mit der dritten Ausgabe Amsterdam 1708 erlosch seine Popularität, so daß es nie wieder verlegt worden ist. Mehr Erfolg hatte Jakob ben Isaak Aschkenasi da schon mit seinem dritten Buch, dem *sefer ha-maggid* (Buch des Predigers – Nr. 56), das in gewisser Weise eine Fortsetzung der *zenne renne* darstellt. Es enthält den hebräischen Text nebst einer jüdisch-deutschen Paraphrase der prophetischen und hagiographischen Schriften und den Kommentar Raschis. Anders als in der *zenne renne* gibt hier der Verfasser in umfangreicher Arbeit die Übersetzung des Textes mit exegetischen Erläuterungen, in denen gelegentlich verschiedene Autoritäten nebeneinander zu Wort kommen. Das erstmals 1623 in Lublin veröffentlichte *Buch des Predigers* erlebte zwar während des 17. und 18. Jahrhunderts mehrere Nachdrucke, die in ihrer Ausstattung variierten (Nr. 56 bis Nr. 59), doch ist aus der eher wissenschaftlichen, exegetischen Art seines Inhalts leicht zu verstehen, warum es nicht entfernt den Anklang der Frauenbibel gefunden hat.

Als Nachahmung der *zenne renne* erschien 1625 in Hanau die Historienbibel *taitsch esrim we-arba* (Nr. 92) des Chajim ben Nathan. Ihr ausführlicher Titel *doß taitsch esrim wearba, vertaitscht mit ale midraschim, ouch ßefer jehudith un' ßefer juda makkabi un' ßefer tobijja, genent ßefer ha-maassim* deutet schon die recht freie, kurzweilig unterhaltene Bearbeitung der 24 historischen Bücher der Bibel und der außerkanonischen, erzählenden Schriften an.

Trotz des überwältigenden Erfolges der großen Pentateuchdrucke des 16./17. Jahrhunderts wurden die »weiberschen schreiber« zunächst nicht arbeitslos. Es fanden sich noch immer jüdische Frauen, die Bibelhandschriften in Auftrag gaben – zuerst wohl noch aus Scheu vor dem nicht unerheblichen Preis der Drucke, später dann aus einem extravaganten Zug heraus. Allerdings machten es sich die Kopisten bald sehr bequem, indem sie auf die frühen Drucke zurückgriffen. Josef ben R. Jakob aus Wetzlar, der 1544 eine Pentateuchparaphrase für eine gewisse Jütlin bat Naftali Levi erstellte, benutzte bei der Abfassung seines Textes die Konstanzer Pentateuchausgabe vom gleichen Jahr. Neben dieser in der Hs. Oppenh. 111, fol. enthaltenen Pentateuchschrift (Nr. 50) ist noch der Cod. London 102 (Nr. 46) zu nennen, den Margoliouth im ersten Band seines Katalogs hebräischer Manuskripte im Britischen Museum (p. 76) ausführlich beschreibt. In der Tübinger Staatsbibliothek befindet sich im Bestand der Stiftung Preußischer Kulturbesitz unter der

Signatur Ms. or. 4° 691 eine Pentateuchschrift, die zusätzlich die prophetischen Lektionen bis zum Sabbat des Laubhüttenfestes aufweist. Diese Handschrift, ein mit anderen Bibelübersetzungen nicht identisches Unikum, ist wohl dieselbe, die Steinschneider unter Serapeum Nr. 425 (Ergänzungen) als Hs. Benzian E anführt [223]. Eine späte Pentateuchhandschrift vom Jahre 1709, die auch die Haftarot und die fünf Megillot im Anhang hat, sei noch mit der Hs. Hamburg 84 genannt (Nr. 63).

Außer den geschlossenen Pentateuch-Fassungen wurden schon früh Übertragungen einzelner prophetischer Bücher und einzelner Megillot veröffentlicht. Komplette Bearbeitungen der Haftarot oder Megillot, wie sie im Cod. De Rossi pol. 2 (Nr. 69), im Cod. London Ar. or. 27 (Nr. 70) oder einer von Elia Ulma (ha-Poel), besorgten, 1622 in Basel gedruckten Ausgabe der Haftarot und der fünf Megillot (Nr. 60) vorliegen, waren recht selten. Meistens gelangten Bearbeitungen einzelner Bücher zur Veröffentlichung, deren Volkstümlichkeit – wie schon bei den Pentateuchbearbeitungen – auf reichen haggadischen und midraschischen Ausschmückungen und Erläuterungen beruhte. An erster Stelle sind die Bearbeitungen der Esther-Rolle zu nennen. Die umfangreichste prosaische Paraphrase des Esther-Stoffes, die 1589 erstmals in Krakau gedruckte *megillat esther* oder *lang megille* (Nr. 71), hat aus dem Targum II zu Esther und den Midraschim eine Fülle von Ausschmückungen und Erklärungen übernommen, wodurch die an sich knappe Darstellung der Geschichte von Esther, Mordechai und Haman an Umfang und Lebendigkeit gewinnt. Diese belletristischen Auskleidungen bieten eine Fundgrube für die verschiedensten folkloristischen Motive. Der Verfasser, oder richtiger der Kompilator der Erstausgabe ist nicht bekannt; als Drucker nennt sich der bekannte Isaak ben Ahron Proßnitz. Im Titelblatt und in der zum Teil gereimten Vorrede des Buches wird ausdrücklich auf seinen Zweck hingewiesen: es sollte der religiösen Bildung und Erziehung des weiblichen Geschlechts dienen.

Mindestens ebenso beliebt wie die Estherparaphrase wurde das *Hohelied* in seinen zahlreichen jüdisch-deutschen Bearbeitungen. Habersaat [224] erwähnt eine bereits 1421 entstandene *Hohelied-Übertragung*, doch konnte die »vermutlich in Parma befindliche« Handschrift nicht ermittelt werden. Somit dürfte die älteste bisher aufgefundene jüdisch-deutsche Hohelied-Paraphrase, die des Abraham ben Elijahu aus dem 15. oder 16. Jahrhundert sein. Enc. Jud. IV, 594, wo die Handschrift Erwähnung findet, läßt allerdings offen, ob es sich bei Abraham um den Schreiber oder den Übersetzer handelt. Recht originell gestaltet ist die von einem deutschen Juden 1515 in Italien kopierte, dem Michael Adam zugeschriebene Fassung. Die in der Hs. Paris 445 enthaltene Paraphrase, die im übrigen hebräische Randglossen verzeichnet, führt Gott und Israel in der Rolle der beiden Redner auf. Nur wenig jünger ist die bereits an früherer Stelle (vgl. S. 70 u. 71) zitierte Hohelied-Handschrift des Jizhak ben Mordechai ha-Kohen aus Krakau (Nr. 77).

Bereits zehn Jahre vor der Krakauer Estherparaphrase brachte Isaak ben Ahron Proßnitz eine Hohelied-Übersetzung des Isaak Sulkes heraus, die aufgrund ihrer reichen midraschischen Zusätze gefallen konnte (Nr. 78). Sie stimmte ebenso wie die daran anknüpfende Exegese fast wörtlich mit den entsprechenden Abschnitten im

Glossar des Moses Särtels (vgl. S. 82) überein, weshalb Steinschneider [225] glaubt, letzterer könnte auch der Übersetzer dieser Hohelied-Fassung gewesen sein.

Von anderen Megillot-Bearbeitungen haben sich nur zwei Ruth-Übersetzungen und eine jüdisch-deutsche Kohelet-Version erhalten. Eine der Ruth-Übertragungen, im 16. Jahrhundert von Simson ben Menachem zu Papier gebracht, soll die älteste jüdisch-deutsche Fassung dieser *megille* überhaupt sein. Sie ist in der im Jahre 1533 in Soncino abgefaßten Hs. Paris 587 enthalten (Nr. 79). Die andere Ruth-Paraphrase liegt wie auch die Kohelet-Fassung in späten Drucken aus dem beginnenden 18. Jahrhundert vor (Nr. 80, 81).

Einzelne jüdisch-deutsche Haftarot sind nur in zwei Jesaja- und einer Jeremia-Bearbeitung überliefert. Die beiden Jesaja-Paraphrasen stammen aus der 2. Hälfte des 16. Jahrhunderts; beide sind im Cod. Uffenbach 103 (Nr. 82, 83) enthalten. Der *sefer jeremiah* (Nr. 84) liegt in einem sehr seltenen Prager Druck vom Jahre 1602 vor. Es handelt sich hierbei um eine wortgetreue Prosaübersetzung des Originals durch Moses ben Issachar ha-Levi, genannt Moses Särtels.

Die Beliebtheit des Buches Hiob kam bereits zur Sprache. Das typische Produkt eines Lohnschreibers ist die Hs. München 306, die das Buch in einer jüdisch-deutschen Abfassung des Abraham ben Samuel Pikarteia bringt. Das 1578/79 in Rückingen geschriebene Autograph (Nr. 86) war bestimmt für die »weiber und das gemein volk, die nit koenen tora lernen. die solen dainen leien ale tag stetiglich un solens aber ausleien, solen nit sein wie ein nar, der da lauft im land um fun einem end zum andern, sicht aber das land nit umentum an alen enden. so wurt man große chidduschim (= Neuigkeiten) un frumkeit dainen vinden, die ōn zweifel einen sterken in unsre emuna (= Glauben) un īn volkoemlich bringen auf den rechten weg zum ewigen leben, omen!« Als Quellen der in oberdeutscher Mundart abgefaßten Bearbeitung führt das Vorwort die Erklärungen des Abraham Farisol (vgl. S. 73), des Nachmanides, des Targum und des Gersonides auf. Außerdem ist der Text mit reichem midraschischen, haggadischen und Legendenstoff schlechthin ausgeschmückt.

Die älteste gedruckte Hiobparaphrase Ed. Prag 1597 geht vermutlich auf eine handschriftliche Übersetzung des Mordechai ben Jakob (Alexander) zurück. Diese in der Hs. Basel A. N. IX, 8 enthaltene Fassung (Nr. 85) wurde genau dreißig Jahre vor dem Druck niedergeschrieben.

Schließlich seien noch als letztes Feld jüdisch-deutscher Bibelbearbeitung die apokryphischen Schriften genannt. Ihre Bearbeitung erfolgte losgelöst von der Vorlage und war gänzlich auf Erbauung und Unterhaltung der Leser angelegt. Selbst die strenger gehaltenen talmudischen Apokryphen wurden so in volkstümlicher Auslegung wiedergegeben, wie die in Wagenseils *Belehrung der Jüdisch-Teutschen Red- und Schreibart* (Königsberg 1699) [226] abgedruckte jüdisch-deutsche Paraphrase des *hilchot derech erez* (Nr. 95) zeigt. Die Bearbeitungen von *judith* (Nr. 89), *serubabel* (Nr. 90) und *susanna* (Nr. 91) liegen in handschriftlichen Sammlungen des letzten Drittels des 16. Jahrhunderts vor: *judith* und *serubabel* in der Hs. Oppenh. 1706, 4°, *susanna* in der Hs. München 100. Blatt 87a der

Münchener Handschrift zeigt eine ungelenke Zeichnung mit der Susanne im Bade, umgeben von den beiden verschmähten Liebhabern. Danach heißt es:

MAASSE geschah einem chosid (= Frommen), der hot ein waip die hiß SUSANNA, gar ein zenuoh we-chosidoh (= keusche und fromme) un firchtr gotes i. t. (= gelobt sei er!). der wont im land bowel, un' der chosid hot sein waip fun jugent auf erzogen mit fruimigkeit un' mit eren.

Die Geschichte enthält im übrigen einige tendenziöse Anspielungen, so z. B. die Begründung für die Veranlassung des babylonischen Exils, die stellvertretend für die Interpretation des jüdischen Galuth-Daseins überhaupt stehen könnte. In der Strafrede des Daniel heißt es zum Schluß:

un' iderman sach die groß chochma (= Weisheit) un' fruimkeit (= Frömmigkeit) fun dem DANIEL un' ward dernoch gar koestlich fun iderman gehalten. drum wolle mirs got losen walten, un' sol uns das mēr noch einmol losen spalten, doß mir dar durch zien mit gwalten, jung un' alten. also zoch der DANIEL wider an NEBUDKADNEZARS hof, und wo ein handel schwer war den SANHEDRIN, da schikt man doch DANIEL, un' man hīlt īn in großen eren, bifrat (= insbesondere) fun SCHEALTIEL, der SUSANNA vater, un' fun irem man HJOCHON, as not un' bilich war.

Eine andere, nüchterne Art der Bibelübersetzung stellten die Glossare zu Pentateuch und einzelnen biblischen Büchern dar. Sie knüpften an die mittelalterlichen Glossare an und waren dementsprechend weniger der unterhaltenden und erbauenden Lektüre als eher der häuslichen Unterweisung in der Hl. Schrift vorbehalten. Für eine Zeitlang waren sie noch der reichen jüdischen Frau als Hilfsmittel für das Verständnis des biblischen Stoffes zugeeignet. Aus diesem Grund finden wir auf diesem Schrifttumssektor noch eine große Anzahl von Handschriften des 16. Jahrhunderts vor. Sie alle sind das Werk der belesenen »sofer« und nicht der »weiberschen schreiber«. Als ein typisches Produkt dieser gelehrten Schreibertätigkeit ist das Pentateuchglossar des Isaak Kohen (Nr. 22), das 1513 im oberitalienischen Alessandria niedergeschrieben wurde, anzusehen. Das Glossar wurde nach den Wochenabschnitten des Pentateuchs angeordnet. Ähnlich verfährt das Verzeichnis schwieriger hebräischer Begriffe, das Mordechai ben Menachem 1552 anlegte (Nr. 23). Vielfach genügte es jedoch nicht, einfach ein Verzeichnis der übertragenen Termini zu erstellen. Ein Hohelied-Glossar vom Jahre 1547 (Nr. 24) bringt zum besseren Verständnis des hebräischen Textes zusätzlich zu dem Wortverzeichnis noch Erklärungen einzelner Begriffe.

Hs. München 66 (Nr. 11), geschrieben um 1550 in Deutschland, enthält als vierten Teil einer Sammlung von Auslegungen zu den Propheten zahlreiche Glossen, die bezeichnenderweise mit dem Einführungswort »be-aschkenas« (= deutsch) gekennzeichnet sind. Um das Bild abzurunden, seien noch zwei weitere handschriftliche Wörterverzeichnisse erwähnt, die beide Aufschluß über die beliebtesten und meistgelesenen biblischen Bücher geben. Das eine, 1490 zusammengestellte Glossar bringt Worterklärungen zum Psalter. Es folgt in der Hs. Berlin 310 (Nr. 20) einer vorausgehenden Psalmenübertragung. Das andere Glossar enthält die Übersetzung wichtiger Termini des Buches Hiob. Es befindet sich in dem im 16. Jahrhundert angefertigten Cod. Pluteo II-N. 45 der Bibliotheca Laurentiana in Florenz (Nr.

25). Weitere von Lohnschreibern gefertigte Glossare zur Bibel verzeichnet ausführlich die Bibliographie (Nr. 13 ff.).

Auf älteren handschriftlichen Glossaren baut auch das älteste jiddische Druckwerk, der bereits erwähnte *sefer schel r. anschel* (Nr. 28) auf. Diese Verwandtschaft mit den nach alter Schultradition gearbeiteten Wörterverzeichnissen beweist auch die enge Verbindung des Konstanzer Pentateuchs mit der Anschel'schen Bibelkonkordanz. Wie alle jüdisch-deutschen glossatorischen Arbeiten sollte das Werk zunächst nur dem praktischen Gebrauch im häuslichen Unterricht dienen, doch bald wurde es auch zum Schulunterricht hinzugezogen. Außerdem war es von vornherein in der Absicht verfaßt worden, dem steigenden Interesse, das Luthers Bibelübersetzung von der jüdischen Bevölkerung entgegengebracht wurde, entgegenzuwirken. [227]

Die neue Art des Aufbaus der Glossare, die sich bereits im *sefer schel r. anschel* anbahnte, bestand darin, die hebräischen Termini nicht alphabetisch, sondern in der Reihenfolge der einzelnen Bibelstellen aufzuführen und zu übersetzen. Es entstanden somit verselbständigte Interlinearversionen zur Verdeutlichung der Originaltexte. Bahnbrechend für diese Technik waren zwei Werke Moses Särtels. Beide Glossare wurden im Jahre 1604 in Prag veröffentlicht; das erste, mit dem Titel *beer mosche* (Erläuterung Mosis – Nr. 30 bis Nr. 31), stellt Worterklärungen zum Pentateuch und zu den fünf Megillot zusammen. Das Werk erlangte eine ausgesprochen große Popularität – kein Wunder, daß es schon früh zu einem beliebten und ertragbringenden Objekt buchhändlerischer Tätigkeit erwuchs. Eine verkürzte Ausgabe gab Sabbatai Bass, einer der profiliertesten jüdischen Buchhändler des 17. Jahrhunderts, 1669 in Prag heraus (Nr. 32).

Im Vergleich zum *sefer beer mosche* hat das zweite Glossar Särtels', *lekach tob* (Gute Lehre – Nr. 29), bedeutend weniger Beachtung erfahren. Soviel festzustellen ist, folgte der am 17. September 1604 in Prag publizierten Erstausgabe dieser Worterklärungen zu Propheten und Hagiographen keine weitere Ausgabe. Im übrigen kamen Särtels' Glossaren später wiederholt die Ehre zuteil, als Plagiat verbreitet zu werden. Bereits 1620/21 erschien bei Mose ben Bezalel ein solcher Raubdruck in zwei Teilen, deren erster die Glossen zum Pentateuch, der zweite Teil die Worterklärungen zu Propheten und Hagiographen zum Inhalt hat. Als Verfasser dieser *Reimbibel* (Nr. 12) nennt sich Jekel Sofer ben Moses.

Den Glossatorien folgten poetische Bearbeitungen in gereimter Form. Damit schlug die jüdisch-deutsche Literatur in ihrer Bibelübersetzung jenen Weg ein, den die deutschsprachige Bibelliteratur vor Luther gegangen ist: den Historienbibeln folgten zunächst die Glossenbibeln, daran schlossen sich dann die Reimbibeln an. [228]

Eine gereimte jüdisch-deutsche Fassung der aramäischen Paraphrase zu den fünf Megillot liegt in einem Freiburger Druck (Nr. 122) vom Jahre 1584 vor. Diese unter dem hebräischen Originaltitel *targum chumasch megillot* herausgegebene Reimbibel wird dem Jakob ben Samuel Bunem Koppelmann zugeschrieben. Andererseits wird behauptet, daß mehrere Autoren an der Abfassung beteiligt gewesen sind. Sicher ist, daß das Werk in Metz verfaßt worden ist, ehe es in der Froben'schen Druckerei herausgebracht worden ist. [229]

Jüdisch-deutsche Reimbibeln begegneten uns schon in den poetischen Bearbeitungen des Buches Samuel und seiner Nachahmungen. Ähnlich in der formalen Gestaltung verfährt eine gereimte *Ezechiel-Ausgabe* (Nr. 123), die 1602 in Prag im Druck erschien. Noch Anfang des 18. Jahrhunderts gehörten Reimbibeln zum Lesestoff, wie die 1713 veröffentlichten, in Reimen abgefaßten *Sprüche Salomons* (Nr. 127) beweisen. Geistiger Urheber aller gereimten Paraphrasen biblischer Bücher blieb stets das *Schmuelbuch* des Mosche Esrim Wearba (vgl. S. 54), Sein literarisches Vorbild war so groß, daß sich in der Behandlung des biblischen Stoffes eine Art »Schmuelbuch«-Schule herausbildete. Ein spätes Produkt dieser Dichtungsrichtung stellt die populäre *kehillat ja'akob* (Sammlung Jakobs – Nr. 125) dar, eine gereimte Bearbeitung des Pentateuchs, der Bücher Josua und Richter. Die Reimdichtung ist in der Art des *Schmuelbuchs* angelegt, und das, obwohl der Autor – wie er selbst eingesteht – vom *Schmuelbuch* eigentlich wenig angetan war. Diese Abneigung muß sich unterschwellig auf die stilistische Gestaltung des Werkes ausgewirkt haben. Trotz der Verwendung haggadischen Sagen- und Legendengutes erhebt sich die Darstellung des biblischen Stoffes nirgends über eine nüchterne Reimprosa hinaus. Schon äußerlich kommt die Unausgeglichenheit der Dichtung zum Ausdruck: *Josua* und *Richter* machen nicht einmal ein Viertel des Gesamtwerkes aus, das Deuteronomium wird auf sage und schreibe 4 1/2 Buchseiten abgehandelt. Dagegen werden die Sagen von Genesis und Exodus breit ausgelegt, weil hierzu die haggadischen Traditionen reichen Stoff boten. Die *kehillat ja'akob,* als deren Verfasser sich der Vorbeter Jakob ben Isaak ha-Levi aus Röthelsee bei Rothenburg o. T. nennt, erschien 1692 erstmals in Fürth im Druck, eine spätere Ausgabe wurde 1718 in Wilhermsdorf veröffentlicht.

Eine besondere Gattung der Reimbibeln liegt in dem 1644 zu Amsterdam gedruckten *sefer mizmor letoda* (Buch des Dankliedes – Nr. 124) des David ben Menachem ha-Kohen vor. Der erste Teil des Buches bringt eine poetische Paraphrase von Genesis bis zum 21. Kapitel des Exodus; der zweite Teil, der Stücke aus Ruth, Hohelied, Kohelet und Esther frei umschreibt, hat ein besonderes Titelblatt und eine eigene Vorrede. Die dem Pentateuch entnommenen Abschnitte knüpfen an die für die Sabbatlektionen bestimmten Paraschen an. Über den Verfasser dieser originellen poetischen, biblischen Anthologie ist nichts Näheres bekannt. Darf man seiner Sprache folgen, so stammt er aus oberdeutschem Gebiet.

Die Freiheit in der Gestaltung biblischen Stoffes brachte der jüdisch-deutschen Literatur einige originelle Werke. Dabei fällt auf, daß die Schöpfer dieser Reimdichtungen nicht selten unter den aktiven Gestaltern des jüdischen Gottesdienstes zu suchen sind. Jakob ben Isaak ha-Levi, der Autor *kehillat ja'akob* war Kantor; Elchanan ben Issachar Katz, der Verfasser einer unter dem Titel *sot chanukka bichl* 1702 in Frankfurt a. O. veröffentlichten gereimten Bearbeitung der Chanukka-Begebenheit, fungierte als Vorbeter, Kantor und Sofer in Proßnitz (Nr. 126). Somit begegnet uns auch in der jüdisch-deutschen Frauenliteratur jenes Phänomen, das bereits für die spielmännische Dichtung so charakteristisch war: die jüdisch-deutsche Literatur entwickelt sich im Spannungsfeld volkstümlicher Schreiber und dichtender Geistlichkeit.

b) Psalter, Gebetbücher und Minhagimsammlungen

Unter den gereimten Bearbeitungen biblischer Bücher erfreute sich der Psalter einer besonderen Beliebtheit. Die Psalmen zählen zu den wichtigsten liturgischen Elementen jüdischer Religionspraxis, indem sie im Gebetkult eine tragende Rolle einnehmen. Dieser Gebetkultus hatte sich seit der Zeit des ersten Tempels allmählich neben dem Opferkultus herausgebildet. Er bestimmt, neben der Pflichterfüllung der 613 Ritualvorschriften, den täglichen Ablauf der Religionspraxis. Während der Opferkult streng an den Tempel in Jerusalem gebunden war, bedarf es zur Verrichtung der rituellen Gebete lediglich der Versammlung von zehn religionsmündigen Juden, die sich im ›Bet Hakenesset‹ (= Versammlungshaus) zusammenfinden. Als Leiter des Gottesdienstes fungiert der Vorbeter, der seit langer Zeit auch das Amt des Chasans ausübt. Mit der Zerstörung des zweiten Tempels in Jerusalem als dem existentiellen Zentrum des Judentums erwuchs dem Gebetkult in der Diaspora eine überragende Bedeutung. Daraus folgend wurde nicht nur die synagogale Ordnung, sondern auch der häusliche Kult normiert.

Die Psalmen dienten der Einleitung des Morgengottesdienstes an den Werktagen. Daneben sang man an Festtagen die Psalmen 113 bis 118, wie sie die Hs. Leipzig 35 (Nr. 103) vom Jahre 1697 verzeichnet. Diese Handschrift wurde nach einem vor 1697 entstandenen Druck *hallel in taitschen gesang gemacht* (Nr. 102) gefertigt.

Von der ungelenken prosaischen Übertragung der Psalmen, wie wir sie in der Hs. Berlin 310 (Nr. 96) vorfinden, bis zur ersten Reimfassung im Krakauer Druck vom Jahre 1586 (Nr. 101) war es ein weiter Weg. Noch bis ins 16. Jahrhundert hinein wurden die Psalmen im Stile der mittelalterlichen Übersetzungstradition bearbeitet. Derartige jüdisch-deutsche Psalterfassungen, wie sie uns z. B. im Cod. Uffenbach 111 (Nr. 99) begegnen, stehen sprachlich auf niedrigem Niveau. Anders dagegen Elia Levitas Psalmenübersetzung, die durchaus schon eine eigenständige und elegante Behandlung des Stoffes in Sprache und Komposition verrät. Das sehr volkstümliche Werk erschien zum ersten Mal 1545 in Venedig im Druck (Nr. 100) und erlebte danach mehrere Auflagen. Schon rein äußerlich erfreute der klare Druck die Leser. Die deutschen Vokale wurden des öfteren durch hinzugesetzte hebräische Vokalzeichen (besonders Sere) verdeutlicht. Die beigehaltenen hebräischen Termini heben sich durch kleinere Typen ab und sind vokalisiert. Die Einteilung des Psalters erfolgt nach den Wochentagen; die so entstehenden liturgischen Gruppen sind durch Über- und Unterschriften abgegrenzt.

Levitas Psalmenübersetzung griff mit Sicherheit auf ältere Vorlagen zurück. Möglicherweise diente ihm die gleiche Quelle, die auch Mosche ben Mordechai Hunt bei der Abfassung seiner im Cod. De Rossi 2513 (Nr. 97) aufbewahrten Psalmenübersetzung benutzt hatte. Auch der in der Hs. Hamburg 57 (Nr. 98) enthaltene jüdisch-deutsche Psalter weist Ähnlichkeit mit Levitas Fassung auf. Zumindest sein Anfang stimmt mit Levitas Psalmenübersetzung überein. Nichts spricht dafür, daß die von Elieser ben Jisrael auf Bestellung der Peslin bat Jakob gearbeitete, am 2. Aw 1532 in Prag beendete Handschrift die Kopie einer vor dem Druck abgefaßten Handschrift Levitas (vgl. S. 77) ist. Also muß auch sie auf die unbekannte Quelle zurückgegriffen haben.

Die erste gereimte Psalmenübertragung erschien 1586 bei Isaak ben Ahron Proßnitz in Krakau unter dem Titel *sefer tehelim* (Nr. 101) im Druck. Die Herausgabe dieses *Psalmenbuches* verdanken wir einer Frau. Die Tochter des Rabbiners Josef ha-Levi und Witwe des R. Michels, Rösel Fischel, hat nach ihren eigenen Angaben die gereimte Verdeutschung der Psalmen des Moses Stendal, die ihr in Hannover zufällig in die Hände fiel, abgeschrieben und in Druck gegeben. Über Moses Stendal ist nichts bekannt. Die Sprache der Übersetzung ist die des 16. Jahrhunderts, die Arbeit stammt wohl aus oberdeutschem Gebiet. Die Verse sind unbeholfen, was nicht zuletzt daran liegen mag, daß für Übertragungen dieses Stils immer noch Reim und Nigun des *Schmuelbuchs* maßgebend waren. Das Engagement der Rösel Fischel kam nicht von ungefähr, schließlich war sie fünfzig Jahre lang Leiterin der Talmudschule in Lodomir, ein für jüdische Verhältnisse höchst bemerkenswerter Umstand.

Grünbaum [230] hat schon darauf hingewiesen, daß zwischen den Psalmentexten des Gebetbuches und der Psalmenübertragung des Elia Levita gelegentlich enge Berührungen festzustellen sind. Es dürfte sehr wahrscheinlich sein, daß die Psalmen des Gebetbuches aus der gleichen Quelle flossen wie die des Levita. Das sollte ein weiterer Beleg dafür sein, daß Levita schon längere Zeit vor seiner Venediger Psalmenausgabe eine handschriftliche Fassung fertiggestellt hatte; denn mit der Schreib- und Sprachgewohnheit des Levita'schen Psalters stimmt die 1544 in Ichenhausen gedruckte, meist gereimte Übersetzung der täglichen Gebete und einiger Festgebete auffallend überein. Dieser jüdisch-deutsche Sidur (Nr. 129), als dessen Verfasser sich ein gewisser Josef bar Jakar nennt, war nicht die erste Übertragung eines Gebetbuchs ins Jüdisch-Deutsche und stellt auch keine Originalarbeit dar. Sie beruht vielmehr auf einem älteren jüdisch-deutschen Gebetbuch unbekannter Herkunft.

Sowohl die Vor- wie auch die Nachrede des Ichenhausener Gebetbuchs sind sehr aufschlußreich. Im Vorwort preist der Verleger das, wie er meint, gelungene Werk seiner Kundschaft an, nicht ohne auf den geringen Preis von nur 1 Krone hinzuweisen: [231]

kumt her, ir vrumen vrauen,
da wert ir huepsch ding schauen,
ir wert eß wol gewar:
ein tefillo (= Gebetbuch) fom ganzen jar,
wol forteutscht un bescheidlich.
drum kumt un kauft weidlich,
ir wert sunßt forsaumen,
den si wachßen nit auf den baumen.
auch is si nit zu teuer:
um ein kronen is si euer,
un etwas neher halt ir euch schtark.
gedrukt zu ichenhausen in dem mark
in dem jar so man zelt dreihundert un vir.
got helf unß, daß wir si folenden schir.
omen!

Verraten schon diese einleitenden Verse deutlich die kommerzielle Absicht, die die Herausgabe des Gebetbuches als ein in Frauenkreisen begehrenswertes Objekt reflektiert, so entspringt das Schlußwort erst recht einem buchhändlerischen Plan:

got dem heren wolen wir danken
der da macht gesund die kranken
und gibt den mueden schterk,
daß si konen folenden ir werk.
wer is ein got as er?
er hot uns geholfen bißher,
das di tefilo hot ein ort.
nun wil ich nit miner macher mein wort:
ich hab si um ein kronen derlaubt,
aber ich schwer bei meinem haubt,
si is ir wol wert zehn.
it wert es selbßt wol sehn,
wen ir andre tefilloß besecht darbei.
man mag wol sagen vrei,
es is aso großer unterscheid
as zwischen einem alten weib un einer jungen meid.
[...]

Der Drucker des Ichenhausener Gebetbuches war Chajim bar David Schwartz. Josef bar Jakar, sein Schwiegersohn, war in seiner Druckerei ebenso wie sein Sohn Isaak bar Chajim beschäftigt. Interessant ist die Ankündigung der Herausgabe des *Schmuelbuches* im Schlußwort:

nun wolen wir biten got,
der unß bißher geholfen hot,
daß er unß weiter schterken wi di leben,
zu dem *sch'muelbuch*, daß wir anheben,
das wir es bald folenden,
[...]

Das »Schmuelbuch« erschien – wie wir wissen – tatsächlich 1544, allerdings in Augsburg. Man darf nun mit Sicherheit annehmen, daß der Drucker Chajim bar David Schwartz Ichenhausen verlassen hatte, um in Augsburg in Konkurrenz mit den christlichen Druckereien zu treten.

Der Gebetkult wurde bald entsprechend dem rituellen Ablauf des Opferkultes eingerichtet. An die Stelle des Morgen- und Nachmittagopfers (Tamid) trat das Morgen- und Nachmittaggebet (Schacharith und Minchah). Für Sabbate und Festtage waren, gemäß der besonderen Opfer für diese Tage, Festgebete bestimmt. Der Gebetkult ging aber noch über den Opferkult hinaus: dem Morgen- und Nachmittaggebet wurde das Abendgebet hinzugefügt, ein Brauch, der aus Psalm 55,18 und Daniel 6,11 abgeleitet wurde [232]. Die erste Gebetordnung (Sidur) stellte der Gaon Mar Kohen Zedek (um 840) auf. Für die europäischen Gemeinden hatte der Sidur des Rabbi Amram (um 870) Geltung erlangt, allerdings unterschied sich der Gebetsritus bei Safardim und Aschkenasim, wobei innerhalb dieser rituellen Großgruppen noch weitere regionale Unterschiede auftraten.

sidur, seder tefillot oder *tefilla* (Ordnung der Gebete, Gebete) ist der allgemeine

זה השער לה׳ צדיקים יבואו בו

ספר תהילים

דאש תהילים

בוך

וואול פֿר טייטשט אין

טייטשר שפראך גאר שין אונ

בשיידליך אונ גאר קורץ וויליג

דארינן צו לייאן פֿר וייבר אונ

פֿר איידליך

גידרוקט אין יאר דז איר זיין

דרייא הונדרט אונ זעקש אונ

פֿירציק יאר

אונטר דעם גיוועלטיגין

געלטיגין קיניג שטעפֿן ירה

אין דער הייבט שטאט

קראקא

על ידי יצחק בן החר

אהרן זצ״ל מפראסטיץ

Abb. 3: sefer tehelim, Verf.: Moses Stendal, Hrsg.: Rösel Fischer, Ed. Krakau 1586, Drucker: Isaak ben Ahron Proßnitz. Exemplar der Bayerischen Staatsbibliothek München

זה השער לי׳ צדיקים יבאו בו

יוצרות

חלק ראשון

גאר וואול פֿר טייטשט אונ׳
נאך דען חיבור אויך
גאר וואול גימאכט י אין
טייטש גירייאט נאך דען ניגון
גאר רעכט

נדפס פה ק״ק
פראג

תחת ממשלת אדוננו הקיסר
לעפאלטוס יר״ה

ע״י בני כמ״ר יעקב ב״ק ז״ל

Abb. 4: jozerot, Ed. Prag o. J. Drucker: Jakob Bak Söhne. Exemplar der Herzog-August-Bibliothek Wolfenbüttel

Titel der Gebetesammlungen für die gewöhnlichen Tage. Hauptbestandteile dieser werktäglichen Gebetordnungen bildeten im Gegensatz zum Festgebetbuch (Machsor) ältere, unpoetische Grundgebete. Je nach Eigenart der verschiedenen Ausgaben schlossen sich zusätzlich außerordentliche Bestandteile an, die meist in den Titelblättern besondere Erwähnung fanden. Es waren dies, neben den üblichen erklärenden Kommentaren und rituellen Bestimmungen (Agenden, Liturgien) folgende, oft einzeln gedruckte Stücke: Tischgebet (Nr. 156 bis Nr. 158), Segenssprüche (Nr. 159), Osterhaggada (Nr. 154, 155), Hosianna für das Laubhüttenfest, Hallel, Jom Kippur Katan (Nr. 151), Jozerot (Nr. 149), Ma'amadot (Nr. 146), Ma'arabot (= Abendgebete) für Festabende, Sprüche der Väter (Nr. 116 bis Nr. 118), Elegien (Kinnot: Nr. 350 ff.), Perek Schira (Nr. 148), Sabbateingang (Nr. 150), Schema (Nr. 161 bis Nr. 163), 72 Bibelverse (Nr. 147), Bußgebete (Nr. 168 ff.), Vortagsvigilie (Nr. 160) und endlich die Frauengebete, die unter der Bezeichnung Techinna (Nr. 175 ff.) im 17./18. Jahrhundert stark in Erscheinung traten.

Josef bar Jakars Sidurübertragung ist nicht die älteste jüdisch-deutsche Gebetesammlung. Ein kurzes Kompendium aller nötigen, d. h. zu Anwendung kommenden Gebete finden wir in der Pergament-Hs. Oppenh. 1481, 4° der Bodleiana in Oxford. Zusammengestellt wurde es von Salomo Ibn Aderet, der seiner Gebetesammlung den Namen *torat ha-bajit* (Nr. 128) gab. Als Zeitpunkt der Niederschrift dürfte das Ende des 15. oder der Anfang des 16. Jahrhunderts in Frage kommen.

Recht originell gearbeitet ist das 1560 von Niklas Baumen Hutmacher in Augsburg niedergeschriebene *taitsch betbichlin* (Nr. 130), das mit den Worten »O almechtiger vater himels [...]« anhebt. Das in hebräischen Kursivlettern abgefaßte Gebetbuch, enthalten im Gothaer Cod. Chart. B 141, weicht in vielen Dingen von der üblichen jüdischen Tefillo-Tradition ab.

Außer diesen beiden, aus den Rahmen der gewöhnlichen Gebetbuchfassungen fallenden Andachtsbücher erschienen im 16. und 17. Jahrhundert eine große Anzahl stereotyper Gebetesammlungen, die fast alle den Ichenhausener Sidur zum Vorbild haben. Sie bieten meist wenig Originelles, weshalb der Verweis auf die Bibliographie (Nr. 131 ff.) genügen sollte.

Unter den vielen Frauengebetbüchern, die im 17. und 18. Jahrhundert Verbreitung gefunden haben, ragen die bereits 1599 in Basel veröffentlichten *techinnot be-kol jom* (Nr. 176) des 1597 in Frankfurt a. M. verstorbenen Akiba Bär ben Jakob Frankfurt (Günzburg) heraus. Als Herausgeber zeichnete sich Elia Loanz verantwortlich, dessen *wikkuach ha-jajin we ha-majim* (Nr. 397) ebenso im Anhang des Gebetbuches erscheint wie die Sabbatliedersammlung *semirot we-schirim le schabbot* (Nr. 316).

Eine andere Techinnot-Sammlung schöpfte aus den *schene luchot ha-berit* (Zwei Tafeln des Bundes), kurz *scheloh* genannt. Dieses hebräische Werk stellt eine Art Populärenzyklopädie der schriftlichen und mündlichen Lehre des Judentums auf kabbalistischer Grundlage dar. Es war eines der Leitwerke der neuen mystisch-kabbalistischen Triebe des 16./17. Jahrhunderts, deren ethisch-asketische Tendenz in den verarmten Judengemeinden des Ostens eine durchaus sozialkritische Modifikation erhalten hatte. Daher verwundert es nicht, daß der *sefer scheloh* unter den orthodoxen und wirtschaftlich heruntergekommenen Juden wegen der in ihm ausgesprochenen Idealisierung der Armut als eine religiöse Tugend sehr große Beliebtheit erfahren hat. An Popularität kam ihm nur noch der *taitsch sohar* (vgl. S. 74) gleich. Im Hebräischen wurden mehrere Auszüge angefertigt, und zwar von Samuel ben Josef ha-Levi Zoref aus Posen (1681) unter dem Titel *mazref lakesef*, von Jechiel Michael ben Abraham Epstein (1683) unter dem Titel *kizzur scheloh* und schließlich noch von Samuel David Ottolenghi (1705) unter dem Titel *meil schemuel*. Die auf den *sefer scheloh* zurückgreifende jüdisch-deutsche Techinnot-Ausgabe besorgte der Prager Meir ben Simson Werters im Jahre 1688. Der Titel der Erstausgabe *widduj ha-gadol* (Großes Sündenbekenntnis – Nr. 180) verleugnet ebensowenig die aus einer religiösen Reaktion resultierenden sozialkritischen Ambitionen des Werkes wie die Titel der späteren Ausgaben: *tefilla le ani* (Gebet der Armen) oder *minchat ani* (Geschenk des Armen). [233]

Eine ohne Zweifel eigenständige und eigenartige Schöpfung stellt die *liebliche tefillo oder greftige arznei for guf un' neschemo* (für Körper und Seele) des Ahron ben Samuel dar. Der Verfasser dieses originellen, für das orthodoxe Judentum geradezu ketzerischen Gebetbuchs war ein einfacher Bauer aus dem hessischen Hergershausen. Er stellte seine Gebetesammlung möglicherweise nach älteren Vorlagen zusammen, doch sind diese nicht zu ermitteln. Wegen der im Vorwort des Gebetbuches freimütig geäußerten Ansichten über wahre Andacht, das Beten in »deutscher« Sprache und über einen zweckmäßigen Unterricht für die Jugend wurde der Gebrauch der »lieblichen Tefillo« sehr bald aufgrund rabbinischer Beschlüsse unterdrückt. Außerdem verlangten es die Bestimmungen, daß die Religion zersetzende Werke zu vergraben seien. Diesem rigorosen Gebaren war es allerdings zu verdanken, daß man zu Beginn des 19. Jahrhunderts an abgelegenen Plätzen jüdischer Synagogen aus der Umgegend von Hergershausen eine Vielzahl von Exemplaren der 1709 in Frankfurt a. M. veröffentlichten Gebetesammlung (Nr. 144) auffand.

Unter den Gebeten für die verschiedenen Gelegenheiten und Anwendungsbereiche der privaten, mitunter aber auch öffentlichen Andacht befindet sich eine Gruppe, die den Tages- und Jahreszeiten vorbehalten ist. Als originelle jüdisch-deutsche Schöpfungen dieser Art sind z. B. die Gebetbücher aufzuführen, die Ahron ben Jomtob ha-Levi zusammengestellt hat. Seinen *obend-segen* (Nr. 165) gab der bekannte Amsterdamer Verleger Uri Phoebus ben Ahron ha-Levi 1676 heraus. Der Beliebtheit dieses Büchlein trugen Autor und Verleger nur zu gerne Rechnung und ließen schon ein Jahr später einen *neuen obend-segen* (Nr. 166) folgen.

Eine andere Nachtgebetsammlung übersetzte Jakob ben Mordechai Schwerin, genannt Jakob Fulda, aus seiner *tikkun scheloscha mischmarot* (Anordnung der drei Nachtwachen – Nr. 167) ins Jüdisch-Deutsche. Es war seiner Frau zu verdanken, daß die jüdisch-deutsche Fassung zu Papier gebracht worden ist. Sie war es auch, die das mit einem eigenen Vorwort versehene Werk 1692 in Frankfurt a. O. herausgab. Die für die drei Abteilungen der Nacht bestimmten liturgischen Andachten sind vornehmlich aus dem *sohar* geschöpft.

Die Aktivität jüdischer Frauen auf diesem Gebiet des religiösen Schrifttums fällt ins Auge. Einer anderen Jüdin verdanken wir eine Gebetesammlung für die Zeit zwischen Neujahr und dem Versöhnungstag. Es war die Tochter des Märtyrers Bär ben Hiskia ha-Levi Horwitz, Bella Chasan genannt, die 1718 ihr Andachtsbüchlein in Prag veröffentlichen ließ (Nr. 223).

Besondere Gebete leiteten spezielle rituelle Vorgänge ein. Es gab z. B. Gebete, die vor dem Schopharblasen am Neujahrstag gesprochen wurden (Nr. 224). Wiederum andere Ritualien kamen am Bette eines Kranken oder eines Sterbenden zur Anwendung oder waren für die Andacht bei der Grablegung bestimmt. Unter den jüdisch-deutschen Gebetesammlungen dieser Art sind besonders die Anthologien *maanne laschon* (Nr. 228) und *schaar schimeon* (Nr. 229) zu nennen.

maanne laschon (Rede der Zunge) hat 47 rhythmische Gebete an den Gräbern zum Inhalt, die Elieser Liebermann Sofer ben Löw Rofe, der als Darschan in Mainz wirkte, unter Benutzung der hebräischen Urfassung des Jakob ben Abraham Salomo [234] zusammengestellt hat. Das in späterer Zeit noch mehrmals herausgegebene Gebetbuch erschien 1689 in Dyhrenfurth erstmals im Druck. Ähnliche Gebete enthält auch die Hs. Oppenh. 1525, 4°.

schaar schimeon (Tor Simeons) ist der Titel einer Sammlung von Gebeten und Ritualien bei Kranken und Sterbenden, als deren Epitomator und Herausgeber Moses ben Simon Frankfurter genannt wird. Das 1714 in Amsterdam gedruckte Ritualwerk bringt eigentlich nur einen Auszug aus dem *sefer ha-chajim* seines Vaters. Auch ist laut Wolf, BH III, 818 nur der zweite Teil »dialecto Judaeo-Germanica« abgefaßt, der erste Teil hingegen in hebräischer Sprache.

Kommen die regionalen rituellen Besonderheiten beim allgemeinen Gebetbuch weniger stark zum Tragen, so machen sie sich beim Festgebetbuch (Machsor) doch recht stark bemerkbar. Die jüdisch-deutschen Machsorim wurden meistens im deutsch-polnischen, selten im deutschen oder polnischen Ritus angelegt, was dem Verbreitungsgebiet dieser Gebetbücher entsprach.

Festgebetbücher begegneten uns schon in der frühesten religiösen Gebrauchsliteratur (vgl. S. 16). Noch im ausgehenden 16. Jahrhundert waren handschriftliche Exemplare durchaus gebräuchlich. In der Hs. München 82 (Nr. 208) finden wir Gebete für den Neujahrs- und den Versöhnungstag. Wie aus einer vorangehenden Notiz von anderer Hand zu entnehmen ist, soll der Übersetzer ein gewisser Salomo ben R. Isaak gewesen sein. Vom gleichen Schreiber soll auch die Machsor-Hs. München 89 (Nr. 206) stammen. Sie enthält im wesentlichen nur die Liturgie zum Neujahrsfest, wobei der Text in zwei Kolumnen erscheint: die innere führt den hebräischen Haupttext, die äußere, in kleinerer Schrift, die jüdisch-deutsche Übertragung. Die Übersetzung verfährt noch ziemlich wortgetreu, hingegen bringen spätere gedruckte Machsorim durchaus schon freie Nachbildungen hebräischer Vorlagen. Auf Blatt 185a der Hs. München 89 lesen wir am Ende des Textes:

dos sogt man sieben molt hoch un' teutschet (= tötschet) gleich dernoch ain tekio (= Ton) darauf un' or(e)t dernoch maariv [...] un'get dan heim un' is freulich [...] un' trinkt guten wein, welcher īn hot.

Die Schrift schließt mit dem Epigraph des Schreibers, datiert vom 4. Aw 1590. Als Kopist nennt sich Eljakim ben Simon, genannt Salman Auerbach. Der Kopist ist keineswegs mit dem Übersetzer identisch, denn im Kolophon finden wir die Bemerkung »ichs [...] nun zweimal hab ausgeschrieben.«

Der Titel *machsor* – entlehnt der Bezeichnung des astronomischen oder Jahreszyklus – war im allgemeinen gebräuchlich für das Gebetbuch für die jüdischen Festtage des gesamten Jahres, aber auch für die Gebete zum Neujahrs- und Versöhnungsfest. Zur besseren Unterscheidung wählte man für die erstgenannte Gruppe den Titel *Machsor für das ganze Jahr*, während die anderen Festgebetbücher *Machsorim für die fruchtbaren Tage* genannt wurden. [235] Daneben gab es noch Machsorim, die die Liturgie für die drei Hauptfeste enthielten. Ein solches Festgebetbuch, das auf eine Übersetzung des Ascher Anschel ben Josef Mordechai aus Posen zurückgeht, druckte der Prager Mose ben Bezalel im Jahre 1600 in zwei Teilen (Nr. 213).

Eine andere Bezeichnung des Festgebetbuches lautete *kerobot* (Vorbeterstücke); sie bezog sich auf die verschiedenen im Machsor aufgeführten liturgischen Stücke. Cod. Uffenbach 56 (Nr. 211) aus dem 16. Jahrhundert führt diese Vorbeterstücke mit einer Ankündigung an, die für die Drucklegung berechnet zu sein scheint. Ein solcher Druck liegt in der Ed. Prag 1657 (Nr. 218) vor. Spätere Ausgaben dieses auch *taitsch machsor* genannten Festgebetbuches erschienen in Amsterdam (1671) und wiederum in Prag (1713).

Zu den gebräuchlichsten Machsorim zählten die auf eine Übersetzung des Abigdor Sofer ben Moses Eisenstadt, genannt Abigdor Izmunsch, zurückgehenden Festgebetbücher. Sie erschienen, wie die Bibliographie (Nr. 212, Nr. 215 u. Nr. 216) zeigt, vornehmlich im Ostraum, was der religiösen Aktivität ostjüdischer Autoren zu verdanken war. Erst zu Beginn des 18. Jahrhunderts wurden auch im westlichen Sprachgebiet Festgebetbücher herausgegeben, meistens nach deutschem Ritus. Sie enthielten nicht nur Gebete, sondern auch Festlieder in reicher Auswahl. Einzeln gedruckte Hymnensammlungen wie die für die verschiedenen Festtage bestimmten *akdamot* (Nr. 209 u. Nr. 220), *archin* (Nr. 220), *odecha* (Nr. 210) und *mi kamocha* (Nr. 222) erhielten ihre Titel nach ihrem betreffenden Anfangswort.

Eng verbunden mit den Gebetbüchern entstanden Minhagim-Sammlungen, die die Anweisungen für die rituellen Gebräuche zum Inhalt haben. Gelegentlich bildeten sie den Anhang der Gebetbücher, wie z. B. im 1697 in Frankfurt a. M. erstmals gedruckten *seder tefilla derech jeschara le-olam ha-ba* (Gebetordnung rechter Weg in die zukünftige Welt – Nr. 244). Der Verfasser dieser Gebete- und Ritualienzusammenstellung, der Proßnitzer Rabbiner Jechiel Michael Epstein ben Abraham ha-Levi, griff auf die als *dinim* bezeichneten Sitten- und Religionsvorschriften zurück, die bereits sein zwölf Jahre früher erschienenes Ritualwerk *derech ha-jaschar le-olam ha-ba* (Rechter Weg in die zukünftige Welt – Nr. 578) behandelte.

Minhagim-Schriften gehörten, wie wir bereits feststellten (vgl. S. 16 f.), zur beliebten Familienlektüre. Die Bibliographie verzeichnet mehrere Handschriften, die bis ins 17. Jahrhundert reichen (Nr. 231 ff.). Die jüdisch-deutschen Minhagimdrucke gehen größtenteils auf die von Isaak aus Tyrnau zusammengestellten hebräischen Ritualien zurück. Diese nach deutschem Ritus aufgezeichneten, von Simeon Levi Ginzburg ins Jüdisch-Deutsche übersetzten religiösen Gebräuche erschienen in einer

Vielzahl von Exemplaren, deren erste Ausgabe 1590 in Mantua veröffentlicht worden ist. Eine zweite Gruppe von Minhagimdrucken wurde im deutsch-polnischen Ritus abgefaßt. Diese in einem kleineren Format gedruckten Ritualienbücher gehen auf die Ed. Amsterdam 1685 zurück. [236]

Gänzlich verschieden von diesen herkömmlichen Minhagimsammlungen ist das Ritualbuch des Jakob Levi Mölln, das der Frankfurter Rabbiner Abraham Naftali Herz ha-Levi ins Jüdisch-Deutsche übertrug. Die kunstvoll ausgestattete Ausgabe dieses *sefer ha-maharil* (Nr. 245) erschien 1717 bei Johannes Koelner im Druck.

c) Frühe Mussarliteratur

Unter den ersten jiddischen Drucken befanden sich auch Moralbücher religiös-ethischen Inhalts, sogenannte *Mussarbücher*. Diese ethischen Werke [237] gehörten ursprünglich zu jenen Schriften, die die Berufsschreiber für fromme Auftraggeberinnen anfertigten. Auch nach Erscheinen der ersten Mussardrucke kursierten weiterhin Handschriften, doch brachten erst die Drucke dieser typisch jüdischen Literatur einen großen Aufschwung. Anfänglich nur sporadisch veröffentlicht, ließ sich seit der Mitte des 16. Jahrhunderts ein regelrechter Literaturbetrieb in dieser Sparte feststellen. Grundsätzlich unterschieden sich die Werke, die noch im 16. Jahrhundert erschienen von jenen, die im 17. Jahrhundert als erste sozialkritische Moralbücher zur Veröffentlichung gelangten. Die späte ethische Übersetzungsliteratur des 18. Jahrhunderts griff dann nur noch auf ältere kanonische Werke der hebräischen Literatur zurück oder trat als Kompilation früherer, origineller jüdisch-deutscher Sittenbücher nur schwach in Erscheinung. Natürlich hatten letztlich alle Mussarbücher hebräische Ethiken zum Vorbild, denn schließlich handelte es sich ja um streng religiöses, häufig mystisch-kabbalistisches Schrifttum, doch gelang es der jüdisch-deutschen Mussarliteratur des 17. Jahrhunderts sich weitgehend von den traditionellen Vorlagen zu lösen und die religiösen Bräuche und ethischen Normen in eigenständiger Form und Komposition darzustellen. Die Besonderheit dieser Schriften lag in ihrem sozialkritischen Charakter, der durch die polnische Kabbala begründet war. Eine gewisse Originalität haftet allen jüdisch-deutschen Mussarbüchern an, indem sie nämlich eigene Methoden und Traditionen volks- und lebensnaher Darstellung anstrebten. Selbst die späten Übersetzungen, die meist zweisprachig herausgegeben wurden, weisen eine solche Eigenständigkeit auf. Sie verzichten im allgemeinen auf die lehrhaften, trockenen Textabschnitte der hebräischen Quellen und übergehen sie in freigestalteten Paraphrasen.

Die frühe Mussarliteratur setzte sich vornehmlich aus abstraktem ethischen Schrifttum zusammen. Daneben erschienen rituelle Anweisungen für die jüdische Frau, sogenannte *dinim*, die in verständlicher Form gehalten und reich kommentiert wurden. Bekanntlich ist die Jüdin zur Einhaltung dreier besonderer Riten verpflichtet: erstens zum Backen des Weißbrotes für den Sabbat, was als Challa (= Teigabhub) bezeichnet wird, zweitens zum Anzünden des Lichts am Sabbatvorabend (Hadlaka) und drittens zur Einhaltung bestimmter Hygienevorschriften bei der Menstruation (Nidda). Die zuletzt aufgeführten Regeln, die praktisch den gesamten Bereich der geschlechtlichen Beziehungen bestimmen, erlangten eine enorme Bedeutung. Zu den ältesten Mussarbüchern zählt ein Werk, das eben diese Frauenpflichten ausführlich behandelt. Der *seder mizwot naschim,* auch *ein schoen fraun buechlein* (Nr. 532) genannt, bringt in gereimter Form die Vorschriften über Challa, Hadlaka und Nidda. Dabei nehmen die Menstruationsregeln ungefähr die Hälfte des Buches ein. Sie schließen die Regeln der zwischengeschlechtlichen Beziehungen sowie einige Anweisungen für die Kindererziehung mit ein. Andere Dinim behandeln ausgiebig die Bestimmungen für das Lichteranzünden, nur wenige Abschnitte sind dem Teigabhub gewidmet. Trotz des didaktischen Gehaltes, bemühte sich der Autor, den Text lebendig und unterhaltend zu gestalten. Allerdings findet sich im *Frauenbüchlein* kaum Handlungsstoff vor, sieht man einmal von jener bekannten Begebenheit mit den zwei Engeln ab, die sich in der Freitagnacht in allen jüdischen Häusern ereignen soll.

Die Erstausgabe des *Frauenbüchleins* gab der Sohn des bekannten Druckers Kornelius Adelkind, Daniel, 1552 in Venedig heraus. Sein Vater besorgte den Druck. Im Nachwort lesen wir:

libe frauen nemt doß bichele far gut fun mein sun daniel, woß hot eich gedrukt zulib un hot eß frier gelost durchkukn a frumen reb un a kestliche rebezin [...]

Eine von Benjamin Ahron ben Abraham Salnik umgearbeitete Fassung, die in späteren Ausgaben nur noch den Titel *mizwot naschim* erhielt, gab Isaak ben Ahron Proßnitz erstmals 1577 heraus. Laut Wolf, BH IV, p. 797 existierte auch eine italienische Übersetzung des *Frauenbüchleins,* die Jakob ben Elchanan Heilbronn besorgt haben und die 1652 in Venedig veröffentlicht worden sein soll.

Der Erstdruck des *seder mizwot naschim* bringt keineswegs die originale Abfassung des Stoffes. Vielmehr greift er wesentlich ältere handschriftlichen Bearbeitungen zurück. Es wäre auch noch zu klären, ob die Ed. Venedig 1552 wirklich mit der Ed. princ. gleichzusetzen ist. Nach Steinschneider (Serapeum Nr. 200) kam bereits 1548 in Venedig der erste Druck heraus. Die Handschrift, auf die Adelkind zurückgegriffen hat, ist nicht zu ermitteln. Steinschneider (Serapeum Nr. 414) nennt eine Hs. Oppenh. 618 B, 4°, die ebenfalls die Frauenordnung zum Inhalt hat. Möglich, daß zwischen ihr und dem *Frauenbüchlein* ein direkter Zusammenhang besteht. Auch die Hs. Paris 1312 enthält unter dem Titel *dine naschim* stofflich etwas Ähnliches wie Adelkinds Druck. Beide Handschriften (Nr. 535, 536) stammen vermutlich aus dem 16. Jahrhundert.

Die Druckausgaben fanden in zwei Lesarten Verbreitung: eine im Umfang kleinere Edition, die ausschließlich *dinim* enthält, zum anderen eine umfangreichere Ausgabe, die auch allgemeine rituelle Bestimmungen aufführt. Die kürzere Fassung, zu der auch die Erstausgabe gehört, bringt den ursprünglichen Text, die längeren Fassungen sind erweiterte Ausgaben.

Das *Frauenbüchlein* erfreute sich bis ins 18. Jahrhundert hinein einer großen Beliebtheit. Eine weitere Umarbeitung, die der Prager Schammesch Samuel Schmelka ben Chajim vornahm, wurde 1629 unter dem Titel *seder naschim* (Nr. 534) veröffentlicht. Der Verfasser der Sittenlehre *simchat ha-nefesch* (1707 – S. 123) benutzte es noch stark und übernahm einige Abschnitte für seine Dinim-Kapitel.

Einen ersten Höhepunkt erlebte das Mussarschrifttum bereits am Anfang seiner Entwicklung: 1542 wurde in Isny der *sefer ha-middot* (Buch der Sitten – Nr. 537) veröffentlicht, ein Sittenbuch, das die 28 menschlichen Tugenden den fünf Sinnen zuordnet. Das Druckwerk geht auf eine zwischen 1430–60 in Süddeutschland niedergeschriebene handschriftliche Fassung zurück, die jedoch verschollen ist. Der Verfasser des *Buchs der Sitten* konnte bisher nicht ermittelt werden. Jost legt das Buch in unkritischer Manier dem Elia Levita bei, was jedoch zurückzuweisen ist. [238] Es erschien nämlich 1580 in Prag eine hebräische Ausgabe dieses Sittenbuchs, die bestimmt nicht die erste ihrer Art gewesen ist. Somit dürften die handschriftlichen jüdisch-deutschen Fassungen auf eine hebräische Quelle zurückgehen, die auch dem hebräischen Prager Druck zugrundeliegt. Die Ed. Isny 1542 kann also kaum für sich beanspruchen, eine Originalfassung genannt zu werden – trotz eines diesbezüglich starken Votums Schulmanns [239].

Das Rätsel um den Herausgeber der Ed. Isny 1542 konnte inzwischen gelöst werden: es war Paulus Fagius, der bekanntlich ein Jahr vor dem Erscheinen des *sefer middot* die hebräische Druckerei in Isny gründete. Seine Anonymität läßt sich leicht erklären. Der *sefer middot* sprach einen jüdischen Leserkreis an, den ein christlicher Missionar wohl kaum erreicht hätte, zumal Fagius fast gleichzeitig mit dem Sittenbuch eine polemische Schrift gegen das jüdische Religionsritual herausgab. Sie erschien in lateinischer Sprache auf der Grundlage des hebräischen *sefer hamana* eines getauften Juden.

Als eigentlicher Autor des *sefer middot* kommt Paulus Fagius nicht in Betracht. Zu sehr setzt dieses Mussarbuch doch die intimste Kenntnis des jüdischen (Religions-)Lebens voraus. Sicherlich, Fagius lebte zwei Jahre mit Elia Levita zusammen, aber diese Bekanntschaft dürfte unmöglich ein Verwischen sämtlicher christlicher Spuren im Text des *Buchs der Sitten* herbeigeführt haben. Schulmann behauptet, Levita selbst habe den jüdisch-deutschen Text verfaßt; doch läßt sich das nicht einmal annähernd nachweisen, so sehr verschieden sind z. B. die stilistischen Merkmale zwischen den bekannten Werken Levitas und dem *sefer middot*. Güdemanns Vermutung, der Text sei vor 1542 noch in Handschriften verbreitet gewesen [240], teilten wir bereits. Fagius hätte dann lediglich eine solche handschriftliche Fassung bearbeitet bzw. bearbeiten lassen – ob eine hebräische Vorlage oder bereits eine jüdisch-deutsche zugrunde lag, sei zunächst dahingestellt. Wer die Bearbeitung durchgeführt hat, bleibt ein weiteres Rätsel. Die Buchwidmung »der erbarn un zichtign frauen, frau MURADA, doktorin der freien kunst der arznei, wounhaft zu ginßpurg« kann uns auch nicht weiterhelfen.

Tatsächlich hatte also der Text des *sefer middot* in Handschriften bereits vorgelegen, wie dann auch Zunz [241] bemerkt, daß das Buch in Handschriften *middot* genannt würde. Allerdings führt er keine dieser Handschriften näher an. Eine hebräische Textfassung liegt in der Hs. Oppenh. 1260, 4° vor, doch läßt sich ihr Alter nicht näher bestimmen als daß sie aus der zweiten Hälfte des 16. Jahrhunderts stammt. Hingegen konnte das Alter der Hs. Hamburg 204 genau festgestellt werden: sie wurde im Jahre 1503 geschrieben und enthält ebenfalls eine hebräische Textfassung. Die Anlage der Handschrift stimmt im übrigen mit der hebräischen

Ed. Prag 1580 bis auf unwesentliche Abweichungen überein, was den Schluß erlaubt, daß diese Druckausgabe unmöglich die erste hebräische Textversion darstellt, sondern allenfalls die redigierte und korrigierte Edition einer handschriftlichen Vorlage.

Wer kommt nun als Autor der hebräischen (Ur-)Fassung in Frage? Güdemann [242] vermutet, der zu Beginn des 15. Jahrhunderts lebende Prager Rabbiner Jomtob Lipman Mühlhausen sei der Verfasser der *orchot zadikim* (Pfade der Gelehrten), wie der Titel der hebräischen Version des Sittenbuches lautet. Erik [243] erhärtet diese Annahme noch, indem er durch einen analytischen Textvergleich des *sefer middot* mit dem bekannten (hebräischen) polemisch-theologischen *nizzachon* des Jomtob Lipman Mühlhausen stilistische und inhaltliche Parallelen feststellt.

Der Einfluß der Sittenlehre des Gabirol auf die *orchot zadikim* läßt sich nicht verkennen; denn genau wie jener zählt das Sittenbuch 28 Pforten nach 28 guten und schlechten Eigenschaften der Menschen auf. Voraus geht eine einleitende Ethik, die das Verhältnis der sittlichen Tugenden im Verhältnis zu den fünf Sinnen bespricht. Gerade diese Einleitung ist nach Gabirol gearbeitet und hat, wie Steinschneider (Serapeum Nr. 404 d) feststellt, dessen typischen theologischen Sprachapparat übernommen. Weitere Quellen, z. B. den Bechai, nennt Zunz an genannter Stelle. Resümierend bleibt zu vermerken, daß Charakter und Stil des *sefer middot* bzw. der *orchot zadikim* die hebräische Version als die ursprüngliche Kompilation erscheinen lassen.

Jüdisch-deutsche Handschriften des *Buchs der Sitten* liegen in der Hs. Leipzig 27 (Nr. 538) und einer Handschrift des Britischen Museums (Hs. London Add. 204, 27) vor. Beide sind in der zweiten Hälfte des 16. Jahrhunderts entstanden. Güdemann [244] nennt noch ein weiteres Manuskript, das 1574 geschrieben worden ist und ebenso wie die zwei erstgenannten eine Abschrift der Ed. Isny 1542 darstellt. Die Leipziger und die Londoner Handschrift bringen gegenüber dem Druck Verbesserungen und sind in der Orthographie moderner gestaltet. Im übrigen ähneln sich beide so stark, daß man annehmen darf, daß sie von gleicher Hand geschrieben sind oder die eine eine getreue Kopie der anderen ist. Die orthographischen Unregelmäßigkeiten stimmen in beiden Manuskripten vollkommen überein. Eine selbständig gearbeitete Variante liegt in einem Cambridger Codex ebenfalls aus dem 16. Jahrhundert vor, den Steinschneider (Serapeum Nr. 404 d) noch als Hs. Benzian B (Nr. 539) verzeichnet. Diese Kopie beginnt mit dem Index der 28 Pforten, woran sich – wie in den hebräischen Fassungen – die mit Kohelet 12,13 beginnende Vorrede anschließt. Überhaupt hielt sich der Übersetzer eng an den hebräischen Text, wobei er nicht nur einzelne Termini wortgetreu übernahm, sondern im ganzen auch dessen Phraseologie nachahmte.

Abschließend kann also festgestellt werden, daß die hebräische Version des *sefer middot* die ursprünglichere ist. Sie kann nicht vor 1395 entstanden sein, da in einem Kapitel die Vertreibung der Juden aus Frankreich in diesem Jahre Erwähnung findet. Vermutlich ist sie in der ersten Hälfte des 15. Jahrhunderts abgefaßt worden. Die jüdisch-deutsche Fassung, wie sie in der Ed. Isny 1542 und den folgenden Drucken vorliegt, stellt lediglich eine Bearbeitung des Originals dar, wobei allerdings der lehrhafte und trockene Stoff gekürzt und der Text dem Geschmack einer breiten Leserschaft angepaßt worden ist. Trotz dieser stilistischen Kunstgriffe blieb dem *sefer middot* ein durchschlagender Erfolg verwehrt. 1582 gab Isaak ben Ahron Proßnitz einen Nachdruck heraus, danach wurde es still um dieses Buch. Die Zeit der originellen jiddischen Mussarwerke begann. Erst im 18. Jahrhundert, als die Lebenskraft der selbständigen jiddischen Mussarschöpfungen erlosch, erlebte es Neuauflagen unter seinem hebräischen Originaltitel *orchot zadikim* (Nr. 540).

Der *sefer middot* war das einzige größere jüdisch-deutsche Mussarwerk des 16. Jahrhunderts. Alle anderen Schriften, meist von geringerem Umfang, blieben unbedeutend und haben kaum Beachtung gefunden. Lediglich das bereits erwähnte *Frauenbüchlein* machte eine Ausnahme. Außer diesem Sittenbuch wandte sich noch der *sefer ha-gan* (Buch des Gartens – Nr. 541) an die jüdische Frau. Das Buch enthält die Übersetzung eines weit verbreiteten hebräischen Sittenbuchs des Isaak ben Elieser [245], das nach den sieben Wochentagen angeordnete Vorschriften zusammenstellt. Die Übertragung ins Jüdisch-Deutsche gelangte erstmals als Beidruck zur Krakauer Hohelied-Ausgabe von 1579 (vgl. S. 79) an die Öffentlichkeit und erlebte danach einige Neudrucke, die bis ins 18. Jahrhundert reichten. Der *sefer ha-gan* leitete innerhalb der Mussarliteratur eine besondere eschatologische Richtung ein, die von *schaare gan eden* (Pforten des Garten Eden – Nr. 543) über den *Rosengarten* (Nr. 544), *sod ha-neschama* (Geheimnis der Seele – Nr. 545), *jeschuot wenechamot* (Hilfen und Tröstungen – Nr. 546), *jezirat odom* (Schöpfung des Menschen – Nr. 547), *chibbut ha-keber* (Grabesfolter – Nr. 548), *innuj nefesch* (Peinigung der Seele – Nr. 551) und *sam chajjim* (Lebensbalsam – Nr. 550) zu *chajje odom* (Leben des Menschen – Nr. 552) und *chokmot odom* (Weisheit des Menschen – Nr. 553) führte.

Die Vorbereitung auf das Jenseits behandelte schon eindringlich der allerdings sich hauptsächlich an männliche Leser wendende *sefer ha-jirah* (Buch der Gottesfurcht) des R. Jona Gerondi ha-Chassid, der 1263 in Toledo starb. Innerhalb der jiddischen Mussarliteratur fanden zwei Lesarten dieses ethischen Werkes Verbreitung: eine 1546 in Zürich herausgegebene Prosabearbeitung, die sehr wahrscheinlich Michael Adam publizierte, und eine gereimte Version *sefer chajje olam* (Buch vom ewigen Leben – Nr. 549), dessen Druck Israel Sifroni 1583 in Freiburg i. Br. [246] besorgte. Die Reimfassung behandelt den Text wesentlich lebendiger als die ältere Prosabearbeitung, doch geht auch hier die Darstellung nirgends über jenen naiv-volkstümlichen Ton hinaus, der eigentlich allen frühen Mussarwerken gemein ist.

d) *Spruchbücher*

Einen großen Teil der frühen Mussarliteratur machten Spruchbücher aus, als deren Vorläufer die schon früh übersetzten und bearbeiteten *Sprüche Salomos* betrachtet werden können. Als ältere Arbeiten liegen die Sprüche in zwei Handschriften des 16. Jahrhunderts vor, deren ältere, die Hs. Hamburg 57, 1532 vom Schreiber Elieser ben Jisrael zu Papier gebracht worden war (Nr. 108). Die andere

Handschrift, Cod. Basel A. N. IX, 8 (Nr. 109), legte der Übersetzer Mordechai ben Jakob (Alexander) im Jahre 1567 selbst an. Aufbauend auf diese Bearbeitung erschien 1582 bei Isaak ben Ahron Proßnitz eine paraphrasierte Fassung der *mischle* (Nr. 110) im Druck.

Im Gegensatz zu den in der Regel kunstvoll und poetisch gestalteten Proverbien bediente sich die Spruchsammlung *jehoschua ben sira(k)* eines volkstümlichen Stils der Wiedergabe. Das apokryphische Buch stellte eine Art Handbuch des rechten, zugleich frommen und gottgefälligen Lebens dar. Der gegenüber den eher profanen Sprüchen Salomos tief religiöse Gehalt des Ecclesiasticus, so seine Bezeichnung in der Vulgata, wurzelt in einer tiefen Gottgläubigkeit und äußert sich in einer umfangreichen Sammlung von Kommentaren und Verhaltensregeln aller Einzelfälle des täglichen Lebens.

Jüdisch-deutsche Versionen des *ben sira* liegen in einer Handschrift des 16. Jahrhunderts und mehreren Drucken, die bis ins 18. Jahrhundert reichen, vor. Die Handschrift (Nr. 111) richtet sich in der Anordnung der in alphabetischer Reihenfolge angelegten Spruchsammlung nach älteren hebräischen Ausgaben. Der Ed. Amsterdam 1660 (Nr. 112) und den ihr folgenden Drucken liegt eine Übersetzung des Salomo ben Jakob ha-Kohen zugrunde, die nach der hebräischen Ed. princ. Saloniki 1514 bearbeitet worden ist. Als Verfasser der hebräischen Erstausgabe nennt Steinschneider (Serapeum Nr. 82) Josua ben Jehozadak, der als Hoherpriester fungierte. Diese Annahme könnte wohl zutreffen, nennt doch der Autor der apokryphischen Schrift als höchste berufliche Ideale die aufs Gesetz aufbauenden des Hohenpriesters. Allerdings ist die hebräische Urfassung des Spruchbuches verlorengegangen, der Stoff konnte lediglich in einer griechischen Bearbeitung überliefert werden.

Das Buch hat im Jiddischen verschiedene Umarbeitungen erfahren. Kurios ist die Ausgabe Amsterdam 1712 (Nr. 114) zustande gekommen; denn ihr Bearbeiter, Josef ben Jakob Maarsen, griff auf eine niederländische Vorlage zurück! Eine andere Version liegt in einer Übersetzung des Mose Wittmund ben Elija Nathan vor, die 1681 in Amsterdam herausgegeben wurde (Nr. 119). Eine frühe Umschreibung des *ben sira* nahm Simon ben Jehuda ha-Kohen im Jahre 1580 vor. Sein in der Hs. Oppenh. 1261, 4° in 50 Kapiteln angelegter *sefer ha-mussar* (Buch der Zucht – Nr. 119) weicht lediglich im letzten Kapitel vom apokryphischen Original ab.

Weitere ethische Spruchbücher sind mit einer aus Bibel und Talmud zusammengestellten Spruchsammlung (Nr. 115), den *pirke abot* (Nr. 116 bis Nr. 118), den *mischle chachomim* (Nr. 120) und dem *sefer ijjun jizachak* (Nr. 127) zu nennen. Von ihnen erreichten die *mischle chachomim* die größte Popularität. Das 1657 in Amsterdam bei Immanuel Benbeniste gedruckte Werk, auch unter dem Titel *brandspiegel katan* (= Kleiner Brandspiegel) bekannt, enthält 70 Sprüche aus dem 44. Kapitel der bekannten Mekamen des Jehuda Alcharsi, wobei der Kompilator Jehuda bar Israel Regensburger, genannt Löw Scheberl, eigene Zusätze einfließen ließ, um die kanonische Zahl 70 zu erreichen.

5. Die bürgerliche Literatur

Der literarische Umbruch in der frühkapitalistischen Epoche machte sich auch in der jüdisch-deutschen Literatur stark bemerkbar. Den Auswirkungen des aufsteigenden deutschen Bürgertums konnte sich die jüdische Bevölkerung in den Städten nicht verschließen. Im Gegenteil! – zumindest die wirtschaftlich bevorteilten Juden strebten eine zwar maßvolle doch energische soziale Integration an. Sogar in den untersten Schichten der jüdischen Gemeinden wurde ein weitreichendes Assimilierungsbestreben spürbar. Religiöse Traditionen, die bisher in vollem Maße das Alltagsleben jüdischer Familien bestimmt hatten, verloren ihre uneingeschränkte Gültigkeit. Man paßte sich dem Zeitgeist an, was sich natürlich im Schrifttum dieser Zeit besonders bemerkbar machte. Die religiös-ethische Literatur wich einem bemerkenswert nationalistisch geprägtem Schrifttum – soweit der Begriff des Nationalismus überhaupt auf Juden und Judentum Anwendung finden kann. Es ist anzunehmen, daß sich diese, an die eigene historische Größe appellierenden literarischen Strömungen am Geschmack der wirtschaftlich erfolgreichen Juden orientierten. Dagegen stellten Sagen, Legenden und Geschichten, die uns in einem naiven, oftmals belehrenden Ton mit halbwegs orientalischer Färbung und vorherrschend sittlicher Tendenz in den sogenannten *maassioss* überliefert worden sind, die literarischen Bedürfnisse der einfachen, weniger ehrgeizigen Leserschichten zufrieden.

Lehnten sich die *maassioss* in Form und Inhalt gerade noch schwach an traditionelle Vorbilder an, so leiteten die Bearbeitungen der deutschen Volksbücher eine literarische Freizügigkeit ein, die in der derb-frivolen Gestaltung der Purimspiele ihren Höhepunkt erreichte. Bezeichnend für diese Entwicklung ist allerdings ein beträchtliches zeitliches Nachhinken hinter dem deutschen Schrifttum, das nur mit der langsam voranschreitenden gesellschaftlichen Integration und einer parallel dazu verlaufenden Abnahme des Traditionsbewußtseins und der Scheu vor religiöser Freizügigkeit erklärt werden kann.

In der Rolle des literarischen Trägers löste – und das in des Wortes eigentlicher Bedeutung – der hausierende »pakntreger« den »weiberschen schreiber« ab. Diese Wanderdrucker, die vom Ende des 16. Jahrhunderts an von Gemeinde zu Gemeinde zogen, um dort ihre Erzeugnisse zum Verkauf anzubieten, hielten für lange Zeit die geistige Verbindung zwischen östlichem und westlichem Judentum, zwischen Ost- und Westjiddisch aufrecht. Das erfolgte umso leichter als ja die mundartlichen Unterschiede im Jiddischen für lange Zeit typographisch überhaupt nicht in Erscheinung traten. Das in Krakau gedruckte Buch konnte gleichermaßen in Prag, Frankfurt a. M., Amsterdam und Basel, im Elsaß, Oberitalien und in Polen gelesen werden. Erst die jüdische Emanzipation brachte Ende des 18. Jahrhunderts mit ihrem Verzicht auf die jiddische Sprache in West- und Mitteleuropa eine Änderung.

Ein treffliches Selbstporträt eines solchen wandernden Buchhändlers bringt der von 1598 bis 1603 in Basel druckende Jakob ben Abraham Mesritz im Vorwort zu einem dort im Jahre 1600 herausgegebenen kleinen Gebetbuch (*bentscherl*): [247]

> [...]
> ich jakob ben abraham s. l., der schreiber,

ale frume weiber
hob ich doß deitsch bentschn in druk gebracht.
drum libe weiber hot auf mir acht
un tut mirß blat opkaufn.
as ich bald zu meinem weib un kinder tun laufn,
den ich bin gewesen drei jor in teitsch lant.
ich hof zu got, mein kinder wern hobn derfun kein schant,
den ich hob ßefrim (= Bücher) außgetrogn –
ich hof man wert kein beis (= Böses) nischt nochsogn.
jakob ßefrim treger bin ich genant,
man kent mich in ganz teitsch lant.
ich hof, ich wer ein sochor mizeoh (= Belohnung) derfun hobn,
man hot in ale jeschubim (= Lehranstalten) noch mir tun fregn:
wen wet (= wird) der ßefrim treger kumen her,
aß er mecht unds ßefrim bringen mer [...]

Jakob ben Abraham verließ also seinen Heimatort Mesritz und ging nach Basel, um dort Bücher zu drucken und zu verkaufen. Zu seinen bekanntesten Drucken zählen das *maasse-buch* (vgl. S. 111) und die *sibn weisn meinßter* (vgl. S. 112). Nach jeder Drucklegung verließ er vorübergehend den Druckort, um, von Gemeinde zu Gemeinde ziehend, seine Druckwerke zum Kauf anzubieten.

Der »ßefrimtreger« nahm nicht nur den Platz des Lohnschreibers ein, sondern übernahm auch dessen Titel »schreiber aler frume weiber«. In der ersten Zeit gingen die Drucke noch auf ältere, handschriftliche Vorlagen zurück; oft wurden auch bereits erschienene Bücher nachgedruckt. Originelle Schöpfungen fanden sich noch selten. Die großen Druckereien in Krakau, Prag und Amsterdam arbeiteten meist auf Bestellung, und nicht selten waren Drucker und Verleger identisch. Isaak ben Ahron Proßnitz druckte z. B. einen großen Teil der bei ihm erschienenen Titel auf eigene Rechnung, andere wieder auf Bestellung verschiedener Verleger: Schalom ben Abraham, Drossel Fischls, Ahron ben Abraham Batkowitz u. a.

Die Buchhändler in der Nachfolge der Kopisten drückten der jiddischen Literatur bis ins 19. Jahrhundert ihren Stempel auf. Besonders ins Auge stechen die im Vorwort der Druckwerke anklingenden Werbungen um Leser und Käufer. Dieses geschah dann meistens in solch plumpen Schlagformeln wie:

kumt ir libn manen un frauen un tut doß schein maassebuch anschauen

oder:

far weiber un meidlech – hipsch un bescheidlich

oder:

houbt ouf eire augn un secht
doß heilig tehillim, doß gut un gerecht.

Ein großer Teil der ersten jiddischen Drucke wurden von christlichen Missionaren oder Konvertiten herausgegeben. Interessant ist, daß z. B. die Konstanzer und Augsburger Pentateuch-Übersetzungen in jeweils zwei Ausgaben veröffentlicht worden sind: eine jüdisch-deutsche Fassung für jüdische Leser und eine deutsche

Fassung für christliche Leser. Ein typischer Vertreter dieser Verleger- bzw. Druckergruppe begegnet uns in dem Herausgeber der Augsburger Pentateuchübersetzung, Paulus Aemilius, dessen Porträt Erik (a. a. O., 217–218) zeichnet.

a) Geschichtliche Bücher

Das beliebteste historische Werk der jiddischen Literatur war seit seinem ersten Erscheinen im Jahre 1546 der *jossipon* (Nr. 636), eine Übersetzung des bekannten, im 10. Jahrhundert in Italien verfaßten Pseudojosephus [248]. Die bei Christoph Froschauer erschienene Ed. Zürich 1546 geht auf eine Bearbeitung des Michael Adam zurück. Der Druck umfaßt immerhin 501 Seiten und ist mit kunstvollen Holzschnitten verziert. Man darf davon ausgehen, daß diese Prachtausgabe für minderbemittelte Leserschichten unerschwinglich gewesen sein muß, was unsere Annahme bezüglich des Leserkreises der patriotisch gefärbten Literatur bestätigt. Auch ein Nachdruck des *jossipon*, der wenig später in Krakau zur Veröffentlichung gelangte, weist noch reiche figurelle Verzierungen und eine ausgezeichnete Druckbeschaffenheit auf. Erst mit der »Volksausgabe« Prag 1607 (Nr. 637) wurde dieses Geschichtswerk auch minderbemittelten jüdischen Lesern zugänglich. Die Popularität des *jossipon* erstarb auch im 17. und 18. Jahrhundert nicht. Mehrere Nachahmungen folgten der Adam'schen Bearbeitung, doch lassen sich nur noch die wenigsten nachweisen. Zu ihnen zählt ein kurzes, 1670 in Krakau herausgegebenes Kompendium des Werkes, das bemerkenswerterweise die Jüdin Edel bat Moses Mendel zusammengestellt hat (Nr. 638).

Auf kommerzieller Kalkulation beruhen zwei Fortsetzungen des *mispar jossipon*, die Menachem Mann ben Salomon ha-Levi Amelander zu Papier brachte. Sie erschienen erstmals 1741 in Amsterdam unter dem Titel *keter malchut* bzw. *scheerit jisrael* (beide Nr. 639) und erlebten 26 Jahre später in Fürth nochmals eine Neuauflage, die Chajim ben Zebi Hirsch besorgte.

Von starker patriotischer Prägung war auch die Reisebeschreibung *gelilot erez jisrael* (Kreise des Landes Israel – Nr. 645), die ihr Autor Gerson ben Elieser ha-Levi Jiddels aus Prag mit zahlreichen historischen Anmerkungen versah. Die in Lublin 1635 publizierte Erstausgabe wurde ungeachtet der Befürwortung des Krakauer Oberrabbiners Joel Sirks auf Geheiß der Jesuiten öffentlich verbrannt. Erhalten geblieben sind aber noch die späteren Editionen Fürth 1691 ff.

b) Übertragungen deutscher Volksbücher

Weniger eigenbewußt zeigte sich die breite Masse der Judenheit, der die deutsche Unterhaltungsliteratur dieser Zeit sehr willkommen war. Eine Vielzahl der deutschen Volksbücher wurden im 16. und 17. Jahrhundert ins Jüdisch-Deutsche übertragen, doch lassen sich heute nur noch wenige ihrer Exemplare nachweisen. Ihre Zahl kommt nicht im geringsten ihrer früheren Verbreitung nahe; kein Wunder, wenn man bedenkt, wie leicht diese dünnen, auf schlechtem Papier gedruckten Volksbücher verloren gehen konnten. Zu den überlieferten Übertragungen zählt auch *eine wonderbahre geschichte fon eilenspigel,* die in Breslau »im jahr, wo das bier teier wahr« gedruckt worden ist. Das kleine Oktavheftchen hat nur einen Umfang von acht Blatt. Aufnahme gefunden hatte dieser Stoff schon in der Hs. München 100 (Nr. 451), und zwar als

wunderparlich und selzame historie til eilenspigels, eines pauern son, pürtig aus dem land zu braunschweig, neulich aus sächsischer sprach auf gut hoch taitsch vertolmetscht fer kurzweilig zu lesen. itzunt wieder frisch gesoten un neu gebachen.

Steinschneider (Serapeum Nr. 388) hält die von Benjamin ben Josef Rofe am 11. Oktober 1600 in Tannhausen beendete Schrift für eine bloße Umschrift eines deutschen Drucks; doch kann er diesen nicht mit Bestimmtheit angeben. [249]

Eine Frankfurter Ausgabe (Nr. 452), die nicht vor der ersten Hälfte des 17. Jahrhunderts erschienen sein kann, trägt den Titel

Eilenspigel, allerhand kurzweilige begebenheiten und historias.

Auch dieser Druck besitzt nur einen geringen Umfang von 16 Seiten bzw. 2 Bögen in 8°.

Die jiddische Version des deutschen Volksbuchs von den *Schildbürgern* ist nur in einer älteren Ausgabe erhalten geblieben, die in Amsterdam 1727 und in den Nachdrucken Offenbach 1777 und Fürth 1798 unter dem Titel *schildburger selzame un' kurzweilige geschichte* (Nr. 453) ihre Veröffentlichung fand. [250] Die wohl älteste jüdisch-deutsche Volksbuchübertragung liegt in einem Krakauer *sigenot*-Druck (Nr. 454) von 1597 vor. [251] Von den *sibn weisn meinßtern* (Nr. 455, 456) haben sich Editionen des 17. und 18. Jahrhunderts erhalten, wobei anzunehmen ist, daß die von Jakob ben Meir Maarsen besorgte Übertragung eine niederländische Fassung zur Vorlage hatte. Auch in der Hs. München 100 finden wir die jüdisch-deutsche Umschrift des deutschen Volksbuchs. [252] Als Vorlage dürfte die deutsche Ed. Augsburg 1515 gedient haben, wie ein Textvergleich zeigt. [253]

Weitere Bearbeitungen deutscher Volksbücher sind mit *kisar oktafianus* (Nr. 458) aus dem Jahre 1730 [254], der *Historie von Ritter Siegmund und Magdalena* (Nr. 459–461) vom Beginn des 18. Jahrhunderts [255], der *maasse floris un' plankfler* (Nr. 462) ebenfalls vom Beginn des 18. Jahrhunderts [256], *Fortunatus mit seinem Säckel und Wünschhütlein* (Nr. 463) vom Jahre 1699 [257] sowie mit der *getreien parisrin* (Nr. 465) zu nennen. Ein Vergleich mit den deutschen Volksbüchern zeigt, daß sie alle im großen und ganzen reine Raubdrucke jener Heftchen sind, die von Händlern auf Jahrmärkten und von Hausierern an den Türen zum Kauf angeboten wurden. Die jüdisch-deutschen Drucke transponierten die Schrift lediglich in hebräische Lettern, ein Verfahren, daß auch sonst gelegentlich zur Anwendung gelangte, falls man annahm, daß ein deutsches Schriftchen auch für einen jüdischen Leserkreis von Interesse gewesen sein könnte.

Dieses trifft allerdings nicht für die *schen maasse fon kenig artis hof* (Nr. 464), die nicht – wie allgemein angenommen – die Umarbeitung des deutschen Volksbuches durch Josel Witzenhausen darstellt, sondern eine originelle jiddische Schöpfung ist, die dem *Wigalois* des Wirnt von Grafenberg näher steht als dem deutschen Volksbuch. [258] Eine andere eigenständige Bearbeitung des Genoveva-Stoffes brachte Samuel Falkeles 1762 in Prag mit seiner *Historie* (Nr. 466) heraus. Schon früh muß ein jüdisch-deutsches Volksbuch im Umlauf gewesen sein, daß den Titel *di scheine glik* trug. Kornelius Adelkind kritisierte das Buch in seinem Vorwort zur Levita' schen Psalmenausgabe von 1545. Auch in der Ed. Prag 1660 des *Bovo-Buchs* fand es Erwähnung.

Auf orientalischen Sagenstoff greifen bekanntlich die volkstümlichen Bearbeitungen der Märchen *ben ha-melech we-ha-nasir* (Nr. 467) zurück. Bereits die Hs. München 355 brachte ja eine solche volksbuchartige Fassung. Noch in späten Drukken des ausgehenden 18. Jahrhunderts liegt dieser Volkslesestoff vor.

c) *Volksmedizinische Schriften*

Medizinische Volksbücher sind in den *segullot u-refuot* erhalten geblieben. Sie gelangten im Anschluß an die volksmedizinischen Traktate des Mittelalters zur Anwendung. *segullot u-refuot* (Heilmittel und Arzneien), oft auch *sefer refua* oder *refuot u-segullot* genannt, waren »allgemeine Bezeichnungen und auch mitunter die besonderen Titel für die Schriften populärer Heilkunst und Sympathie, welche durch das Zusammenwirken verschiedener Einflüsse großenteils aus superstitiösen Elementen bestehend zuletzt für alle Aufgaben des Lebens – ja sogar für verbrecherische Zwecke – probate Mittel bereit[hielten]«. [259]

Trotz aller religiöser Gebote konnten auch die Juden dem Aberglauben des Mittelalters nicht widerstehen, zumal kabbalistische Strömungen seit dem 13. Jahrhundert den Glauben an die Wirkung abergläubischer und mantischer Mittel durch und durch genährt hatten. So war es kein Wunder, volkstümliche Arzneimittellehren schon unter dem frühen Schrifttum (vgl. S. 12 ff.) anzutreffen. Die verordneten Rezepte beruhten auf medizinischem Wissen und pharmazeutischen Kenntnissen, die sich der Rofe, der jüdische Arzt, meist an den Universitäten Oberitaliens angeeignet hatte. Zunächst noch als eine Art Gedächtnisstütze dienend verfolgten die Rezeptbücher später dann wohl weniger wissenschaftliche Zwecke. Zu den frühen Schriften traten dann zu Beginn des 16. Jahrhunderts eine Menge handgeschriebener Rezeptbücher, die ältere Heilmittellehren kompilierten. Zumindest aber einigen wenigen Arzneimittelbüchern dieser Zeit darf man zugestehen, daß sie weniger auf reinen Volksmitteln aufbauen als vielmehr den medizinischen Wissensstand ihrer Zeit kundtun. Zu diesen Ausnahmen rechnet man den *sefer ha-refuot* eines unbekannten Arztes, der sich in der Württembergischen Landesbibliothek in Stuttgart unter der Inv.-Nr. H. B. X. Phys. med. math. 18 befindet (Nr. 437). Die Handschrift ist defekt, von den ursprünglich 506 Rezepten fehlen die ersten zehn. Auf eine Beschreibung des Inhalts der Sammlung können wir hier verzichten. S. A. Wolf hat die Handschrift in der Zeitschrift *Zur Geschichte der Pharmazie* (19/1967, 14–15) ausführlich besprochen. Es sei jedoch noch angemerkt, daß die Rezepte bis zur Nr. 411 die Abschrift eines hebräischen Originals sind. Für die nachfolgenden Ergänzungen (Nr. 412 ff.) läßt sich jedoch nicht mit Sicherheit eine hebräische Vorlage nachweisen. Übrigens folgt nach Nr. 411 (Bl. 95 b) ein Kolophon, das den 22.

Tamus 1508 als Datum der Schriftlegung dieses ersten Teils der Rezeptsammlung nennt. Blatt 68 und Blatt 69 enthält die eingefügte anatomische Skizze eines Mannes. Sie trägt das Datum 1574, so daß anzunehmen ist, daß sie von einem späteren Besitzer der Handschrift stammt.

Ehe wir zu den gedruckten Rezeptbüchern übergehen, sei noch erwähnt, daß in der Hs. Oppenh. 1648, 4° (Nr. 438) vom Jahre 1583 eine von einem gewissen Mose ben Jakob gearbeitete jüdisch-deutsche Fassung des *Spiegel der Arznei* des Laurentius Fries vorliegt. Es ist ohne Zweifel die Ab- bzw. Umschrift einer früheren Druckausgabe dieses populären medizinischen Buches, das in etlichen Straßburger Drucken aus der ersten Hälfte des 16. Jahrhunderts erhalten geblieben ist. [260] Der Schreiber bemerkt im Epigraph, daß er dieses Buch für seinen Schwiegervater Schalom bar Joez Rofe kopiert hat. Er beendete seine Arbeit am 17. Aw des Jahres 1583. Gleichzeitig berichtet er von Auseinandersetzungen der Kölner Judenschaft mit der hohen Geistlichkeit der Stadt, als deren Folge die Übersiedlung der Juden zum rechtsrheinischen Mülheim erfolgte. Schalom bar Joez Rofe dürfte mit dem Vater des Jechiel ben Schalom, von dem im Zusammenhang mit handschriftlichen Kommentaren zu Hiob und den Sprüchen (vgl. S. 73) die Rede war, identisch sein.

Gedruckte medizinische Volksbücher liegen erst seit der zweiten Hälfte des 17. Jahrhunderts vor. Bezeichnenderweise zählten zu ihren Autoren meistens Juden aus dem östlichen Raum. Ob allerdings darin eine Verbindung zu den in Polen neu aufkeimenden kabbalistischen Trieben zu suchen ist, kann mit Sicherheit nicht festgestellt werden. Für diese Annahme sprechen einige mystische Anspielungen, die bereits im Titel der Rezept- und Arzneibücher erscheinen. So trägt z. B. das 1651 in Amsterdam bei Juda ben Mordechai gedruckte Heilmittelbüchlein des Juda Isaak Darschan ben Jakob David Zausmer den Titel *mazzil nefaschot* (Nr. 460), was soviel wie »Seelenretter« bedeutet. Der Autor stammte aus dem polnischen Chentschin, sein vor 1644 gestorbener Vater war Rabbiner in Zausmer bei Krakau gewesen. Das nur acht Seiten umfassende Rezeptbuch beschreibt Heilmittel für eine schnelle Hilfe in dringenden Krankheitsfällen, besonders für Kinderkrankheiten. Gleichfalls im Ostraum, nämlich in Kalisch, wirkte der Arzt Moses ben Benjamin Wolf Mesritz, kurz Mosche Kalisch genannt. Er verfaßte zwei populäre medizinische Schriften, die in den siebziger Jahren des 17. Jahrhunderts im Druck erschienen sind. Das erste, der *sefer jeruschat moscheh* (Erbteil Mosis – Nr. 441) behandelt auf 28 Seiten Krankheiten und dafür bestimmte Medikamente. Das andere Arzneibuch, das zwei Jahre später folgte, trug den Titel *jarum moscheh* (Es erhebt Moses – Nr. 442).

Wie fast allen Titeln dieser Sparte volkstümlicher Sachliteratur mangelte es auch diesen beiden an inhaltlicher Orientierung, was allerdings durch umfangreiche Inhaltsangaben ausgeglichen wurde. Mosche Kalisch erwarb sein Doktordiplom in Rom – wie wir aus der Vorrede zum *sefer jeruschat moscheh* erfahren. Sein Studium hatte ihn alle seine finanziellen Ersparnisse gekostet. Freimütig bekennt er:

man kan wol farstēn, wo eß mir fēlt.
doß dokteriren koßt fil gelt;

רדף צדקה וחסד ימצא חיים צדקה
וכבוד :

ספר חיי עולם

זה שמו וזה זכרו׳ יען ההוגה בו
וישמור מצותיו חקתיו ותורותיו
ימצא חן ושכל טוב בעיני
אלדים ואדם בעולם
הזה׳ וחלקו
בחיים
לעולם הבא :
(ולזה) אלהים יחננו ויברכנו
יאר פניו אתנו
סלה :

דאז בוך דעש איביגן לעבנש :
אלעס דעבן דאז עש ליגן אונ׳ איט ולייס וויש דאריבן
בינריפֿן אישט ביהלטן׳ אונ׳ אין צו ווערק
ריכֿטן׳ גיבאד אין דיזר וועלט בייא
גאט אונ׳ אובטן מענשן׳ דר
בוך אבר דאש איבּגֿ
לעבן ער ווירבט :
דאר צו אובש דאן דער גוטי׳ גאט וואטליכֿ׳ וועלי
ור העלפֿן :
נדפס במדינת בריסגויא ע״י ישראל זיפרוני בשנת שמ״ג לפ״ק :

Abb. 5: sefer chajje olam (dos buch deß ebigen lebenß), Ed. Freiburg i. Br. (oder: Breisach?) 1583. Drucker: Israel Sifroni. Exemplar der Bayerischen Staatsbibliothek München

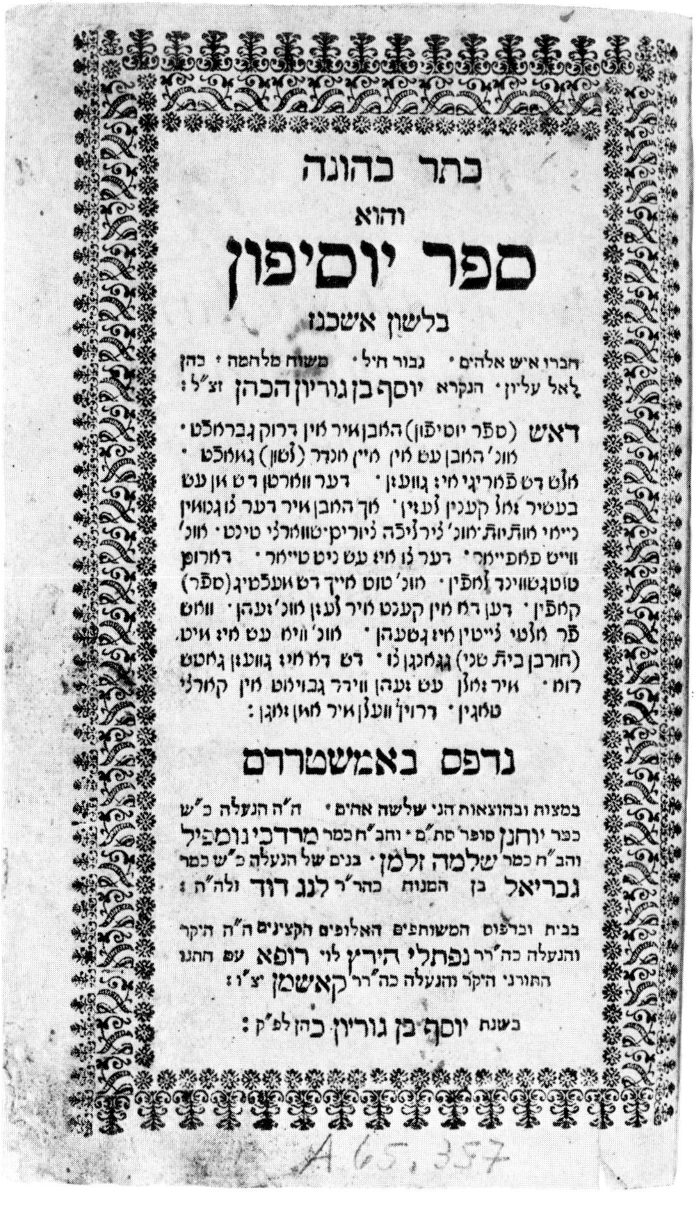

כתר כהונה

והוא

ספר יוסיפון

בלשון אשכנז

חברו איש אלהים · גבור חיל · משוח מלחמה · כהן
לאל עליון · הנקרא יוסף בן גוריון הכהן זצ"ל :

דאש (ספר יוסיפון) האבן איר אין דרוק גבראכט ·
אונ' האבן עס אין איין אנדר (לשון) גמאכט ·
אלז דש פאריגי איז גוועזן · דער ווארטן דש אין עס
בעשיר זאל קענין לעזין · אך האבן איר דער צו גנומין
נייאי אותיות · אונ' זיר ליכה ליוריק · ווארלי טיכט · אונ'
ווייס פאפייאר · דער צו איז עס ניט טייאר · דארום
טוט גשווינד לאפין · אונ' טוט אייך דש אעלטיג (ספר)
קאפין · דען דא אין קענט איר לעזן אונ' זעהן · וואש
פר אלטי צייטין איז גשעהן · אונ' ווי עס איז אויך
(חורבן בית שני) גגאנגן צו · דש דא איז גוועזן גאטש
רוא · איר זאלן עס זעהן ווירד גבויאט אין קארצי
טאגין · דרויף וועלן איר אמן זאגן :

נדפס באמשטרדם

במצות ובהוצאות הני שלשה אחים · ה"ה הנעלה כ"ש
כמר יוחנן סופר סת"ם · והב"ח כמר מרדכי נומפיל
והב"ח כמר שלמה זלמן בנים של הנעלה כ"ש כמר
גבריאל בן המנוח כהר"ר לנג דוד ולה"ה :

בבית ובדפוס המשותפים האלופים הקצינים ה"ה היקר
והנעלה כה"רר נפתלי הירץ לוי רופא עם התנ
התורני היקר והנעלה כה"רר קאשמן יצ"ו :

בשנת יוסף בן גוריון כהן לפ"ק :

Abb. 6: sefer jossipon, Ed. Amsterdam 1743. Exemplar der Bayerischen Staatsbibliothek München

den eß hot ton lang gewеren,
deriber hob ich ton farzeren!
derum hob ich doß bichlein gemacht aso klein,
as ich sol wider kenen kumen in mein land arein.

Um ja genügend Käufer zu werben, schließt er an:

derum los eich doß bichel zu kaufen nit fardrīßen;
den derinen stēn lauter gesisse sachen,
wi men sich selbßt ken refuoß (= Arzneien) machen
un mit wenig gelt
ken men sich doß leben derhalten auf die welt!

Das zweite medizinische Volksbuch des Mosche Kalisch, *jarum moscheh,* beruht im wesentlichen bloß auf einer umgearbeiteten und erweiterten Neuauflage des *sefer jeruschat moscheh.* [261] Hinweise auf die Bezeichnungen der einzelnen Arzneimittel entnehmen wir dem Vorwort zum *jarum moscheh*:

mußt ir auch wol in acht nemen,
doß ale sachen fun di refuoß,
doß in disen ßefer kumen,
di hob ich aso gestelt
gleich wi si in di apoteken weren gemelt.
den seinen fil sachen refuoß farhanden,
doß si werden anderßt genent in andere landen.
ober die apoteker uiberal tun alß gleich nenen,
aso wert do arinen nit felen kenen.

Über die (hebräischen?) Vorlagen der beiden Arzneibücher läßt sich nichts aussagen. Ihre Originalität besteht einerseits in ihrem ausschließlich jiddischen Text, zum anderen lediglich in Auswahl und Zusammenstellung der Rezepte. Mosche Kalisch hat – wie er selbst eingesteht – aus mehreren Quellen geschöpft. Sie bleiben jedoch ungenannt, dagegen werden mehrmals Hippokrates (»dokter ipokrot«) und Galenus (»dokter galeniß«) als Autoritäten erwähnt.

Die Aphorismen des Hippokrates bilden die Grundlage zum *beer majim chajim* (Brunnen des lebendigen Wassers – Nr. 443), einer Schrift über Heilkunde und Heilmittel, die Issachar Bär ben Jehuda Löw Teller mit einem jüdisch-deutschen und einem hebräischen Teil zusammenstellte. Sie erschien noch Ende des 17. Jahrhunderts in Prag, ebenso ein zweites, aus medizinischen und kabbalistischen (!) Schriften zusammengetragenes Arzneibuch des Issachar Bär, dem er den herkömmlichen Titel *segullot u-refuot* (Heilmittel und Arzneien – Nr. 444) gab. Ähnliche Werke verfaßten unter gleichlautendem Titel Zebi Hirsch ben Jerechmiel Chotsch aus Krakau (Nr. 445) und Mordechai Gimpel ben Elasar Hendels aus dem oberschlesischen Zülz (Nr. 446) zu Beginn des 18. Jahrhunderts. Beide schöpften u. a. aus den Schriften des Issachar Bär.

Seit Beginn des 18. Jahrhunderts war auch das in Amsterdam gedruckte, für Frauen bestimmte Heilmittelbuch *kunstbichl und weiberhilf* (Nr. 448) im Umlauf. In seiner Popularität wurde es nur noch von einem irrtümlich dem Maimonides zugeschriebenen jiddischen Arzneibuch erreicht. Der Irrtum beruhte auf der Nennung des Namens des berühmten jüdischen Religionsphilosophen und Wissenschaftlers (12. Jh.) im Titel:

> doß berimte bichlein/ bestēt in/ ßeguloß u-refuoß/
> unt kunßtsticken/ di sēr nutzlich senen for den olom
> (= Welt), wen der ben odom (= Mensch)/ in ein not stekt,
> doß īm cholilo (= es sei ferne!) etwoß zukumt/
> un kan nit bald ein doktor hoben, sol er dise haus/
> mitel brauchen; den doß buchlein sprozz noch/
> aher fun misch' pachaß rabenu (= vom Geschlecht)/
> mosche maimoni (des Moses Maimonides).

S. A. Wolf widerlegte bereits den Anspruch dieses Arzneibuches auf eine Urheberschaft des Maimonides einleuchtend [262]. Die gedruckte Sammlung empirischer Heilmittelverfahren geht höchstwahrscheinlich auf mehrere jiddische Handschriften zurück. Der Kompilator hat sein Arzneibuch möglicherweise selbst gedruckt und verlegt, wobei er großes Geschick in der Werbung von Käufern bewiesen hat. Magische Signale wie das im Titel verwendete »kunßtsticke« – hierunter waren abergläubische Geheimmittel zu verstehen – lockten nur allzu leicht leichtgläubige Buchkäufer an.

Ein Blick ins Innere des *berimten bichlein* zeigt, daß die Leser mit Bestimmtheit das vorfanden, was sie sich erhofft hatten. Das Buch beginnt mit Mitteln gegen Zahnweh, Zahnfleischerkrankungen und lockere Zähne. Es schließen sich Rezepte gegen Magenbeschwerden an, die z. B. Mittel aus der sogenannten »Dreckapotheke« kräftig ausschöpfen. Unter den eigentlichen Geheimmitteln findet sich vieles aus der »Hausapotheke und Hexenküche« wieder, und selbst unter den kosmetischen Rezepten kommen abergläubische Mittelchen zur Anwendung. Nicht immer handelt es sich um typisch jüdische Heilverfahren und Mittel. Es erscheinen z. B. Besprechungsformeln, wie sie in entsprechender nichtjüdischer Literatur schon früher anzutreffen waren. Dagegen entspricht der Gebrauch von Amuletten und anderen magischen Anhängseln durchaus jüdischen Gepflogenheiten.

Das ohne Angabe von Druckort und Druckjahr wohl zu Beginn des 18. Jahrhunderts in Deutschland entstandene Rezeptbuch stellt einen der letzten gedruckten Nachläufer des vornehmlich im 16. und 17. Jahrhundert verbreiteten jiddischen Typus volksmedizinischer Literatur dar. Insgesamt konnten nur wenige Exemplare dieser Art des Volkslesestoffs der Nachwelt überliefert werden, [263] zu sehr verfolgte sie der Bannstrahl der jüdischen Geistlichkeit. Von den zahlreichen Methoden der Mantik haben wir unter den jiddischen Volksbüchern leider nur ein Zeugnis erhalten: *chochmat ha-jad* (oder *chochmat ha-schirtut*). Dieses Chiromanthie und Metoposkopie behandelnde Werk eines unbekannten Autors enthält eine Hamburger Handschrift, die Steinschneider (Serapeum Nr. 403) als *jedidat jedajim* (Nr. 439) beschreibt.

Auch an Traum-, Los- und Rätselbüchern sind nur wenige aufzuzählen. Die Bibliographie führt sie unter Nr. 470 ff. an. Wie sehr z. B. Traumbücher gefragt waren, geht schon aus der Tatsache hervor, daß der stets gut kalkulierende Sabbatai Bass 1695 einen Nachdruck der ein Jahr vorher erstmals in jüdisch-deutscher Fassung herausgegebenen *pitron chalomot* (Auslegung der Träume – Nr. 471) des Hirz Osers besorgte. Ähnliche Beliebtheit hatte der *sefer ha-goral* (Buch des Loses – Nr. 472) erfahren. Sein Autor, der jugendliche Pheibel (Phöbus) ben Löw Präger, nimmt darin eine Schicksalsbestimmung durch das Lösen von Knoten vor.

d) Didaktischer Lesestoff

Seit dem frühen 16. Jahrhundert zeichnete sich innerhalb der jüdisch-deutschen Literatur eine Entwicklung ab, die im orthodoxen jüdischen Schrifttum undenkbar gewesen wäre. Auf der Grundlage der Hl. Schrift wurden philologische Abhandlungen über die hebräische Sprache erstellt. Sie zählten bald ebenso zum allgemeinen volkstümlichen Lesestoff wie die rasch Verbreitung findenden Briefsteller, Stilübungen und Schreiblehren und die seit dieser Zeit immer häufiger im Druck erscheinenden mathematischen Lehrbücher. Sie alle kamen einem dringenden Bedürfnis nach, indem sie dort, wo die jüdische Bevölkerung in sehr kleiner Anzahl vertreten war und isoliert von entfernteren jüdischen Gemeinden lebte, den Cheder, die Schule, ersetzen mußten.

Gedruckte Hebräisch-Grammatiken und Schreiblehren in jüdisch-deutscher Sprache sind in Schulbüchern des ausgehenden 16. Jahrhunderts überliefert. Es war der bekannte Drucker und Verleger Isaak ben Ahron Proßnitz, der zwischen 1593 und 1595 eine Einführung und grammatischen Kommentar zur Hl. Schrift, von Naftali Hirsch ben Ascher Altschul unter dem Titel *ajjalah scheluchah* (Schnelle Hirschkuh – Nr. 604) zusammengestellt, herausgab. Diese Sprachlehre bringt nicht nur zahlreiche jüdisch-deutsche Worterklärungen, sondern enthält zudem den gesamten Pentateuchtext (in hebräischer Sprache). Etwa zur gleichen Zeit (1597) wurde in Prag ein hebräisches Grammatik-Kompendium mit Konjugationstafeln veröffentlicht, das Josef ben Elchanan Heilbronn verfaßt hatte. Der Titel des hauptsächlich für Kinder bestimmten Buches lautet bezeichnenderweise *em ha-jeled* (Mutter des Kindes – Nr. 605). Ebenfalls als *Unterweisung für Kleine* war der so betitelte *sefer chinnuk katan* (Nr. 607) gedacht. Er führt am Schluß mehrere hundert hebräischer Wörter und deren deutsche Übersetzung zur Einübung auf. Die nach dem alten Oppenheim'schen Katalog von Steinschneider (Serapeum Nr. 73) angegebene Verfasserschaft des Israel ben Abraham und die von Fürst (BJ I, 207) behauptete Verfasserschaft des Salomo ben Juda Löw Dessau wurden bereits unter Hinweis auf das weit höhere Alter des *sefer chinnuk katan* zurückgewiesen [264]. Seine erste Ausgabe erschien bereits 1640 in Krakau. In der folgenden Zeit wurde diese populäre Sprachlehre mehrmals nachgedruckt, und noch 1713 wurde in Amsterdam eine von Israel ben Abraham Abinu bearbeitete Neufassung unter dem Titel *mafteach leschon ha-kodesch* (Schlüssel der hl. Sprache – Nr. 612) veröffentlicht.

Einen ähnlich großen Anklang gefunden hatte das oft zitierte dreisprachige Bibelglossar *mikra dardeki* (Kinderlehren – Nr. 607), das hebräische Wortwurzeln jüdisch-deutsch und spanisch erklärt. An übrigen *Kinderlehren* seien noch *masach ha-petach* (Vorhang des Eingangs – Nr. 610), die von dem Grammatiker und

Raschi-Erklärer Isaak ben Jesaja Auerbach zusammengestellten *girsa de-januka* (Lernen des Knaben – Nr. 611) und *schuta de-januka* (Rede des Knaben – Nr. 617) sowie *derech ha-kodesch* (Hl. Weg – Nr. 615), *jesod leschon ha-kodesch* (Grundlage der hl. Sprache – Nr. 616) und *schuta de-januka* (Rede des Knaben – Nr. 617, genannt. Sie alle gehören der ersten Hälfte des 18. Jahrhunderts an und verdanken ihre Veröffentlichung dem starken Aufschwung der Übersetzungsliteratur dieser Zeit. In der zweiten Hälfte des 18. Jahrhunderts wurden nur noch wenige Sprachlehren und Wörterverzeichnisse neu verfaßt. Zu ihnen zählen die beiden ins Jüdisch-Deutsche übertragenen Einführungen in die hebräische Grammatik *chen ha-leschon* (Nr. 618) und *eben jisrael* (Nr. 619).

Eines der weitverbreitesten Sprachlehrbücher des 18. Jahrhunderts behandelte die jüdisch-deutsche Sprache selbst. Es wurden von Chajim ben Menachem Manusch Glogau vor 1717 zusammengestellt und trägt den Titel *mareh ha-ketab bi-leschon aschkenas we-rasche tebot* (Unterweisung in Schrift und Sprache des Deutschen und der Abbreviaturen – Nr. 613). Die vornehmlich für Frauen bestimmte Sprachlehre führt ins Lesen und Schreiben des Jüdisch-Deutschen ein. Ferner enthält sie Vorschriften über die Vokalisation und Abkürzungen, über die Schreibweise von Personen- sowie polnischer und deutscher Ortsnamen. Im Anhang der Erstausgabe erscheint ein jiddisches Vokabular. Darüber hinaus bringt der Verfasser die Ankündigung des Messias für das Jahr 1717, ein im Schrifttum dieser Zeit häufig zu beobachtender Usus.

Die Ähnlichkeit einer fast gleichlautenden, angeblich von Eber ben Petachja Ungarisch-Brod erstellten Unterweisung in Schrift und Sprache des Jüdisch-Deutschen ist unverkennbar. Der Behauptung Steinschneiders (Serapeum Nr. 206), daß es sich beim *sefer mareh ha-ketab we-rasche tebot* (Nr. 614) um ein Plagiat der Glogau'schen Schrift handele, kann nicht widersprochen werden.

Ein Unikum begegnet uns in einer handschriftlichen, ums Jahr 1600 von Julius Conrad Otto angelegten syrischen Grammatik in jüdisch-deutscher Beschreibung. Diese *sirische grammatika* findet Erwähnung in de Murrs Verzeichnis Nürnberger bibliothekarischer Denkwürdigkeiten (Nr. 606).

Neben den Sprachlehren fanden Wörterbücher Verbreitung, deren frühestes 1590 in Krakau gedruckt worden ist. Es trägt den Titel *sefer dibur tow* (Buch der guten Sprache – Nr. 620) und bringt ein hebräisch-italienisch-jüdisch-deutsches Wörterverzeichnis. Noch verfeinerter und ums Lateinische erweitert verfuhr das von Nathan (Nata) ben Moses Hanover Aschkenasi zusammengestellte, siebzig Jahre später in Prag veröffentlichte Viersprachenwörterbuch *sefer safa berurah* (Buch der reinen Sprache – Nr. 621), während das umfangreiche hebräisch-jüdisch-deutsche Wörterbuch *aruch ha-kazur* (oder *kizur aruch* – Nr. 623) ein Rückfall auf mittelalterliche Glossare und Worterklärungen bedeutete.

Stilübungen, wie sie Moses ben Michael Kohens *et sofer* (Nr. 624) aufführt, leiteten Anfang des 18. Jahrhunderts zu Briefstellern über, derer sich in erster Linie die jüdischen Frauen bedienten. Gereimte schablonenhafte Redewendungen kamen zu Ende des Mittelalters in Mode. Sie gelangten auch noch im ersten Drittel des 18. Jahrhunderts zur Anwendung. So stellten *hatschalot we-s'leschon pas* (Anfänge und Sprache – Nr. 627) und *iggeret schlomoh* (Brief Salomos – Nr. 628) durchaus keine Besonderheiten dar. Als echte Volksschrift können erst recht die *taitschen brifen-kunzepten* (Nr. 629) angesehen werden.

Von Beginn des 18. Jahrhunderts an gelangten auch jüdisch-deutsche Rechenbücher in den Umlauf. Noch 1699 gab der Amsterdamer Vorbeter Arje Löw das arithmetische Lehrbuch *jedidat ha-cheschbon* (Rechenkunst – Nr. 632) heraus. Das Werk eines Fachmanns begegnet uns in der *chochmat ha-mispar* (Rechenkunst – Nr. 630) des Moses ben Chajim Eisenstadt. Seine umfangreiche Rechenlehre berührt auch das Gebiet der Zahlentheorie, indem sie versucht Zahlen in ein nichtdekadisches System zu übertragen. Am Ende des Buches findet sich eine Anleitung für das, ungeachtet der herkömmlichen Methode, rasche Ziehen von Quadrat- und Kubikwurzeln. Wie Wolf (BH III, p. 728) meint, enthält die Hs. Oppenh. 1664, 4° (Nr. 611) die Fortsetzung von Eisenstadts *Rechenkunst.* Zumindest lautet der Anfang dort: [265]

in diesem andern teil des ßefer chochmat ha-mispar will ich erklaeren die große chochma (= Wissenschaft), welche unsere chachomim ha-kadmonim (alten Weisen) in dieser chochma niflaa (wunderbaren Wissenschaft) haben mamzi gewesen (= erfunden haben), indeme diese haubt-chochma der rechenschaft in neun ziffern besteht, die nulle das zehnte ist.

Als genuin jüdische Schriften können die kaufmännischen Lehrbücher *massechet derech erez* (Traktat des Erdenwegs – Nr. 634) und *tikkun sochrim we-tikkun chillufim* (Einrichtung der Kaufleute und Wechsel – Nr. 635) betrachtet werden. Sie erweisen sich nicht nur als nützliche Handbücher für alle den damaligen Händler und Kaufmann berührenden Interessensgebiete, sondern versuchen, das Nützliche zugleich mit dem Erbaulichen zu verbinden. So darf es nicht verwundern, daß sich der erste Teil des im übrigen von Sabbatai Bass zusammengestellten Handbuches für Kaufleute *massechet derech erez* mit Gebeten für Reisende befaßt.

e) Reaktionäres Schrifttum

Gegen die Verbreitung des im großen und ganzen auf deutsche Vorbilder aufbauenden weltlichen Lesestoffs wandte sich gleichzeitig mit dessen Erscheinen eine im traditionellen Sinne der rabbinischen Literatur konzipiertes Unterhaltungsschrifttum, das alte Legenden, Sagen und Historien ausschöpfte. Zu einer Zeit, als das dichterische Vorbild des Hans Sachs ein weites Gebiet deutscher Literatur bestimmte, versuchten sich jüdische Autoren in der Zusammenstellung eigener, auf hebräische Quellen zurückgehender Fabelsammlungen. Zwar gelang es ihnen dabei, sich sowohl stofflich wie auch stilistisch vom Vorbild des großen deutschen Poeten zu lösen, doch waren die Ergebnisse dermaßen kläglich, daß sie bei weitem unter dem Niveau ihrer hebräischen Quellen stehen blieben.

Diese Feststellung trifft ohne Einschränkung auf die von Jakob ben Samuel Bunem Koppelmann aus dem Hebräischen übertragenen *mischle schualim* (Fuchsfabeln – Nr. 475) zu. Sie können als ein treffendes Beispiel schlechter Nachdichtung gelten; denn das hebräische Original des Berechja ben Nitronai Krespia ha-Nakdan steht doch literarisch ungleich höher. Koppelmann gelang es, in seiner gereimten

Bearbeitung, systematisch die Pointen der Fabeln zu töten, indem er ihre Nutzanwendung gewissermaßen als Motto dem Text voranstellte! So geht z. B. der bekannten Fabel vom Fuchs und den Fischen die Überschrift »einer gibt oft einem rot (= Rat), doß er selben nuz derfun hot«. Es schließt sich daran die Fabel an, wobei zum Schluß für besonders Begriffsstutzige noch einmal das Resumee gezogen wird: [266]

> ein beispiel zu einem, der einem git ein rot gar gut.
> er gedenkt sich aber ăch wol in seinem mut.
> er denkt: ich wil dir ein rot geben,
> der mir is gar gut un gar eben.

Die Fabelsammlung wurde in Freiburg i. Br. (oder Breisach) [267] 1588 auf Betreiben des Israel Sifroni veröffentlicht. Über 100 Jahre später erschien bei Johann Wust in Frankfurt a. M. eine wesentlich geistvollere Umarbeitung, die sich eng an die hebräische Quelle hielt. Die mit kunstvollen Holzschnitten versehene Ausgabe trägt den Titel *sefer meschalim* (Buch der Gleichnisse – Nr. 476). Bekannt wurde sie unter ihrem volkstümlichen Namen *ku-buch*. Der Kompilator des Fabelbuchs, Moses ben Elieser Wallich, schöpfte nicht nur aus dem hebräischen *sefer mischle schualim*, sondern auch dem *sefer meschal ha-kadmoni* des Isaak ben Salomon Ibn Abi Sahula, einem erstmals 1490/91 in Soncino gedruckten (hebräischen) Fabelbuch, das auch in einer jüdisch-deutschen Bearbeitung des Gerson Wiener vom Jahre 1749 (Nr. 477) vorliegt. Das *Ku-Buch* knüpfte in seiner literarischen Gestaltung an ein gleichnamiges, gereimtes Fabelbuch des Abraham ben Mattathias an. Die Sammlung der Fabeln, die 1555 vermutlich in Verona veröffentlicht worden ist (Nr. 474), bedient sich in lesbarer, unterhaltender Form ebenfalls der Fuchsfabeln des Berechja und der Fabeln des Isaak Sahulas.

Ihren absoluten Höhepunkt erreichte das religiös-reaktionäre Schrifttum in dem von starkem jüdischen Selbstbewußtsein geprägten *Maasse-Buch*. Dieses volkstümlichste aller jüdisch-deutschen Werke stellte gleichermaßen Vollendung und Schlußstrich der älteren Novellistik wie auch den Beginn einer über zwei Jahrhunderte andauernden literarischen Richtung dar.

Die »maasse«, die jiddische Novelle, erwuchs aus dem mündlich überlieferten Erzählstoff des Mittelalters. Sie vereinte in kombinatorischer Komposition internationale Folklore mit spezifisch jüdischer Volkskunst. Meist flossen die Motive aus zwei Quellen: hebräischen, die bekanntlich bereits indisch-orientalischen Sagen- und Märchenstoff, aber auch europäischen Legenden- und Volkserzählstoff verarbeitet und erhalten hatten, und aus den Nationalliteraturen Europas, vornehmlich der deutschen, italienischen und slawischen. Wichtigste Bezugsquelle blieben jedoch die Erzählstoffe von Midrasch und Talmud.

Einem sichtbaren Nachweis derartiger kombinatorischer Kompilation begegnen wir in den vier Novellen eines unbekannten Autors, dem *maglena-lid* (Nr. 461), der *maasse fun ein challa* (Nr. 497), der *maasse man un weib* (Nr. 499) und der *maasse fun schlomoh ha-melech* (Nr. 496). Dieser Anonymus – seine Erzählungen wurden in der zweiten Hälfte des 17. Jahrhunderts in Prag herausgegeben – war stark belesen in der traditionellen jüdischen Literatur und in der nichtjüdischen

Belletristik. Ansonsten wissen wir nichts über ihn. Daß er als Autor der vier genannten Bücher in Frage kommt, erkennen wir aus den korrespondierenden Stilmerkmalen und der Aufmachung der Texte. Als wesentliches Charakteristikum der Novellen ist die Verarbeitung verschiedenster literarischer Quellen zu einem gefälligen Ganzen festzustellen. So verstand es der Verfasser, Motive und Episoden aus Boccaccios *Decamerone* (1348–53) mit rein jüdischem Erzählstoff in volkstümlich-lebendigem Stil gekonnt zu verknüpfen. Die *maasse fun ein challa* umschreibt die dekameronische Novelle von der im Brautstand vergewaltigten Sultanstochter, allerdings in einer auf jüdische Leser zugeschnittenen Form. So erfordert die Judaisierung des Stoffes u. a. die rechtzeitige Errettung der Braut aus ihrer prekären Lage. Noch stärker kommt die Neigung des Autors, europäische Novellenstoffe in judaisierter Bearbeitung zu kombinieren, in der *maasse (fun) man un weib* zum Ausdruck. Erik (a. a. O., 339 f.) stellte bereits fest, daß diese Geschichte Motive aus dem *Decamerone,* den *Sieben weisen Meistern* und dem (jiddischen) Artusroman vereinigt. Hingegen greift die *maasse fun schlomoh ha-melesch* vornehmlich auf midraschischen Stoff zurück, während das *maglena-lid* eine gekürzte und recht eigenartige Fassung der jiddischen *Historie von Ritter Siegmund und Magdalena* zum Inhalt hat.

Es darf nicht verwundern, daß Boccaccios *Decamerone* – für lange Zeit ohnehin das Leitbild europäischer Novellendichtung schlechthin – auch in der jiddischen Literatur Verwendung gefunden hat. Besonders während des 17. Jahrhunderts machte sich der Einfluß dieser klassischen italienischen Novellensammlung stark bemerkbar. Zu Beginn des 18. Jahrhunderts erlebten Boccaccios Erzählungen noch einmal eine kurze Renaissance, wobei jedoch einzuschränken ist, daß die von dem bekannten Übersetzer Josef ben Jakob Maarsen 1710 in Amsterdam veröffentlichten *schönen artlichen geschichten* (Nr. 503) sprachlich gekünstelt wirken. Die Abfassung in einem annähernd hochdeutschen, dem Jiddischen kaum entsprechenden Sprachstil ergab sich aus der recht unbequem zu übertragenden, rund 100 Jahre älteren niederländischen Quelle. Zudem mußte Maarsen darauf Rücksicht nehmen, daß die in dieser Zeit nach Amsterdam und Umgebung einwandernden deutschen Juden größtenteils dem oberdeutschen Sprachraum entstammten. Sie hätten den spezifisch niederländisch- bzw. niederdeutsch-jüdischen Dialekt wohl kaum verstanden.

Zu den Vorläufern der im 17. Jahrhundert anhebenden jüdisch-deutschen Novellistik können die an früherer Stelle (vgl. S. 26 f.) beschriebenen Erzählungen im Sammelband Loewe no. 136 gerechnet werden. Elf frühe »maassioss« bewahrt die Hs. Oppenh. 1706, 4° (Nr. 481) auf. Die neunte Erzählung vermerkt das Datum 1579, so daß man annehmen kann, daß die Handschrift nach 1579 abgefaßt worden ist.

Die bedeutendste Novelle des 16. Jahrhunderts begegnet uns in der *maasse beria we-simra,* die als eine der wenigen Erzählungen ihrer Zeit mit der traditionellen phantastischen Erzählweise bricht. Sie besitzt bereits einen realistischen Kern und zeichnet wirkliche Charaktere, die uns an den historischen Stätten Jerusalems und Roms begegnen: Simra, Sohn des Tobias, ein angesehener gelehrter Richter, beweist seine »salomonische« Urteilsfähigkeit vor dem König. Er muß einen Richterspruch über einen zweiköpfigen Menschen, der zweifach erben will, fällen. Auf einem Fest, das der Hohepriester gibt, verliebt sich Simra in dessen Tochter Beria. Sie erwidert seine Liebe, doch verweigert der Vater beiden seinen Segen wegen der niedrigen Herkunft des Simra. Der Hohepriester trachtet danach, Simra zu entfernen und es ergibt sich dazu bald Gelegenheit. Der judenfeindliche Papst in Rom verbietet den Juden die Ausübung traditioneller Riten (Beschneidung, Reinigungsbad der Frauen usw.). Mit dem Versprechen, Beria zur Frau zu erhalten, schickt der Hohepriester Simra zum Papst, um dessen Rücknahme der Verbote zu erreichen. Tatsächlich gelingt es nun dem Simra – mit Geld und Argumenten – den Papst umzustimmen, doch die versprochene Einwilligung in die Heirat versagt der Hohepriester den beiden Liebenden. Daraufhin hält sich der geprellte Simra bei der ihm treuen Beria schadlos. Als er sie jedoch des morgens verläßt, stirbt Beria – zu groß ist der Schmerz der Trennung! Auf wunderliche Weise kommt das verliebte Paar im Paradies wieder zusammen und erlangen hier von Gott den Segen. Am Ende heißt es in der Hs. München 100 (Nr. 480), die auf Blatt 67 bis 73 die »maasse« enthält: [268]

es war eine solche koußtliche braulift (= Hochzeit),
die nie is in keiner kehille (= Gemeinde) gewesen. –
nun, ir libe leut, hot ir wol in dem bichlein gelesen,
was die groß libschaft brengt.
der halben ein itlicher sich wol bedenkt.
as draus möcht werden.
es sind nun vil hüpsche un' frume leut ouf erden,
die īm möcht werden zuteil,
hot er anderßt das glück un' heil.
damit wil ichs vol enden!
got sol uns auch den alten gruan man (d. i. Elias) senden
un' mit īm brengen meschiach zwar,
un' das sol geschehen in disem jar!

Aus dem nachfolgenden Kolophon erfahren wir den Namen des Schreibers: Jizhak bar Jehuda s. l. Reutlingen. Er fertigte die Handschrift im Jahre 1580 an.

Die erste (?) Druckausgabe dieser populären Erzählung veröffentlichte 1597 in Venedig Josef ben Gerson Bak. Seine Söhne gaben zwischen 1657 und 1662 in Prag einen Neudruck (Nr. 494) heraus, dem noch die Ed. Frankfurt a. O. 1732 folgte. [269] Das Interessante an diesen Ausgaben ist, daß Baks Söhne eine andere Fassung der Novelle als ihr Vater druckten. Die Venetianer Edition brachte gegenüber der handschriftlichen Version, dem Prager und Frankfurter Druck eine gekürzte Lesart der Erzählung. Handschrift, Ed. Prag und Ed. Frankfurt stimmen fast wörtlich überein, doch weist die Arbeit Jizhak Reutlingens einige eigenständige Redewendungen und Bemerkungen auf. Daraus ist zu schließen, daß noch eine ältere, wahrscheinlich schon gedruckte Vorlage existiert haben muß. Diese könnte bereits Josef ben Gerson gekürzt haben. Die beiden späteren Drucke gehen nicht auf die Handschrift zurück, sondern – wie Erik (a. a. O., 349) aufgrund einer Analyse des Schreibstils feststellte – ebenfalls auf die unbekannte Vorlage. Dabei kann nicht ausgeschlossen werden, daß der jiddischen Novelle möglicherweise eine hebräische Quelle zugrunde gelegen hat. Einen frühen Konstantinopeler Druck vom Beginn des 16. Jahrhunderts vermerkt Erik an besagter Stelle.

Zu den frühen gedruckten Novellenbüchern gehört auch die *maasse fun westindie* (Nr. 495), die von einem idiotischen Mann erzählt. Eher Legendenhaftes enthält die Erzählung vom Hinscheiden des Mosis. Diese unter dem Titel *petirat mosche schem olam* (Nr. 511 ff.) abgefaßte Wundergeschichte gelangte in zwei Lesarten, die deutliche formale Unterschiede kennzeichnen, zur Veröffentlichung: eine, etwa gegen Ende in Prag oder Krakau herausgegebene Ausgabe faßte die haggadische Erzählung im Prosastil ab, während erst 1678 in Frankfurt a. O. die gereimte Version des Ahron ben Samuel im Druck erschien. Die in der Hs. Uffenbach 90 (Nr. 511) enthaltene Fassung der Legende dürfte eine Abschrift des früheren Druckes sein.

Das *maasse-buch* (Nr. 483) schloß die literarische Entwicklung der frühen jiddischen Novellendichtung ab. Es wurde in der Absicht verfaßt, die auch in jüdischen Leserkreisen kursierenden deutschen Volksbücher und Heldensagen sowie deren jüdisch-deutsche Bearbeitungen zu verdrängen. Entsprechend anzüglich fällt die Ankündigung des *Maasse-Buchs* im Titelblatt der bei Konrad Waldkirch gedruckten Ed. Basel 1602 aus: [270]

ein schoen maasse buch,
kumt her, ir liben manen un vrauen,
un tut doß schen maasse buch onschauen,
doß noch nin, weil der olom (= Welt) schtet,
in druk is worden gebracht.
mit drei hundert un etliche maassim [271],
di do sein al auß di gemoro [272] gemacht,
un ăch auß den rabosso [273] un bechai [274],
un ăch rabi jehudo hechossid maassim [275]
wet eich ăch keinß tun felen,
un ăch auß den ßefer chossidim [276]
un ßefer mussar [277] un auß den jalkut [278],
wi ir wet hintun (= hinten) in meinem ßimonim
/(= Inhaltsverzeichnis) tun sehen.
drum ir liben vrauen,
ir hot nun di *taitsche bicher* al vor;
izunder hot ir ăch di taitsche gemoro,
aso wet ir hoben kol hatoro kulo (= die ganze Lehre) gor.

Aggressiver wird der Ton des Herausgebers in seinem Vorwort, wo er eindeutig gegen die *taitschen bicher* Stellung bezieht:

[...]
drum ir liben manen un vrauen,
leient ir oft dorauß,
so wert ir dorinen behauen.
un nit zu leienen auß dem bicher fun kueen
un ditrich fun bern und meinßter hildabrant
solt ir ăch eich nit tun mien.
[...]

Mit den *bicher fun kueen* ist die 1555 veröffentlichte Fabelsammlung des Abraham ben Mattathias (vgl. S. 108) gemeint, gegen die der Herausgeber wohl nur aus Konkurrenzgründen wettert. Anders verhält es sich dagegen schon mit *ditrich fun bern* und *meinßter hildabrant*, die stellvertretend für alle nichtjüdische, d. h. deutsche Literatur, als religiös verwerflicher Lesestoff kritisiert werden. Und das, obwohl der gleiche Herausgeber, nämlich der Buchdrucker und »pakntreger« Jakob ben Abraham Mesritz, im gleichen Jahr noch die *sibn weisn meinßter* publizierte! Dieses Buch enthält aber nichts anderes als die jiddische Bearbeitung eines ach so verwerflichen deutschen Volksbuches (vgl. S. 100)!

Entstehungsgeschichte und Quellenlage des *Maasse-Buchs* bleiben trotz zahlreicher Untersuchungen im Dunkeln. Mit der Baseler Edition liegt keineswegs die Erstausgabe, sondern lediglich die früheste erhaltene Ausgabe vor. Die im Titelblatt gemachte Angabe, das Buch umfasse über dreihundert Geschichten, ist schwer erklärlich. Tatsächlich finden sich nämlich im *Maasse-Buch*, je nach Ausgabe, nur 254 bis 257 »maassim«. Inhaltlich läßt sich die Sammlung in drei große Zyklen aufteilen:

1.) Maasse 1–157 enthalten talmudisch-agadische Legenden, die in talmudischer Systematik angeordnet sind. Sie beginnen mit der Sabbatlegende, woran sich die Benediktionen (»Barachut«), Sanhedrin usw. anschließen;

2.) Maasse 158–182 schildern die Regensburger Legenden, die sich um Rabbi Schmuel und Rabbi Jehuda ha-Chassid weben;

3.) die restlichen 75 Maassioss haben unterschiedlichen Inhalt. Ihre Quellen lassen sich nicht genau ermitteln. Größtenteils handelt es sich um talmudisch-midraschische Legenden, andererseits wurde auch mittelalterlicher christlicher Legendenstoff verarbeitet. Zusätzlich wurden noch in die Ausgaben des 18. Jahrhunderts (Ed. Frankfurt a. M. 1703, Rödelheim 1753 u. a.) Legenden aus dem Sohar und den mystischen Schriften des Isaak Loria (Maasse H. vom Jahre 1691 und *abir jekub* vom Jahre 1700) aufgenommen.

Die Ankündigung der über dreihundert »maassim« im Titel der Ed. Basel 1602 ist also nicht anders zu interpretieren, als daß dieser Druck die möglicherweise im Laufe der Drucklegung gekürzte Fassung einer älteren Vorlage ist. Dagegen spricht allerdings die kategorische Behauptung des Verlegers, das Buch sei bisher noch nicht veröffentlicht worden.

Jakob ben Abraham Mesritz war, wie wir wissen, nicht der Kompilator des *Maasse-Buchs*, sondern lediglich der Herausgeber der Baseler Ausgabe, zu der er Titelseite und Vorwort entwarf. Insgesamt dürfte das Buch das Ergebnis einer längeren literarischen Entwicklung sein. In ihrem Verlauf übertrugen verschiedene Kopisten und Bearbeiter talmudischer und midraschischer Schriften den Legendenstoff in eine volkstümliche Form. Gegen Ende des 16. Jahrhunderts fand sich dann schließlich ein Redakteur, wahrscheinlich ein deutscher Jude, der unter Verwendung verschiedener hebräischer und jüdisch-deutscher Quellen die Geschichtensammlung zusammenstellte.

Das unterhaltende *Maasse-Buch* erlangte große Popularität, die es in der Verbreitung auf die Stufe des *Bovo-Buchs* und der Frauenbibel *zenne renne* stellte. Allein zwischen 1602 und 1723 erschienen elf, zwischen 1701 und 1723 davon allein acht Ausgaben. Unter den Druckorten überwiegen die westeuropäischen gegenüber den osteuropäischen, eine Entwicklung die im nachhinein die ursprüngliche Absicht des Herausgebers der Baseler Ausgabe in Frage stellte. Der verkündete in seinem Vorwort nämlich noch:

drum ir liben vrauen kauft ir sie behend,
e si werden kumen in vremden lend:
in pehm un in reißen un in polen
aso wert man si āch tun weidlich holen.

Nach dem Vorbild des *Maasse-Buchs* wurde eine Menge Unterhaltungsliteratur im 17. und 18. Jahrhundert verfaßt, deren Titel die Bibliographie ausführlich nennt (Nr. 484ff.). Sie alle weben sich zum großen Teil um bekannte Persönlichkeiten aus der Geschichte der Juden. Daneben behandeln sie auch spezielle historische Ereignisse wie z. B. die *schön maasse* die geschehen ist *noch ehe jehudim haben zu prag gewont* (Nr. 527), wunderbare Errettungen verfolgter Juden wie die *maasse jeschurun* (Nr. 493) oder wundersame Begebenheiten wie der *sefer maasse ha-schem* (Nr. 485). Wiederum andere beziehen sich in ihrem Titel anreißerisch auf das berühmte Vorbild wie z. B. das *schön neu taitsch maasse-buch* (Nr. 492) des Jonathan ben Jakob, das auf nur acht Seiten in 4° eine kleine Sammlung von elf Geschichten enthält. Allen Nachahmungen war jedoch nur eine kurzlebige Beliebtheit und eine geringe Verbreitung und somit auch ein nur kurzfristiger literarischer und kommerzieller Erfolg beschert. Lediglich der *sefer maasse nissim der stat wormeisa* (Nr. 488) konnte während der ersten Hälfte des 18. Jahrhunderts über einen Zeitraum von rund fünfzig Jahren die Beliebtheit des mit ihm konkurrierenden *Maasse-Buchs* erreichen. Diese erstmals 1696 in Amsterdam veröffentlichte Legendensammlung vereinigt die bekannten mittelalterlichen Wundergeschichten (vgl. S. 22). Ihr eigentlicher Kompilator war der Wormser Schammesch Jiftach Josef Juspa ben Naftali Hirz (1604–1678). Erst sein Sohn Elieser Liebermann gab die Geschichten in jiddischer Fassung heraus. Ob bereits ein von seinem Vater schriftlich fixiertes hebräisches Original vorhanden war, kann nicht mehr geklärt werden; doch dürfte es interessieren, daß die Bodleiana in Oxford eine hebräische Ed. Frankfurt a. O. 1702 in ihrem Bestand führt. Es fällt schwer zu glauben, daß diese, ausgerechnet im östlichen Raum publizierte Ausgabe den ersten hebräischen Druck darstellt.

Neben den überwiegend religiös-moralische Absichten verfolgenden *Maasse-Büchern* wurden rein deskriptive historische Schriften abgefaßt, die eher einem sachlichen Bericht gleichen als einem Unterhaltungsbuch. Entsprechend trocken ist auch ihr Titel gehalten: *chidduschim* (Neuigkeiten – Nr. 526), *kuntschaft* (Nr. 528) oder *beschreibung* (Nr. 530, 531).

f) Purimspiele

Das Schauspiel fehlt in der älteren jiddischen Literatur fast völlig, was in der jüdischen Sittenlehre begründet lag. Die einzige Ausnahme – wiederum religiösem Brauchtum entspringend – bilden die am Purimfest veranstalteten biblischen Schauspiele, die im 16. Jahrhundert zu hoher Blüte gelangten. Nach Encyclopaedia

Judaica VI, 18f. war ihre Zahl außerordentlich groß. Zu Dramen umgestaltet wurden epische Stoffe wie *Adam und Eva, Sodom und Gomorrha,* die *Opferung Isaaks,* der *Verkauf Josefs,* der *Auszug aus Ägypten,* die *Ägyptischen Plagen, Moses und die Gesetzestafeln,* der *Tod Mosis,* die *Werbung um die Tora, Samuel und Saul, David und Goliat, Channa und Penina, Salomons Klugheit,* der *Prophet Elias* und *Achaschwerosch und Esther.* Von den meisten Stücken haben sich jedoch keine Rollenbücher erhalten, falls überhaupt welche geschrieben worden sind. Lediglich von den zur Aufführung gelangten *Achaschwerosch-Esther-Spielen* wurden einige Texte überliefert. Man darf davon ausgehen, daß diese zu den beliebtesten Purimspielen zählten. Ursprünglich wurde bei der Verlesung der Esther-Rolle in der Synagoge bei der jeweiligen Nennung des Namens des verhaßten persischen Großwesirs Haman von Knaben und Jünglingen ein großes Geschrei erhoben, das von Knarren- und Ratschenlärm untermalt wurde. Aus diesem lautstarken Spektakel entwickelte sich recht früh eine Art dramatische Persiflage oder Parodie des Geschehens um Esther und Haman, nicht zuletzt durch die Einfallskraft und das schauspielerische Geschick der Narren (vgl. S. 52). Die Überlieferung eines festen Textes geschah – wenn überhaupt – nur mündlich. Das ist verständlich, enthalten doch diese Aufführungen nicht selten derbe und anstößige Passagen, die frommen Juden und gesetzestreuen Rabbinen in den Ohren geklungen haben müssen. Aus dem gleichen Grund dürfte eine beträchtliche Zahl von Handschriften und Drucken solcher *Achaschwerosch-Spiele* dem Feuer überliefert worden sein.

Nachdem es den Juden nach den großen Verfolgungen wieder gelang, in den Städten Fuß zu fassen, und nachdem ihnen die brennenden Sorgen um ihre Existenz weniger stark zu schaffen machten, erreichte die Gestaltung des Purimfestes erneut jene ausgelassene Fröhlichkeit wie sie bereits im jüdischen Leben im mittelalterlichen Deutschland anzutreffen war. Mehr noch, in der Nachahmung der deutschen bürgerlichen Literatur des 16. Jahrhunderts strebten jüdische Autoren dem großen Vorbild Hans Sachs und seinen Fastnachtspielen nach. Typisch dabei war wieder einmal der zeitliche Verzug, in denen die Nachbildungen vonstatten gingen. Das Charakteristische an den Rollenbüchern ist ihr Verzicht auf einen individuellen schriftstellerischen Zug, weshalb auch ihre Verfasser oder Schreiber meist ungenannt blieben.

Von den wenigen überlieferten Exemplaren der *Achaschwerosch-Spiele* sei hier die Ausgabe Frankfurt a. M. 1708 besonders hervorgehoben. Sie fällt nicht zuletzt durch ihren derben, obszönen Ton auf, zudem ist das Stück in der nicht gerade wohltönenden jiddischen Mundart der Frankfurter Juden abgefaßt. Im Prolog heißt es:

> [...]
> drum auch raumt auf, raumt auf,
> un schmeißt di schtub zum fenßter arauß.
> di tisch auf di benk,
> di bicher auf di schenk,
> di hen unter dem han,
> das weib unter den man,

di meid unter den knecht,
dermit daß ein idern sol geschehn recht!
[...]

Das Spiel dürfte wesentlich früher als 1708 abgefaßt worden sein. Außer dem Frankfurter Druck existiert noch eine handschriftliche Fassung (Hs. Oppenh. 1701, 4°), auch finden wir es in Schudts *Jüdischen Merckwürdigkeiten* abgedruckt.

Rund zehn Jahre vorher, im Jahre 1697, schrieb der getaufte Krakauer Jude Johann Jakob Christian Löber alias Mose Kohen für Wagenseil *ein schön neu purim schpil, wie es is gegangen in achaschwerosch zeiten* in gereimter Form nieder. Er benutzte für seine in der Hs. Leipzig 35a (Nr. 423) aufbewahrte Kopie ältere handschriftliche (und gedruckte?) Vorlagen.

Ein echtes Rollenbuch stellt ein Prager Druck vom Jahre 1720 dar (Nr. 425). Er hat unter dem ausführlichen Titel *akta esther mit achaschwerosch, welche die studirenden in prag vor dem fürsten auf der bühne, die man tariatrum nennt, aufführten* das Ahasverus-Spiel zum Inhalt. Auch die Hs. Berlin Or. 4°, 310 enthält in ihrem zweiten Teil ein solches Spiel. Die Handschrift (Nr. 426) datiert bereits aus dem Jahre 1787, woraus man ersieht, daß diese Purimspiele auch noch zu Beginn der jüdischen Aufklärung beim Publikum durchaus gefallen konnten.

Alle erwähnten Stücke wandten sich vom eigentlichen Kern der Handlung, der Errettung der Juden aus dem Intrigennetz des Haman, ab. Zum Mittelpunkt der Aktionen wurde statt dessen der Kampf des Mannes um die Vorherrschaft im Hause, ein Thema, das Isaak Behrens in einem 1726 in einer Amsterdamer Handschrift niedergeschriebenen Lustspiel (Nr. 429) begierig aufgriff.

Mit den *Achaschwerosch-Spielen* konkurrierten in der Gunst des Publikums besonders das *Spiel vom Verkauf des Josef* und das *David und Goliath*-Spiel. Sie lebten in der ersten Hälfte des 18. Jahrhunderts erneut auf, allerdings unter ganz anderen Vorzeichen als in der Vergangenheit. Jetzt entwickelten sie sich als Reaktion auf die Derbheit der volkstümlichen *Achaschwerosch*-Spiele. Als Urheber dieser den schlüpfrigen Boden der Purim-Komödien verlassenen rationalistischen Dramen zeichneten sich jüdische Geistliche verantwortlich. In ihrer Art ähneln sie den am Ausklang des deutschen Schuldramas stehenden Stücken des Zittauer Schulrektors Christian Weise (*Masaniello*, 1683 u. a.). Leider sind von diesen jüdisch-deutschen »Schuldramen« lediglich zwei erhalten geblieben. Die *Akziohn von König David und Goliath, dem Philister* (Nr. 427) liegt in einem Hanauer Druck vor, der zwischen 1711 und 1719 erschienen ist. *mechirat josef* (Verkauf Josefs – Nr. 428) wurde im Jahre 1713 zum ersten Mal aufgeführt. Das von einem gewissen Bärmann aus Limburg verfaßte und von dem jungen Löw Ginzburg herausgegebene Rollenbuch ist in der Ed. Frankfurt a. M. 1713 vollständig erhalten. Einen Nachdruck besorgte Johann Koelner ebenfalls in Frankfurt a. M. Wir besitzen Nachricht darüber [279], daß dieses Spiel unter großer Anteilnahme jüdischer und christlicher Zuschauer in dem von Löw Worms gepachteten Haus des Mannheimer Rabbiners David Ulff, im *Haus zum weißen (oder silbernen) Rand* in Frankfurt a. M., im Jahre 1713 (ur-?)aufgeführt worden ist. Die Schauspieltruppe setzte sich aus jüdischen Studenten aus Prag und Hamburg zusammen, die das Stück zu einem späteren Zeitpunkt noch einmal in Metz aufführten. Die interessanteste Figur unter den Akteuren dürfte der »Pickelhering« gewesen sein. Er übernahm die Rolle des Narren, der komischen Figur, und wirkte nicht so sehr aus seinem Wesen oder der Situtaion heraus, sondern aus seinen oft vulgären Reden, in denen er nicht selten lokale Mißstände und Begebenheiten persiflierte und kritisierte. Bemerkenswert erscheint uns der Umstand, daß das immerhin mit einigen zotigen Späßen untermalte Schauspiel ohne weiteres im Hause eines Rabbiners zur Aufführung gelangen konnte. Darin dokumentiert sich eine enorme Auflockerung traditioneller religiöser Sitten und Ansichten, die auf die zum Guten veränderten allgemeinen Lebensverhältnisse in dieser Blütezeit des jüdischen Bürgertums zurückzuführen ist.

6. Die kritische Mussarliteratur

a) Sittenspiegel

Die klassische Periode der jiddischen Mussarliteratur war der Zeitraum von 1600 bis 1710. In dieser Zeit entstanden die großen originellen Sittenwerke, die sich weitgehend von den hebräischen Quellen zu lösen verstanden und eigene Intentionen verfolgten. Umfangreiche Mussar-Enzyklopädien wie der *brantspigel* (1602), *leb tob* (1620), *simchat ha-nefesch* (1707) und *kab ha-jaschar* (1709) wurden geschaffen, doch gleichzeitig verzweigte sich diese Literatur: neben den umfangreichen, teuren Werken wurden kleine, billige Mussarbücher für die unvermögende, weitaus breitere Leserschicht geschrieben. Noch eine weitere Differenzierung der Leserschaft erfolgte: gemessen an ihren Bedürfnissen und Interessen entstanden Sitten- und Moralbücher für männliche, weibliche und schließlich für alle Leser.

Den Anfang der veränderten literarischen Strömungen signalisierte der *sefer brantspigel* (Nr. 554) des Moses Jeruschalmi, genannt Moses Henochs*, ein originelles jiddisches Sittenbuch, das auf den üblichen hebräischen Begleittext vollkommen verzichtet. Seine Erstausgabe brachte der Verleger Pinchas ben Jehuda Halprun Neuersdorf 1602 in Basel heraus. Ihr Drucker, der bekannte Konrad Waldkirch, verwendete für den *brantspigel* das gleiche Titelblatt wie beim vorher gedruckten *Maasse-Buch*, ein durchaus gängiges, von den Druckereien wegen der besonderen Erfordernisse neuer Bildstöcke noch bis in die Neuzeit praktiziertes Verfahren. Es fällt auf, daß die Baseler Edition keinen Autor nennt. Dessen Name erscheint erstmals in der Ed. Prag 1610. So kann man nicht ausschließen, daß der *brantspigel*

* Der Verfasser wird in der jiddischen Literaturforschung Mosche ben Henoch *Altschul* genannt. Es wird behauptet, die Bezeichnung »isch Jeruschalmi«, d. h. ein in Jerusalem Geborener, wie sie z. B. The Jewish Encyclopedia I, 478 anführt, sei falsch. Diese Bezeichnung beruhe vielmehr auf einem Irrtum, der aus der Korruption der Anfangsbuchstaben des Patronymikon א"ש (für *Altschul*) zu א'ש resultiere. Als Beleg für die frühzeitige Korruption wird das Titelblatt der Ed. Frankfurt a. M. 1676 angeführt. Dagegen spricht jedoch die Tatsache, daß bereits die Prager Ausgabe vom Jahre 1610 (publiziert bei Gerschom ben Bezalel *Kaz*) den vollen Namen Moses *Henochs* als Rabbi Mosche isch Jerusschalmi [...] Mosche *Henochs* angibt. Gerade in Prag, der Heimat der Familie *Altschul* würde man diesen Irrtum wohl kaum begangen haben.

schon vor 1602 erschienen ist und der Baseler Verleger ihn in aller Stille hat nachdrucken lassen.

Der *sefer brantspigel* stellte den Beginn einer neuen Art von Mussarschrifttum dar. Anders als in den älteren Mussarbüchern bildete hier der allgemeine ethische Gehalt nur die Basis für eine gezielte Kritik an den bestehenden Umgangsformen und den Lebensgewohnheiten, die sich innerhalb des Judentums als Begleiterscheinung der gesicherten sozialen Verhältnisse eingestellt hatten. So wurde der Sittenspiegel auch für jene Leserschicht geschrieben, der er nach Meinung des kritischen Autors als notwendige Anleitung für ein sittsames Wohlverhalten in allen Situationen des Alltags zu dienen vermochte, nämlich für die reichen, vornehmen Frauen. Entsprechend sorgfältig, kunstvoll und umfangreich wurde die Ausstattung des Buches gehalten. Und entsprechend hoch muß auch sein Kaufpreis ausgefallen sein. Trotzdem hat der *sefer brantspigel* in den folgenden hundert Jahren noch vier Neuauflagen erlebt.

Der *brantspigel* kann mit den ethischen Werken der frühen Mussarliteratur nicht verglichen werden. Jenen ging es noch ausschließlich um die Verherrlichung einer lebensfernen, ideellen Moral. Rabbi Mosche Henochs Werk hingegen versteht sich als ein Leitfaden religiöser Praktiken und Sitten und entsprach gerade den lebensnahen Bereichen. So verwendet der Autor z. B. ungeniert ein ganzes Kapitel für die Beschreibung des richtigen Verhaltens auf dem Abort und der dort vorzunehmenden rituellen Handlungen. Auch läßt er sich über sexuelle Perversionen aus und tadelt die lesbische Liebe. Ausführlich erteilt er den Frauen »bischeit, wen si sich leign, wi si zichtig soln sein in bet.«

Daß das Buch für die wohlhabenden Leserinnen bestimmt war, geht nicht nur aus seiner äußerlichen Aufmachung, sondern auch aus inhaltlichen Kriterien hervor. Das Bild, das der Autor z. B. vom jüdischen Haushalt zeichnet, strahlt Wohlhabenheit durch und durch aus. Zudem wird das Verhalten der Herrschaft zur häuslichen Dienerschaft angesprochen – und wer konnte sich schon »knecht« und »meidlech« halten? Trotz dieses Zuschnitts auf die sozial bevorteilte weibliche Leserschaft geht der Autor durchaus kritisch vor. Er verurteilt schonungslos die rohen Sitten der Zeit und das herabgesunkene religiöse Brauchtum, was besonders durch ein nach religiöser Tradition nicht zu verantwortendes Selbstbewußtsein und daraus erwachsenen emanzipierten Verkehrs- und Umgangsformen der jüdischen Frau begründet wird.

Der wegen seines lebensnahen Inhalts und seiner enzyklopädischen Anlage populäre *sefer brantspigel* hat viele Nachahmungen erlebt. Noch der jüdische Gelehrte Zunz verwechselt das Werk mit dem acht Jahre später herausgegebenen *zuchtspiegel.* Das 1566 erstmals in Venedig herausgegebene Spruchbuch *mischle chachomim* (vgl. S. 96) erhielt in einer späteren Ausgabe den Titel *klein brantspigel.* Alle Nachahmungen blieben jedoch hinter der Popularität des *brantspigels* zurück, gab es doch unter der Mussarliteratur überhaupt nur ein Werk, das mit ihm konkurrieren konnte: *leb tob.*

Der *zuchtspiegel* oder *mareh mussar* (Nr. 555), 1610 erstmals in Prag erschienen, faßt ethische Sentenzen und Gleichnisse zusammen, die aus dem Talmud geschöpft, alphabetisch angeordnet und in Reime gefaßt worden sind. Der Herausgeber der Prager Edition spielte im Titel dieses Mussarbuches bewußt auf den *brantspigel* an, indem er vielleicht hoffte, dessen Popularität zu erreichen. In einer späteren Ausgabe [280] nennt sich als Verfasser Seligmann Ulma Günzburg, der mit dem zwischen 1610 und 1616 in Hanau druckenden Seligmann Ulma ben Moses Simeon identisch sein soll. Eine unwahrscheinliche Annahme! Seligmann Ulma Günzburg hätte sein Werk wohl eher in seiner eigenen Druckerei als in Prag drucken lassen. Eher trifft wohl zu, was Steinschneider (Serapeum Nr. 208) behauptet, daß nämlich Günzburg nicht Übersetzer oder Autor des Werkes gewesen sei, sondern lediglich das Vorwort zur Ed. Frankfurt a. M. 1680 geschrieben hat. Als Herausgeber der Erstausgabe kommt nach Steinschneider (ebd.) und Wolf (BH II, p. 1368, Nr. 438) Abigdor ben Elieser Lipmann Hildesheim in Betracht.

Ethische Sentenzen stellte auch Elchanan ben Issachar Katz in seinem *mareh lehitkaschschet bo* (Zierspiegel, anzuhängen an die Wand – Nr. 556) zusammen. Der aus Kremsir gebürtige Autor übte in Proßnitz das Amt des Schammesch und Chasans aus. Sein Sittenbuch gelangte 1693 in Dyhernfurth zur Veröffentlichung.

b) Sozialkritische Mussarbücher

Anders als der *brantspigel* erreichte *leb tob* (Gutes Herz – Nr. 557) die verarmte jüdische Landbevölkerung. Seine Leser setzten sich vornehmlich aus sozial und wirtschaftlich benachteiligten Juden der kleinen Dorf- und Landgemeinden des östlichen Raumes zusammen. Der Autor dieses 1620 in Prag herausgegebenen Mussarwerkes, Isaak ben Eljakim aus Posen, folgte in seiner Kritik an den Untrieben der besser gestellten städtischen Judenschaft eindeutig den gegen Ende des 16. Jahrhunderts in Polen aufkeimenden neuen Trieben jüdischer Mystik und Kabbala. Diese reaktionäre religiöse Richtung, auch *nussach poulen* geheißen, wurde durch die soziale Differenzierung der jüdischen Bevölkerung, die in besonders krasser Weise in den slawischen Ländern vor sich ging, hervorgerufen. Gegen die Vorherrschaft der wohlhabenden jüdischen Grundbesitzer und Viehhändler versuchte sich die größtenteils hundearme, unzufriedene Masse der jüdischen Landbevölkerung schon seit langer Zeit zu erheben. Reiche jüdische Pächter verwalteten gewaltige Ländereien, ja sogar ganze Dörfer. Aus ihrer hervorragenden ökonomischen Stellung leiteten sie erhebliche juristische Vorteile ab. So erhielten sie das Recht, Leibeigene zu halten und über sie zu richten, ja, sie sogar für ihr Aufbegehren mit dem Tode zu bestrafen. Wie reich diese Pächter waren, geht allein aus der Höhe ihrer Pachtzinsen hervor. Erik (a. a. O., 251) weiß zu berichten, daß im Jahre 1601 ein einzelner jüdischer Pächter einen Pachtzins von sage und schreibe 40 000 Gulden für nur drei Jahre Pacht zu entrichten hatte – und bezahlte! Weitere Konzessionen, die man den wohlhabenden und privilegierten jüdischen Großgrundbesitzern zugestand, waren das Münzrecht und das Recht, Steuer einzunehmen. Bald dominierten sie auch im Großhandel und verschafften sich ungeheuere Vorteile beim Adel und Klerus, denen sie gewaltige Kredite gewährten.

Ganz anders verhielt es sich hingegen mit der heruntergekommenen breiten Masse

משלי
שועלים
להחכם השלם
רבי ברכיה הנקדן
נדפס פעם שנית בתכלית
היופי
בק״ק ברלין
להבין משל ומליצה
דברי חכמים וחידותם
לפ״ק
1756

Abb. 7: mischle schualim, Verf.: Berachja ben Nitronai Krespia ha-Nakdan. Ed. Berlin 1756, Drucker: Ahron ben Moses Rofe. Exemplar der Bibliothek der Alliance Israélite Universelle Paris

מראה השורפת

הנקראת בלשון אשכנז

בראנט שפיגל

והוא

איר

ורנקבורט

לפרט וכל הכ״ס יתנו יקר לבעליהן:

Abb. 8: sefer brantspigel, Verf.: Moses Jeruschalmi, gen. Moses Henochs Ed. Frankfurt 1706. Exemplar der Bayerischen Staatsbibliothek München der jüdischen Bevölkerung. Sie fristete ein kärgliches Dasein. Ihren Lebensunterhalt verdiente sie als armselige Krämer und Hausierer, als Makler und Schankwirte. Dabei stand sie täglich in hartem Konkurrenzkampf mit den nichtjüdischen Gewerbetreibenden und Händlern, die ihr gegenüber von vornherein durch rechtlich abgesicherte Vergünstigungen im Vorteil waren. Im Zuge der schweren wirtschaftlichen Krise, die Ende des 16. Jahrhunderts über die polnischen Städte hereinbrach, verschärfte sich dieser Zustand zusehends. Der Großteil der Juden mußte in bitterer Armut leben und viele von ihnen verließen die Städte, um in den Bauerschaften auf dem Lande eine Lebensexistenz zu suchen. Die Zeit der organisierten Bettelei begann. Bettlerscharen fielen wie eine Landplage in die Ortschaften ein und bildeten für die Einwohner eine üble Belästigung. In dieser Zeit entstand auch der Typ des verarmten polnischen Landjuden, des Jeschubniks, der mehr schlecht als recht sein Dasein fristete und nicht selten von Betrügereien lebte.

Andere Juden suchten einen Ausweg aus der wirtschaftlich aussichtslosen Situation, indem sie, die strengen Beschränkungen der christlichen Zünfte ignorierend, einen Handwerksberuf aufnahmen. Jüdische Handwerker lassen sich in Polen seit dem 15. Jahrhundert nachweisen, vor allem solche, die allein wegen der religiösen Praxis unter der jüdischen Bevölkerung existieren mußten: Bäcker, Fleischer, Schneider, Kürschner usw. Daneben versuchten schon bald kleinere Gruppen Handwerke auszuüben, die keinen religiös-rituellen Charakter trugen. [281] Zu Beginn des 17. Jahrhunderts stieg ihre Zahl beträchtlich an, so daß sie sich sogar in Handwerksorganisationen zusammenschlossen, um den Absatz ihrer Produkte zu regeln. Die Erzeugnisse wurden innerhalb der eigenen Gemeinde, aber auch in Städten und Dörfern der näheren und entfernteren Nachbarschaft feilgeboten, wobei auch Nichtjuden häufig zu den Kunden zählten.

Mit der Verarmung der Städte in Mittel- und Osteuropa als Folge der Verlagerung des Welthandels aus Binneneuropa zu den seefahrenden Nationen des atlantischen Raumes verschlechterte sich die wirtschaftliche Lage der Juden in Deutschland und Polen schlagartig. Die allgemeine wirtschaftliche Notlage brachte eine wesentlich veränderte Einstellung des Adels, Klerus und vor allem der christlichen Bürgerschaft gegenüber den Juden mit sich. Die Folge davon waren weitreichende Einschränkungen der Beschäftigungsmöglichkeiten im Handel und Handwerk. Lediglich wenige wohlhabende jüdische Finanziers und fest gesicherte Großhändler blieben von den veränderten Gegebenheiten unberührt. Im Gegenteil! – sie wußten noch ihren Nutzen daraus zu ziehen. Kracauer [282] zeigt den sozialen Abstieg weiter Teile der jüdischen Bevölkerung Frankfurts a. M. eingehend auf und weist auf die soziale und wirtschaftliche Verschiebung zugunsten einiger weniger jüdischer Wohlhabender hin. Ähnliches ist von Prag zu berichten, wo als Folge der ungesicherten Unterhaltsmöglichkeiten eine Stadtflucht einsetzte. Im Zusammenhang damit wurden schwere Vorwürfe gegen die reichen, angesehenen jüdischen Bürger erhoben. Ihnen wurde zur Last gelegt, sie verwalteten die Geschicke der jüdischen Gemeinde schlecht und zögen weitgehende Nutzen aus ihren Ehrenämtern. Sie allein waren in der Lage die hohen Steuerabgaben aufzubringen und somit ihre rechtliche Stellung zu sichern. Mehr noch, Anfang des 17. Jahrhunderts brach in Prag ein Aufstand der vom Judenrat arg geknechteten Judenschaft aus, in dessen Verlauf oppositionelle Kräfte behaupteten, korrupte Führer der jüdischen Gemeinde hätten im Zusammenhang mit der Kontribution der Jahre 1628–29 die Reichen geschont und den Unvermögenden die Hauptlast der Abgaben aufgebürdet. Die Vorwürfe, die besonders den Rabbiner Jomtob Lipmann ben Nathan ha-Levi Heller (1579–1554) trafen, drangen bis zu Kaiser Ferdinand II. Dabei wurde Jomtob Lipmann Heller zusätzlich unterstellt, seine (hebräischen) Werke *lechem chamudot* und *maadanne melech* enthielten abfällige Äußerungen über Staat und Christentum. Ferdinand II. berief eine zentrale Kommission zur Erhebung der Judensteuer ein und ließ Jomtob Lipmann Heller inhaftieren. Zunächst zum Tode verurteilt, wurde der Rabbiner später dann unter Auferlegung einer hohen Geldstrafe amnestiert. Jomtob Lipmann Heller, der in Österreich keinen Rabbinatsposten mehr bekleiden durfte, wirkte später noch in Nemirow in Podolien, Wladimir-Wolynsk und anderen ostjüdischen Gemeinden, wobei er sich besonders im Kampf gegen die Simonie hervortat.

Seine bekannte Autobiographie *megillat eba* (Rolle der Feindschaft – Nr. 299, 300), die uns in zwei jiddischen Handschriften überliefert ist, schildert ausführlich die Prager Begebenheiten – untermalt von heftigen Vorwürfen gegenüber seinen Denunzianten.

Auch in Frankfurt a. M. fand in den Jahren 1617–24 eine Erhebung der Judenschaft gegen ihre Parnasim statt. Sie warfen ihnen vor, lediglich als eine durch Geschäftssinn verbundene Clique zu fungieren, die Gemeindeämter nach einem Zahlungsschlüssel von Bestechungsgeldern vergeben würde. Der Kampf der jüdischen Bevölkerung gegen die eigenen Gemeindehäupter war mit Erfolg gekrönt. Die Rechte der Parnasim, vor allem das Anrecht der Amtsführung auf Lebenszeit, wurden arg beschnitten. Ähnliches geschah auch in den größeren Judengemeinden in Polen, wo der soziale Kampf noch ärger tobte, wo aber auch andererseits sich eine starke Vertretung geistiger Kräfte mit der unterdrückten, verarmten Judenheit solidarisierte. Allerdings waren die Methoden der reformistischen polnischen Kabbala nicht gerade originell. Ein in Armut verbrachtes sittliches Leben konnte schließlich dort am ehesten zum Ideal erhoben werden, wo die Armut zum täglichen Lebensbegleiter geworden war!

Ihren ersten literarischen Ausdruck erlangten die katastrophalen Auswirkungen der Wirtschaftskrise des 16./17. Jahrhunderts in den (hebräischen) Werken der polnischen Neukabbalisten. Ein noch realistischeres Abbild jedoch zeichnete die jiddische Mussarliteratur dieser Zeit, die die ersten, noch ungeübten Züge einer lebensnahen Sozialkritik enthält. Die eher volkstümlichen, anteilnehmenden jiddischen Mussarbücher des 17. Jahrhunderts verzichteten auf die religionsphilosophischen Ausschweifungen ihrer hebräischen Vorbilder. Sie suchten die Erklärung für die Unbill der Zeit in der großen Sündhaftigkeit der Welt zu finden. Erklärtes Ziel ihrer Kritik war die den Menschen dieser Zeit mangelnde Nächstenliebe, vor allem aber das unsoziale Verhalten der Reichen. Die tiefe Kluft zwischen Arm und Reich wurde als unrechter Zustand, der die sozial Schwächeren ins Elend geführt hatte, ausgelegt und heftig angefeindet. Selbstverständlich konnte der Mussarschreiber nicht den Wohlstand der Reichen schlechthin verurteilen; als ein religiös empfindender Jude wußte er, daß Armut oder Reichtum von Gott gegeben sind und daß gegen dessen weisen Ratschluß keine Kritik erlaubt ist. Es war auch nicht so sehr der Reichtum, den die Mussarbücher verurteilten, sondern vielmehr der Geiz und die Hartherzigkeit der Besitzenden. Eindeutig ergriff das Mussarbuch Partei für die arme, mehr schlecht als recht vor sich hin lebende Masse der Judenheit. Nicht selten klingt uns ihr »Wei!«-Geschrei als ein Protest gegen die Unmenschlichkeit der Mächtigen und Wohlhabenden entgegen.

Das Charakteristische an der kritischen Mussarliteratur des 17. Jahrhunderts ist ihr melancholischer Grundton, der nur selten einer radikalen, auflehnenden Haltung des Autors weicht. Der Mussarschreiber war Fatalist, er tröstete sich über die Unerträglichkeiten des Lebens hinweg und erklärte sie als gottgewollt und Anzeichen für den nahenden Messias. In ihrer Tendenz kündigte diese Grundstimmung der Mussarwerke bereits die heraufziehende Sabbatai-Zewi-Bewegung an.* Die Kritik der Mussarschreiber fiel nur zu oft milde aus, sie predigten lieber Demut und geduldige Unterwerfung, als daß sie einen radikalen Ausweg aus der miserablen Lebenslage vorschlugen. Öfters versuchten sie auch, sich gegen die Brutalität des Alltags aufzulehnen, doch letztlich protestierte ihr tiefreligiöses Gewissen gegen diesen – wie sie es nannten – sittlichen Verfall. Ihnen blieb dann nur der Ausweg in die Resignation, zu tief saßen bereits die Wurzeln allen Übels in den wirtschaftlichen und gesellschaftlichen Mißständen dieser Zeit verwachsen.

Die Mussarliteratur verschrieb sich ganz der Aufgabe, das religiöse Leben zu reformieren. Darin lag ihre reaktionäre Rolle: dort wieder zu beginnen, wo alte Sitten und Gesetze ihre Gültigkeit verloren hatten. Um Zugang zu einer möglichst breiten Leserschaft in Ost- und Mitteleuropa zu erlangen, paßte sie ihre inhaltliche Tendenz und ihren ganzen Ton dem Zeitgeist und dem Geschmack ihrer meist ungebildeten Leser an. Von daher ist auch die ihr innewohnende naive Ausdrucksweise zu verstehen. Sie ließ eine Kritik an den sozialen und ökonomischen Mißständen nur bedingt zu.

* Der 1626 in Smyrna geborene Sabbatai *Zewi* trat um die Mitte des 17. Jahrhunderts hervor, als sich die Juden Europas in einer mißlichen politischen, wirtschaftlichen und geistigen Situation befanden und sich ihre Hoffnung auf die Erlösung durch den in dieser Zeit erwarteten Messias bis zum Unerträglichen steigerte. Sabbatai *Zewi*, der sich seit seiner Jugend intensiv mit der Kabbala beschäftigt hatte, fühlte sich als Gottessohn berufen. Unterstützt wurde er vor allem von Nathan ha-Levi *Gazati* (1644–1680), der sich als sein Prophet ausgab. Beiden gelang es, eine auch in christlichen Kreisen beachtete Religionsbewegung ins Leben zu rufen, die für ihre Anhänger folgenschwere Nachwirkungen haben sollte. Zunächst aber wurde Zewi noch als Messias und König der Juden gefeiert, was verständlicherweise den Argwohn der politischen Machthaber hervorrufen mußte. Bei einem Aufenthalt in Konstantinopel wurde er verhaftet und entging bei seiner Überführung nach Adrianopel der Hinrichtung nur durch seinen Übertritt zu Islam. Die Nachricht davon löste bei seinen Anhängern lähmendes Entsetzen aus, doch bekannten sich viele, wenn auch im Geheimen, weiterhin zu ihm. Nach seinem Tode im Jahre 1676 entwickelten sich innerhalb des Judentums heftige Kämpfe, die daraus resultierten, daß die orthodoxe Geistlichkeit alle ketzerischen und talmudfeindlichen Lehren des Sabbatianismus auszumerzen versuchte.

Das erste literarische Ergebnis der in dieser Richtung engagierten Mussarschreiber, die von Isaak ben Eljakim verfaßte Sittenschrift *leb tob* (Gutes Herz – Nr. 557), bot als Ausweg aus dem Dilemma nur feste religiöse Normen an. Sie sollten den drohenden Sittenverfall verhindern helfen. Das recht populäre Werk, 1620 bei Juda Bak in Prag zum ersten Mal im Druck erschienen, kompiliert in zwanzig Kapiteln Ritualgesetze, die den Lebenslauf seiner Leser an allen Wochentagen festlegen und im traditionellen religiösen Sinne ordnen wollten. Als Quellen der Sittenlehre dienten vor allem folgende drei hebräischen Werke: *orach chaim*, der erste Teil des halachischen Werkes *arbaa turim* [283], eines vierteiligen Religionskodex des Talmudisten Jakob ben Ascher (14. Jh.); *reschith chochma* [284], ein von Elia ben Mose de Vidas um 1575 geschriebenes Moralbuch und schließlich der *sefer ha-mussar* des Jehuda Kaliz, zuerst 1536–37 in Konstantinopel erschienen und 1598 auch von Isaak ben Ahron Proßnitz in Krakau herausgegeben. [285] Ferner erwähnt Isaak ben Eljakim im Vorwort zum *leb tob* den *sefer brantspigel*; auch sei noch darauf hingewiesen, daß die Anlage des *leb tob* stark dem jiddischen *sefer ha-middot* (vgl. S. 93) ähnelt.

leb tob erlangte nicht nur in weiten Kreisen der osteuropäischen und deutschen Judenheit große Beliebtheit, sondern erregte auch schon früh das beifällige Interesse der jüdischen Geistlichkeit. Der im religiösen Sinne stark reaktionäre Gehalt des Mussarbuchs entsprang durchaus dem Sentiment seines Verfassers, der den Verfechtern der polnischen Kabbala sehr nahe stand. Es war bestimmt kein Zufall, daß Isaak ben Eljakim eine Tochter des R. Scheftil Horwitz (1600–1660), eines der geistigen Führer der Neukabbala, zur Frau hatte. An vielen Stellen läßt er seiner Verbitterung über das unreligiöse Treiben der wohlhabenden jüdischen Stadtbevölkerung freien Lauf. Die wirtschaftlich katastrophalen Lebensumstände kommentiert er resignierend:

doß gelt fargeit – der drek baschteit!

Die messianischen und asketisch-mystischen Strömungen des 16. und 17. Jahrhunderts riefen ein umfangreiches eschatologisches Schrifttum hervor. Die *taitsche aptek* (Nr. 558) des Naftali ben Samuel Pappenheim handelt über Zeichen und Tröstungen zur Zeit des Messias. Das Werk, das eigentlich den Titel *abkat rochel* (Gewürzkrämer-Stab) trug, wurde erstmals 1652 in Amsterdam herausgegeben. Als Vorlage diente dem Autor eine hebräische Eschatologie gleichen Titels, die Rabbi Machir (8. Jh.) dreiteilig verfaßt hatte. [286] Die ersehnte Ankunft des Gottessohns hätte natürlich auch die Beendigung des Galuth-Daseins für die Juden bedeutet. Die Rückkehr nach Jerusalem stand bevor! Diese Hoffnung sprach ein *Wegweiser nach Jerusalem*, die um die Mitte des 17. Jahrhunderts von Mosche ben Jisrael Naftali aus Prag verfaßte ethische Schrift *darke zion* (Wege Zions – Nr. 560) aus. Andere eschatologische Sittenbücher beschrieben das Leben nach dem Tode, wie das um 1670 niedergeschriebene Mussarwerk *beer scheba* (Sieben Brunnen – Nr. 559), das in seinem ersten Teil das Paradies und in seinem zweiten Teil die Hölle beschreibt. Der Verfasser dieser in der Hs. Oppenh. 956, fol. aufbewahrten Eschatologie, der Prager Dajan Issachar Bär Eibschütz, widmete seine Schrift seiner Frau Bella bat Jakob Perlhefter.

Die Vorbereitung auf die bevorstehende Ankunft des Messias, die die Erlösung aus dem jammervollen Erdendasein und den Erwerb der ewigen Seeligkeit mit sich brachte, setzte eine strenge, asketische Läuterung der sündigen Menschheit voraus, die nur durch Buße und strenge Befolgung der rituellen Gesetze zu erreichen war. Eines der Mussarbücher, das die Ordnung der Buße enthält, wird dem Hohen Rabbi Löw aus Prag, Löw Arje ben Zachariah, zugeschrieben. Diese *tikkune teschubah erez ha-zebi* (Verordnungen der Buße des Landes der Herrlichkeit – Nr. 561) wurden 1636 zum ersten Mal in Krakau herausgegeben.

meziat asarja (Fund Asarjas – Nr. 570) nannte Menachem Asarja ha-Kohen seine gereimte Sammlung der 613 Gebote. Asarja, der ein Schüler des Fürther Rabbiners Bärmann ha-Levi war, fand unter den Schriften des Moses Sulzbach das Mussarbuch *sam chajjim* (Lebensbalsam). Er versah das Werk mit einer eigenen Einleitung und einem Nachwort und gab es 1727 in Amsterdam heraus. Ähnliche Ritualvorschriften gelangten mit dem *sefer tarjag mizwot* (Buch der 613 Gebote) des Zadok Wahl ben Ascher und dem *sefer meirat enajim* (Buch des Augenerleuchters) des Isaak (Eisak) ben Elia zur Veröffentlichung (Nr. 562 und Nr. 571).

Bezeichnenderweise entstanden die Moralvorschriften zur Förderung eines bußvollen und asketischen Lebens alle im frühen 18. Jahrhundert, zu einer Zeit, in denen die heftigsten Auseinandersetzungen zwischen der jüdischen Geistlichkeit und den Anhängern der Lehre des verstorbenen Sabbatai Zewi ausgetragen wurden. Werke wie das von Elia Levi Bresner, genannt Melammed, verfaßte »hübsch buch« *dibre mussar* (Worte der Sittenlehre – Nr. 567) oder das Mussarbuch *marpe lenefesch* (Heilung der Seele – Nr. 568), beide 1712 in Prag veröffentlicht, versuchten auf wenigen Seiten ein ethisch-asketisches Kompendium zusammenzustellen. Streng und unerbittlich verlangten die Vertreter des orthodoxen Judentums die Reinigung der jüdischen Religionslehre von den Sabbatianischen Irrlehren. Der in Smyrna, dem Geburtsort des Zewi, wirkende Dajan Elia ben Salomon Abraham ha-Kohen verfaßte den ebenfalls 1712 in Konstantinopel herausgegebenen *sefer schebet mussar* (Zuchtrute – Nr. 569), ein 52 Kapitel umfassendes Moralwerk, das in der Ed. Wilhermsdorf 1726 in einer jüdisch-deutschen Fassung vorliegt.

Starken Einfluß auf die Mussarliteratur zu Anfang des 18. Jahrhunderts übte das *Maasse-Buch* aus. Es regte als formales Vorbild die Gestaltung der populären Sittenlehren *abir jakob, simchat ha-nefesch* und *kab ha-jaschar* an. *abir jakob* (Mächtiger Jakob – Nr. 563) stützt sich vornehmlich auf Erzählungen aus dem Buche *sohar.* Sein Kompilator war der bekannte Moralist Simon Akiba Bär ben Josef Henochs, der auch den *sefer maasse ha-schem* (vgl. S. 113) geschrieben hat. *abir jakob* wurde in seiner Erstausgabe 1700 in Sulzbach veröffentlicht, einem Druckort, aus dem eine Vielzahl jiddischer Schriften dieser Zeit floß. Auch das von Elchanan Hendel Kirchhahn ben Benjamin Wolf verfaßte Mussarbuch *simchat ha-nefesch* (Seelenfreude – Nr. 566) wurde dort 1715 zum zweiten Mal herausgegeben. Seine Erstausgabe druckte acht Jahre vorher Matthias Andreae in Frankfurt a. M. Der Autor dieses ethischen Erbauungsbuches, übrigens ein Schwiegersohn des Zebi Hirsch ben Ahron Samuel Kaidenower, legte den Text in Gleichnissen und Sentenzen an, die er aus talmudischen und midraschischen Stoffen schöpfte. Im zweiten Teil des Buches faßte der Autor religiöse Bestimmungen und rituelle Gebräuche zusammen. Seit der Ed. Amsterdam 1723 enthält der zweite Teil zusätzlich noch Gesänge mit Noten und Sabbatgesetze.

Matthias Andreae nutzte die Popularität derartiger Sittenschriften aus und ließ dem *sefer simchat ha-nefesch* zwei Jahre später das Mussarbuch *kab ha-jaschar* (Rechtes Maß – Nr. 564) des Zebi Hirsch ben Ahron Samuel Kaidenower folgen. Das 102 Kapitel umfassende ethische und paränetische Werk war ursprünglich nur hebräisch abgefaßt (Ed. princ. Frankfurt a. M. 1705); auch die jiddischen Ausgaben weisen einen hebräischen Begleittext auf.

c) *Literarische Zeugnisse vom jüdischen Gesellschaftsleben des 17. Jahrhunderts in Deutschland und Osteuropa*

Die jiddische Literatur besitzt leider nur wenige Schriften, die wir als primäre sozialhistorische Quellen für die Durchleuchtung des gesellschaftspolitischen Hintergrunds des Mussarschrifttums heranziehen können. Gerade deshalb erscheint es angebracht, diese spärlichen Zeugnisse hier kurz zu beschreiben.

Die Oxforder Bodleian-Bibliothek bewahrt zwei Exemplare eines kleinen, nur acht Seiten umfassenden Oktavbuchs auf, das wegen seines gesellschaftskritischen Charakters recht aufschlußreich für ein Bild der jüdischen Lebensverhältnisse in Deutschland, Polen und Böhmen im 17. Jahrhundert ist. Es handelt sich hierbei um die *Beschreibung von einem Deutschen, Poliak und einem Manne aus dem Lande Böhmen, welche um die Vorzüge ihres Vaterlandes wettstreiten* (Nr. 640). Der gereimte Text gibt im wesentlichen Aufschluß über das Leben der osteuropäischen Juden, die in der schweren Zeit des Schwedischen Krieges nach Deutschland einströmten. Hier hatte man die polnischen und litauischen Juden, die ihr Land in großer Panik, verarmt und wirtschaftlich zugrunde gerichtet, infolge der Pogrome verlassen mußten, zunächst noch freundlich empfangen – wie wir es auch in den Memoiren der Glückel von Hameln (vgl. S. 126) lesen. Anfangs konnten die Emigranten noch eine Beschäftigung in den deutschen Gemeinden finden – sie arbeiteten als Lehrer oder Rabbinats- bzw. Synagogenangestellte – doch mit dem stetig anwachsenden Zustrom der Ostflüchtlinge verschlechterten sich die Beziehungen zwischen ihnen und der eingesessenen Judenschaft ständig. Zu groß waren doch die Unterschiede in kultureller und ritueller Hinsicht! Die in Deutschland üblichen Sitten und Lebensgewohnheiten verhinderten eine reibungslose Integration der Ostjuden. Hinzu kamen die eigenen wirtschaftlichen Schwierigkeiten, die eine Unterstützung der polnischen *Schnorrer und Schlepper* nur bedingt zuließen.

Dieses ist der sozialhistorische Rahmen der »Beschreibung« dreier unterschiedlicher jüdischer Volksschichten, deren Vertreter – ein deutscher, ein polnischer und ein Jude aus Prag – über die Bedingungen ihrer nationalen, oder besser regionalen Abstammung diskutieren. Den größten Teil des Textes beanspruchen dabei die Anschuldigungen des »Poliak«, und aus der Art dieser Vorwürfe ist zu ersehen, daß der Verfasser des Büchleins selbst ein polnischer Jude gewesen sein muß. Seine Kritik richtet sich vor allem gegen den Geiz und die Hartherzigkeit der deutschen

Juden (»Aschkenasim«), die ihre polnischen Glaubensbrüder nur als Bettler und Diebe behandeln. Sie müssen von Stadt zu Stadt, von Gemeinde zu Gemeinde ziehen, man reicht ihnen nur wenig für ihren Lebensunterhalt heraus, des abends nimmt man sie nur unwillig auf und bereitet ihnen ein schlechtes Nachtquartier auf dem Dachboden. Der Geschäftssinn treibt die deutschen Juden zu ständigen Gesetzesübertretungen, ihr Geiz verleugnet die alten religiösen Sitten und Gebräuche.

Ausführlich mit diesem Sittenverfall befaßt sich der *judische teriak* oder *zori hajehudim* (Nr. 641), eine Gegenschrift wider den polemischen *jüdischen schlangenbalg* des Samuel Friedrich Brenz aus Osterburg in Bayern. Brenz' Pamphlet, das 1614 in Nürnberg im Druck erschien, setzt sich aus wilden Angriffen gegen einzelne Bereiche der jüdischen Lebensart zusammen. Diese versucht der *teriak,* d.h. Heilmittel, Punkt für Punkt zu widerlegen. Dabei verfährt sein Autor, der Offenhausener Salomo Salman Zebi Hirsch »underm schenkstein« in der Verteidigung seines angestammten Glaubens zwar kunstreich, doch insgesamt mag die Verteidigungsschrift nicht zu überzeugen. Für solche Leser, die des Jiddischen nicht mächtig waren, besorgte Salomo Hirsch zugleich eine hochdeutsche Ausgabe. Einen lateinischen Nachdruck des *teriak* gab 1680/81 in Nürnberg zusammen mit der Schrift von Brenz und vielen eigenen Anmerkungen Johannes Wülfer, ein Freund Wagenseils, heraus. Zum dritten Mal erschien der *teriak* schließlich 1677 in Amsterdam unter dem besonderen Titel *nizzachon* (Disputation). [287]

Die Auseinandersetzung zwischen Brenz und Salomo Hirsch wurde rund hundert Jahre nach dem Auftreten der Pfefferkorn, Viktor von Karben, Antonius Margarita u. a. durch den Geiz und Geschäftssinn reicher Juden ausgelöst. Der kaum zu überbietende Ehrgeiz jüdischer Händler und Finanziers bildete für Brenz ein geeignetes Objekt der Diffamierung der gesamten Judenheit. Insofern der *teriak* die verschiedenen Angriffe zu widerlegen versucht, trägt er durchaus gesellschaftskritischen Charakter. Allerdings bietet der *Jüdische Schlangenbalg* – und mithin auch der *teriak* – im Vergleich zu Margaritas *der gantz jüdisch glaub* (vor 1531 erschienen) nur Harmloses.

Ein anderes polemisches Schriftchen, das *buch der ferzeichnung* (Nr. 642) eines zum Judentum übergetretenen Autors, bemüht sich, von christlicher Seite geübte Kritik an der jüdischen Lebensart und Religion mit Hilfe der prophetischen Bibellektionen zu begegnen. Das Buch erschien im Jahre 1696 bei Ascher Anschel ben Elieser und Jakob Bär ben Abraham in Amsterdam im Druck. Als Herausgeber nennt sich Isaak Jakob ben Saul Abraham, ein aus Minden gebürtiger Jude, der mit dem letztgenannten Drucker identisch sein dürfte. Wolf (BH III, p. 578. Nr. 1207b) führt als eigentlichen Verfasser der Verteidigungsschrift den als Mönch zum Judentum übergetretenen Israel Ger, Buchdrucker in Jeßnitz, an, doch glaubt The Jewish Encyclopedia X, 109 in dem oben genannten Herausgeber auch den Autor zu erkennen. Wie schon der *teriak* so enthält auch das *buch der ferzeichnung* in seiner Widerlegung der polemischen Kritik am Judentum eine Vielzahl von Hinweisen auf die Lebensführung der Juden und ihre wirtschaftliche und gesellschaftliche Stellung.

Den wohl umfassendsten Einblick in dieser Hinsicht erlauben die Memoiren der

Glückel von Hameln. Ihre *sichronot* (Nr. 301, Nr. 302), zwischen 1691 und 1719 niedergeschrieben berichten von den Einflüssen der messianischen Glaubensbewegung auf das Leben der Hamburger Judenschaft. Glückels Lebenserinnerungen, von denen sich leider kein Autograph erhalten hat, gehen auf viele Einzelheiten des jüdischen Lebensbereiches ein. Vor allem aber enthält ihre Schrift Mitteilungen über ihre eigene (!) Handelstätigkeit und ihre umfangreichen Kreditgeschäfte. Nach dem Tode ihres Ehemannes führte sie dessen Geschäfte erfolgreich weiter, wobei ihre Tüchtigkeit und ihre kaufmännische Begabung für das auch einer Jüdin nicht unbedingt selbstverständliche Gewerbe überraschen. Den Grund ihrer Schreibtätigkeit teilt sie uns in ihren Aufzeichnungen selbst mit: sie will ihre Kinder umfassend und detailliert über ihre Familie informieren, wobei sie nicht selten mit praktischen Ratschlägen für alle Lebenslagen aufwartet. Glückel verfährt in ihren Memoiren noch nicht in jenem Stil, in dem in späteren Zeiten jüdische Frauen ihre Lebenserinnerungen festgehalten haben, sondern stellt ihr Leben als wenig aufregend und kaum vorbildlich hin, eher als ein in guten wie in schlechten Zeiten durchaus normal verlaufendes. In diesem Sinne läßt ihre Lebensbeschreibung jeden persönlichen Ergeiz vermissen, sie ist vielmehr von größter Sachlichkeit gekennzeichnet. Eine Vorgängerin hatte Glückel von Hameln, wenn man so will, in der Wiener Jüdin Rahel Ackermann (1. Hälfte 16. Jh.), die ihre Lebenserfahrungen zwar in poetischer Form, doch nüchtern und realistisch, allerdings in reinem Schriftdeutsch niederlegte. Ihre *Geheimnisse des Hofes* vermögen mit deutlicher Sachkenntnis von den höfischen Intrigen und Ränkespielen zu berichten – zu deutlich gar, denn Rahel wurde bald daraufhin aus Wien ausgewiesen!

Welch ausgezeichneten sozial- und kulturhistorischen Wert jüdische Privatbriefe besitzen, erkannte erstmals Ludwig Blau, der Herausgeber und Bearbeiter der umfangreichen Korrespondenz des Leon da Modena (1571–1648). Nach Blaus Vorbild stellte in einer beispielhaften Untersuchung Bernhard Wachstein die historische Ergiebigkeit einer Sammlung von 47 meist jüdisch-deutschen Briefen aus dem frühen 17. Jahrhundert heraus. Die Briefe (Nr. 294), die sämtlich von Prager Juden am Freitag, dem 22. November 1619 an Verwandte und Bekannte in Wien abgesandt worden waren, wurden vermutlich in den Kriegswirren unterwegs abgefangen und den Adressaten niemals ausgehändigt. Wir finden sie in einer Wiener Sammelschrift (Cod. Wien Suppl. 1174) aufbewahrt.

Andere aufschlußreiche Briefsammlungen verzeichnet die Bibliographie unter Nr. 290 ff., wobei den drei Briefen der Rahel, Witwe des R. Elieser Sussmann Aschkenasi von Jerusalem, an ihren Sohn Moses in Kairo unsere besondere Aufmerksamkeit gilt. Die am 3. Oktober 1567 niedergeschriebenen Briefe wurden wie die *Dukus-Horant*-Hs. Cambridge T-S. 10. K. 22 in der Genisa der Kairoer Esra-Synagoge aufgefunden. Sie könnten vielleicht als ein Nachweis dafür dienen, daß die nach Kairo vertriebenen Juden lange Zeit noch ihre jüdisch-deutsche Sprache beibehalten hatten. Wenigstens wird solches im Zusammenhang mit dem Horant-Codex von einigen Jiddisten behauptet.

Es sollte noch auf die wenigen erhaltenen Merk- und Notizbücher verwiesen werden, die häufig Aufschluß zumindest über das Familienleben ihrer Schreiber geben. Daß nur eine kleine Anzahl von ihnen überliefert worden ist, entspricht ihrem durch und durch zweckgebundenen, privaten Gebrauch, der in den meisten Fällen eine längere Aufbewahrung erübrigte. Außer den an früherer Stelle (vgl. S. 21) bereits genannten sei hier noch das in der Hs. Hamburg 313 enthaltene Merkbuch aus dem Jahre 1669 erwähnt (Nr. 295).

An ein hinsichtlich der Sitten und Gepflogenheiten jüdischen Glaubens- und Gesellschaftslebens im 17. Jahrhundert aufschlußreiches Zeugnis sollte an dieser Stelle in aller Ausführlichkeit erinnert werden, enthält es doch in knapper, doch genauer und kenntnisreicher Schilderung Bemerkungen zu den im letzten Drittel des 17. Jahrhunderts immer mehr um sich greifenden religiösen Unsitten. Es war jene Zeit der Enttäuschung, die durch die Nichterfüllung der Hoffnungen vieler Juden auf den in Gestalt des Sabbatai Zewi zur Erde gesandten Gottessohnes einen tiefen Verfall der Religionspraxis hervorrief. Der sittliche und moralische Umschlag machte sich nach Meinung der sittenstrengen Rabbiner vor allem im ungebührlichen Benehmen der Synagogenbesucher bemerkbar. Kinder von weniger als fünf Jahren wurden mit ins Gotteshaus gebracht. Mit ihnen spaßte man während des Gottesdienstes. Der Vorbeter gestaltete seinen Vortrag oberflächlich und theatralisch; während des Gebets wurden sogar Almosen gesammelt. Für viele Juden wurde die Synagoge ausschließlich zum Ort ihrer Handelsbesprechungen und Geschäftemachereien. Diese und andere religiöse Zerfallserscheinungen tadelt Jehuda Löw Minden ben Moses Selichower in der Vorrede zu seinen Tischliedern *schire jehuda* (Nr. 323) vom Jahre 1697:

hert zu di hakdomo (= Vorrede), ir liben lait!
ich wil aich arzelen, woß doß betait,
doß ich hob di mismorim (= Lieder) in leschon hakodesch (= Hebräisch)
/un'taitsch gemacht
un' driber gar erenst getracht tag un' nacht,
nit fil geschlafen, meinstlich gewacht,
bis ich hob t"l (= gottlob) di mismorim (= Lieder) erdacht.
un' hob jo nit geacht di file mi un' fracht,
bis ich eß hob t"l (= gottlob) also weit gebracht.
fun wegen di grouße jacht,
di ich hob an fil orten gesēn,
woß ouf ßeudoß (= Gastmählern bei Beschneidungen) un' chassunoß
/(= Hochzeiten) tut geschen,
wen si satt hoben gegessen un' sich woul angemessen,
do weren gerēt fil deborim betelim (= leeres Geschwätz) unterdessen
un' tun an churban habajiß (= Zerstörung des Tempels) fagessen!
un' wen si halten in trenken,
do singen si lider, di men nit sol gedenken.
sol ich schraiben, wi eß zugēt mit deroschoß (= Tischreden) un'
/benschen (= Tischgebet)?
do finden sich derbei gar wenig menschen,
bedochek (= mit knapper Not) is menich mol minjan (= rituell vor-
/geschriebene Zahl) lait zu bekumen,
benschen (= beten) fil far sich mit mesumon (= höchstens zu dritt).
si schaien sich nit far lamdon (= Gelehrter) oder reb (= Rabbiner),
benschen fil far sich glaich as am tischo beeb (= Tag der Trauer
/um die Zerstörung Jerusalems).

doß ging als noch woul hin,
ober fil hoben andre sin.
doßselbige is nu ain ma'asse soton (= Teufelswerk)
un' tut im b' w"h (= durch unsere Schuld) geroten.
si sogen: aso bald as men benschen tut,
schmekt der trunk nimer mer wider aso gut
un' legen doß benschen noch ouf ain sait,
si sogen: doß benschen hot noch genugen zait!
mir weln far gen tanzen un' springen,
lustig machen mit singen un' dernoch benschen noch alen dingen.
woß kumt nu derfun her,
doß si nit denken an benschen mer?
un eß stet jo weochalto wesoboto uberachto (= und du wirst essen, /wirst satt essen und Gott danken) geschriben,
is maschma (= das bedeutet): tekef (= sogleich) noch essen sol men /got danken un' loben.
nu, wi sol uns hsch"j b"h (= Gott) ous den goluß (= Elend) machen /frai,
wen mir īn nit dinen getrai?
is ain chaßuno (= Hochzeit), do loufen si tekef (= sogleich) noch /den essen zum tanz,
doriber is farstert die ßeudaß mizwo (= Festmahl) bald ganz.
eß blaiben gar wenig sizen am tisch,
si loufen arum as in wasser di fisch.
un' wen si schon wider kumen zu der deroscho (= Tischrede),
do is ain grouße mehumo (= Lärm) zu machen, schwaigen helft kain /bekoscho (= Bitte).
kain wort tut kainer fun si zu heren
un' machen ain andren ouch darfun farsteren,
un' housen un' turneren as im spilhous der beren.
si spilen der wail mit di beßuloß (= Jungfrauen), di bai der kallo /(= Braut) sizen
un' tun sachen, di nit fil nizen.
ouch hob ich gesēn an ain tail ort,
doß si klopen mit teler un' kanen imerfort,
doß man nit sol heren fun der deroscho (= Tischrede) ain wort.
un' tun juchzen un' schalen.
si sogen: si tunen den bal darschan (= Redner) dermit ain groußen /gefalen.
un' wenden sachen far,
di sainen umklar:
doß der wail kan er di deroscho (= Tischrede) awek sogen,
do kan men im nit fil frogen.
dises hob ich als b'w"h (= durch unsere Schuld) gesēn,
hot mich ser fardrossen, doß selcher sol unter uns bar jisroelim /(= Kinder Israels) geschēn.
[...]

Dieser erste Teil der insgesamt recht umfangreichen Vorrede zu den Tischliedern des Jehuda Löw Selichower [288] genügt, um die Tendenz, den Grundton seiner Beschwerden nachzuempfinden. Im weiteren Verlauf der Vorrede rügt der Autor das schlechte Benehmen der Synagogenbesucher (»den wen mir kumen in di schul anain/tun mir eben as bai dem bir un' wain!«), die beim Gottesdienst »fil deborim betelim«, d. h. viel leeres, alltägliches Geschwätz von sich geben und sogar über Geschäfte verhandeln. Wie sollte da die Erlösung durch den Messias bevorstehen? Zu groß ist der Verfall der religiösen Sitten, zu groß die Gesetzesuntreue! Sogar die Dienstboten vergessen ihren Stand und ihre Pflichten, eine Feststellung, die uns eine aufschlußreiche Einsicht in die Vorstellungen der privilegierten Rabbiner- und Gelehrtenkaste vermittelt. Darin lag wohl der Hauptgrund der hervorgekehrten Frömmigkeit dieser bevorteilten jüdischen Bevölkerungsschicht: die Rückkehr zur traditionellen Gesetzestreue mußte notwendigerweise die gesicherte Verteilung alter Rechte mit sich bringen. Insofern muß man einschränken, daß Selichowers Kritik ausschließlich vom Standpunkt eines um sein eigenes Wohl bedachten Rabbiners zu interpretieren ist. Es kam ihm letztlich nur darauf an, die nach seiner Auslegung gottwohlgefällige Ordnung wieder herzustellen.

d) Lyrische Mussardichtung

Der ökonomische und soziale Niedergang der aschkenasischen Juden im 17. Jahrhundert, begleitet von den nationalen Katastrophen des Kosakenaufstandes und des Schwedenkrieges (1648–1658), riefen in der lyrischen Dichtung eine große Blüte hervor. Auf der Grundlage der wieder neu zum Leben erweckten Kabbala entstand eine Vielzahl von mystischen Liedern, die eine überspannte Frömmigkeit zum Ausdruck brachten. Andererseits trugen sie nicht selten schüchterne Ansätze von Gesellschaftskritik in sich, wie wir sie in den kritischen Mussarschriften dieser Zeit bereits angetroffen haben.

So beschreibt beispielsweise der 1624 in Lublin veröffentlichte Gesang *schir wesemer nae el uroch ha-galuth* (Gesang und schönes Lied über das Verweilen im Exil – Nr. 384) das Leben der Frankfurter Judenschaft aus der kritischen Sicht eines frommen Rabbiners der Mainmetropole. Bereits der Titel läßt schon das Motiv des Liedes anklingen: es ist ein sogenanntes Straflied, das die Verbannung der Juden im Galuth auf ihren sündigen Lebenswandel zurückführt. In der Vorrede zu diesem gesellschaftskritischen Lied maßregelt der Autor die Unmoral und die religiösen Verfehlungen seiner Glaubensbrüder aufs schärfste:

> meinem got tu ich louben un singen
> ouf diser welt, der geringen,
> in meinem Leben, dem schlechte,
> um hilf un ãch beischtand
> bet ich got mir zu reichen sein hand,
> beischtein mein rechte!
> oub (= ob) einer irgent sogen welt (= wollte):
> ›woß sein far geschefte?‹
> doß sich der asou do her schtelt,
> zu singen mit krefte?
> ich sing noiert (= aber, nur) meinem weib un kind
> un diweil man izund fil emharzim fint.
>
> oft mir mein herz nachhengt,
> ouf meinem bet mich seier (= sehr) krenkt,

worum sich doß goleß (= Elend) nischt wil schtoußen,
di goleß (= Exil) sich so lang farzicht
un nit wil leichten undser licht.
fun wegen undsere sind die groußen,
solchß hob ich nochgetracht
un bin eß worden inen,
doß zeitlich gut eß alz macht,
weinik leit di derfun antrinen.
fil beis (= Böses) durch doß mamon geschicht,
ein alef-beß (= Alphabet) hob ich drouf gericht.

Hier endet die zweistrophige Vorrede und der Autor des Liedes beginnt, die religiösen Übertretungen, die er überall beobachten konnte, aufzuzählen. Seine Kritik richtet sich nicht zuletzt gegen die Wohlhabenden unter den Juden, die, wie er meint, Unmoral und Gesetzesverfall vorangetrieben haben. Man praßt und lebt in großzügigen Lebensverhältnissen, und die breite Masse der weniger gutgestellten Juden, versucht sich dieser Freizügigkeit anzupassen. Manchmal bleibt ihnen auch kaum eine andere Wahl, dann nämlich, wenn es darum geht, die Tochter des Hauses unter die Haube zu bekommen. Die hohe Mitgift, die der Brautvater oft aufzubringen hat, führt nicht selten zu dessen Bankrott. Geld spielt also in der Brautwerbung die Hauptrolle, nicht mehr die gute Abstammung der Braut, ihre Tugenden, ihre lobenswerte Erziehung oder ihr züchtiges Wesen und ihre Gelehrsamkeit.

Heftige Kritik übt das Lied an der Anpassung der Juden an die Lebensart ihrer christlichen Mitbürger. Nicht nur, daß man sich kleidet wie sie, man lebt auch aus kommerziellen Gründen mit ihnen unter einem Dach. Noch schlimmer, man trinkt mit ihnen sogar unkoschere Getränke, wenn man das Gelingen eines Geschäftsabschlusses mit dem Weinkauf beschließt! Jüdische Frauen gehen ohne Begleitung auf die Straße und finden sich dort zusammen, um den neusten Klatsch zu bereden. Besonders erschreckend ist das Gebaren der Rabbiner, die in Rechtsangelegenheiten grundsätzlich zu Gunsten der Reichen und Vornehmen entscheiden, und das aus bloßer Profitgier und wegen der Bestechungsgelder. Kurz gesagt: alles dreht sich ums Geschäft, und auch in der Synagoge spricht man darüber! Ein besonderes Ärgernis sind dem Lieddichter die Bemühungen einiger geschäftstüchtiger Händler und Gewerbetreibender, den Sabbat als Ruhetag abzuschaffen – eine wirtschaftshistorisch interessante Mitteilung, die uns das Lied zukommen läßt.

Die besonders in diesem letzten Punkte heftig entbrennende Kritik, erscheint vom Standpunkt eines orthodoxen Rabbiners durchaus angebracht gewesen zu sein. Nur muß man wissen, daß gerade das Problem der starken wirtschaftlichen Einschränkung am Sabbat und an den anderen religionsgesetzlich vorgeschriebenen Ruhetagen innerhalb des Judentums des öfteren zu Liberalisierungsversuchen geführt hat. Um ihre wirtschaftliche Wettbewerbsfähigkeit gegenüber ihrer christlichen Konkurrenz voll zu erhalten, verlangten die Vertreter eines, wie sie es nannten, aufgeklärten Judentums die weitgehende Aufhebung der rigorosen, ihre Wirtschaftstätigkeit lähmenden Verbote für die Ruhe- und Feiertage. Im übrigen teilten beileibe nicht alle Mussarschreiber den puristischen Standpunkt des Elchanan Frankfurt, der das *schöne lied* verfaßt hat. Andere Dichter des Mussarschrifttums verdammten nicht uneingeschränkt den ausgeprägten Geschäftssinn ihrer Glaubensbrüder. Hier schieden sich die Geister entsprechend dem eigenen sozialen Standort. Ein so erfolgreicher und tüchtiger Verleger wie Sabbatai Bass z. B., der, um konkurrenzfähig zu bleiben, Buchmessen auch an Sabbat- und Feiertagen aufsuchen mußte, sträubte sich nicht davor, Geschäft und Religion zu verknüpfen. Nicht von ungefähr hat ein von ihm bearbeitetes und herausgegebenes Traktat *massechet derech erez*, das an früherer Stelle (vgl. S. 107) schon ausführlich beschrieben wurde, besondere Gebete und rituelle Bestimmungen für Reisende und Kaufleute zum Inhalt.

Elchanan ben Abraham Helen, wie der Verfasser des *schir we-semer nae* mit vollem Namen hieß, schrieb übrigens auch das bekannte historische Lied über den Fettmilch-Aufstand in Frankfurt a. M. in den Jahren 1614–1616. *ein schön Lied, megillat vinz* (Nr. 386) schildert die Nöte der Frankfurter Juden im Zusammenhang mit den von Vinzenz Fettmilch hervorgerufenen Unruhen. Das historische Lied wurde gleich nach der Hinrichtung des Aufrührers im Jahre 1616 abgefaßt, doch haben sich nur die späteren Ausgaben Amsterdam 1648 und Frankfurt a. M. 1696 erhalten können.

Warum die Lieder des Elchanan Frankfurt in ihren Erstausgaben nicht in Frankfurt a. M. im Druck erschienen sind, ist leicht erklärt. Dort bestand nämlich erst seit dem Jahre 1656 eine hebräische Druckerei. Den *schir we-semer nae* veröffentlichte der Sohn Elchanan Frankfurt, er selbst lebte im Jahre 1624 schon nicht mehr.

Unter der im großen und ganzen recht originellen lyrischen Mussardichtung überwiegen die Klagelieder, die *kinnot*. Diese Bezeichnung erstreckte sich ursprünglich auf allgemein-religiöse Klagelieder, namentlich über die Zerstörung Jerusalems und die Leiden des Exils. Sie wurden ins Ritual des jüdischen Gottesdienstes, vornehmlich zum 9. AW zur Erinnerung an den Tag der Tempelzerstörung aufgenommen. Derartige Gedenklieder liegen in einer Sammlung des Posener Chassan Löw Sofer ben Chajim vor, die erstmals 1698 in Dessau herausgegeben worden ist (Nr. 350). Es müssen bereits früher ähnliche Klagelieder Verbreitung gefunden haben, so vielleicht die undatierte und nicht zu lokalisierende *kinna*-Ausgabe, die Löw ben Bezalel besorgte (Nr. 352).

kinna oder *kloglid* wurde als Titel sehr bald auch auf andere Arten von mystischhistorischen Liedern übertragen, einerlei, ob sie nur lokale Katastrophen wie die Synagogenbrände in Frankfurt a. M. (Nr. 355), Altona (Nr. 356) und anderswo betrafen, eine Panik in der Berliner Synagoge am 2. Pfingsttag des Jahres 1715, bei der viele Frauen den Tod fanden (Nr. 358), oder die Opfer der Judenverfolgungen in Litauen, der Ukraine und in Mähren, Wien und Metz beklagten (Nr 359ff.). Eine besondere Gruppe von Leidensliedern stellen die Klagelieder über die Pest dar. Unter diesen war eines der weitverbreitesten das *ippusch lid fun prag* (Nr. 366), das die Auswirkungen der Pest in Prag im Jahre 1713 beschreibt. Andere *Kloglider* bejammern das Schicksal berühmter Juden sowie von Märtyrern, die vor allem im Zusammenhang mit den Verfolgungen in Litauen und Mähren ums Leben kamen (Nr. 369ff.). Ebenfalls als *kloglid* bezeichnet wurde ein Lied auf den Tod Kaiser Leopold (starb 1705), das in Prag unter dem Titel *ebel kabod* (Ehrentrauer – Nr. 370) veröffentlicht worden ist. Wie beliebt der Betrauerte unter den

Juden war, beweist allein seine von jüdischer Hand geschriebene Lebensbeschreibung *derech ha-nescher* (Adlers Weg), die der Breslauer Professor Daniel Springer in hebräischer, chaldäischer und deutscher Sprache besorgte und 1702 in Dyhernfurth herausgeben ließ.

Der mystischen Haltung der Liederdichter entsprangen eigenartige moralisierende Gesänge, die *göttlich lider,* später dann *gottesfurchtig lider* genannt wurden. Von ihnen konnten etliche überliefert werden, obwohl sie zumeist in billigen Heftchen oder auf Einzelblätter gedruckt, veröffentlicht worden sind. Viele dieser Lieder wurden von berufsmäßigen Vortragskünstlern, den Badchanim, verfaßt. Diese trugen ihre Dichtung als Unterhaltungsbeitrag auf Familienfesten vor, wobei mitunter der kurzweilige Gesang von einem ernsten, besinnlichen Ton begleitet war. Zu den bekanntesten Liedermachern zählte Salomo ben Naftali, der bezeichnenderweise Schlomo Singer genannt wurde. Von ihm stammt *ein schön gottesfurchtig lied* (Nr. 336), das in der beliebten alphabetischen Anordnung moralische Sentenzen enthält. Recht produktiv war Jakob ben Elia ha-Levi aus Teplitz, den man »frum Reb Jekub« nannte. Von seinen zahlreichen Liedern haben sich nur *gar ein schön neuen torah-lied* (Nr. 339) und *zwei schöne göttliche lieder* (Nr. 328) erhalten.

Verschiedene mystische Gesänge handeln von der Erlösung und der Auferstehung nach dem Tode, so der *semer d'arba geulot* (Gesang der vier Erlösungen – Nr. 340), der nach der volkstümlichen Melodie *es liegt ein schlößl in österreich* gesungen wurde, und das *mazzil-mi-mawet-lid* (Todesretter-Lied – Nr. 341), das das Schicksal der Menschen nach dem Tode besingt. Ein Lied über den falschen Messias Sabbatai Zewi verfaßte Jakob Tausk (Nr. 338), der ebenfalls zur Gilde der Prager Berufssänger und Liederdichter zu rechnen ist.

Erstaunlicherweise erlangten einige der mystischen Gesänge in Kreisen der jüdischen Jugend große Beliebtheit. Dieser Tatsache trugen Liedermacher Rechnung, die solche Lieder mit der unverfrorenen Aufforderung »Kauft den semer« (Nr. 343) oder »Kauft den semer, Jungen und Maiden« (Nr. 342) als billige Drucke anboten. Ein anderer Verkaufstrick war die oftmals im Titel erscheinende Ankündigung »Seht etwas Neues!«, wie sie auch das oben aufgeführte *schöne lied* des Elchanan Frankfurt enthält.

Jiddische Moritatenlieder begegnen uns in den sogenannten *Strafliedern,* wie sie *ein schön straflied* (Nr. 376) des genannten Jakob ben Elia ha-Levi und *ein wunderschön göttlich straflied* (Nr. 377), das Abi Esra Seligmann ben Nathan Raudnitz verfaßt hat, darstellen. Von Josef ha-Zadik, dem frommen Josef, handelt ein unter diesem Titel veröffentlichtes Kidduschlied, eine besondere Art des Moritatengesangs. *kiddusch ha-schem* (Verherrlichung des Namens – zu ergänzen ist Gottes, Nr. 378) besingt die Leiden zur Zeit der Judenverfolgungen in Osteuropa und verherrlicht das Märtyrertum, ebenso das *kadosch r. schechna*-Lied (Nr. 375) und das *Heiliger aus Hanau*-Lied (Nr. 380). Andere kurzweilige Lieder wurden in der Art eines primitiven Bänkelgesangs geschrieben, so z. B. das *lid fun pauer un' soldat* (Nr. 381) oder das *kurzweilig lid fun drei waiber, hoben geton ire manen zu poussen* (Nr. 382).

Die Besonderheit dieses Bänkel- und Moritatengesangs, der für die Vielzahl der

Juden oft die einzige Möglichkeit darstellte, Neuigkeiten und wunderbare oder seltsame Nachrichten, aufregende Schauergeschichten u. ä. zu erfahren, war seine tendenzielle Situationsgebundenheit und seine brennende Aktualität. Besonders die Streitlieder – die bereits mehrmals erwähnten *wikkuach*-Lieder (Nr. 394 ff.) – teilten oft genug Probleme, Ränkeleien, kurz den gesellschaftlichen Hintergrund des jüdischen Alltagslebens dieser Zeit mit. Oft orientierten sie sich in der Behandlung ihres zum Vortrag bestimmten Stoffes an deutschen Streitliedern – ein solches liegt z. B. in einem Wettstreit zwischen einem Bayern und einem Sachsen [289] vor – doch spricht aus ihnen eindeutig typisch Jüdisches.

Das traditionelle Betätigungsfeld des Badchen waren jedoch nach wie vor die Hochzeitsfeste. Hier trug er zu Ehren des Brautpaars Lieder für »choson« und »kalla«, d. h. für Bräutigam und Braut, vor; daneben agierte er aber auch noch zu anderen Gelegenheiten als Spaßmacher, Unterhalter und als ein an religiöse Pflichten Mahnender.

In der »Mussarzeit« lebte der rituelle Gesang erneut auf. Zahlreiche Tischlieder, Morgen- und Abendgesänge sowie Festtagshymnen entstanden, unter denen die von Jehuda Löw Minden ben Moses Selichower zusammengestellten Tischlieder herausragen. Sie wurden 1697 bei Kosman Emrich in Amsterdam gedruckt, wobei dem hebräischen Urtext die jüdisch-deutsche Übersetzung beigegeben wurde. Die *schire jehuda* (Lieder Judas – Nr. 323) – so ihr Titel – sind von einer tiefen mystischen Frömmigkeit erfüllt, die der kabbalistischen Strömung des 17. Jahrhunderts entspringt und der in dieser Zeit aufkommenden eschatologischen Stimmung Rechnung trägt. So fehlt auch der in derartiger Literatur übliche Hinweis auf die Ankunftszeit des Messias nicht, sie setzt der Autor für 1700 oder 1714 an.

Amsterdam und Prag erlangten als die Zentren des jiddischen Buchdrucks des 17. und 18. Jahrhunderts für die Verbreitung jüdisch-deutscher Mussarschriften und Liedersammlungen eine große Bedeutung. Daß in beiden Städten die überwiegende Mehrheit der Liedersammlungen im Druck erschien, ist vor allem darauf zurückzuführen, daß hier der synagogale Gesang zu neuer Blüte kam. Prag war auch der Ort, wo zum Ende des 17. Jahrhunderts der *Freudengesang* seine Geburtsstunde erlebte. Die *freidenlider,* die große Beliebtheit erlangten und eine rasche Verbreitung fanden, lehnten sich an prägnante historische Ereignisse der jüdischen lokalen Geschichte an. In den Mittelpunkt des Gesangs der Prager Juden rückte vor allem der beliebte Kaiser Leopold, dem zu Ehren ein *freidengesang* (Nr. 390) auf den neugeborenen Sohn, verfaßt von Noah Abraham Ascher Selig ben Chiskija Chassans, angestimmt wurde. Andere *freidenlider* besingen Kaiser Joseph und die Kaiserin Amalia Wilhelmina (Nr. 391) oder die Ankunft König Karls in Lissabon (Nr. 392). Der letztgenannte Hymnus dürfte wohl aus dem sefardischen Liedgut übernommen worden sein.

1. *Bibelübersetzungen*

Der bisherige Überblick über das jüdisch-deutsche Schrifttum vermittelte zurecht den Eindruck, das »die jüdisch-deutsche Literatur zwar in mancher Hinsicht höchst originell, doch kein Original ist.« [290] Sie besteht aus einer Vielzahl von Übertragungen oder Bearbeitungen jüdischer und nichtjüdischer Quellen, unter denen naturgemäß die hebräisch-aramäischen Schriften überwiegen. So trifft auch Grünbaums Urteil, »die jüdisch-deutsche Literatur bietet [...] ein Miniaturbild der jüdischen Litteratur« [291] für weite Bereiche des jiddischen Schrifttums durchaus zu. Wenn wir ungeachtet dieser Tatsache ein umfassendes Gebiet der vornehmlich in Westeuropa gedruckten jiddischen Literatur des 17. und 18. Jahrhunderts als spezifische Übersetzungsliteratur bezeichnen, so geschieht das in der Erkenntnis, daß eben dieses späte jüdisch-deutsche Schrifttum im Gegensatz zu den früheren Bearbeitungen und Übersetzungen hebräischer Vorlagen bewußt eine größtmögliche Quellentreue anstrebte.

Die westjiddische Übersetzungsliteratur erreichte ihren Höhepunkt zu einer Zeit, als dem im Osten aufgekommenen kritischen Mussarschrifttum ein literarisches Ghetto bevorstand. Jene Auswirkungen der wirtschaftlichen Katastrophe in Binneneuropa, die, verstärkt durch die schweren Lasten der Judenpogrome, im 17. Jahrhundert weitgehend das geistige Leben der Juden im östlichen Europa beeinflußten, machten sich unter den in Westeuropa, vor allem im Küstengebiet lebenden Juden weniger intensiv bemerkbar. Besonders die wirtschaftlich aufstrebenden Niederlande boten den aus Osteuropa emigrierten aschkenasischen Juden fast uneingeschränkte Möglichkeiten zur Wiederbelebung ihrer Wirtschaftskraft. Ihre starke Beteiligung am Handel und an der Geldwirtschaft ermöglichte ihnen eine denkbar günstige Gestaltung ihrer Lebensverhältnisse. Einen kulturellen Aufschwung bewirkte die Begegnung mit den aus Spanien und Portugal vertriebenen sefardischen Juden, mit derem an der klassischen ethisch-religiösen Literatur orientierten Erziehungswesen sich nun die Aschkenasim konfrontiert sahen.

Der Einfluß der sefardischen Bildung und Erziehung machte sich besonders in der Bibelübersetzung bemerkbar. Im Gegensatz zur Gesetzeserziehung der aschkenasischen Juden, die die Gemara [292] in den Mittelpunkt ihrer religiösen Ausbildung stellten, berief sich die religiöse Gelehrsamkeit der Sefardim in großem Maße auf die Tora. Die Auslegung des göttlichen Wortes unter Verwendung des midraschischen Schrifttums blieb gänzlich unbeachtet. Hierin liegt der Hauptgrund dafür, daß sich seit dem Ende des 17. Jahrhunderts in Amsterdam eine auf sefardische Religionsideale stützende Strömung bemerkbar machte, die sich gegen alle volkstümlichen Pentateuchbearbeitungen, vor allem gegen die *zenne renne* richtete. Unter dem Einfluß der jüdischen Gelehrten- und Rabbinergruppe strebte man eine Bibelübersetzung an, die sich allein auf den Text der Tora berufen sollte. Zusätzlich erweckte das Vorbild der christlichen Bibelübersetzung seit Luther das Bedürfnis, anstelle von

חמשה חומשי
תורה
נביאים וכתובים
בלשון אשכנז

נדפס באמשטרדאם
בבית אורי ווייבש בלאא הר"ר
אהרן הלוי זצלה"ה:
בשנת יער"ב במעט"ר לקחי תזל כטל
אמרתי לפ"ק:

Abb. 9: Bibelübersetzung des Jekutiel ben Isaak Blitz. Ed. Amsterdam 1676–79, Drucker: Uri Phoebus ben Ahron ha-Levi. Exemplar der Bayerischen Staatsbibliothek München

einzelnen, oft zufällig übertragenen biblischen Büchern, eine jiddische Gesamtbibel zu schaffen. Es sei noch einmal daran erinnert, daß bereits der Verleger Schalom ben Abraham, der in der Proßnitz'schen Druckerei in Krakau drucken ließ, in der zweiten Hälfte des 16. Jahrhunderts den Plan gefaßt hatte, die gesamte Tora ins Jiddische zu übersetzen. Er konnte sein Vorhaben jedoch nicht verwirklichen. Erst über hundert Jahre später vermochten beinahe gleichzeitig zwei Amsterdamer Verleger, Uri Phoebus ben Ahron ha-Levi und Josef Athias, eine jiddische Gesamtbibel herauszugeben.

Uri Phoebus besaß seit den sechziger Jahren des 17. Jahrhunderts eine große Druckerei in Amsterdam. Hier entstanden etliche jiddische Prachtausgaben wie z. B. das *Bovo-Buch* (1661), der *jossipon* (1661) u. a. Der Korrektor des Uri Phoebus, Jekutiel ben Isaak Blitz, besorgte die Übersetzung der Tora ins Jiddische, sie erschien in den Jahren 1676–79 im Druck (Nr. 67). Zuvor hatte sie der Amsterdamer Rabbiner Meir Stern durchgesehen; außerdem wurde die Übersetzung einer Revision unterzogen, um etwaige gegen das kirchliche Dogma gerichtete Ausfälle zu beseitigen. Die Bemerkung darüber fehlt in den Exemplaren die vor 1683 vertrieben worden sind.

Die zweite jiddische Gesamtbibel (Nr. 68) geht auf die Übersetzung des Josef Josel ben Alexander Witzenhausen (1610–1686), der aus dem gleichnamigen hessischen Städtchen stammte. Er war in der Zeit von 1644 bis 1680 in der Druckerei des Josef Athias in Amsterdam als Setzer beschäftigt. Athias selbst, ein bekannter und wohlhabender Drucker, der für seine hervorragenden Arbeiten sogar von der niederländischen Regierung mit einer Medaille ausgezeichnet worden ist, war es der den Josel Witzenhausen zur Bibelübersetzung ermuntert hatte. Bei der Niederschrift wirkte der bekannte Verleger und Bibliophile Sabbatai Bass und der eben genannte R. Meir Stern mit. Die Erstausgabe der Witzenhausen'schen Bibelübertragung erschien 1679 bei Athias im Druck. Eine verbesserte Neuauflage mit Zugaben am Rande gab Athias neun Jahre später heraus. Auch ging Witzenhausens Gesamtbibel in die sogenannte *biblia pentapla* über. Diese konfessionell komparative Bibelsammlung (Wandsbek 1711) enthält die Übersetzungen von Ulenberg, Luther, Piscator, Witzenhausen und die niederländische Staatenbibel. Das Charakteristische der beiden Gesamtbibeln liegt in ihrem Bemühen, den hebräischen Urtext wissenschaftlich genau wiederzugeben. Dabei verzichten sie jedoch auf die glossatorische Methode früherer Zeiten und bemühen sich vielmehr um einen sprachlich hochstehenden Stil.

Neben diesen beiden vorbildlichen Bibelübertragungen des ausgehenden 17. Jahrhunderts erschienen noch bis weit ins 18. Jahrhundert hinein Nachahmungen, die jedoch nie die Bedeutung ihrer Vorgänger erreichten. Bald verzichtete man auf die gerade angestrebte Vollständigkeit des Bibelkanons und brachte statt dessen wieder die Übersetzung des Pentateuch und einzelner Bücher. Allerdings bemühte man sich auch hierbei, dem Text der hebräischen Quellen getreu zu bleiben, zumal die Übertragungen für den Unterrichtsgebrauch bestimmt waren. So erscheint der Titel *melammed siach* (Sprachlehrer) für einen Sammelband jüdisch-deutscher Übersetzungen und Erklärungen der wichtigsten Paraschas des Pentateuchs und der fünf

Megillot durchaus verständlich. Das vom Amsterdamer Vorbeter Eljakim Götz ben Jakob zusammengestellte, 1710 in Amsterdam bei Chajim ben Jakob Drucker in Druck gegebene Buch (Nr. 64) war vornehmlich zum Gebrauch der Lehrer beim Unterricht bestimmt. Ähnliche Werke liegen in einer von Gedalja Taikos ben Abraham Menachem besorgten Übersetzung des Pentateuch und der fünf Megillot sowie der Haftarot mit dem Titel *beer ha-torah* (Nr. 66) und dem von Elieser Sussmann ben Isaak Roedelsheim übertragenen hebräischen Pentateuch *mikra meforasch* (Nr. 65) vor.

Ein beliebtes Übersetzungsobjekt waren nach wie vor die Psalmen. Im Gegensatz zu den freien, manchmal poetischen Bearbeitungen des 16. Jahrhunderts begegnet man in den späten Übersetzungen des 17./18. Jahrhunderts einer streng wissenschaftlich verfahrenden Übertragungsweise. Ein bemerkenswertes Produkt dieser Art von Psalmenbearbeitung geht auf Michael ben Abraham Kohen, genannt Michael Fürth zurück, der seine Psalterübertragung 1725 bei Hirsch ben Chajim drucken ließ (Nr. 106). Michael Fürth bringt darin den hebräischen Haupttext nebst jüdisch-deutscher Interlinearversion, wobei er für den jüdisch-deutschen Text die auf Elia Levita zurückgreifende Psalmenedition Amsterdam 1705 (Nr. 105) benutzt. Die jüdisch-deutsche Interlinearversion sollte das Verständnis des hebräischen Originals im häuslichen Unterricht gewährleisten. Um dieses zu erreichen wurde über den (hebräischen) Haupttext eine wortgetreue jüdisch-deutsche Übersetzung gesetzt, wobei allerdings trotz bester Absichten und eifrigen Bemühens des Übersetzers des öfteren sprachliche Härten und Verrenkungen hingenommen werden mußten. Immerhin mochten derartige Interlineartexte als pädagogisches Hilfsmittel durchaus von Nutzen gewesen sein.

2. *Rituelles Schrifttum*

Unter der religiösen Gebrauchsliteratur des 17. und 18. Jahrhunderts dominieren liturgische und rituelle Schriften. Gebetbücher wie *bakkaschat ha-memin* (Mem-Gebet – Nr. 230), dessen hebräisches Original Jedaja ben Abraham Bedersi zusammengestellt hat, sind in der Minderheit. Seine Übertragung ins Jiddische besorgte Isaak ben Jesaja Auerbach, der es zusammen mit seiner Übersetzung des *sefer bechinat olom* (S. 140), eines religiös-didaktischen Werkes des Jedaja Bedersi, 1744 in Sulzbach veröffentlichen ließ. Einige Gebete finden sich auch in der *kehillat schlomoh* (Sammlung des Salomo – Nr. 246), die bereits vorher, 1722, in Frankfurt a. M. im Druck erschienen ist. Der Titel dieser Ritualiensammlung bezieht sich auf ihren Kompilator: Salomon Salman ben Moses Rafael London. Im Anhang des Ritualbuches erscheint das an früherer Stelle erwähnte kleine hebräisch-jüdisch-deutsche Vokabular *sefer chinnuk katan* (vgl. S. 105). Die rituellen Bestimmungen selbst befassen sich hauptsächlich mit dem zur Entfernung des Blutes vorgeschriebenen Fleischsalzen, einer für die Zubereitung von Speisen streng beachteten Reinhaltungsregel. Wir finden derartige Ritualgesetze noch in verschiedenen anderen jüdisch-deutschen religiösen Brauchtumsschriften abgedruckt. Zu deren frühesten

Exemplaren zählt eine auszugsweise Übersetzung von Moses ben Israel Isserles *torat chaltat*, die der in Padua lebende deutsch-jüdische Rabbiner und Mathematiker Jakob ben Elchanan Heilbronn unter dem Titel *dine we-seder melichah* (Vorschriften und Ordnung des Fleischsalzens – Nr. 247) abfaßte. Das Ritualwerk wurde vermutlich 1602 in Venedig veröffentlicht. *berit melach* (Bund des Salzes – Nr. 248) lautet der Titel einer laut Wolf (BH IV, S. 845) 1728 von Mosche ben Jehuda aus Emden bei Proops in Amsterdam herausgegebenen Schrift, die Steinschneider (Serapeum Nr. 29) mit dem gleichnamigen Werk des Jomtob Lipmann Heller Wallerstein identifiziert. Andere Veröffentlichungen der Reinhaltungsgesetze sind mit dem *seder ha-nikkur* (Ordnung des Reinigens – Nr. 249), einem weiteren gleichnamigen Ritualbuch (Nr. 250) sowie dem den rituell einwandfreien Schächtvorgang beschreibenden *sefrim schechitot u-bedikot* (Schlachten und Untersuchen – Nr. 251 ff.) genannt. Sie alle wurden gegen Ende des 17. Jahrhunderts, die Ritualiensammlung *takkanot* (Nr. 256) sogar erst 1734 herausgegeben.

Groß ist die Zahl der zur Veröffentlichung gelangten rituellen Schriften über die Beschneidung. Sie enthalten gelegentlich neben den mit allen Gesetzesbestimmungen versehenen Beschneidungsregeln auch ethische Erzählungen, so z. B. die von Naftali ben Samuel Pappenheim zusammengestellte, 1647 in Amsterdam herausgegebene Schrift *hilchot mila* (Nr. 261). In der Regel führen die *mohelbücher* in ihrem Anhang die Namen der am Beschneidungsakt beteiligten Personen auf. An erster Stelle wird der Name des Beschnittenen genannt, ferner die Namen des Vaters, des Sandok, d. i. der Pate, der das Kind bei der Beschneidung auf den Knien hielt, und eines oder zweier Mohelim, die die Beschneidung vorgenommen haben. Auch werden Ort und Zeit der Beschneidung festgehalten. Ein solches Mohelbuch liegt in einem Amsterdamer Druck vom Jahre 1694 vor. Sein Verfasser David ben Arje Löw, genannt David de Lida, wirkte als Rabbiner in Lida, Zwollin, Mainz (1680), Ostrog und Amsterdam (seit 1682) und war als Mohel bei vielen Beschneidungen zugegen. Er stellte sein *berit ha-schem* (Bund Gottes – Nr. 262) betiteltes Werk als eine Art Handbuch für die Tätigkeit des Mohel zusammen. Die Erstausgabe erschien 1694 in Amsterdam bei David de Castro-Tartas im Druck, doch hatte David de Lida das Manuskript dazu bereits vierzehn Jahre vorher in Mainz abgefaßt. *berit ha-schem*, die jüdisch-deutschen Beschneidungsregeln machen darin nur einen Teil des Gesamtwerkes aus; die beiden anderen Teile, *sod ha-schem* (Geheimnis Gottes) und der dazugehörige Kommentar *scharbit ha-sahaw* (Goldenes Szepter) wurden in hebräischer Sprache abgefaßt. Insgesamt bringt das Ritualwerk Vorschriften und praktische Ratschläge für den Mohel sowie Gebete und Thorasentenzen, die auf die *berit mila*, d. i. die Beschneidung, Bezug nehmen. Der jüdischdeutsche Teil enthält ebenfalls Anleitungen für den Mohel, dazu führt er Erklärungen aus Talmud, Midrasch und späten rabbinischen Werken in großer Ausführlichkeit auf. Das Mohelbuch des David de Lida war ein in jüdischen Familien weitverbreitetes rituelles Hausbuch [293], das mehrere Neuauflagen erlebt hat. Im Anhang der Ed. Berlin 1710 erscheint die von Mordechai ben (Juda) Arje Löw Aschkenasi geschriebene Abhandlung über die Beschneidung mit dem besonderen Titel *mikweh jisrael* (Hoffnung Israels – Nr. 263). Die Ed. Berlin 1710 war keineswegs die letzte Ausgabe vom *berit ha-schem*; vielmehr beschreibt Max Markreich in den *Mitteilungen der Gesellschaft für jüdische Familienforschung* (Berlin), 3/1934, S. 471 ff. [294] eine noch spätere Ausgabe Amsterdam 1745, die weder von Steinschneider (Serapeum Nr. 226), noch von Wolf (BH I, S. 320, Nr. 504, III, 180, Nr. 477), Fürst (BJ II, S. 247) und The Jewish Encyclopedia IV, 460 erwähnt werden. Nach den Ausführungen Markreichs befinden sich im Anhang des von Markreich beschriebenen Exemplars der Ed. Amsterdam 1745 die handschriftlichen Anmerkungen der beiden Mohelim Pinchas Koßmann, genannt Seligmann, und Mordechai Gumpel, genannt Gottfried, die für den Mohel bestimmte Rezitationen und Beschneidungsriten aufführen. Pinchas wirkte als Mohel in den Jahren 1843 bis 1864 und nahm 132 Beschneidungen in ostfriesischen, münsterländischen und niederländischen Judengemeinden vor. Seine Eintragungen verlaufen über die 22 Jahre seiner Tätigkeit lückenlos, hingegen brechen die sich anschließenden Eintragungen seines Bruders Mordechai nach 63 Beschneidungen mit dem Jahre 1873 ab. Wie wir wissen, war er jedoch noch mindestens zwei weitere Jahre als Mohel tätig. Warum wir hier in aller Ausführlichkeit auf die beiden Benutzer des de Lida'schen Mohelbuches eingehen, liegt auf der Hand, liegt doch hier eines der wenigen Zeugnisse jüdisch-deutschen Sprachgebrauchs für den Bereich des westjiddischen Schrifttums aus dem letzten Drittel (!) des 19. Jahrhunderts vor! Zu dieser Zeit hatte sich der Untergang des westjiddischen Schrifttums bereits über ein halbes Jahrhundert vollzogen.

Ein wichtiges Ritualbuch anderer Art stellt der *sefer keter malchut* (Buch der Königskrone – Nr. 257) dar. Es enthält die Liturgie zum Versöhnungsabend nach dem hebräischen Original des Salomo Ibn Gabirol (1021–1070), das als poetische Umschreibung des aristotelischen Buches *peris kosmoy* mehr wissenschaftliches als poetisches Interesse erfahren hatte [295]. Die nur neun Blatt umfassende Übersetzung gab 1674 der Amsterdamer Drucker Uri Phoebus heraus; spätere Nachdrucke sind in Prag erschienen, der letzte im Jahre 1709.

Die *dine semachot*, eine in zwei Teilen abgefaßte Trauer- und Totenagende des Simon ben Israel Frankfurter (Nr. 258) sollen das Bild von der rituellen Übersetzungsliteratur abrunden. Das aus verschiedenen hebräischen Originalen zusammengestellte Buch erschien erstmals 1703 bei Moses Mendez Coutinho ben Abraham im Druck. Nur sein zweiter Teil ist in jiddischer Sprache abgefaßt, der erste (hebräische) Teil führt den Titel *schaar schimon* (Tor des Simon). Nach dem Tode des Kompilators gab sein Sohn Moses das Werk unter dem Titel *sefer ha-chajim* (Buch des Lebens – Nr. 249) 1714 in Amsterdam heraus und noch 1767, fünf Jahre nach dem Tode Moses ben Simon Frankfurter erschien bei Isaak Leb in Sulzbach ein weiterer Nachdruck.

3. Offizielles Gemeindeschrifttum

Neben den allgemeinen rituellen Schriften gelangten seit Beginn des 18. Jahrhunderts die Statuten verschiedener Judengemeinden in jiddischer Fassung zur Veröffentlichung. Den Anfang machten die noch handschriftlich festgehaltenen Statuten einzelner mährischer Judengemeinden, aufbewahrt in den Handschriften Wien 144 bis 146 (Nr. 277–279). 1711 wurden die Statuten der Amsterdamer Judengemeinde als Druck unter dem Titel *tikkune ka'hal amsterdam* (Nr. 280) herausgegeben. Nach ihrem Muster druckte man siebzehn Jahre später die *takkanot fiurda* (Nr. 284), die Statuten der Fürther Gemeinde. Daß sie ebenfalls aus einer Amsterdamer Druckerei stammen, läßt ahnen, wie groß die Bedeutung Amsterdams als Druckort jiddischer Bücher des 18. Jahrhunderts gewesen sein muß. Hier veröffentlichte Jakob Proops 1776 sogar den *seder han'hagat bet hakenesset mikol haschana d'kohol kadosch amsterdam,* d. i. die *Synagogenordnung* der aschkenasischen Judengemeinde von Amsterdam, in jiddischer Abfassung (Nr. 287). Noch weit bis ins 19. Jahrhundert wurden die (handschriftlichen) Protokollbücher (Nr. 285, Nr. 288, 289) in den westeuropäischen Gemeinden in Jiddisch geschrieben, ein weiterer Nachweis für den Fortbestand des Westjiddischen auch nach dem durch die jüdische Aufklärungsbewegung im Anschluß an Moses Mendelssohn (1729–1786) hervorgerufenen Fortfall des westjiddischen Buchdrucks.

Die führende Rolle Amsterdams als Druckort des westjiddischen Schrifttums im 17. und 18. Jahrhundert geht auch daraus hervor, daß dort der bekannte Drucker und Verleger Uri Phöbus ha-Levi die erste jiddische Zeitung *bobe fun der jidischer presse* herausgab. Die Zeitung erschien zweimal in der Woche, dienstags und freitags, als *dinstogische kurantin* und *freitogische kurantin.* Insgesamt bestand sie jedoch nur etwas mehr als ein Jahr, nämlich vom 9. August 1686 bis Dezember 1687, und begnügte sich mit der Veröffentlichung allgemeiner und lokaler Informationen. Diese jiddischen *couranten* bereiteten jedoch das Feld für verschiedene nachfolgende jüdische Zeitungen in Amsterdam, u. a. auch für die spaniolische *gaseta de amsterdam,* die von David ben Abraham Castro-Tartas seit dem Jahre 1681 verlegt worden ist.

Zu Beginn des 18. Jahrhunderts kam mit dem schlesischen Dyhernfurth im Ostraum eine starke Konkurrenz für den Amsterdamer Buchdruck auf. [296] Auch hier tritt als ein Anzeichen regen Buchdrucks eine Zeitung in jiddischer Sprache auf den Plan: die *dihernfurter prifilegirte zeitung.* Sie wurde deshalb in Dyhernfurth publiziert, weil der sich seit 1770 im Besitze einer Konzession befindende Breslauer Verleger Michel Löbel (May) in Breslau selbst keine geeignete Druckerei vorfand. So übertrug er der jüdischen Druckerei in Dyhernfurth den Druck seiner Zeitung. Von der *dihernfurter prifilegirten zeitung* sind nur wenige Exemplare erhalten geblieben, die ersten, nur fragmentarisch überlieferten, datieren vom 16. April 1771, vom 9. und vom 13. Dezember 1771. Zwei vollständig erhaltene Nummern vom 10. und 21. Januar 1772 machte Israel Rabin [297] in der Bibliothek des Jüdisch-Theologischen Seminars in Breslau ausfindig. Die Dyhernfurther Zeitung, die vermutlich ebenfalls an zwei Tagen der Woche herausgegeben worden ist, hatte die Aufgabe, alle amtlichen Bekanntmachungen und Nachrichten zu verbreiten. Sie wurde im Stile eines Handelsblattes redigiert, literarische und allgemein-publizistische Notizen scheinen geflissentlich ferngehalten worden zu sein. Es läßt sich heute nicht mehr feststellen, wie lange die *dihernfurter prifilegirte zeitung* bestanden hat. Die jüdische Druckerei arbeitete bis zum Jahre 1834, dann machten wirtschaftliche und bevölkerungspolitische Veränderungen den Fortbestand einer jüdischen Druckerei in der kleinen schlesischen Provinzstadt unmöglich. Sie stellte nach eineinhalb Jahrhunderten ihre fruchtbare Tätigkeit ein.

Eine dritte jiddische Zeitung erschien im Elsaß, wo Abraham ben Gottschalk Speier seine jüdischen Mitbürger über die Revolutionsvorgänge in Frankreich eingehend informierte. Das von ihm revidierte Wochenblatt *Beschreibung von der Veränderung oder Aufruhr in Frankreich, wie man nennt Revolution von Paris* erschien nur zwei Jahre, von 1789–90.

4. Erbauungs- und Unterhaltungsliteratur

Unter der Übersetzungsliteratur finden sich nur wenige Beispiele rein belletristischen Lesestoffs. Lediglich die *schönen artlichen Geschichten* (Amsterdam 1710 – Nr. 503), die Josef ben Jakob Maarsen aus dem Niederländischen ins Jüdisch-Deutsche übertrug, eine andere, aus dem Niederländischen übertragene Geschichtensammlung, die 1715 in Amsterdam im Druck erschien (Nr. 506), die *maasse*, die von der Ankunft der Maranen in Amsterdam erzählt und dort 1719 veröffentlicht worden ist (Nr. 509), *allerlei g'schichten* (Amsterdam 1723 – Nr. 491) sowie die recht phantastische *Geschichte von der Zigeunerin, die ein Kind stahl* (Nr. 491) können hier genannt werden. Mit den ethischen *sippure maassioss* (Nr. 603) gehen die letzten Spuren jiddischer Novellistik verloren. Alle genannten Titel sind nicht ins originelle Schrifttum einzureihen. Sie wurden in billigen Jahrmarktsdrucken nur einmal herausgegeben und haben kein großes Interesse finden können.

Das weitaus größte Gebiet der Erbauungsliteratur machten die Übersetzungen alter kanonischer (hebräischer) Mussarschriften aus. Sie wurden zu einem Zeitpunkt veröffentlicht, als die kritischen jiddischen Mussarschreiber verstummten. Am Übergang der kritischen Mussarliteratur zu den orthodoxen, ethischen Übersetzungen standen Werke wie *derech ha-jaschar le-olam ha-ba* (Rechter Weg in die zukünftige Welt – Nr. 578), *derech mosche* (Weg des Moses – Nr. 584), *maabar jabbok* (Übergang über den Jabbok – Nr. 586) oder *talmid zachkan* (Der Schüler – ein Spieler – Nr. 596), *chissuk emuna* (Stärkung des Glaubens – Nr. 592) und der *sefer bechinat olom im bakkaschat ha-memin* (Prüfung der Welt und Mem-Gebet), auch *zaphnath paaneah* (Offenbarer des Geheimnisses – Nr. 599), die alle noch Züge einer eigenständigen, kabbalistisch-mystischen Bearbeitung aufweisen. Oft waren sie noch vom eschatologischen Geist erfüllt, wie *derech ha-jaschar le-olam ha-ba,* der neben der reinen Übersetzung des hebräischen Originals die vom Bearbeiter einfließenden Belehrungen über das Jenseits enthält. Neben den genannten mystischen Sittenschriften wurden von der Mitte des 17. Jahrhunderts an über einen Zeitraum von rund hundert Jahren allgemeine ethische Schriften, Sittenlehren und Kompendien aus verschiedenen hebräischen Ethiken ins Jiddische übertragen. Von diesen waren einige vornehmlich für den weiblichen Leser bestimmt. Ein solches Sittenbuch für Frauen begegnet uns in dem *sefer chuchba de-schabit,* zu deutsch *stern schuss* (Nr. 583), das die Eitelkeit und den falschen Stolz der Frauen verurteilt. Die anonyme Übersetzung des auf Moses ben Nachman zurückgehenden Sittenwerkes *iggeret ha-kodesch* (Heilige Abhandlung – Nr. 589) behandelt Eheregeln im Hinblick auf erhoffte Nachkommenschaft. Schließlich führt das hebräische Sittenbuch für Frauen *meschib chema* (Der abwendet den Zorn – Nr. 591) noch einen besonderen jüdisch-deutschen Teil unter dem Titel *minhage eschet chajil* (Gebräuche eines Biederweibes) an. Der Verfasser der Schrift, der aus Nikolsburg stammende Isaak Zoref (d. h. Goldschmied!) ben Berl, kritisiert allen Luxus und Prunksucht der Frauen scharf. Das nur 18 Blatt umfassende Oktavbüchlein wurde 1715 in Frankfurt a. M. veröffentlicht.

Aus der Masse der allgemeinen Mussarbücher ragt die Übersetzung der *torat lekach tob,* d. h. der guten Lehre (Nr. 573) heraus. Dieser hebräische *Katechismus* des Abraham Jagel ben Chananja dei Galicci (Ed. princ. Venedig 1587) wurde von Jakob Treves ben Jeremia Mattatja ha-Levi ins Jüdisch-Deutsche übertragen und erlebte in dieser Fassung mehrere Auflagen. Die jiddische Erstausgabe erschien bei Uri Phoebus im Jahre 1658 im Druck. Vom gleichen Übersetzer wurde auch der *sefer ha-jaschar,* eine im 12. Jahrhundert in Spanien geschriebene biblische Legende, bearbeitet. Die unter dem Titel *tam we-jaschar* (Einfältig und gerade – Nr. 577) zuerst in Frankfurt a. M. herausgegebene Übertragung bringt außer der im Original enthaltenen Erzählungen noch eigenständig von Jakob Treves verfaßte moralische Nutzanwendungen und Gebete. Zudem schmücken zahlreiche Abbildungen den Druck.

Zu den beliebtesten Mussarschriften zählte der *augn-efner* (Nr. 575), eine von Elieser ben Achimelech besorgte Übertragung der von Mose Jakir Aschkenasi verfaßten hebräischen Anleitung zur Gottesfurcht mit dem Titel *petach enajim.* Der jüdisch-deutschen Fassung, die einmal mehr 1664 bei Uri Phoebus in Amsterdam im Druck erschien, war ein kleines ethisches Werk, das die dreizehn Eigenschaften des Menschen behandelte beigedruckt. Verfaßt wurden diese *scheloch esre middot* (Nr. 576) von Salomo ben Gabirol (oder Gafriel), der nicht mit dem bekannten Ibn Gabirol zu verwechseln ist.

Eine weitere Anleitung zu gottesfürchtigem Lebenswandel stellt der *sefer ha-jirah* (Buch der Gottesfurcht – Nr. 594/595) dar. Sein hebräisches Original stammt von Jona Gerondi, einem in Gerona geborenen seit 1244 in Toledo lebenden Vetter des berühmten Moses ben Nachman, genannt Nachmanides (1195–1270). Laut Winter/Wünsche, a. a. O., II, 425 und Steinschneider (Serapeum Nr. 91) wäre der *sefer ha-jirah* eigentlich der Schlußteil des Gesamtwerkes *schaare zedek.* Ein anderer Teil des Buches ist unter dem Titel *schaare teschuba* (Pforten der Buße) bekannt geworden. Die sich vornehmlich aus Bußvorschriften zusammensetzende jiddische Bearbeitung des Löw Driesen (aus Driesen in der Neumarkt) erschien erstmals 1719 in Frankfurt a. M. bei Johann Koelner. Es wäre zu prüfen, ob vom gleichen Übersetzer nicht auch schon die ebenfalls bei Koelner gedruckte Ed. Frankfurt 1711 stammt. Dieser Ausgabe sind noch die jiddischen Übersetzungen der beiden Sittenbriefe *iggeret ha-teschuba* (Brief über die Buße – Nr. 587) des Jona Gerondi und *iggeret ramban* (Brief des Moses ben Nachmann – Nr. 588) beigedruckt.

Mehrere Bearbeitungen in jüdisch-deutscher Sprache hat die bekannte Ethik *chobot ha-lebabot* (Pflichten des Herzens – Nr. 579–582) des Bachja ben Josef Ibn Pakuda erfahren. Die erste Übertragung des Werkes besorgte Zadok Wahl ben Ascher. Sie erschien im Jahre 1691 in Sulzbach im Druck und war noch ganz im Sinne der polnischen Kabbala gearbeitet – kein Wunder, der Autor stammte nämlich aus Polen. Ganz anders angelegt wurde die siebzehn Jahre später von Salomon Proops in Amsterdam herausgegebene Bearbeitung des Schweriner Rabbinatsassessors Isaak ben Moses Israel aus der Familie Tobias. Er ließ den hebräischen Text und die Übersetzung in einer Ausgabe veröffentlichen und bezweckte so eine eher wissenschaftliche denn unterhaltende philologische Behandlung des Stoffes. Die ein Jahr später ebenfalls in Amsterdam herausgegebene Übersetzung des Samuel ben Arje Löw ha-Levi ist mehr im Stile einer Volksausgabe gearbeitet. Die auf Moses Steinhart ben Josef zurückgehende Ed. Fürth 1765 der *Herzenspflichten* benutzt einen bereits veröffentlichten jüdisch-deutschen Text. Zusätzlich erscheinen in dieser Bearbeitung philosophische, theologische und naturwissenschaftliche Anmerkungen des Übersetzers sowie die Übertragung der *Ersten Pforte der Gotteseinheit.* Die Beliebtheit und dementsprechend die Verbreitung des *sefer chobot ha-lebabot* war enorm. Noch 1924 wurde das Buch in überarbeiteter Fassung in Wilna herausgegeben!

Im 18. Jahrhundert erlosch die Schaffenskraft der Mussarübersetzer. Nur noch wenige Sittenschriften gelangten zur Veröffentlichung, und zwar solche die klassische hebräische Ethiken bearbeiteten. Der Grund für den Untergang des originellen jiddischen Schrifttums lag in der Begegnung zweier jüdischer Kulturen, der aschkenasischen mit der sefardischen; die Folge davon war die sich stetig vollziehende Übernahme der sefardischen Erziehungsformen und religiösen Ideale. So darf es auch nicht verwundern, daß eine nicht unerhebliche Zahl der übersetzten Schriften aus der Feder jüdisch-spanischer Autoren floß. Andererseits setzte sich die aschkenasische Judenschaft in den Niederlanden zu einem Großteil aus einfachen, im strengen aschketischen Sinne der Kabbala erzogenen Landleuten zusammen, und auch die geistigen Führer des aus Osten einströmenden Judentums eiferten nach wie vor den Vorbildern dieser mystischen Bewegung des 16./17. Jahrhunderts nach. Ihnen war jeder Luxus ein Greuel, da er stets die Lockerung religiöser Lebensformen und des traditionellen Brauchtums mit sich brachte. Dagegen hieß es anzugehen, eine Absicht, der die Auswahl des zur Übersetzung gelangten Schrifttums Rechnung trug. Es wurden in der Hauptsache klassische Sittenschriften übertragen, deren Aussagewert und deren Tendenz auch in dieser Zeit noch Gültigkeit besaß. Es sei nur an die Mussarschrift *eben bochan* (Probierstein – Nr. 590) des Kalonymos ben Kalonymos erinnert, die Moses ben Chajim Eisenstadt zu Beginn des 18. Jahrhunderts ins Jiddische übertrug. Kalonymos schuf mit ihr eine interessante Sittenschilderung in stilistisch vollendeter, feinsinniger und gelegentlich satyrischer Schreibart. Der Autor begründete mit diesem Werk seinen ausgezeichneten Ruf als führender klassischer Schriftsteller. Sein Sittenspiegel hält den Menschen schonungslos ihre Schwächen und Torheiten vor, wobei kein Unterschied im gesellschaftlichen Stand der Kritisierten gemacht wird. Kalonymos verwirft Falschheit, Lüge und

Heuchelei und prangert in beißender Ironie alles Protzertum der Reichen an. Das Werk ist in verschiedene Abschnitte unterteilt. Einer handelt z. B. vom *Stolz der Reichen* und rückt dem aufgeblähten Reichtum und der Herrschaft des Geldes zu Leibe; ein anderer persifliert die Scharlatanerie der *Quacksalber*, auf die viele eitle Menschen hineinfallen.

Die Bearbeitung des Moses Eisenstadt kürzt den Text der Vorlage und gibt den Sinn der satyrischen Dichtung in einfachen Worten wieder. Dabei folgt sie der Einteilung des Originals, schickt jedoch den einzelnen Abschnitten kurze Inhaltsangaben voraus.

Ein weiteres Werk des Kalonymos, seine Abhandlung über die Tiere oder *iggeret baale chajim* – wie sie im Hebräischen heißt – wurde gut ein Jahrzehnt später von Chanoch ha-Levi ben Zebi Hirsch ins Jüdisch-Deutsche übertragen. Das Mussarwerk, das Kalonymos in nur sieben Tagen aus dem Arabischen (21. Traktat der *Brüder der Reinheit zu Basra* – um 980) in metrischer Form ins Hebräische übertrug (Ed. Princ. Mantua 1557), gibt den Streit zwischen Mensch und Tier um die Krone der Schöpfung wieder. Seine tendenziellen Absichten vermochten auch noch mit der jiddischen Ed. Hanau 1718 (Nr. 593) eine kritische Leserschaft zu überzeugen.

Andere übersetzte »Klassiker« begegnen uns in den jiddischen Fassungen von *menorat ha-maor* (Leuchte des Lichts – Nr. 585) und *mibchar ha-peninim* (Perlenauswahl – Nr. 598). In der zweiten Hälfte des 18. Jahrhunderts gelangten nur noch einige wenige Kompilationen aus älteren Schriften jüdischer Sittenlehrer zur Veröffentlichung, so die *schiwo schaarim* (Sieben Pforten – Nr. 597), ein Moralienbuch in sieben Abschnitten, *leb chochma* (Weises Herz – Nr. 600), das in einer von Nathan Hekscher ben Simon im Jahre 1750 niedergeschriebenen Handschrift vorliegt, und die von Gedalja Taikos ben Abraham Menachem im *sefer emmunot jisrael* (Nr. 601) zusammengetragenen ethischen Prinzipien des Judentums. Vom gleichen Autor stammt auch eine in lyrischer Form mit Notenbeilagen niedergeschriebene Abhandlung über die 613 Gebote, die als Teil 1 (*eleh ha-mizwot*) des *sefer torat katan* (Amsterdam 1765 – Nr. 603) erschienen ist.

Ganz im Gegensatz zu den übersetzten ethisch-asketischen Schriften stand das historisch-nationalistische Schrifttum, das sich seit Ende des 17. Jahrhunderts entwickelte und dem Geschmack der emporstrebenden jüdischen Kaufmannsschicht Rechnung trug. Genährt durch den Glauben an die eigenen wirtschaftlichen Fähigkeiten, bestätigt durch eine nie zuvor gekannte soziale Stellung, erfüllten sich die Herzen jüdischer Händler und Bankiers mit berechtigtem Stolz über das Geleistete. Nach den Katastrophen der jüngsten Vergangenheit gelang es ihnen, in den Niederlanden eine feste sozial-ökonomische Stellung aufzubauen und zu behaupten. Der wirtschaftliche Erfolg übertrug sich auf die religiösen Vorstellungen und die politischen Ziele. Die durch die Berichte einiger Palästinareisender erweckte Hoffnung, dem ständigen Exildasein zu entrinnen, um nach Jahrhunderten endlich wieder in die Heimat zurückzukehren, gewann neuen Nährboden.

mikweh jisrael (Hoffnung Israels – Nr. 649) heißt der Titel einer 1691 in Amsterdam veröffentlichten Leidensgeschichte vom Exil der zehn Stämme Israels.

Ihr liegt das bekannte spanische Original *esperança de israel*, das durch einen Bericht des Antonius Montecinus veranlaßt worden ist, zugrunde. Diese Urfassung erschien 1666 in Amsterdam in niederländischer Übersetzung als *De hoop van Israel* im Druck, und es ist anzunehmen, daß diese Übersetzung als Vorlage der jiddischen Fassung des Eljakim Götz ben Jakob gedient hat. Ein Reisebericht aus Palästina, *gelilot erez jisrael* (Kreise des Landes Israel – Nr. 645) wurde im gleichen Jahr in Fürth herausgegeben. Die Ed. princ. dieser Reisebeschreibung wurde 1635 in Lublin auf Geheiß der Jesuiten öffentlich verbrannt, was beweist, daß dieses Buch nicht gerade den Gefallen der katholischen Kirche und des Landesfürsten gefunden hatte. Ähnliche geographische Werke sind mit dem 1649 in Amsterdam herausgegebenen *sefer tazaot erez jisrael* (Ausgänge des Landes Israel – Nr. 647), einer Beschreibung der Wege und Länder, welche der Verfasser Mordechai ben Jesaja Litters auf seiner Reise nach Jerusalem berührte, und der kleinen Schrift *sibbub kibre zadikim* (Umkreisung der Gräber der Gerechten – Nr. 657) zu nennen.

Recht zahlreich sind die Veröffentlichungen zur Geschichte des Volkes Israels, die sich größtenteils mit der vorexilischen befassen. Wir führen an dieser Stelle nur als Musterbeispiele dieses Schrifttums die von David ben Salomo ben Seligmann Gans verfaßte, von Salmann ben Juda Hanau übersetzte und 1698 in Frankfurt a. M. herausgegebene Chronik *zemach david* (Sproß Davids – Nr. 650) [298] und das zweiteilige Geschichtswerk *bet jisrael* (Haus Israels – Nr. 656) des Alexander ben Moses Ethausen an. Das letztgenannte, immerhin 80 Blatt umfassende Geschichtsbuch, einer der so seltenen jiddischen Eigenschöpfungen des 18. Jahrhunderts, faßt in seinem ersten Teil die israelitische Geschichte bis zur Zerstörung des zweiten Tempels zusammen und beschreibt im zweiten Teil unter dem besonderen Titel *bet ha-bechirah* (Auserwähltes Haus) die kulturhistorischen und sakralen Altertümer Jerusalems.

Abhandlungen kleineren Umfangs über die 10 Stämme und den Fluß Sambatian, ein beliebtes historisches Thema, liegen in den Geschichtsbüchern *sefer maasse nissim* (Nr. 658), *eldad ha-dani* (Nr. 653) und *telaot mosche* (Nr. 654) vor.

Begleitete der Wunsch nach einer baldigen Beendigung des Exils und einer Rückkehr nach Israel zumindest unterschwellig die genannten nationalgeschichtlichen und geographischen Werke, so tritt er in der Mahnschrift *schachor al laban secher le-chorban* (Schwarz auf Weiß das Andenken der Zerstörung – Nr. 655) deutlich hervor. Das vermutlich auf Salomo Salman ben Moses Rafael London zurückgehende Geschichtswerk enthält eindeutige Aufforderungen, das Galuthdasein aufzugeben und einen eigenen jüdischen Staat zu gründen. Herausgegeben wurde das tendenzielle, nur jiddisch geschriebene Buch von Anton Henschet in Frankfurt a. M. im Jahre 1715. Kleinere Gedächtnisschriften, die an die Leiden des Exils, vor allem an die jüdischen Märtyrer erinnerten taten ein übriges, diese Rückwanderungsgedanken zu entfachen. Das bekannteste dieser über Judenverfolgungen und Massenabschlachtungen handelnden Bücher ist das *sefer schebet jehuda* (Nr. 651), das Salomon Ibn Varga nach den Aufzeichnungen seines Vaters Jehuda – daher der Titel! – verfaßt hat. Eine Übersetzung in jiddischer Sprache fertigte Eljakim Götz ben Jakob ums Jahr 1700 in Amsterdam an, doch sollen nach Steinschneider (Serapeum

Nr. 281) bereits vorher die Ed. Krakau 1591, Amsterdam 1648, Sulzbach 1699 und eine undatierte und nicht zu lokalisierende Ausgabe erschienen sein. Mit der jüngeren Vergangenheit beschäftigte sich *jewen mezulah* (Kot der Tiefe – Nr. 648), ein Buch, das die vollständige Leidensgeschichte der Judenverfolgungen in Polen und Rußland während des Kosakenaufstandes unter Bogdan Chmielnicki (1648/49) zum Inhalt hat. Der Autor des hebräischen Originals war Nathan Nata ben Moses Hanover, die Erstausgabe wurde 1653 in Venedig gedruckt. Die jiddische Fassung fertigte Moses ben Abraham Abinu, ein von 1686–94 in Amsterdam und .von 1709–14 in Halle a. S. arbeitender Drucker, an und gab sie selbst 1686 in Amsterdam heraus.

Wir wissen heute, daß die hochfliegenden Pläne der Amsterdamer Juden scheiterten. Sie wurden nicht zuletzt durch die bereits aufkeimenden Assimilations- und Emanzipationsbestrebungen in Deutschland zunichte gemacht. Für die jiddische Literatur bedeutete das Verstummen der nationalbewußten Geschichtsliteratur das vorläufige Ende.

IV. Der Untergang der jüdisch-deutschen Literatur

Mit den geistigen Strömungen der Aufklärung im 18. Jahrhundert, die die Judenheit mit einer zeitlichen Verzögerung von knapp vierzig Jahren erreichte, war den Führern des Judentums die Möglichkeit einer ideologisch abgesicherten Assimilation gegeben. Mendelssohns Emanzipationsbestrebungen, die darauf abzielten, die kulturellen Schranken zwischen Juden und Nichtjuden zugunsten einer weitestgehenden wirtschaftlichen und folglich auch gesellschaftlichen Integration aller Juden in Deutschland abzubauen, mußten zwangsweise auch die Aufhebung der sprachlichen Sonderstellung der in Westeuropa ansässigen Aschkenasim herbeiführen. Das Jüdisch-Deutsche, das wir als ein religiöses und kulturelles Merkmal der jüdischen Sonderstellung kennenlernten, stand den Zielen der Verfechter der Judenassimilation in Deutschland im Wege. Mendelssohns Absicht war es, die rechtliche Gleichstellung der deutschen Juden durch kulturelle Leistungen, die auch nach außerjüdischen Maßstäben eine positive Bewertung erfahren mußten, vorzubereiten. »Entsprechend dem Wertsystem der damals maßgebenden deutschen Gesellschaft konnten die Leistungen auf geistigem Gebiete die größte Anerkennung erwarten. So wurde, wie schon früher für den Einzelnen, jetzt für die ganze Judenheit das Streben zum außerjüdischen ›Geist‹ ein Mittel zum gesellschaftlichen Aufstieg, wodurch auch die politisch-rechtliche Gleichstellung bewirkt werden sollte.« [299] Äußere Anzeichen für Mendelssohns Zielsetzung waren die bewußte Propagierung des Gebrauchs des Hochdeutschen in Wort und Schrift und die negative Bewertung des jüdisch-deutschen Idioms. In diesem Sinne wirkte er selbst erzieherisch auf seine Glaubensgenossen ein, indem er z. B. die Bibel in ein korrektes Schriftdeutsch übertrug. Allerdings mußte er dabei hinsichtlich der Schriftgestaltung darauf Rücksicht nehmen, daß viele Juden die lateinische Schrift nur mit Mühe zu lesen vermochten, und so ließ er seine Bibelübertragung in hebäischen Lettern drucken.

Mendelssohns abfälliges Urteil über das Jiddische verfehlte seinen Einfluß auch nicht auf die rationalistisch eingestellten Juden des Ostens, die immer mehr zunahmen. Es war vor allem die Mendelsohn'sche Bibelbearbeitung, die eine an das Neuhochdeutsche angelehnte Veränderung der jiddischen Orthographie herbeiführte. Der Widerwillen gegen das Jiddische wurde von den Aufklärern, den ›Maskilim‹ derart stark hervorgerufen, daß man versuchte jiddische Publikationen mit staatlicher Hilfe zu unterdrücken und stattdessen ein neuhebräisches Schrifttum zu sanktionieren. In Königsberg wurde bereits 1784 die erste neuhebräische Zeitschrift *meassef,* d. h. der Sammler, herausgegeben.

In dem Kampf der Vertreter der Haskala mit den von den sozial unterprivilegierten Juden gestützten Zaddikim des eigenständigen Chassidismus ereignete sich zu einem Zeitpunkt, als in Westeuropa das Jiddische zum Untergang verurteilt war, die Wiedergeburt dieser Sprache im Osten. Eine neue Generation jüdischer Dichter erinnerte sich des alten Klanges der »mame loschon« und erweckte ihn zu neuem Leben. Der Vater dieser neuen Jiddischdichtung war Scholem Jakob Abramowitsch (1836–1917), der sich später Mendele Mocher Sforim nannte. Ihm folgten die bekannten Autoren Jizhak Leib Perez (1851–1915) und Scholem Alejchem (1859 bis 1916).

Unter den Vertretern der Aufklärung in Deutschland schrieben nicht alle Autoren in deutscher oder hebräischer Sprache. Einige Schriftsteller verfaßten auch Aufklärungsliteratur in jiddischer Sprache. Zu ihnen zählte Isaak Abraham Euchel (1756–1804), der in seinem 1792 niedergeschriebenen Lustspiel *reb henoch oder was thut me demit* (Nr. 430, 431) den Haß gegen die Aufklärung unter der älteren Generation und die Auswüchse einer oberflächlichen Aufklärung unter der Jugend bloßstellte. Euchels Lustspiel leitete eine kurze, aber recht fruchtbare Periode jiddischer Dramatik in Deutschland ein, die über Ahron Wolfsohn (*Leichtsinn und Frömmelei,* 1796; *David der Besieger des Goliath,* 1802) zu Joseph Herz (*Esther oder die belohnte Tugend,* Fürth 1818) führte, zwei Dramatikern, die in ihren Komödien »die sinnlosen und zweckwidrigen Harlekinaden zu verdrängen suchten«. [300]

Gegen die jüdischen Emanzipationsbestrebungen polemisierte Johann Friedrich Sigmund Freiherr von Holzschuher (1796–1861) [301], der unter dem Pseudonym Itzig Feitel Stern schrieb. Seine Dichtungen sind in nachempfundener jiddischer Mundart der rheinfränkischen Sprachlandschaft abgefaßt. Die Wirkung der aus jüdischen Familienszenen zusammengestellten Komödien beruht in hohem Maße auf dem Sprachgebrauch der auftretenden Personen. Das Jiddische sank somit zur komischen Bühnensprache ab, indem es an komische Eigenarten des Juden mahnte und in dessen Gebrauch sich ein Schauspieler auszeichnen durfte, wenn es galt, komische Nebenideen durch das »Jüdeln« anzuregen. Wollten wir dieser zeitgemäßen Wesensbestimmung des Jiddischen glauben [302], so hätte diese einstmals so blühende Sprache ein gar unrühmliches Ende in Deutschland gefunden!

Abkürzungen

a. a. O. = am angegebenen Orte
Bd. = Band
bes. = besonders
col. = column = Spalte
Cod. = Codex
d. i. = das ist
ebd. = ebenda
esp. = especially = besonders
Ed. = Editor = Herausgeber;
mit Ortsnamen verbunden = Ausgabe
Ed. princ. = Erstausgabe
fol. = folium = Blatt
Hg. = Herausgeber
hg. = herausgegeben
Hs. = Handschrift
Jh. = Jahrhundert
Mda. = Mundart
R. = Rabbi
S. = Seite
s. = siehe
s. a. = siehe auch
s. u. = siehe unter
sog. = sogenannt (-er, -e, -es)
Sp. = Spalte
spec. = speciaal = besonders
Tl(e). = Teil(e)
u. a. = und andere(s)
u. a. m. = und anderes mehr
vgl. = vergleiche
vol. = volumen, volume = Band
zit. = zitiert nach

Vorwort

1 Es sei in diesem Zusammenhang an Johannes *Buxtorf* erinnert, der erstmals in seinem »Thesaurus grammaticus linguae sanctae hebraeae« (Basel 1609) »lectiones hebraeogermanicae usus et exercitatio« verzeichnet. Im ausgehenden 17. Jh. widmen sich August *Pfeiffer* und Johann Christof *Wagenseil* in ihren Arbeiten dem Jüdisch-Deutschen. Beiträge zur Erforschung der jüdisch-deutschen Sprache und Literatur im 18. Jh. stammen von Johann Michael *Koch,* Kaspar *Calvör,* Johann Jacob *Schudt,* Eberhard Carl Friedrich *Oppenheimer,* Johann Heinrich *Callenberg,* P. J. *Lütke,* Wilhelm Christian Justus *Chrysander,* Gottfried *Selig* und Carl Wilhelm *Friedrich.*

2 d. i. Salman *Merkin.*

3 Der Plan des Instituts entstammt einer Denkschrift Nahum *Stiffs,* die in der Broschüre »die organisazie fun der jidischer wissnschaft, 3. verm. Aufl., Wilna 1925, 40 S. abgedruckt ist. Über die Organisation des Instituts und die Tätigkeit der einzelnen Sektionen vgl. Das Jiddische Wissenschaftliche Institut (1925—1928), hg. vom Verein zur Förderung des Jiddischen Wissenschaftlichen Instituts, Berlin 1929.

4 Serapeum 9/1848, S. 313–336, 344–352, 363–368 und 375–384;
10/1949, S. 9–16, 25–32, 42–48, 74–80, 88–96, 107–112 und im Intelligenz-Blatt zu No. 8, S. 57–59 und 68–70.
Serapeum 25/1864, S. 33–46, 49–62, 65–79, 81–95 und 97–104;
27/1866, S. 1–12;
30/1869, S. 129–140 und 145–159.

5 Der Jurist und in Lübeck als Polizeibeamter tätige Friedrich Christian Benedict *Avé-Lallemant* gab im Jahre 1858 eine sozialpolitische, für bestimmte Leserkreise verfaßte Abhandlung über das deutsche Gaunertum in zwei Teilen heraus. Ihnen ließ er in zwei weiteren Teilen 1862 linguistische und literarische Ergänzungen folgen, wobei er sich ausgiebig mit der jüdisch-deutschen Sprache und Literatur auseinandersetzte.

6 Vgl. Verhandlungen der 26. Versammlung deutscher Philologen und Schulmänner in Würzburg (30. 9.–3. 10. 1868), Leipzig 1869, S. 215; vgl. Germania, hg. von K. *Bartsch*, 14/1869 (Wien), S. 127 ff.
7 Vgl. Siegmund A. *Wolf*, Jiddisches Wörterbuch, Mannheim 1962, S. 7.
8 Rudolf von *Raumer*, Geschichte der Germanischen Philologie, München 1870, S. 735;
9 Leo *Weisgerber*, Die deutsche Sprache im Aufbau des deutschen Volkslebens, in: Von deutscher Art in Sprache und Dichtung, hg. im Namen der germanistischen Fachgruppe von Gerhard *Fricke*, Franz *Koch*, Klemens *Lugowski*, Bd. 1 (Die Sprache, geleitet von Friedrich *Maurer*), Stuttgart 1941, bes. S. 23 ff.;
10 Ebd., S. 13.
11 Rudolf von *Raumer*, a. a. O., S. 735.
12 Hermann *Paul* (Hg.), Grundriß der germanischen Philologie, Bd. 1, [1]Straßburg 1891, S. 7.
13 Ebd.
14 So die Charakterisierung Gustav*Roethes* in: Geschichte der deutschen Philologie in Bildern. Aus Anlaß des 50jährigen Bestehens der Gesellschaft für Deutsche Philologie hg. von Fritz *Behrend*, Marburg 1927, S. X.
15 Ebd.
16 Hermann *Paul* (Hg.), Grundriß der germanischen Philologie, Bd. 2, 1. Abt., [2]Straßburg 1901/09, S. 230 und 343;
17 Ein in diesem Sinne restaurativer »Kurzer Grundriß der germanischen Philologie bis 1500«, hg. von Ludwig Erich *Schmidt* erschien 1970/71 in Berlin.
18 Vgl. Artikel »Jüdisch-Deutsch«, in: Meyers Großes Konversations-Lexikon, Bd. 10, [6]Leipzig/Wien 1905, S. 344;
19 Wilhelm *Kosch*, Deutsches Literatur-Lexikon, Bd. 1, [1]Halle 1928, Sp. 1114.
20 Emanuel *Hecht*, Handbuch der jüdischen Geschichte und Literatur, bearb. von *Meyer Kayserling*, [7]Leipzig 1900, S. 134
21 Friedrich Christian Benedict *Avé-Lallemant*, Das Deutsche Gaunerthum in seiner social-politischen und linguistischen Ausbildung zu seinem heutigen Bestande, Tl. 3, Leipzig 1862, S. XIII.
22 Man braucht sich nur der Kontroverse zwischen Franz J. *Beranek* und Siegmund A. *Wolf* erinnern, in die sich Salcia *Landmann* recht unmanierlich und höchst unsachlich einschaltete. Nachzulesen in »Mitteilungen aus dem Arbeitskreis für Jiddistik«, hg. von Franz J. *Beranek* (Gießen), Bd. 2 (1960–64), S. 153–154.
23 Siegmund A. *Wolf*, Die Lage der Jiddischforschung in Deutschland, in: Mitteilungen. aus dem Arbeitskreis für Jiddistik, hg. von F. J. *Beranek* (Gießen), Bd. 2 (1960–64), S. 1–5.
24 Ebd.

Einleitung

25 Vgl. *Beranek*, Jiddisch, in: W. *Stammler* (Hg.), Dt. Philologie im Aufriß I, Berlin [2]1957, Sp. 1555–2000.-*Landmann*, Jiddisch. Abenteuer [...], S. 18, 37.
26 Vgl. dazu die einführenden Untersuchungen Max *Weinreichs;* zum romanischen Bestand vor allem »The Jewish Language of Romance Stock and Their Relation to Earliest Yiddish« (Romance Phil. 9/1955–56, p. 403–428).
27 S. A. *Wolf*, Jiddisches Wörterbuch, Mannheim 1962, S. 12.
28 S. A. *Wolf*, Jiddisches Wörterbuch, Mannheim 1962, S. 12.
29 Die Verdoppelung des d folgt der englischen Orthographie.
30 »Galuth« oder jidd. »goleß« enthält – ähnlich dem deutschen »Elend« – jene Doppeldeutigkeit, die im Jiddischen einen Ausdruck sprichwörtlicher Resignation über das Exildasein erlangte: »mer sein in goleß«.

31 Die religionsgeographischen Bezüge stehen für die Summe der religiösen, soziologischen und kulturgeographischen Erscheinungen und ihrer wechselseitigen Beziehungen.
32 Spaniolische Juden portugiesischer oder spanischer Herkunft.
33 Mittel- und osteuropäische Juden.
34 *Mieses,* Entstehungsursachen der jüdischen Dialekte, S. 53.
35 Die Wanderbewegung erstreckte sich vor allem nach Polen, ins Baltikum, nach Westrußland, der Slowakei, Nordungarn, Galizien und Rumänien sowie Weißruthenien, Ukraine und Moldavien.
36 Ursache dieser verzerrten Vorstellung von der jiddischen Sprachentwicklung ist jenes subjektive, zu sehr an der deutschen Sprachgeschichte orientierte Bild über die jiddische Sprache, das F. J. *Beranek* in W. *Stammlers* »Dt. Phil. im Aufriß« entwirft.
37 S. A. *Wolf,* a. a. O., S. 12.
38 Diese Einteilung berücksichtigt auch nicht die vom New Yorker YIWO-Institut festgelegte jiddische »Bühnensprache«, die eine Synthese aller Jiddischdialekte anstrebt. Sie unterscheidet sich schon äußerlich vom Standardjiddisch durch eine andersartige Orthographie, die vor allem in der Vokalisation Niederschlag gefunden hat.
39 Vgl. *Birnbaums* Artikel »Jiddisch« in der Enc. Jud. 9/1932, S. 112 ff.
40 Ebd. S. 112
41 S. A. *Wolf,* a. a. O., S. 15.
42 *Mieses,* Entstehungsursachen der jüdischen Dialekte, S. 53.
43, 44 *Epstein,* Die jüdischen Dialekte, S. 723 f. – vgl. S. A. *Wolf* Jiddisches Wörterbuch, S. 13.
45 Hilde *Cohn,* Kulturgeschichte der jüdischen Frau, S. 3.
46 Z. B. hūs – hous; dīn – dain; liute – lait.
47 Z. B. huon – hūn; vuoz – fūß; vüelen – fīln; liep – līb.
48 Z. B. vádem – fādem.
49 Diese Eigenart tritt vor allem bei den hebr.-aramäischen und romanischen Wörtern hervor, z. B.: »schali« (= Frage), »viri« (= Lineal).
50 Jidd. »welwl« (= Wölflein, als Name) – ahd. »wolves«; jidd. »brivl« (= Brieflein) – mhd. »brieves«; jidd. »oivn« (= Ofen) – mhd. »oven«.
51 S. *Birnbaum,* in: Enc. Jud. 9, S. 116. – Zu 49,50 vgl. ebd.

I. Erste schriftliche Spuren jüdisch-deutscher Sprache

52 Cod. Theodos. Regina 886 der Bibliotheca Apostolica Vaticana enthält ein Schreiben Kaiser *Konstantins* an die Dekurionen von Köln (fol. 435v u. 436r), worin die bisher geübte Befreiung jüdischer Bürger von der Berufung zur Curia, der Verpflichtung zu städt. Ehrenämtern, aufgehoben wird. Diese Urkunde ist wohl das älteste schriftliche Zeugnis von einer Ansiedlung von Juden in Köln, die aufgrund der Datierung des Schriftstücks – 11. Dezember 321 – für das beginnende 4. Jahrhundert anzusetzen ist. Nur Grundbesitzer konnten in kommunale Ämter berufen werden, also müssen jüdische Bürger vor 321 in Köln ansässig gewesen sein!
53 Haupthandelsartikel waren Zimt, Pfeffer, Ebenholz, Elfenbein, Edelsteine, Indigo, chinesische Seife, Seidenwaren, Edelmetallwaren – alles Güter des Orients, Chinas und Indiens. Aus Osteuropa bezogen jüdische Händler vor allem Salz und Pelze. Ein weiteres Hauptbetätigungsfeld jüdischer Kaufleute war der Sklavenhandel, der eine Zeitlang ausschließlich durch jüdische Vermittlung vonstatten ging.
54 Vgl. *Kaplun-Kogan,* Die Wanderbewegungen der Juden, Bonn 1913, S. 30.
55 Seit dem 11. Jh. legten Privilegien der Obrigkeit die Rechte der Juden fest. Diesen Schutz erkauften sie sich durch Naturalabgaben (Gewürze, Seide und Edelsteine) und vor allem durch Geldabgaben, eine Praxis, die mit der Kammerknechtschaft ihren Höhepunkt erreichte.

56 Ellen *Littmann,* Studien zur Wiederaufnahme der Juden durch die deutschen Städte nach dem schwarzen Tod, Breslau 1928, S. 7-8.

57 Als Ausnahmen sind allenfalls Cod. Berolin. Or. 4°, 701, Cod. Vratislav. 103 (Pergament!) und Cod. Paris. 586 zu nennen.

58 Zit. nach S. A. *Wolf,* Jiddisches Wörterbuch, Mannheim 1962, S.

59 Vgl. Salcia *Landmann,* Jiddisch. Das Abenteuer einer Sprache, Olten-Freiburg i. Br. 1962, S. 90.

60 Max *Grünbaum,* Jüdischdeutsche Chrestomathie, Leipzig 1882, S. 461.

61 Die bei *Raschi* auftauchenden deutschen Wörter werden von *Zunz* in einer Monographie über *Raschi* in der Zs. f. d. Wissenschaft des Judentums I, S. 277 ff. ausführlich besprochen.

62 Vgl. Max *Grünbaum,* a. a. O., 462; *Zunz,* a. a. O., 344; *Zunz,* Gottesdienstliche Vorträge, Frankfurt a. M. 1892, S. 453 (a)

63 Eine andere deutsche Glosse »Wlos« (= Floß) taucht in Moses ben Jakob *Petachjas* »Sibbuw« (12. Jh.) auf. (s. *Habersaat,* in: Orbis 11/1962, H. 1, S. 352.)

64 Vgl. zum Folgenden: Salcia *Landmann,* a. a. O.

65 Erubin c. 10, ed. *Sklow,* f. 125 a – vgl. *Zunz,* Gottesdienstliche Vorträge, Frankfurt a. M. 1892, 453 (a).

66 Vgl. *Karpeles,* Geschichte der Jüdischen Literatur, Bd. 2, Berlin 1886, 321, danach zu berichtigen bei Salcia *Landmann,* a. a. O., 90. Vgl. ebenso *Pines,* Die Geschichte der jüdisch-deutschen Literatur. Bearb. *Hecht,* Leipzig 1913, S. 1.

67 Monumenta Judaica (Katalog), Köln [2]1964, D 96.

68 *Berliner,* Gesammelte Schriften, Bd. 1, Frankfurt a. M. 1913, S. 88–89 liest: ein Sünd!

69 Vgl. *Röll,* in: ZMF 33/1966, 127 ff., wo auch ein vergleichbarer jüdisch-französischer Spruch aus dem ersten Teil des »Sefer Chassidim« angeführt wird (S. 137):

bon jor e tele vie notre sire li comande.

70 Der Pijut (= Gesangsabschnitt) »bedatho« ist ein Teil des Gebetes für den ersten Tag des Pessachfestes.

71 *Röll,* a. a. O.

72 S. *Landauer,* Die Handschriften der Großherzoglich badischen Hof- und Landesbibliothek in Karlsruhe, Bd. 2, Karlsruhe 1892, S. 13–16, Nr. 6.

73 S. *Birnbaum,* Die jiddischen Psalmenübersetzungen, in: Bibel und deutsche Kultur, Bd. 2 und 3, Potsdam 1932, 9d.

74 S. *Birnbaum,* a. a. O., 8b.

75 »loschun odun chemu«: in der Sprache des Herrn, d. h. in der hebräischen Sprache, soviel wie [...].

76 »loschun rozoh chemu«: in der Sprache des Gütigen, d. h. in der hebräischen Sprache, soviel wie [...].

77 J. Andreas *Schmeller,* Bayrisches Wörterbuch, Bd. 1, Tübingen-Stuttgart 1827/28, 1171: Hirz – Hirsch.

78 Die Hs. enthält hauptsächlich Glossen zur Schrift aus Lekach Tob, Bechor Schor und Gan. Nach den Glossen folgen kleinere Piecen mit Haggadischem, Medizinischem u. a.

79 Germania 18/1873, 52 führt einen mhd. »bermuoter-segen« (= Segen gegen Kolik) aus dem 14. Jh. an, der hier zu vergl. wäre.

80 Vgl. *A. Müller,* in: Zs. f. dt. Altertum und Lit. 19/1876, 473–478.

81 L. *Dünner,* in: ZHB 8/1904, 113–114 datiert die Hs. sogar 1363/64, doch dürfte die Datierung, wie sie S. *Birnbaum,* in: Teuthonista 8/1932, 197–207 aus dem Kolophon liest zutreffen: 1396/97.

82 Das Epitheton »Salonik« muß nicht unbedingt den Herkunftsort des Kompilators Saloniki bezeichnen. Es könnte – wie schon verschiedentlich eingewendet worden ist – ebenso »Solnik« gelesen werden, was dann auf einen Salzhändler oder Salzpächter hinwiese. »Solnik« ist ein von Juden slawischer Länder durchaus häufig gebrauchter Name – vgl. Anm. 53.

83 Encyklopaedia Judaica IX, 128.
84 Nach Encyklopaedia Judaica IX, 128.
85 Hebräische Machsorim sind bereits seit *Raschi* in Gebrauch; das älteste erhaltene stammt aus dem Jahre 1105: »Machsor Vitry« des Rabi Simcha ben *Schmuel* aus Vitry, Schüler *Raschis*. Die deutschen Machsorim haben ihre Geburtsstätte in Worms, von wo aus sie ihre Verbreitung gefunden haben.
86 Encyclopaedia Judaica VII, 945 schränkt ein, daß das Entstehungsjahr auch 1525 sein kann, da im Kolophon der entsprechende Buchstabe radiert ist.
87 Cod. Berlin Or. 4°, 639 und Cod. Berlin Or. 4°, 1049. M. *Erik*, Di geschichte fun der jidischer literatur, Warsche 1928, S. 37.
88 Vgl. Fl. *Guggenheim-Grünberg*, in: ZMF 22/1954, 207–214. – Ein Faksimile enthält die Festschrift zum 50-jährigen Bestehen des Schweiz. Israelit. Gemeindebunds, Zürich 1954 (im Anhang).
89 Vgl. H. *Zeller-Werdmüller*, Die Zürcher Stadtbücher des 14. und 15. Jhs., Bd. 1 (1899), S. 70, Nr. 74; Judenrecht v. 10. 5. 1383.
90 H. *Zeller-Wermüller*, a. a. O., 2. Buch, Nr. 40, Nr. 68. Nr. 88 und Nr. 114.
91 Nach Fl. *Guggenheim-Grünberg*, a. a. O., 208. Die Kürzel n' im hebräischen Text bedeutet »nussach aschkenas« (= deutsche Schreibweise).
92 Der Datierung Fl. *Guggenheim-Grünberg*, a. a. O., ist zu folgen. A. *Freimann*, in: ZHB 11/1907, S. 107–112 datiert; Donnerstag, d. 23. Tag des 12. Monats 5152 als 23. Adar II, was Dienstag, d. 19. März 1392 entspricht. – I. Krakauer, Urkundenbuch z. Geschichte der Juden i. Frankfurt a. M., 1150–1400, Frankfurt a. M. 1914, S. 187–191 datiert: 23. Adar I, was Sonntag, d. 18. Februar 1392 entspricht. Beide letztgenannten Datierungen sind jedoch wegen der Verschiedenheit der Wochentage wenig wahrscheinlich. Nimmt man jedoch (wie Fl. *Guggenheim-Grünberg*) für den in der Bibel geltenden 12. Monat (= Adar) den 12. Monat des jüdischen Kalenderjahres (= Ellul), so folgt daraus, daß der 23. Ellul 5152 auf einen Donnerstag fällt, was dem 12. September 1392 entspricht.
93 Der Grund der Haft ist nicht bekannt.
94 Abschriften beider Briefe in: a) ZHB 11/1907, 107–112; – b) I. *Krakauer*, a. a. O., 187–191; – c) M. *Stern*, Die israelitische Bevölkerung der deutschen Städte, Bd. 3 (Nürnberg im Mittelalter), Kiel 1894–1896, S. 325 erwähnt ebenfalls die Urkunde und schreibt ausführlich über *Meir von Erfurt*.
95 Für diese Annahme spricht die Verschiedenartigkeit der Dialekte beider Urkunden. Das deutsche Schriftstück weist, trotz aller traditionsgebundenen Orthographie, Züge der Frankfurter Stadtmundart auf. (Nach *Wuelcker*, Lauteigentümlichkeiten des Frankfurter Stadtdialekts im Mittelalter, in: Beitr. z. Gesch. d. deutschen Sprache und Lit. 1877, 6 entwickelte sich die Frankfurter Mda., wie sie in den offiziellen Schriften der kommunalen Organe zum Ausdruck kommt, bis Ende des 15. Jhs. ungestört durch äußere Einflüsse). Das jüd.-dt. Dokument hingegen enthält Spuren ostfränkischer Mda., was auf *Meir* von Erfurt hinweist, der aus Fulda stammen soll. Diese Annahme setzt natürlich voraus, daß die Frankfurter Juden die Umgangssprache ihrer christlichen Umgebung benutzten.
96 S. *Birnbaum*, der die Transkription der Urkunde in R. *Straus*, Urkunden und Aktenstücke z. Gesch. d. Juden i. Regensburg 1453–1738, München 1960 (Nr. 957) vorgenommen hat, liest unrichtigerweise »min« (s. S. 457–460).
97 Sefer Chassidim, Ed. Warschau 1879, § 238 (vgl. Encyclopaedia Judaica IX, 128).
98 Sefer Chassidim, Ed. Warschau 1879, § 141 (vgl. Encyclopaedia Judaica IX, 128).
99 Vgl. *Heller*, in: MGWJ 80/1936, 47 ff.
100 Vgl. *Steinschneider*, Über die Volksliteratur der Juden, in: Archiv f. Literaturgeschichte 2/1872, 5 f.
101 Vgl. zu den biographischen Angaben: *Erik*, a. a. O., 57.
102 »Sippurim«, hg. von Wolf *Pascheles*; L. *Weisel*: »Die Perle«.

103 Felix *Liebrecht,* Zur Volkskunde, Heilbronn 1879.
104 Vgl. *Kahler,* Sage und Gesang im Spiegel jüdischen Lebens, in: ZGJD 3/1888–89.
105 *Gaster,* Maaseh Book, Book of Jewish Tales and Legends, 2 vols., Philadelphia 1934, no. 148, no. 217, no. 222. – Vgl. *Tendlau,* Fellmeiers Abende [...], Frankfurt a. M. 1856, Nr. 30.
106 Maaseh Book. ed. by *Gaster,* a. a. O., no. 238.
107 Vgl. *Schwarzbaum,* Studies in Jewish and World Folklore, Berlin 1968, p. 33.
108 Stith *Thompson,* Motiv K 2112, in: Motif-Index of Folk-Literature, 6 vols., [1]Helsinki 1932–36, [2]Copenhagen 1955–58.
109 Maaseh Book, ed. by *Gaster,* II, 693.
110 *Brüll,* in: Jb. f. jüd. Gesch. u. Lit. 9/1889, 44.
111 *Meitlis,* Das Ma'assebuch, Berlin 1933, S. 120.
112 Z. B. Maasse no. 154 in *Gasters* Edition.
113 *Schmeller,* Bayrisches Wörterbuch I, 970: Gutzeberglein.
114 Allerdings gab es auch Spiele, die von den Juden nicht übernommen worden sind. So war z. B. das Gehen auf Stelzen verpönt, weil es als ein Zeichen von Überheblichkeit galt.
115 Vgl. *Steinschneider,* Über die Volksliteratur der Juden, in: Archiv f. Literaturgeschichte 2/1872, S. 6.
116 M. *Schwab,* Repertoire des Articles relatifs à la Littérature juives parus dans les Périodiques de 1665 à 1900, Paris 1914–1923, p. 176.
117 u. 118 Vgl. Encyclopaedia Judaica I, 811–812, wo drei Varianten jeweils für einen anderen Ritus verzeichnet sind.
119 Vgl. *Rivkind,* Jidisch in hebr. drukn bisn jor 1648, in: Pinkes 1/1927, 26 ff.
120 S. M. *Ginsburg*/P. S. *Marek,* Jewrejskija narodnyja pjessni w Rossii, St. Petersburg 1901, 126.
121 *Zunz,* Gottesd. Vortr., a. a. O., S. 133.
122 s. *Kahler,* a. a. O., S. 234.
123 A. *Tietze,* in: Oriens VII, 141.
124 *Arnim*/*Brentano,* Des Knaben Wunderhorn. Alte deutsche Lieder. Leipzig o. J. (Reclams Universalbibliothek), S. 801–804: das Lied »für die Jüngelcher von unsern Leut« – ohne Zweifel die deutsche Fassung einer jüdisch-deutschen »Chad Gadja« – Version – stimmt fast wörtlich mit jener »Chad Gadja« – Bearbeitung in der Pessach-Haggada (vgl. S. 44 f.) überein.
125 Vgl. »Des Knaben Wunderhorn«, a. a. O., 586 mit *Cahan,* a. a. O., II, 165.
126 *Talvj,* Charakteristik der Volkslieder germanischer Nationen, Leipzig 1840, S. 450. – vgl. *Cahan,* a. a. O., I, XXIV.
127 L. *Wiener,* The History of Yiddish Literature in the 19th century, New York 1899, p. 57 f.
128 *Cahan,* a. a. O., I, XXIX.
129 Die Lieder stehen im Mittelpunkt von F. *Rosenbergs* Abhandlung »Über eine Sammlung deutscher Volks- und Gesellschaftslieder in hebräischen Lettern, Braunschweig-Berlin 1888. *Rosenberg* führt auch das obige Lied an, doch läßt er dabei bewußt die wenigen Spuren jüdisch-deutscher Ausdrucksweise fort. Er begründet dies damit, daß ja dort, wo sich deutsche Folklore im jüdischen Leben nachweisen läßt, nur der literaturhistorische Gewinn im Auge zu behalten sei. In diesem Sinne verfälscht *Rosenberg* die originelle Sprache des Manuskripts, etwa in der Form, daß er Wörter wie arem, ach, is, anander, arein usw. gegen arme, auch, ist, einander herein usw. austauscht.
130 Vgl. zum Folgenden *Erik,* a. a. O., 134 f.
131 Vgl. *Cahan,* a. a. O., I, XXVIII.
132 Vgl. W. *Salmen,* Der fahrende Musiker im europäischen Raum, Kassel 1960, S. 12 ff.
133 Ebd., 21 f.
134 Vgl. *Erik,* a. a. O., 73 f.

135 Vgl. *Fuks*, The Oldest known Literary Documents of Yiddish Literature, Part 1, Leiden 1957, XVII.
136 Elia *Loanz'* Wettstreit zwischen Wein und Wasser (s. Nr. 397), 1599 in Basel veröffentlicht, wird »be-nigun ditrich fun bern« gesungen.
137 Vgl. M. *Weinreich*, in: Pinkes 1/1927, S. 23 ff.
138 Vgl. Encyclopaedia Judaica IX, 132–133.
139 Vgl. Encyclopaedia Judaica IX, 132–133.
140 *Hakkarainens* »Studien zum Cambridger Codex T – S. 10. K. 22«, 1967 in Turku veröffentlicht, schließen vorläufig (?) einen Wust von Einzeldarstellungen ab, die im Literaturverzeichnis immerhin 45 Titel ausmachen (vgl. S. 276 f.).
141 Am Schluß der Handschrift fehlen mehrere Blätter, von Bl. 42 selbst ist nur noch die obere Ecke übriggeblieben.
142 W. *Schwarz*, Die weltliche Volksliteratur der Juden, in: P. *Wilpert*/P. *Eckert*, Judentum i. Mittelalter, Berlin 1966.
143 H. *Menhardt*, Zur Herkunft des ›Dukus Horant‹, in: MAJ II, 33 ff.
144 S. 91 ff.; die Transkription *Wagenseils* bleibt in vielem ungenau, die Übertragung ist eher eine Übersetzung, die die dialektologischen Besonderheiten vermissen läßt.
145 Väter, nämlich Abraham, Isaak und Jakob.
146 Mütter, nämlich Sarah, Rebekka, Rahel und Lea.
147 nämlich die 5 Bücher Mosis;
148 gemeint sind die Teile der Tora;
149 gemeint ist der Sabbat, der als siebter Tag gefeiert wird;
150 gemeint ist der 8. Tag nach der Geburt des Knaben;
151 gemeint ist der 9. Monat der Schwangeren.
152 Gemeint sind die elf Sterne, die Josef im Traume sah (Gen. 37,9);
153 gemeint sind die zwölf Stämme Israels;
154 Gemeint sind die dreizehn Lehrsätze, die die Hl. Schrift erklären.
155 »schochet« = Schächter.
156 »malech hamoves« = Todesengel
157 Vgl. *Winter*/*Wünsche*, Die jüdische Literatur, Trier 1896, III, 515. – s. auch *Güdemann*, Gesch. d. Erziehungsw. III, 54.
158 »scheurim« sind Straflieder, in denen das gottlose Verhalten der Menschheit, insbesondere der Judenheit gemaßregelt werden.
159 Nach *Erik*, a. a. O., S. 174 f.;
160 *Winter*/*Wünsche*, a. a. O., III, 109.
a) Siebziger als Umschreibung für Wein: Das hebräische Wort »jajin« (= Wein) hat den Zahlenwert 70;
b) Neunziger als Umschreibung für Wasser: Das hebräische Wort »majim« hat den Zahlenwert 90.
161 Nach *Erik*, a. a. O., S. 100.
162 Franz Magnus *Böhme*, der bekannte Volksliedforscher (»Volksthümliche Lieder der Deutschen«, Leipzig 1895), charakterisiert den Hildebrandston als tiefernst, doch leicht rezitierbar. Er bemerkt weiter, daß einzelne Gesänge des Nibelungenliedes und überhaupt alle Spielmannsbearbeitungen des deutschen Heldengesangs wie »Rosengarten«, »Zwerg Laurin«, »Wolfdietrich« »Ortnit« usw. in der Hildebrandssingweise vorgetragen worden sind.
163 Nach Ernst *Klusen*, Volkslied. Fund u. Erfindung, Köln 1969, S. 98.
164 »kinig artus hauf« in der Hs. Hamburg 289, Bl. 58 a.
165 »Herzog Ernst«, hrsg. von K. *Bartsch*, Wien 1869, Strophe 61.
166 *Schudt*, Jüdische Merckwürdigkeiten, IV, Kap. 25, S. 2
167 *Erik*, a. a. O., 138-139.
168 S. A. *Wolf*, Jiddisches Wörterbuch, 3586: preien = bitten, einladen.
169 Im Londoner Wochenblatt »The Jewish Chronicle« wurde am 11. Mai 1906 die text-

kritische Ausgabe des »Schmuelbuchs« durch Felix *Falk* auf der Grundlage zweier Handschriften des 15. Jahrhunderts avisiert. Die Herausgabe ließ jedoch lange auf sich warten. *Falk* selbst konnte sie schließlich nicht mehr besorgen, er starb während des Krieges in einem KZ. Erst 1961 hat Laib *Fuks* das »Schmuelbuch des Mosche Esrim Wearba« aus dem Nachlaß *Falks* zusammengestellt und veröffentlicht, nachdem das gesamte Material mit der Emigration Falks (1933) in die Niederlande gelangte, wo es 1951 zufällig ausfindig gemacht werden konnte. – Vgl. »Das Schmuelbuch des Mosche Esrim Wearba«, Einleitung und textkritischer Apparat von Felix *Falk*, aus dem Nachlaß herausgegeben von L. *Fuks*, Bd. 1, Assen 1961, IX-XVII.

170 Schmuelbuch, Ed. *Fuks*, II, Assen 1961, S. 107–116.

171 Ebd.

172 Schmuelbuch, Ed. *Fuks*, I, 7ff.

173 Unberücksichtigt bleibt hier die von *Falk* (Schmuelbuch, Ed. *Fuks*, I, 22) genannte beschädigte Druckausgabe *m*. Dieser in der Hamburg Staats- und Universitätsbibliothek befindliche Druck soll nach *Wolf*, BH IV, 200 aus Mantua stammen und laut *Zunz*, Zur Geschichte und Literatur (1845), zwischen 1562 und 1564 veröffentlicht worden sein. Möglicherweise handelt es sich bei dieser Ausgabe aber auch um den Krakauer Druck vom Jahre 1585, den *Staerk-Leitzmann*, Die Jüdisch-Deutschen Bibelübersetzungen, Frankfurt a. M. 1923, S. 245 nennen.

174 Der verschiedentlich genannte Name einer Frau *Litte*, die laut *Steinschneider* (Ser. Nr. 427B Erg.), *Zunz*, a. a. O., *Kayserling*, Die Jüdischen Frauen, Leipzig 1879, S. 150 u. a. als Kopist in Frage kommen soll, wurde schon von *Karpeles*, Geschichte der jüdischen Literatur, Bd. 2, Berlin 1886, S. 326 korrigiert.

175 Schmuelbuch, Ed. *Fuks*, I, 4.

176 Mosche Esrim *Wearba* ist nicht identisch mit einem Gelehrten gleichen Namens, der im Jahre 1487 für die Jerusalemer Armen in der Türkei Geld gesammelt und in einem wissenschaftlichen Streit zwischen Josef *Colon* und dem Konstantinopeler Großrabbiner vermittelt hat. – S. Enc. Jud. VI, 749–750; vgl. S. *Rubaschow*, in: Die Zukunft, (New York) Juli 1927 und *Graetz*, Geschichte des Judentums VIII, S. 280f.

177 Vgl. Schmuelbuch, Ed. *Fuks*, I, 6.

178 Die Bibliographie verzeichnet die »Richter«-Fassungen unter Nr. 411 und 412, die »Josua«-Dichtung unter Nr. 409 und 410.

179 Eine hochdeutsche Bearbeitung des »Schmuelbuchs« besorgte der bekannte Verleger Paulus *Aemilius* unter dem Titel »Die zway ersten Bücher der Künig [...]«, Ingolstadt 1562.

180 Schmuelbuch, Ed. *Fuks*, I, 8.

181 *Schulman*, Sefat jehudit-aschkenasit we-safruta, Riga 1913, S. 31.

182 Näheres darüber teilt Leo *Landau* in seinem Artikel »der jidischer MIDRASCH WAJOSCHA«, in: Filologische Schriftn, Bd. 3, Wilne 1929, 223–242, mit.

183 Die jüngste textkritische Ausgabe des »Akidath Jizhak« – Liedes besorgten Percy *Matenko* und Samuel *Sloan:* Two Studies in Yiddish Culture. I. The Aqedath Jishaq, Leiden 1968.

184 L. *Ginzberg*, The Legends of the Jews I, 271ff.; V, 248ff.

185 Vgl. *Erik*, a. a. O., 124.

186 »mein« = mundartlich (bairisch) für mhd. »mêr«.

187 Sign. Or. Add. 547. Das Lied folgt nach fol. 83b. Die Handschrift beschreibt M. *Weinreich* in seiner Sammlung bibliographischer Seltenheiten in Cambridge, in: Pinkes 1/1927, 20–25.

188 *Neubauer/Cowley*, Catalogue of the mss. in the Bodleian library [...], 2 vols., Oxford 1886–1906, no. 1217.

189 *Erik*, a. a. O., 152 liest »gedicht«.

190 Vgl. Encyclopaedia Judaica IX, 142–143; »Josua« s. Bibliographie Nr. 409, »Richter«

Nr. 411, zu »Jona« Nr. 416, zum »Psalter« Nr. 97; »Jesaja« vielleicht identisch mit Nr. 82, »Petirat Mosche« mit Nr. 511.

191 J. A. *Joffe, Elia* Bachur's poetical works in 3 vols., New York 1949, p. 3 (English part). – Demgegenüber haben Enc. Jud. IX, 143, X, 888; *Erik*, a. a. O., 179 u. a. Neustadt bei Nürnberg als Geburtsort!

192 Vgl. *Erik*, a. a. O., 185.

193 M. *Weinreich*, Bilder fun der jidischer literaturgeschichte, Wilne 1928, 190–191.

194 J. A. *Joffe*, a. a. O., p. 9 (English part).

195 ebd. u. Encyclopaedia Judaica III, 848–849.

196 *Weinreich*, Bilder [...], 149–171.

197 »Baba« = slaw.: Großmutter, alte Frau.

198 *Weinreich*, in: Pinkes 1/1927, Nr. 5 = Loewe no. 158: Paris un Wienna, Venedig 1594, 4°, 72 Bl. (Bl. 1–24 fehlen).

199 *Erik*, a. a. O., 185.

200 *Erik*, a. a. O., 179–181. – Ausführlich mit »Hamabdil« befaßt sich N. *Stiff* in »Zeitschrift«, (Minsk) 1/1926, S. 150–158.

201 Cambridger Hs. *Loewe* no. 136 u. *Weinreich*, a. a. O., Nr. 4 a: Papier-Hs. (21 x 15,4 cm), 31 Blatt.
Oxforder Hs. Katalog *Neubauer/Cowley*, no. 1217.

202 *Erik*, a. a. O., 179–181. – Ausführlich mit Elijahu *Bachurs* »lid fun der srifa in wenezie« befaßt sich M. *Erik*, in: Zeitschrift, (Minsk) 1/1926, S. 177–178.

II. Die jüdisch-deutsche Literatur im 16. und 17. Jahrhundert

203 Zur Einführung in die Judensiedlung der deutschen Städte s. A. *Pinthus*, in: ZGJD 2/1930, 101–130, 197–217, 284–300. Zur Ableitung von »Ghetto«, vgl. S. A. *Wolf*, in: Beitr. z. N. F. 12/1961, 280–283. – Vgl. J. A. *Joffe*, in: Filologische Schriftn 1/1926 (= Landau-Buch), 201–206.

204 G. *Lisowsky*, Kultur- und Geistesgeschichte des jüdischen Volkes, Stuttgart-Berlin-Köln-Mainz 1968, S. 187.

205 Jüdische Frauen benutzten, um ihre Briefe kunstvoller zu gestalten, gereimte, schablonenhafte Redewendungen wie »damit bahit enk (= Euch) got – fri un spat far aler not«. Vgl. dazu *Landau/Wachstein*, Jüdische Privatbriefe aus dem Jahre 1619, Wien-Leipzig 1911.
Übrigens finden sich derartige Formeln auch in den Briefen deutscher Frauen dieser Zeit.

206 Außer der polnischen Gemeinde existierte in Krakau auch noch eine tschechische, der der Rabbiner *Porez* vorstand. R. *Anschel* ist identisch mit dem Haupt der jüdischen Gemeinde in Regensburg im 15. Jahrhundert.

207 Der *»Sefer Schel R. Anschel«* wurde in der Druckerei der Gebrüder Samuel, Ascher und Eliakum *Haliz*, den Söhnen Chaim *Haliz'*, gedruckt. Die Druckerei arbeitete sehr rege, sie erstellte auch am 13. Mai 1534 den ersten hebräischen Druck in Polen, das auf den deutschen Rabbiner Jizhak *Diren* (14. Jahrhundert) zurückgehende *»Scheri Dura«*.

208 Isaak ben *Ahron* starb 1613 in Proßnitz.

209 Meistens wurde ihre (natürlich!) vortreffliche Abstammung, ihr Vater, ihr Mann, ihre Stadt sowie ihre guten Eigenschaften (Bescheidenheit, Züchtigkeit, Frömmigkeit usw.) gelobt. Ein in dieser Beziehung typisches Nachwort findet sich in der Pariser »Pirke Abot«-Handschrift (Nr. 116), die *Erik*, a. a. O., 32–33 als Beispiel anführt.

210 In der Hs. Hamburg 57 (»Psalmen«– Nr. 98) lautet die Widmung:

»han ich mit fleiß geschribn
meiner *patronin*
peslin bar r. jakob s. l.«

In der Hs. Hamburg 313 (»Schmuelbuch« – Nr. 404) lesen wir:

»meiner gutn *generin,*
freidlin ist si genant,
zu freid sol si es nuzn un leien (= lesen),
das begēr ich!«

211 Nach *Erik,* a. a. O., 34.

212 *Schudt* berichtet im 4. Band seiner »Jüdischen Merckwürdigkeiten«, daß ein solcher Brauch in der Frankfurter Judengemeinde noch im Jahre 1715 üblich war.

213 Bibliographie Nr. 70, vgl. *Habersaat,* Repertorium d. jidd. Hss., in: Rivista degli studi orientali, (Rom) 29/1954, 58, (26).

214 *Habersaat,* a. a. O., 62, (54): Hs. Car. C. 185 (355) der Stiftsbibliothek Zürich.

215 *»Megillat Antiochius«, Wolf,* BH I, 205, Nr. 336; III, 130 und *Steinschneider,* in Serapeum 9/1848, Nr. 136. *»Megillat Mordechai«, Wolf,* BH IV, 818, 577b.

216 Lt. *Fürst,* BJ I, 25; lt. The Jewish Encyclopedia I, 18 aus Rödelheim.

217 *Erik, a. a.* O., 32.

218 M. *Grünbaum* gibt in seiner Jüdisch-Deutschen Chrestomathie, Leipzig 1882, S. 155–203 einen umfassenden Überblick über die in die jüdisch-deutschen Pentateuchbearbeitungen einfließenden haggadischen Deutungen und Ausschmückungen.

219 Paulus *Büchlein* Fagius (1504–1549) war ein Schüler des Elia *Levita.* Er errichtete um 1540 in Isny seine erste hebräische Druckerei. – Über *Fagius* vgl. ADB VI (1877), 533 f. Vgl. auch *Ersch* u. *Gruber,* Allgemeine Encyclopaedie II, Bd. 28, S. 50, Anm. 60.

220 Über Vincentio *Conti* vgl. G. *Fumagalli,* Lexicon typographicum Italie (1905), 106. – *Ersch* u. *Gruber,* Allg. Enc. II, Bd. 28, 47.

221 Israel *Sifroni* stand in Basel der Druckerei Froben von 1578–84 vor. Während dieser Zeit besorgte er etliche Nach- und Neudrucke, zu denen er stets selbst Vor- und Nachrede schrieb. Über ihn *Ersch* u. *Gruber,* Allg. Enc. II, Bd. 28, 47.

222 Die Erstausgabe kann nicht eindeutig bestimmt werden. *Fürst,* BJ II, 19 u. *Wolf,* BH II, 470 nennen Ed. Basel 1590, doch lt. *Ersch* u. *Gruber,* Allg., Enc. II, Bd. 28, 49 erschien die Ed. princ. in Lublin, wahrscheinlich um 1600.

223 Bibliographie Nr. 45 und Nr. 47.

224 *Habersaat,* Die jüdisch-deutschen Hohenlied-Übertragungen, im Anhang zu: Die jüdisch-deutschen Hohenlied--Paraphrasen, Berlin 1933, wo diese Handschrift allerdings nicht genannt wird!

225 Serapeum Nr. 370. – *Särtels* hat auch die Vorrede zu dem dieser Hohenliedausgabe beigedruckten »Sefer ha-Gan« geschrieben, was *Steinschneider* möglicherweise in seiner Annahme stärkte.

226 Daselbst S. 305–323.

227 Luthers Pentateuchübersetzung erschien 1523 im Druck, also neun Jahre vor dem »Sefer schel R. Anschel«; Luthers Gesamtbibel wurde im gleichen Jahr wie die Anschel'sche Bibelkonkordanz herausgegeben.

228 Vgl. *Karpeles,* a. a. O., II, 329.

229 *Ersch* u. *Gruber,* Allg. Enc. II, Bd. 27, 458; II, Bd. 28, 48 (Anm. 17).

230 Jüdischdeutsche Chrestomathie, S. 299.

231 Nach S. A. *Wolf,* Jiddisches Wörterbuch, S. 36–37.

232 Die Schriftstellen besagen, daß dreimal am Tag, und zwar beim Wechsel der Zeiten, der Mensch sich an Gott zu wenden habe.

233 Bibliographie Nr. 180 bis Nr. 184.

234 Ed. princ. Prag 1615.

235 Vgl. *Grünbaum*, Jüdischdeutsche Chrestomathie, S. 290, (1).
236 Bibliographie Nr. 242 u. Nr. 243.
237 Eine Begriffsbestimmung des »Mussar« nimmt Esriel *Carlebach* in seinen aufschlußreichen Notizen zur Geschichte der Mussarbewegung im Jahrbuch der Jüd.-Lit. Ges. 22/1931-32, 293-391 vor.
238 Vgl. Artikel »Typographie«, in: *Ersch* u. *Gruber*, Allgemeine Encyclopaedie d. Wissensch. u. Künste, II, Bd. 28, 21 ff.
239 E. *Schulmann*, Sefat jehudit-aschkenasit we-safruta [...] Riga 1913, 86–87.
240 *Güdemann*, Geschichte d. Erziehungswesens III, S. 147.
241 *Zunz*, Zur Geschichte u. Literatur, Berlin 1845, 129.
242 *Güdemann*, a. a. O., 223.
243 *Erik*, a. a. O., 279 ff.
244 *Güdemann*, a. a. O., 238.
245 *Zunz*, a. a. O., 130.
246 Über die Identität des Druckortes besteht Unklarheit. Für gewöhnlich wird er mit Freiburg i. Br. angegeben, doch äußert schon *Steinschneider*, daß unter dem ominösen Druckort »Brißgäu« nur Alt-Breisach zu verstehen sei. – Vgl. S. A. Wolf, a. a. O., 43.
247 Nach *Erik*, a. a. O., 214.
248 Vgl. *Steinschneiders* Artikel »Jüdische Literatur« in *Ersch* u. *Grubers* Allg. Enc. II, Bd. 27.
249 Dt. Ed. princ.: Straßburg 1515. – Ähnlichkeit mit Text der Hs. München 100 weist (nach Ser. 388) die dt. Ed. Straßb. 1539 auf.
250 Dt. Ed. princ.: 1597 (»Lalebuch«), 1598 (»Schiltbürger«).
251 Dt. Ed. princ.: o. O. u. J. (kurz nach 1490 – lt. *Heitz/Ritter*, Versuch einer Zusammenstellung der deutschen Volksbücher, Straßburg 1924, wo alle »Volksbücher« nachgesehen wurden.)
252 Dt. Ed. princ.: o. O. u. J. (um 1470).
253 *Steinschneider*, Serapeum Nr. 399.
254 Dt. Ed. princ.: Straßburg 1535.
255 Dt. Ed. princ.: Augsburg 1535.
256 Dt. Ed. princ.: Metz 1499 (26. August).
257 Dt. Ed. princ.: Augsburg 1509.
258 Josel *Witzenhausen* kommt allenfalls als Herausgeber in Betracht, was *Schüler* in der Zeitschrift für hebräische Bibliographie, (Frankfurt a. M.) 8/1904, S. 117-123, 145-148 und 179-186 klar herausstellt.
259 *Steinschneider*, Serapeum Nr. 421.
260 *Steinschneider*, Serapeum Nr. 422.
261 Die Erweiterung resultiert aus dem Verhältnis der 110 Abschnitte des »Jeruschat Moscheh« zu den 139 Abschnitten des »Jarum Moscheh«. In beiden medizinischen Volksbüchern liegt das Hauptgewicht (natürlich) auf der Rezeptsammlung, hingegen nehmen die Beschreibungen der Symptome und die Diagnosen nur wenig Raum ein. Im übrigen gehen den 139 Kapiteln des »Jarum Moscheh« noch 14 Paragraphen diätetischer Art voraus. S. dazu S. A. *Wolf*, zwei jiddische Arzneibücher von 1677 und 1679, in: Zur Geschichte der Pharmazie, 14/1962, 13-15.
262 S. A. *Wolf*, Über ein dem Maimonides zugeschriebenes jiddisches Arzneibuch, in: Zur Geschichte der Pharmazie, 15/1963, 12-13.
263 Die Stadt- u. Universitätsbibliothek Frankfurt a. M. bewahrt unter der Sign. Jud. germ. 645 ein Exemplar des »berimten bichlein« auf.
264 The Jewish Encyclopedia XI, 453.
265 Zitiert nach *Steinschneider*, Serapeum Nr. 402.
266 Zit. nach S. A. *Wolf*, Jiddisches Wörterbuch, S. 47-48.
267 Vgl. Anm. 246.
268 Vgl. *Steinschneider*, Serapeum Nr. 412.

269 *Erik,* a. a. O., 349.
270 Vgl. S. A. *Wolf,* JiddischesWörterbuch, S. 49-50.
271 maasse, f.; pl. maass(i)oss = Geschichte, Begebenheit;
pl. maassim, m. = Taten, Handlungen;
272 gemero, f. = Gemera = Erlerntes. Bezeichnung der erläuternden Diskussion der Mischna. Mischna und Gemara zusammen bilden nach gewöhnlichem Sprachgebrauch den Talmud;
273 Gemeint ist der »Midrasch rabo«, der homiletische Teil des Talmud;
274 Bachja Ibn Pakuda, Religionsphilosoph des 11./12. Jhs.;
275 Gemeint ist der Sagenkreis, der sich an den Namen von Rabbi Jehuda ben Samuel ha-Chassid (des Frommen) knüpft. S. dazu S. 134.
276 Zum »Sefer Chassidim« vgl. S. 21.
277 Der »Sefer ha-Mussar« (Buch der Zucht) des Jehuda *Kaliz,* 1536–37 erstmals in Konstantinopel veröffentlicht, stellte eines der volkstümlichsten Sittenbücher dar. Wurde vom jidd. »Leb Tob« (vgl. S. 122) stark ausgeschöpft.
278 Gemeint ist die zur rabbinischen Literatur zählende Anthologie »Jalkut Schimeoni«.
279 *Schudt,* Jüdische Merckwürdigkeiten, Bd. 2, S. 314.Vgl. Israel *Abrahams,* Jewish Life in the Middle Ages, London 1896, p. 263 ff.
280 Ed. *Offenbach* 1716, die auf der Ed. Frankfurt a. M. 1680 beruht.
281 Ignacy *Schipper,* Studya nad stosunkami gospodarczemi Zydów w Polsce podczas sredniowiecza, Lwów 1911, 254-255 nennt eine jüdische Gerberei, die in Lemberg seit 1460 bestanden hat. Auch sollen dort Juden die Glaserei betrieben haben. In Krakau wurde den Juden erlaubt, selbstgefertigte Kleider und Kragen zu verkaufen. –
Die Zahl der Juden, die ein Handwerk ausübten wuchs von Jahr zu Jahr. Dabei ergriffen sie auch vergleichsweise untypische Berufe wie den des Uhrmachers, Schlossers, Gießers, Schmieds, Drechslers, Büchsenmachers usw. – vgl. dazu M. *Wischnitzer,* Die jüdischen Handwerker und ihr Zunftwesen, in: Istoria jewreiskawa narodna, Bd. 11 und J. *Sosis,* in: Zeitschrift, (Minsk) Jg. 1926.
282 Isidor *Kracauer,* Geschichte der Juden in Frankfurt a. M., Frankfurt a. M. 1926–27, S. 309–326.
283 *Winter/Wünsche,* Die Jüdische Literatur seit Abschluß des Kanons, Trier 1896, Bd. 2, S. 405 ff.
284 Ebd., Bd. 3, S. 285.
285 *Kaliz'* Enkel formte den »Sefer ha-Mussar« später ganz im Sinne der polnischen Kabbala um.
286 Der erste Teil der Schrift des Rabbi *Machir* wurde in lateinischer Fassung in Hulsius' »Theologia Judaica« (1653) übernommen. Er entspricht der »Taitschen Aptek« weitgehend.
287 *Erik,* a. a. O., 265, verzeichnet statt der »Nizzachon«-Ed. Amsterdam 1677 eine Ed. Amsterdam 1737.
288 Vgl. M. *Grunwald,* Hamburgs deutsche Juden bis zur Auflösung der Dreigemeinden, Hamburg 1904, S. 127, 218–222.
289 *Hartmann,* Bd. 1, S. 31–53.

III. Die Übersetzungsliteratur des 17. und 18. Jahrhunderts

290 *Grünbaum,* Jüdischdeutsche Chrestomathie, VII.
291 *Grünbaum,* in *Winter/Wünsche,* Jüd. Lit. III, S. 533.
292 Vgl. Anm. 272.
293 Nach Max *Weinreich,* in: Mitteilungen der Gesellschaft für jüdische Familienforschung (Berlin), Bd. 3 (1934), S. 471 ff.

294 Vgl. dort auch S. 407.
295 *Winter/Wünsche*, a. a. O., III, 28 ff.
296 Über Dyhernfurths jüdischer Vergangenheit handelt Israel *Rabin*, Aus Dyhernfurths jüdischer Vergangenheit, Breslau 1929.
297 Ebd. S. 7 ff.
298 Hebr. Ed. princ.: Prag 1592 – Vgl. *Winter/Wünsche* a. a. O., III, 373.

IV. Der Untergang der jüdisch-deutschen Literatur

299 Jakob *Katz*, Die Entstehung der Judenassimilation in Deutschland und deren Ideologie, Frankfurt a. M. 1935, S. 73.
300 N. *Meisl*, Jidd. Lit., in: Enc. Jud. IX, 163.
301 *Goedeke*, Karl: Grundriß zur Geschichte der deutschen Dichtung, ²XII, S. 535 u. ²XV, S. 1128 ff. (Werke).
Einen Nachahmer fand *Holzschuher* in Christian Heinrich *Gilardone*, dessen in jiddisch-pfälzischer Mundart niedergeschriebenen Werke allerdings den antijüdischen Geist vermissen lassen. Über ihn ist so gut wie nichts bekannt. Seine Schriften werden in der Pfälzischen Landesbibliothek zu Speyer aufbewahrt.
302 Allgemeine deutsche Real-Encyclopädie für die gebildeten Stände, Bd. 5, Leipzig ⁵1819, S. 308.

Anhang

Anhang

Systematische Bibliographie des jüdisch-deutschen Schrifttums

Die unterschiedliche Vollständigkeit der bibliographischen Angaben resultiert aus dem Bestreben, bei der Anlage der Bibliographie nach Möglichkeit alle auszuschöpfenden Mitteilungen über den jeweiligen Titel zu berücksichtigen.

Gliederung der Bibliographie

Verzeichnis der Abkürzungen (am Schluß des Buches als Falttafel)

I. Religiöse Gebrauchsliteratur 166

1. Das älteste datierte jüdisch-deutsche Sprachdenkmal 166
2. Jüdisch-deutsche Glossen 166
3. Glossenbibeln 166
4. Glossare 168
5. Bibelkommentare 170
6. Jüdisch-deutsche Bibelfassungen 172
   a) Pentateuch mit *Haftarot* und *Megillot* 172
   b) Jüdisch-deutsche Gesamtbibeln 175
   c) *Megillot* 176
   d) *Haftarot* 178
   e) Hiob 178
   f) Historische Bücher (Apokryphen) 179
   g) Psalmen 180
   h) Sprüchesammlungen 180
   i) Reimbibeln 183
7. Jüdisch-deutsche Gebetesammlungen 184
   a) Allgemeines Gebetbuch (*Seder Tefillot, Sidur*) 184
   b) Besondere Liturgien (oft als Zugabe zum allgemeinen Gebetbuch) 187
   c) Bußgebete 189
   d) Frauengebetbücher 190
   e) Festgebetbücher 193
   f) Besondere rituelle Gebete 197
8. Jüdisch-deutsche Ritualiensammlungen 197
   a) Allgemeine Ritualordnungen 197
   b) Besondere Ritualiensammlungen 199

II. Weltliche Sachliteratur 202

1. Juristische Urkunden, Statuten, Protokollbücher 202
2. Privatbriefe, Memoiren, Merkbücher 205

III. Lyrische Dichtung 206

1. Größere Liedersammlungen 206
2. Religiöse Hymnen, ritueller Gesang 207
3. Hochzeitslieder 209
4. Religiös-mystische Lieder 209
5. Klagelieder 212
6. Moritaten- und Bänkelgesang 214

7. Historische Lieder und *Freudengesang* ... 215
8. Wettstreit-Lieder ... 216

IV. Epische Dichtung ... 217

V. Dramatische Dichtung ... 220

VI. Volkstümlicher Lesestoff ... 222
1. Volksmedizinisches Schrifttum ... 222
2. Jüdisch-deutsche *Volksbücher* ... 224
3. Rätsel-, Los- und Traumbücher ... 226

VII. Fabeln und Erzählungen ... 227
1. Fabeln ... 227
2. Frühe Erzählungen ... 227
3. *maassioss* ... 229
4. Legenden ... 232
5. Historische Berichte ... 234

VIII. Ethisches Schrifttum ... 235
1. Frühe Mussarliteratur ... 235
2. Sittenspiegel ... 238
3. Kritische Mussarliteratur ... 238
4. Ethische Übersetzungsliteratur ... 241

IX. Didaktisches Schrifttum ... 245
1. Kinderlehren ... 245
2. Wörterbücher ... 245
3. Briefsteller ... 248
4. Arithmetische Lehrbücher ... 249
5. Kaufmännische Lehrbücher ... 249

X. Historisches und geographisches Schrifttum ... 250

I. Religiöse Gebrauchsliteratur

1. *Das älteste datierte jüdisch-deutsche Sprachdenkmal*

(1) *Verspaar* in einem Wormser Machsor.
Worms, 1272/73; Schreiber: Simcha ben Jehuda.
Universitätsbibliothek Jerusalem: Sign. Osroth 4°781. — Röll, ZMF 33/1966, 127–138.

2. *Jüdisch-deutsche Glossen*

(2) *sefer ha-assufot (ritualwerk).*
Deutschland, Mitte 13. Jh.;
Pergament-Hs. (28,5 × 19 cm), 181 Blatt, am Anfang defekt. Einzelne rit. Gegenst. »bi-leschon aschkenas« (17b, 77b, 89b, 91a); Verf.: Jehuda ben Jakob ben Elija (aus Carcassonne).
Jews' College Library, London: Ms. Montefiore 134. — Zunz, GL, 481; Mon Jud D 88.

(3) *Glossen.*
Deutschland (?), 13./14. Jh.;
Pergament-Hs. (16,8 × 23,4 cm), 9 Blatt, der Schluß fehlt. Raschi-Kommentar zu Hagiographen mit einzelnen jüd.-dt. Glossen.
Trinity College Library, Cambridge: Loewe no. 94. — Weinreich Nr. 2.

(4) *Glossen.*
Cod. Palat. 52 in der Vaticana enthält einzelne jüdisch-deutsche Einsprengsel. Hs. wurde am 21. Ijar 5203 (1442) beendet.
Berliner, Schr. I, 89.

(5) *Glossen.*
Cod. Palat. 332 in der Vaticana enthält vereinzelte jüdisch-deutsche Worterklärungen. Hs. stammt aus dem 15. Jh.
Cassuto, Mss. Palat., 57, Anm. 1.

(6) *Glossen.*
Pentateuchkommentar des Jochanan ben Ahron Lurja mit jüdisch-deutschen Glossen. Verf. stammt aus dem Elsaß und lebte gegen Ende 15. bis Anfang 16. Jh.;
Papier-Hs. (19,2 × 15 cm), 230 Blatt.
Zahlreiche deutsche Worterklärungen (z. B. 16b, 188a, 206a).
Hs. Breslau 175 — LuW, Cat. Nr. 25; LuW, Jd. Hss. Nr. 8

3. *Glossenbibeln*

(7) *Bibel, glossiert.*
Deutschland, ca. 13. Jh.;
Pergament-Hs. (35,5 × 27,5 cm), 227 Blatt.
Beginnt mit dem Buch Josua; Text auf zwei Spalten und punktiert; am Rande, zwischen den Kolumnen und gelegentlich zwischen den Zeilen vorwiegend jüdisch-deutsche Glossen von verschiedenen Händen.

Stadtbibliothek Hamburg: Inv. Nr. C. H. f. 9 (= Hs. Hamburg 9)
Steinschneider, Kat. Hamb. Nr. 9; Leitzmann, Bibelübers., 25–29; Mon Jud D 4.

(8) *Bibel, glossiert.*
Deutschland, 13./14. Jh.;
Pergament-Hs. (44 x 32 cm), 211 Blatt.
Enthält die Bücher Josua-Ezechiel (Kap. 48); Text dreispaltig, vokalisiert und akzentuiert, am Rande hebräische, jüdisch-deutsche und lateinische Glossen.
Stadtbibliothek Mainz: Inv. Nr. Hs. 378 (= Hs. Mainz 378)
Walde, Chr. Hebr., 68 f.; Weinryb, JEGP 33/1934, 388; Mon Jud B 211.

(9) *Bibel, glossiert.*
Cod. C. 282 inf. der Bibliotheca Ambrosiana enthält mehrere Glossen (Propheten, Hagiographen).
Die Hs. entstand im 14. Jh. Verf. des Kommentars zu Propheten und Hagiographen: Salomo ben Isaak (= Raschi)
Bernheimer Nr. 23.

(10) *Psalmen, glossiert.*
Deutschland, nach 1490;
Papier-Hs. (22 x 16 cm); Teil 2 eines Sammelbands zu den Psalmen, deren erster Teil die Psalmen in jüdisch-deutscher Übersetzung (s. Nr. 96) enthält. Die Psalmenglossen werden zum Teil in Jüdisch-Deutsch, zum Teil in Hebräisch gegeben. Bl. 2 a hat eine lateinische Eintragung, nach der Pater Wolfgang, Propst der Augustiner Chorherren des Klosters Rot, das Psalterium 1490 durch einen Juden anfertigen ließ. Teil 2 der Gesamthandschrift (glossierte Psalmen) von anderer Hand und jünger als Teil 1.
Tübinger Depot der Staatsbibliothek, Stiftung Preußischer Kulturbesitz: Inv. Nr. Ms. or. qu. 310
Steinschneider, Kat. Berlin Nr. 50; Leitzmann, Bibelübers., 95 ff.; Grünbaum, Chrest., 97; Mon Jud D 15.

(11) *Propheten, glossiert.*
Deutschland, ca. 1550;
Papier-Hs. (33,5 x 23 cm); Teil 4 einer Sammlung von Kommentaren. Ges. Hs. zählt 374 Blatt, Bl. 318 a–373 a enthält Teil 4: zahlreiche Glossen zu den prophetischen Büchern, vorausgeht stets das Einführungswort »be-aschkenas« (= deutsch).
Bayrische Staatsbibliothek, München: Inv. Nr. Cod. hebr. 66 (= Hs. München 66)
Steinschneider, Kat. München Nr. 66; Leitzmann, Bibelübers., 9 ff.; Mon Jud D 89.

(12) *Bibel, glossiert.*
1. Teil: Pentateuch, mit jüdisch-deutschen Glossen (vielleicht denen des Moses Särtels – vgl. Nr. 29); Prag 1620, Mose ben Bazalel, 8°.
2. Teil: Propheten und Hagiographen, mit jüdisch-deutschen Glossen; Prag 1620–21, Mose ben Bezalel, 8°.
Ser. Nr. 353; vgl. zu Teil 1: Zunz, GL, 294, Nr. 188 u. 295, Nr. 197 – zu 2: ebd., 294, Nr. 188 u. 190; Wolf, BH II, 397.

4. Glossare

(13) *Glossar.*
Hs. Berlin 502 enthält ein Glossar des Grammatikers Simson, hebräisch mit häufig eingestreuten jüdisch-deutschen Glossen, die deutlich ihre Herkunft aus dem 14. Jh. verraten.

Wiss. Ztschrft. f. jüd. Theol., hg. von A. Geiger, 5/1844, 413–430; vgl. LuW, Jd. Hss. Nr. 2; Enc. Jud. VII, 945.

(14) *Glossar.*
Hs. Berlin 701 enthält hebräisch-jüd.-dt. Glossar; die Hs. stammt vom Jahre 1394.

Hb. Rep. I, 2, 3; Birnbaum, Jidd. Ps., 8 b.

(15) *Glossar.*
Cod. Reuchlin IX (Karlsruhe) vom Jahre 1399 enthält: fol. 1–59 Worterklärungen Genesis 1 bis 1. Samuel, 12; fol. 237 b Hohelied-Glossar u. fol. 60 Kommentar Josua-Chronik. Die Hs. wurde aufgrund von Schriftzeichen, Papier und Sprache datiert.

S. Landauer, Hss. Karlsruhe, 13–16, Nr. 7; Enc. Jud. VII, 945; Birnbaum, Jidd. Ps., 8 c.

(16) *Glossar.*
Cod. 100 (T 30 sup.) der Bibliotheca Ambrosiana enthält auf Blatt 137 v das Fragment eines hebräisch-jüd.-dt. Glossars. Die Hs. wurde im 14./15. Jh. angefertigt.

Bernheimer, Nr. 1000, App. VII.

(17) *Glossar.*
Cod. Reuchlin VIII (Karlsruhe) enthält Hohelied-Glossar, Ruth-Glossar und Threni-Glossar. Das in alemannischer Mda. angelegte Hohelied-Glossar umfaßt 6 1/2 Seiten. S. Landauer datiert die Hs. aufgrund der Schriftcharaktere 1410, Birnbaum nach Art der Wasserzeichen 1430–40.

S. Landauer, Hss. Karlsruhe, 13–16, Nr. 6; Birnbaum, Jidd. Ps., 9 d vgl. Zeitschrift Minsk I, 147.

(18) *Glossar.*
Hs. Leipzig 102, fol. 213 a-218 a enthält Hohelied-Glossar, das um 1300 hebräisch angelegt, um 1425 durch eine jüdisch-deutsche Spalte (alemannische Mda.!) erweitert worden ist.

K. Vollers, Katalog II, 435 Birnbaum, Jidd. Ps., 8 a

(19) *Glossar.*
Deutschland (?), 1437;
Papier-Hs. (18,7 × 13,9 cm), 104 Blatt (es fehlen Bl. 1–12, 15–19, 31).
Schreiber: David ben Jakob (?).
Hebräisches, alphabetisch angeordnetes Glossar mit jüdisch-deutscher Übersetzung.
Hs. Breslau 170

LuW, Jd. Hss. Nr. 2; LuW, Cat. Nr. 44; Enc. Jud. VII, 945, wo 1438 datiert! Hb. Rep. I, 1.

(20) *Glossar.*
Hs. Berlin 310 (Ms. Or. 4°310) enthält ein hebräisch-jüdisch-deutsches Psalmenglossar vom Jahre 1490.

Steinschneider, Hebr. Hss. I, 50; Birnbaum, Jd. Ps., 9 a, wo aufgrund der Schrift um 1412 datiert!

(21) *Glossar.*
Cod. Palat. 417 in der Vaticana (Rom) enthält das Wörterbuch eines deutschen Juden, geschrieben im 16. Jh. Die Hs. ist im Anfang defekt, das Wörterverzeichnis reicht nur bis »semer«.
Berliner, Schr. I, 89.

(22) *Glossar.*
Eine vormals im Besitze Wolfs (s. III, 765) befindliche Hamburger Hs. enthält ein Glossar zum Pentateuch nach Wochenabschnitten geordnet.
Verfasser oder Schreiber: Isaak Kohen, der die Hs. 1513 im oberitalienischen Alessandria anfertigte.
Wolf BH III, 765; Ser. Nr. 426.

(23) *Glossar.*
Oxforder Hs. (Neub./Cowl., Cat. I., no. 1507) enthält ein von Mordechai ben Menachem zusammengestelltes Glossar.
Die Hs. wurde 1522 angelegt.
Neub./Cowl., Cat. I, no. 1507.

(24) *Glossar.*
Oxforder Hs. (Neub./Cowl., Cat. I, no. 1509), fol. 65r enthält ein erklärendes Hohelied-Glossar, dreispaltig angelegt.
Die Hs. wurde 1547 angefertigt.
Neub./Cowl., Cat. I, no. 1509.

(25) *Glossar.*
Cod. Pluteo II-N. 45 der Bibliotheka Lauerentiana (Florenz) enthält ein jüdischdeutsches mit hebräischer Übersetzung angelegtes Hiob-Glossar.
Die Hs. wurde im 16. Jh. angefertigt.
Berliner, Schr. I, 88; Ser. Nr. 431 c; Hb. Rep. II, 2.

(26) *Glossar.*
Hs. Oppenh. 195 (Oxford) enthält kurze jüdisch-deutsche Erläuterungen schwieriger Wörter im Talmud, zusammengestellt von Menachem ben Eljakim (aus Bingen), hebr. u. jüdisch-deutsch.
Ser. vor Nr. 386 (S. 37).

(27) *Glossar.*
Eine Frankfurter Hs. vom Jahre 1556 enthält auf 5 Seiten (in 4°) ein jüdischdeutsch-hebräisches Glossar, das Jehuda ben Benjamin Deggingen alias Leva Rockhausen (Hauslehrer in Rüdesheim und anderswo) zusammengestellt hat.
Brüll, in Jb f. jüd. Gesch. u. Lit. 3/1877, 89–97.

(28) *sefer schel r. anschel*
oder *markebet ha-mischne* (Wagen des Wesirs, vgl. Gen. 41, 43).
Hebr.-jüd.-dt. Bibelkonkordanz nach Vorbild von *»me'ir nethib«* des R. Isaak ben Nathan Kalonymos (Venedig 1523); verfaßt von: Rabbi Anschel; – Krakau ^{1}1534, ^{2}1552, ^{3}1584, alle 4°.

Wolf, BH I, 206, Nr. 328; Fürst, BJ I, 46; Ser. Nr. 376; Perles, Beitr., 33 f., 117 ff.; Grünbaum, Chrest., 23; Leitzmann, Bibelübers., 61–62.

(29) *lekach tob* (Gute Lehre).
Glossar mit Worterklärungen zu Propheten und Hagiographen, verfaßt von Moses ben Issachar ha-Levi, gen. Moses Särtels; Prag 1604 (17. Sept.), 4°.
Wolf, BH III, 765; Zunz, GL, 282; Ser. Nr. 134; Steinschneider, Cat. Bodl. 6553, 1–8, 10; 1213; Grünbaum, Chrest., 22 f.

(30) *beer mosche* (Erläuterung Mosis, vgl. Dt. 1, 5).
Jüd.-dt. Worterklärungen zu Pentateuch und 5 *megillot;* Verf.: Moses ben Issacher ha-Levi, gen. Moses Särtels; Prag 1604, 4°; Prag 1605, 1612, o. J., Jakob Bak Söhne, 1682, alle 4°; Prag 1689, 8°; Frankfurt a. O., 1707, 8° (Fragment).
Wolf, BH I, Nr. 1582; II, 389; III, Nr. 1582; Zunz, GL, 282, Nr. 90; 288, Nr. 143; 297, Nr. 220; Ser. Nr. 353; Steinschn., Cat. Bodl., 6553, 1–8, 10; 1213; Grünbaum, Chrest., 22 f. Leitzm., Bibelübers., 65 ff.

(31) *beer mosche*
bei folgenden Pentateuch-Ausgaben:
Amsterdam 1650, o. J., 1674, 1693, 1700, 1729, alle 4°; Frankfurt a. M. 1662, 1692, 1698, 1705, 1709, 1724, alle 4°; Hanau 1618, 1716, beide 4°; Prag 1686 4°; Sulzbach 1705, 1725, beide 4°; Frankfurt a. O. 1708, 4°; Frankfurt a. O. 1708, 4°; Wilhermsdorf 1716, 4°; Fürth 1726, 4°.
Wolf, BH I, 830; II, 394; III, 765; IV, 133; Ser. Nr. 353.

(32) *beer mosche.*
s. (30) – hg. mit einer grammat. Einleitung und in verkürzter Form von Sabbatai Bass ben Josef.
[1]Prag 1669, 4°; [2]Dyhernfurth 1710, 4°.
Fürst, BJ I, 93; Ser. Nr. 353.

(33) *Glossar.*
Ende 18.-Anfang 19. Jh.;
Papier-Hs. (30,7cm×20,5cm), 16 Blatt.
Hebräisches, alphabetisch angeordnetes Glossar mit jüdisch-deutscher Übersetzung.
Hs. Breslau 157 LuW, Jd. Hss. Nr. 1.

5. Bibelkommentare

(34) *Psalmenkommentar.*
Cod. Uffenbach 103 (Hamburg) enthält Psalmenkommentar, welcher teils aus dem Hebräischen ins Jüdisch-Deutsche übersetzt worden ist, teils originell den Psalmentext kommentiert.
Die Hs. wurde im 16. Jh. angelegt.
Wolf, BH II, 1400, Nr. 570; Ser. Nr. 429 A

(35) *Sprüchekommentar.*
Cod. Uffenbach 119 (Hamburg) enthält eine kurze erläuternde Paraphrase der

Sprüche in Jüdisch-Deutsch mit gelegentlich eingeschalteten hebräischen Bemerkungen.
Der Kommentar wurde in der 2. Hälfte des 16. Jhs. angelegt, sein Verfasser ist wahrscheinlich Jechiel ben Schalom.
Ser. Nr. 430.

(36) *Hiobkommentar.*
Cod. Uffenbach 119 (Hamburg) hat im Anschluß an den Sprüchekommentar einen Hiobkommentar zu verzeichnen, der von derselben Art wie der Sprüchekommentar ist.
Der Name des Verfassers ist dem Epigraph zu entnehmen:
Jechiel, Sohn des noch lebenden Arztes Schalom.
Für den ebenfalls in der 2. Hälfte des 16. Jhs. angelegten Hiobkommentar benötigte der Verfasser (gleichzeitig auch Schreiber) 10 Monate (vom Neumond des Siwan bis zum Neumond des Nisan).
Wolf, BH III, 435 b; Ser. Nr. 431 A.

(37) *Hiobkommentar.*
Cod. Uffenbach 35 (Hamburg) enthält Kommentar zu Hiob I–IX. Entstehungszeit der Hs.: 16./17. Jh.
Wolf, BH III, 1212, Nr. 569 b; Ser. Nr. 431 B.

(38) *targum chumasch megillot* (Übersetzung der *Megillot*).
Verf.: Jakob ben Samuel Bunem Koppelmann (geb. Brzesć in Kujawien 1555, gest. 1598);
Freiburg i. Br. 1584, Froben, 8°, 85 S.
Aramäische Paraphrase zu den fünf *megillot* mit jüdisch-deutscher Erklärung der schwierigen Wörter an der Seite.
Wolf, BH II, 456; 1177; III, 524, Nr. 1099 (3); Fürst, BJ II, 203; Ser. Nr. 342.

(39) *chibbure leket* (Sammlungen der Lese).
Verf.: Abraham ben Jehuda Chasan (aus Krotoschin);
Lublin [1]1593; [2]1612, beide Fol.
Kommentar zu Propheten, Hagiographen und den fünf *megillot,* aus älteren Kommentaren kompiliert. Schwierigen hebräischen Termini ist in Klammern die Verdeutschung beigefügt.
Wolf, BH I, 60, Nr. 83; III, 37, Nr. 83; Fürst, BJ I, 167; Ser. Nr. 374; Steinschneider, Cat. Bodl., 696, Nr. 4246.

(40) *Bibelkommentar.*
Verf.: Isaak ben Simson ha-Kohen (gest. Prag 30. 5. 1624);
Prag 1608, Fol. (mit dem Text *chumasch im perusch*).
Jüdisch-deutscher Kommentar zum Pentateuch und zu den Haftarot aus Raschi-Kommentaren und Exempl. aus Midraschim (alte Auslegungen).
Wolf, BH I, 695, Nr. 1280; II, 389; IV, 198; Fürst, BJ II, 145; Zunz, GL, 285, Nr. 109; 287, Nr. 130; Ser. Nr. 349, wo Prag 1610; Fol.: TJE VI, 629.

(41) *nachalat zebi* (Erbteil des Zebi),
auch *taitsch sohar* genannt.

Verf.: Zebi Hirsch ben Jerechmiel Chotsch (aus Krakau);
Frankfurt a. M. 1711, Fol.
Ein aus kabbalistischen Sohar-Auszügen zusammengesetzter Pentateuchkommentar.
Wolf, BH III, 999, Nr. 1867; Fürst, BJ I, 177; Ser. Nr. 214.

(42) *Hiobkommentar.*
Cod. Hebr. Sim. Nr. 29 (Sammlung Prof. David Simonsen, Kopenhagen) enthält eine jüdisch-deutsche Übersetzung des Hiobkommentars des Abraham ben Mordechai Farisol (Forussol, vulg. Perizol, gest. 1525).
Die Hs. entstand 1789.
Hb. Rep. II, 236 (9 a).

(43) *maggische minchah.*
Verf.: Elieser Sussmann ben Isaak Roedelsheim, in Zusammenarbeit mit seinem Schwager Menachem Mann ben Salomon ha-Levi Amelander;
Ed. Princ.: Amsterdam 1725.
Ferner: Amsterdam 1725/29; Amsterdam 1728/29; Amsterdam 1743, 8°, 146 Bll., Fürth 1767, 4°, 101 Bll.
Jüdisch-deutscher Bibelkommentar mit dem Text *maggische minchah.*
TJE I, 490; III, 192; X, 442; vgl. Karpeles, GJL II, 1009.

6. *Jüdisch-deutsche Bibelfassungen*

a) Pentateuch, Haftarot und Megillot

(44) *Pentateuch mit Haftarot, Esther und Hoheslied,*
letztere wahrscheinlich unvollständige 5 Megillot.
Enthalten im Cod. De Rossi Jud. germ.[1] (Parma), angeblich aus dem 15. Jh.
Stimmt nach Ser. Nr. 425 im Ganzen mit den späteren Pentateuch-Ed. Cremona 1560 (s. Nr. 51) und Basel 1583 (s. Nr. 52), weniger mit Ed. Konstanz 1544 überein; jedoch verschiedene Abweichungen.
Ser. Nr. 425 (Erg.).

(45) *Pentateuch mit Haftarot,*
letztere bis zum Sabbat des Laubhüttenfestes reichend.
Enthalten in Hs. Benzian E aus dem 16. Jh.
Text beginnt mit Genes. 2, 6.
Ser. Nr. 425 (Erg.).

(46) *Pentateuch.*
Hs. London 102 aus dem 16. Jh.

Marg., Cat. I, 76, Nr. 102.

(47) *Pentateuch mit Haftarot.*
Deutschland, 16. Jh.;
Papier-Hs. (23,5 x 18 cm), 239 Blatt (es fehlen 1–11, 129). Die prophetischen Lektionen beginnen mit Blatt 294 a.
Staatsbibliothek Tübingen, Stiftung Preußischer Kulturbesitz, Inv. Nr. Ms. or. 4°691.
Steinschneider, Kat. Berlin, Nr. 145; Leitzmann, Bibelübers., 107 ff., Mon Jud D 16.

(48) *Pentateuch mit Haftarot und 5 Megillot.*
Verf.: Paulus Aemilius;
Augsburg 1544, 4°.

J. Perles, MGWJ 25/1876, 360ff.; Beiträge, 166ff.; Neubauer REJ 5/1882, 143 f., 315 f.; Grünbaum, Chrest., 12ff.; Steinschneider, ZGJD 1/1887, 286 f.; S. A. Wolf, Jd. Wb., 38 ff.

(49) *Pentateuch mit Haftarot und 5 Megillot.*
Verf.: Michael Adam unter Mitarbeit des Paulus Fagius;
Konstanz 1544, Paulus Fagius, 4°.
Ed. Konstanz geht vermutlich auf die gleiche Quelle zurück wie Ed. Augsburg (s. Nr. 45).

Wolf, BH II, 455; IV, 188 f., 191 ff.; Fürst, BJ I, 18; J. Perles, MGWJ 25/1876, 361; Beiträge, 165, Anm. 1; Ser. Nr. 347, 348, 425 u. Nachträge; Steinschneider, Cat. Bodl., 1187, 1189–90; Leitzmann, Bibelübers., 114–129.

(50) *Pentateuch.*
Hs. Oppenh. 111, fol. (Oxford) enthält die jüdisch-deutsche Pentateuchfassung des Josef ben R. Jakob aus Wetzlar, der die Übersetzung für Jütlin, Tochter des Naftali Levi im Jahr 1544 anfertigte. Dabei hat der Schreiber die Ed. Konstanz 1544 benutzt.

Wolf, BH II, 458; Ser. Nr. 425.

(51) *taitsch chumasch.*
Jüdisch-deutscher Pentateuch mit Haftarot, den 5 Megillot und Auszügen aus dem Kommentar Raschis.
Verf. od. Hg.: Juda ben Moses Naftali, gen. Löb Bresch; Cremona 1560, Vincentius Conti, Folio.

Wolf, BH II, 455; IV, 188; Fürst, BJ I, 131; II, 84; Leitzmann, Bibelübers., 115, 129–130; Karpeles, GJL II, 1010; Ser. Nr. 348; Nr. 425; Steinschneider, Cat. Bodl., Nr. 1189; TJE III, 370; S. A. Wolf, Jd. Wb., 42 f.

(52) *taitsch chumasch.*
Von Israel Sifroni besorgter, verbesserter Nachdruck der Ed. Cremona 1560.
Basel 1583, Froben, Fol.; Basel 1603 (?); Augsburg o. J.

Leitzmann, Bibelübers., 115; Steinschneider, Cat. Bodl., Nr. 1190; Fürst, BJ III, 322.

(53) *taitsch chumasch.*
Nachdruck der Ed. Basel 1583.
Prag 1608 (?).

Steinschneider, Cat. Bodl., Nr. 1192; Hb., Cant. cant., 6.

(54) *taitsch chumasch.*
Nachdruck der Ed. Basel 1583, mit midraschischen Erklärungen von Isaak ben Simson ha-Kohen (?).

Steinschneider, Cat. Bodl., Nr. 1193; Hb., Cant. cant., 6.

(55) *ze'enah u-re'enah* (Kommt und seht! – vgl. Cant. 3, 11).
Originelle jüdisch-deutsche Pentateuch-Paraphrase mit Haftarot und den 5 Megillot; Verf.: Jakob ben Isaak Aschkenasi (aus Janow i. Polen, gest. Prag 1623).

Ed. princ.: unbekannt (nach Fürst II, 19 u. Wolf, BH II, 470 Basel 1590, doch lt. Ersch u. Gruber II, 28, S. 49 erschien Ed. Princ. in Lublin), wahrscheinlich Lublin, um 1600.
[2]Krakau 1620; ferner: Basel 1622, Fol.; Lublin o. J.; Fol.; Amsterdam 1648, Immanuel Benbeniste, Fol. (oder 4°? – Wolfenbüttel, Herzog-August-Bibliothek, Bibel-Sign. 4°, 218);
Prag 1649, Fol.; Amsterdam 1669, Fol.; Wilhermsdorf 1671; Fol.; Wilhermsdorf 1678, Fol. (Bibl. Frankfurt a. M.); Frankfurt a. M. 1687, Fol.; Amsterdam 1690, Fol.; Sulzbach 1692, Fol.; Frankfurt a. M. 1693, Fol.; Frankfurt a. O. 1693, Fol.; Frankfurt a. M. 1698, Fol.; Dyhernfurth 1700, Fol.; Frankfurt a. O. 1700, Fol.; Amsterdam 1703, Fol.; Frankfurt a. M. 1703, Fol.; Frankfurt a. O. 1707, Fol.; Frankfurt a. M. 1708, Fol.; Berlin 1709, Baruch (Buchbinder) Radoner, Fol. (auf Anweisung von Gerson Wiener aus Frankfurt a. O., ein genauer Abdruck der Ed. Frankfurt a. O. 1700);
Prag 1709, Fol.; Frankfurt a. M. 1710, Fol.; Amsterdam 1711, Cornelis van Hoogenhysen, Fol. (192 durchgez. Bll., mit 2. Targum Esther und Hohelied); Hamburg 1714, Fol.; Amsterdam 1714, Fol.; Prag o. J., Fol.; Sulzbach 1720; Amsterdam 1722, 8° (mit 2. Targum über Megillot); Frankfurt a. M. 1726 (mit 2. Targum Esther); Berlin 1735; Frankfurt a. M. 1741 David Jakob Krunau; Amsterdam 1743, Naftali Hirz Levi Rofe; Frankfurt a. M. 1753 (269 Bll.); Metz 1767; Sulzbach 1789, Ahron Sekl; Sulzbach 1794, Ahron Sekl; Dyhernfurth 1805; Dyhernfurth 1817; Lemberg 1867.

Wolf, BH I, 598, Nr. 1054; II, 470; III, 470, Nr. 1054; IV, 869; Fürst, BJ II, 19; Zedner, Cat. Br. Mus., 119; 301; Steinschneider, Cat. Bodl., Nr. 5545, 1 ff.; Ser. Nr. 244 Roest. I, 513; Leitzmann, Bibelübers., 73, 76, 296–307; Karpeles, GJL II, 346; Grünbaum, Chrest., 192 ff.; L. Geiger, ZGJD 2/1888, 200; Frankl, MGWJ (1885), 153 f.; Enc. Jud. IV, 596; Hb., Cant. cant., 7–8.

(56) *sefer ha-maggid* (Buch des Predigers).
Verf,: Jakob ben Isaak Aschkenasi;
Lublin 1623, Fol.; Wilhermsdorf 1689, Fol.; Prag 1692, Fol.; Prag 1704, Fol.; Prag 1706, Fol.; Wilhermsdorf 1717, Fol.
Propheten und Hagiographen mit dem Kommentar Raschis und deiner deutschen Paraphrase (somit also eine Fortsetzung der Frauenbibel *ze'enah u-re'enah* des gleichen Autors).

Wolf, BH II, 397; III, 471, wo Lublin 1670 u. 1676, Wilhermsdorf 1689–90; Leitzmann, Bibelübers., 307 ff.; Ser. Nr. 355; Zunz, GL, 274.

(57) *sefer ha-maggid.*
wie Nr. 56, jedoch nur Propheten;
Amsterdam 1676, Fol.

Ser. Nr. 355.

(58) *sefer ha-maggid.*
wie Nr. 56, jedoch nur Propheten. Zugaben von Israel ben Abraham;
Wandsbeck 1732, 8°.

Ser. Nr. 355.

(59) *sefer ha-maggid, aggudat schmuel.*
wie Nr. 56, mit einem jüdisch-deutschen Kommentar *aggudat schmuel* (Bündel Sa-

muels) des Samuel ben Moses (dlngtsch);
Amsterdam 1699, 16°.
Ser. Nr. 355.

(60) *Pentateuchfragment.*
Verf.: Elia Ulma (ha-Poel), der Drucker, aus Hanau;
Basel o. J. (1622), Fol.;
5 Megillot und Haftarot (nebst Midraschim?).
Ser. Nr. 369; Hb., Cant. cant., 9.

(61) *meliz joscher* (Fürsprecher – bes. bei Gott, vgl. Hiob 33,23).
Verf.: Jakob ben Isaak Aschkenasi;
Lublin 1622, Fol.; Amsterdam 1688, Fol.; Amsterdam 1708, Fol.;
Erklärung einzelner Pentateuchabschnitte.
Ser. Nr. 147; Wolf, BH III, 471.

(62) *Pentateuch und Haftarot.*
Hebräisch, mit Wiedergabe des Wortsinnes in Jüdisch-Deutsch;
Amsterdam 1702, 4°; Frankfurt a. M. 1729, 4°.
Ser. Nr. 350; Wolf, BH II, 393; vgl. IV, 133.

(63) *Pentateuch mit Haftarot und 5 Megillot.*
Hs. Hamburg 84 enthält Pentateuch mit Haftarot und 5 Megillot in jüdisch-deutscher Paraphrase.
Die Hs. wurde im Jahre 1709 angelegt.
Steinschneider, Kat. Hamb. Nr. 84.

(64) *melammed siach* (Sprachlehrer).
Verf.: Eljakim Götz ben Jakob, Vorbeter zu Amsterdam;
Amsterdam 1710, Chajim ben Jakob Drucker, 4°, 52 S., Dyhernfurth 1718, 12°; Fürth 1726, 12°.
Jüdisch-deutsche Übersetzungen und Erklärungen der wichtigsten Paraschas des Pentateuch und der 5 Megillot, besonders zum Gebrauch der Lehrer beim Unterricht bestimmt.
Wolf, BH III, 116, Nr. 300; IV, 133; IV, 784, 300; Fürst, BJ I, 340; Ser. Nr. 148.

(65) *mikra meforasch.*
Übersetzung des hebräischen Pentateuchs *mikra meforasch* ins Jüdisch-Deutsche durch: Elieser Sussmann ben Isaak Roedelsheim;
Amsterdam 1749, 4°, 131 gez. Bll.
TJE X, 442; Roest, I, 189.

(66) *beer ha-torah.*
Jüdisch-deutsche Übersetzung des Pentateuchs, der Haftarot u. der 5 Megillot durch: Gedalja Taikos ben Abraham Menachem;
Amsterdam 1759, 4°.
Fürst, BJ I, 323; III, 406; TJE XI, 669.

b) Jüdisch-deutsche Gesamtbibeln

(67) *Bibel.*
Ins Jüdisch-Deutsche übersetzt von Jekutiel ben Isaak Blitz (aus Wittmund, Rabbiner zu Aurich);

Amsterdam 1676–79, Uri Phoebus ben Ahron ha-Levi, Folio.

Wolf, BH II, 454 f.; IV, 182 ff.; Ser. Nr. 345; Steinschneider, Cat. Bodl., 1177; Grünbaum, Chrest., 18 f., 102 ff.

(68) *Bibel.*

Ins Jüdisch-Deutsche übersetzt von Josef (Josel) ben Alexander Witzenhausen; Amsterdam [1]1679, [2]1687, Josef Athias, Folio; Aufnahme in die Biblia Pentapla, Wandsbek 1711.

Wolf, BH I, III, Nr. 864; II, 453 f., IV, 182 ff.; Ser. Nr. 346; Steinschneider, Cat. Bodl., 1178 ff.; Fränkel, ADB 43, 663 ff., 50, 705; Grünbaum, Chrest., 19 f., 102 ff.

c) *Megillot*

(69) *megillot.*

Hs. De Rossi pol. 2 (Parma) enthält auf 92 Bll. die 5 Megillot (Esther, Anf. defekt; Hoheslied, Ruth, Threni und Kohelet), geschrieben von Abraham ben Elia im 15./16. Jh.

Ser. Nr. 434 (Erg.) – Enc. Jud. IV, 594.

(70) *megillot.*

Cod. London Ar. Or. 27 enthält in Anschluß an *machsor pijut* die 5 Megillot in Jüdisch-Deutsch (fol. 374 b: Hoheslied; fol. 378 b: Ruth; fol. 381 b: Klagelied Jer.; fol. 368 a: Eccl.; fol. 394 b: Esther).

Margilouth I, 184, no. 244.

(71) *megillat esther* oder *lang megille.*

Jüdisch-deutsche Paraphrase unter Ausschmückungen von Erklärungen aus dem Targum 2 zu Esther und den Midraschim.
Verf.: unbekannt;
Krakau 1589, Isaak ben Ahron Proßnitz, 4°.

Wolf, BH II, 456; Ser. Nr. 371, wo Krakau 1590; Steinschneider, Cat. Bodl., 287 (1225); Leitzmann, Bibelübers., 291–295.

(74) *targum scheni.*

Jüdisch-deutsche Estherparaphrase unter Benutzung des Targum Scheni (daher der Titel).
Verf.: unbekannt;
Amsterdam 1649, 4°; o. O. u. J., 4°; Berlin 1717 (1711), 4°.

Wolf, BH II, 1178; Ser. Nr. 371.

(73) *megillat esther* (Rolle Esther).

Hebräisch mit jüdisch-deutscher Paraphrase von: Juda Löw ben Josef Mehler (aus Hessen);
Amsterdam 1663, Uri Phoebus ben Ahron ha-Levi, 8°, 84 S.

Wolf BH II, 412, 456; III, 328, Nr. 742 e; IV, 201; Fürst, BJ II, 351; Ser. Nr. 371.

(74) *megilla arucha* (Lange Rolle).
Estherparaphrase; Verf.: unbekannt;
Frankfurt a. M. 1698, 4°.
Ser. Nr. 371.

(75) *mezach ahron* (Stirn Ahrons).
Jüdisch-deutsche Paraphrase der zwei Targumim zu Esther mit eingestreuten Haggadas und Midraschim.
Verf.: Ahron ben Mordechai (aus Trebitsch, lt. Fürst – oder Rödelheim, lt. TJE);
Frankfurt a. M. 1718, Johann Koelner, 4°, 74 Bll.
Fürst, BJ I, 25; Wolf, BH III, 78, Nr. 191 b; IV, 733; Ser. Nr. 201; Steinschneider, Cat. Bodl., 724, Nr. 4367; Roest. I, 220; TJE I, 18.

(76) *Hoheslied.*
Jüdisch-deutsche Paraphrase mit hebräischen Randglossen, verfaßt von Michael Adam.
Enthalten im Cod. Sorbonne 112 (= Kat. Paris 445), wo der Text 7 Bll. ausfüllt.
Die Hs. wurde von einem deutschen Juden um 1515 in Italien angefertigt.
Wolf, BH IV, 201, Nr. 32; Ser. Nr. 433; Hb. Rep. I, 14.

(77) *Hoheslied.*
Eine von Jizhak ben Mordechai ha-Kohen aus Krakau 1538 geschriebene Hohelied-Paraphrase enthält der Cod. Oppenh. 1217 (Oxford).
Neub./Cowl., Cat. I, no. 1217.

(78) *Hoheslied.*
Jüdisch-deutsche Hohelied-Paraphrase mit Gleichnissen und Erläuterungen der Midraschim.
Verf.: Isaak Sulkes;
Krakau 1579, Isaak ben Ahron Proßnitz, 4°.
Wolf, BH II, 457; Ser. Nr. 370; Hb., Cant. cant., 6.

(79) *Ruth.*
Cod. Sorb. 205 (= Hs. Paris 587) enthält im Anschluß an jüdisch-deutsche Minhagim (s. Nr. 232) eine jüdisch-deutsche Ruth-Paraphrase, verfaßt von Simson ben Menachem.
Die Hs. wurde am 25. Elul 5293 (1533) in Soncino abgeschlossen.
Ser. Nr. 433 b (Erg.); Munk-Zotenberg, Cat. Nr. 433 b.

(80) *Ruth.*
Akdamot nebst dem biblischen Buch Ruth für den Pfingsttag, mit wortgetreuer jüdisch-deutscher Übersetzung.
Verf.: unbekannt;
Frankfurt a. M. 1721, 12°.
Wolf, BH IV, 1040, Nr. 64 d; Ser. Nr. 16.

(81) *perusch kohelet* (Ecclesiastes).
Ins Jüdisch-Deutsche übersetzt von: David ben Ahron ben Israel Kaz, gen. David ben Mechkokek (Drucker), Drucker zu Prag;
Prag 1708, 4°.
Wolf, BH II, 457; III, 178, Nr. 474 b; Fürst, BJ I. 198; Zunz, GL, 262, Anm. c; Ser. Nr. 372.

d) Haftarot

(82) *Jesaja.*
Cod. Uffenbach 103 (Hamburg) enthält ab Bl. 48 Jesaja-Paraphrase in Jüdisch-Deutsch.
Die Hs. datiert aus der 2. Hälfte des 16. Jhs.
Wolf, BH II, 1399, Nr. 564; Ser. Nr. 428 A.

(83) *Jesaja.*
Cod. Uffenbach 103 (Hamburg) enthält ab Bl. 108 Jesaja-Paraphrase in Jüdisch-Deutsch.
Die Hs. datiert aus der 2. Hälfte des 16. Jhs.
Ser. Nr. 428 B.

(84) *sefer jeremiah.*
Jüdisch-deutsche Prosabearbeitung des Buches Jeremias durch: Moses ben Issachar ha-Levi, gen. Moses Särtels;
Prag 1602, Jekutiel ben David, 4°, 72 S. unpagniert (Titelblatt: das bekannte sog. Fratzentor).
Das Buch enthält die wortgetreue Prosaübersetzung des Buches Jeremias. Das Druckwerk ist äußerst selten; ein defektes Exemplar befindet sich in Wien, ein vollständig erhaltenes in der Bibliothek der Yale University. Beschreibung des letztgenannten Exemplars mit Faksimile des Titelblattes etc. bei: Leon Nemoy, A jidische ibersetzung fun Jeremiah, Prag, 362; in: Yivo-Bleter 26/1945, 236 ff.
L. Nemoy, Yivo-Bleter 26, 236 ff.

e) Hiob

(85) *Hiob.*
Das Buch Hiob in jüdisch-deutscher Übersetzung von:
Mordechai ben Jakob (Alexander).
Enthalten in der Hs. Basel A. N. IX, 8 aus dem Jahre 1567.
Jöcher III, 1751.

(86) *Hiob.*
Rückingen, 1578/79;
Papier-Hs. (20,5 x 16 cm), 89 beschriebene Blatt.
Schreiber: Abraham ben Samuel Picarteia (aus der Picardie), geschrieben in Reukkingen = Rückingen (Kolophon). Die Schrift ist ein Autograph. Sie enthält die jüdisch-deutsche Hiob-Paraphrase in haggadischer Auslegung (oberdeutsche Mda.).
Bayrische Staatsbibliothek, München, Inv. Nr. Cod. hebr. 306 (= Hs. München 306).
Ser. Nr. 431 D (Erg.); Steinschneider, Kat. München, Nr. 306; Leitzmann, Bibelübers., 280 ff.; Mon Jud D 10.

(87) *Hiob.*
Das Buch Hiob in jüdisch-deutscher Paraphrase von:
Mordechai ben Jacob, gen. Mordechai Singer (gest. Krakau 1575). – TJE III, 191 nennt ihn Mordechai ben Isaak Jakob Töplitz.
Prag 1597, 4°.
Ser. Nr. 366; Wolf, BH I, 792, Nr. 1481; II, 409 und 457; Fürst, BJ II, 325; Zunz, GL, 279, Nr. 64; TJE IX, 13.

(88) *Hiob.*
Das Buch Hiob, jüdisch-deutsche Paraphrase eines unbekannten Autors.
Frankfurt a. M. [1]1709, [2]1726, 4°.
Wolf, BH II, 457; IV, 202; Ser. Nr. 367.

f) Historische Bücher (Apokryphen)

(89) *Judith.*
Hs. Oppenh. 1706, 4°, Bl. 63 b:
»Dies bichlein sogt fun der frumen Judith, die got al ir tog gefiurcht hot [...]«.
Die Hs. ist nach 1579 vollendet worden.
Ser. Nr. 435.

(90 *Serubabel.*
Hs. Oppenh. 1706, 4°, Bl. 35:
»Doß hot gesogt der groß her unter den jehudim, der do is worden geheißen Serubabel ben Schealtiel [...]«
Die Hs. wurde nach 1579 vollendet.
Ser. Nr. 438 vgl. Ser. Nr. 410, VII.

(91) *Susanna.*
Hs. München 100, Bl. 87 a beginnt die Maase Susanna; am Anfang eine ungelenke Handzeichnung Susanne im Bade zeigend, umgeben von den beiden Schuftim (Richter).
Ser. Nr. 437.

(92) *taitsch esrim we-arba* (Deutsche 24, dh. bibl. Bücher).
»doß taitsch esrim wearba, vertaitscht mit ale midraschim, ouch ßefer jehudith un' ßefer juda makkabi un' ßefer tobijja, genent ßefer ha-maassim.«
Verf.: Chajim ben Nathan;
Ed. princ.: Hanau 1625, 4° (?); dann: Prag 1674, 4°, Judah Bak Söhne (beschränkt sich auf die kanonischen Historienbücher); o. O. u. J., Mordechai ben Jakob u. Abraham ben Jekutiel, 4°;
Dyhernfurth, Sabbatai Bass, 4°.
Ser. Nr. 356; Steinschneider, Cat. Bodl., 1184 f. (1338); Wolf, BH I, 374, Nr. 617; II, 456; III, 259, Nr. 617; IV, 199. Fürst, BJ I, 158; Karpeles, GJL II, 1012; TJE VI, 275.

(93) *Tobia.*
Tobia ben Tobiels Tugend und Prophetie etc.
Wandsbeck 1628, 8°; Fürth 1691, 8°; Prag 1703, 8°.
Wolf, BH III, 275; Ser. Nr. 75.

(94) *jehuda makkabi, tobia, judith.*
Verf.: Salomo Salman ben Moses Rafael London;
Frankfurt a. M. 1715, Anton Henschet, 8°, 40 S.
Wolf, BH III, 1039, Nr. 1975; IV, 204; Fürst, BJ II, 317; Ser. Nr. 81.

(95) *hilchot derech erez.*
Talmudisches Apokryph.

Wolf BH III, Nr.139 hat als Ed. princ. Riva di Trento 1561, 16°, bemerkt aber nicht, ob sie hebräisch oder jüdisch-deutsch verfaßt ist.
Jüdisch-deutsche Version bei: Johann Christof Wagenseil, Belehrung der Jüdisch-Teutschen Red- und Schreibart, Königsberg 1699, 305–323.
Ser. Nr. 153; Wolf, BH III, 1283, Nr. 139.

g) Psalmen

(96) *Psalmen.*
Deutschland, 1490;
Papier-Hs. (22 × 16 cm), insges. 178 S.; von Mitte S. 4 bis Mitte S. 116: Psalmen in jüdisch-deutscher Übersetzung.
Tübinger Depot der Staatsbibliothek, Stiftung Preußischer Kulturbesitz: Inv. Nr. Ms. or. 4°, 310 (= Hs. Berlin 310, 4°).
Ser. Nr. 429 E (Erg.); Steinschneider, Kat. Berlin, Nr. 50; Grünbaum, Chrest., 97; Leitzmann, Bibelübers., 95 ff.; Mon Jud D 15.

(97) *Psalmen.*
Cod. de Rossi 2513 (= Cod. de Rossi polon. 1, klein 4°) enthält jüdisch-deutsche Psalmenübersetzung, beginnend:
»wol den man, doß nit er gegangn in weg der reschoim (Bösewichter) un' in rot der sundigen. nit er is gestandn un' in gesez der spoter nit er is gesessn.«
Am Ende Hinweis auf Datum und Schreiber (Verfasser): (in Hebräisch) beendet am ersten Tag (der Woche) 2. Marcheschwan 271 (= Ende 1510) hier in Breschia (= Brescia), es spricht Mosche ben Mordechai.
Parma, Cod. de Rossi 2513, (= Cod. de Rosi polon. 1, klein 4°).
Ser. Nr. 429 (Erg.); Birnb., Jd. Ps., 9 g.

(98) *Psalmen.*
Hs. Hamburg 57 enthält ab Bl. 113 Psalter in Jüdisch-Deutsch, geschrieben von Elieser ben Jisrael für Peslin bat Jakob in Prag am 2. Aw 5292 (= Sommer 1532).
Anfang dieser Schrift stimmt mit (97) und (100) wörtlich überein.
Wolf, BH IV, 203; Ser. Nr. 429 D (Erg.); Steinschneider, Kat. Hamburg, Nr. 57. Birnbaum, Jd. Ps., 9 i.

(99) *Psalmen.*
Cod. Uffenbach 111 (Hamburg) enthält die ersten vier Psalmen in jüdisch-deutscher Sprache am Schluß einer zum Teil jüd.-dt. Predigt.
Die Handschrift wurde im 16. Jh. angefertigt.
Ser. Nr. 429.

(100) *Psalmen.*
Übersetzt ins Jüdisch-Deutsche von Elia Levita (geb. Ipsheim bei Nürnberg 1468, gest. Venedig Dez. 1549);
Venedig 1545, 12°; Zürich 1558, 12°; Mantua 1562, 4°; Krakau 1598, 4° oder 12°; Amsterdam 1677, 4°; Prag 1708, 8° od. 12°.
Wolf, BH II, 403, 404, 406; III, 101; IV, 146; Zunz, GL, 252, 256; Ser Nr. 360, Nr. 363; Steinschneider, Cat. Bodl., 1268 (4960); Grünbaum, Chrest., 53 ff.; Leitzmann, Bibelübers., 148–155.

(101) *sefer tehelim* (Psalmen-Buch).
Gereimte jüdisch-deutsche Übersetzung der Psalmen, verfaßt von Moses Stendal, zum Druck gegeben auf Veranlassung der Rösel, Witwe des R. Michels, Tochter des Josef ha-Levi, gen. Rösel, Fischels;
Krakau 1586, Isaak ben Ahron Proßnitz, 4°.
Wolf, BH I, Nr. 500 u. 6573; Perles, MGWJ 25/1876, 350 ff.; Ser. Nr. 361; Steinschneider, Cat. Bodl., 1280 (6573); S. A. Wolf, Jd. Wb., 45 ff

(102) *hallel.*
Hallel in taitschen gesang gemacht.
Die für die Feste und Halbfeste liturgischen Psalmen 113–118, jüdisch-deutsch verfaßt, in Reimen.
O. O. u. J. (vor 1697), 8°, 4 Blatt.
Ser. Nr. 52 b, Nr. 397; Steinschneider, Cat. Bodl., 190, Nr. 1281; Leitzmann, Bibelübers., 213–218.

(103) *hallel.*
wie (102), als Abschrift des Drucks im Sammelband Hs. Leipzig 35 vom Jahre 1697.
Beginnt: »ein taitsch gesang von wegn ein teil fromme laiten«.
Stadtbibliothek Leipzig, Cod. 35 (Hs. i. 4°, 13 Bll.).
Ser. Nr. 397; Enc. Jud. I, 709; VII, 875–878.

(104) *Psalmen.*
Jüdisch-deutsche Psalmenfassung.
Prag 1688, 4°; Prag o. J., Juda ben Jakob Bak, 4°.
Wolf, BH II, 457; Ser. Nr. 362.

(105) *Psalmen.*
Hebräisch und jüdisch-deutsch; auf (100) zurückgehend.
Amsterdam 1705, 4°.
Steinschneider, Cat. Bodl., 750.

(106) *Psalmen.*
Hebräisch mit jüdisch-deutscher Interlinearversion, auf Nr. 105 zurückgehend.
Verf.: Michael ben Abraham Kohen, gen. Michael Fürth;
Wilhermsdorf 1725, Hirsch ben Chajim, 4°, 92 Blatt.
Wolf, BH IV, 149, 203, 879 (Nr. 1409 b); Ser. Nr. 363; Steinschneider, Cat. Bodl., 862 und 1276; Leitzmann, Bibelübers., 177–179.

(107) *Psalmen.*
Jüdisch-deutsche Psalmenfassung; Verf. unbekannt.
Prag 1735, 8° (Pergament).
Ser. Nr. 363.

h) Sprüchesammlungen

(108) *Sprüche Salomos.*
Hs. Hamburg 57 enthält ab Bl. 149 Proverbien in Jüdisch-Deutsch, geschrieben von Elieser ben Jisrael (s. Nr. 98) im Jahre 1532).
Ser. Nr. 430 (Erg.); Wolf, BH IV, 203.

(109) *Sprüche Salomos.*
Die Sprüche Salomos in jüdisch-deutscher Übersetzung von:
Mordechai ben Jakob (Alexander) (s. Nr. 85).
Enthalten in der Hs. Basel A. N. IX, 8 aus dem Jahre 1567.
M. Schwab, Mss. hebr. B., No. 2.

(110) *mischle* (Sprüche Salomos).
Ins Jüdisch-Deutsche übersetzt von Mordechai ben Jakob, gen. Mordechai Singer (gest. Krakau 1575), paraphrasierte Fassung:
Krakau 1582, Isaak ben Ahron Proßnitz, 4°.
Wolf, BH I, 792, Nr. 1481; II, 409 u. 457; Fürst, BJ II, 325; III, 208; Ser. Nr. 364; TJE IX, 13.

(111) *Ben Sira.*
Hs. Benzian A enthält vollständige jüdisch-deutsche Übersetzung des Alphabets des Ben Sira, in der ursprünglichen Anordnung geschrieben.
Die leere Rückseite des (beschädigten) letzten Blattes hat den Vermerk Mosche ben Josef Weiz. .rer, wahrscheinlich der Name des Besitzers der Hs. Die Hs. stammt wahrscheinlich aus dem 16. Jh.
Ser. Nr. 393 b (Erg.).

(112) *Ben Sira.*
Alphabetisch geordnete Sammlung von 22 aramäischen und hebräischen Sittensprüchen, zusammen mit haggadischen Kommentar.
Verf.: Salomo ben Jakob ha-Kohen, der die Originalausgabe (Ed. princ. Saloniki 1514) ins Jüdisch-Deutsche übertrug; Amsterdam 1660, 4°; Fürth o. J. (1695), 8°; Offenbach 1717, 8°.
Wolf, BH I, 262, Nr. 410; I, 1056, Nr. 1991; III, 157, Nr. 409; Ser. Nr. 27; Zunz, Vortr., 105.

(113) *orchot joscher* (Rechte Wege).
Jüdisch-deutsche Übersetzung des Ecclesiasticus durch: Moses Wittmund ben Elija Nathan;
Amsterdam 1681, 8°.
Wolf, BH I, 819, Nr. 1546; I, 257; II, 457; Fürst, BJ III, 525; Ser. Nr. 82, hat Orchot Chajjim (Amsterdam 1661, 8°).

(114) *jehoschua ben sirak.*
Jüdisch-deutsche Übersetzung des Ecclesiasticus, aus dem Niederländischen (!) durch: Josef ben Jakob Maarsen;
Amsterdam 1712, 8°, 36 S.
Wolf, BH III, 157, Nr. 409; III, 411, Nr. 926 b; Fürst, BJ II, 332; Ser. Nr. 82.

(115) *Spruchsammlung.*
Ser. Nr. 451 (Erg.) nennt eine Sammlung von Sprüchen aus Bibel und Talmud, nach den ersten Buchstaben alphabetisch geordnet, mit jüdisch-deutscher, gereimter Übersetzung in einer nicht näher bezeichn. Hs. vom Jahre 1501. Die Sammlung beginnt mit Jeremias 31, 29.
Ser. Nr. 451 (Erg.).

(116) *pirke abot* (Perakim, Abschnitte der Väter).
Italien, um 1579;
Papierhandschrift; Schreiber; Anselm (Anschel) Levi, geschrieben für Perle Wolfin. Die Hs. enthält im 1. Teil die Sprüche der Väter mit jüdisch-deutscher Übersetzung und Erklärung; im 2. Teil finden sich Legenden aus Midrasch und Talmud, jüdisch-deutsch.
Bibliothèque Nationale, Paris: Inv. Nr.: Fonds hebr. 589 (Hs. Sorbonne 158).
Ser. Nr. 419 (Erg.); Erik, Lit.-gesch., 32. Mon Jud D 93.

(117) *pirke abot.*
Neben den Übersetzungen, die bereits seit 1562 Aufnahme in die gewöhnlichen Gebetbücher (Tefillim) fanden, sind folgende Drucke bekannt:
Krakau 1586, 4°; Krakau 1617, 4°; Prag 1688, 4°; Prag 1713, 4°; Sulzbach 1717, 4°; Dyhernfurth 1711, 4°.
Wolf, BH II, 702; Ser. Nr. 241; Nr. 419.

(118) *lang perakim.*
Jüdisch-deutsche Paraphrase der Sprüche der Väter (Pirke Abot), analog der *lang megilla* benannt.
Frankfurt a. M. 1697, 4°.
Ser. Nr. 241, Nr. 419.

(119) *sefer ha-mussar* (Buch der Zucht).
Hs. Oppenh. 1261, 4° enthält die Umschreibung des Josua ben Sirak, in 50 Kapiteln angelegt, deren letztes lediglich von der Vorlage abweicht.
Schreiber (Verf.?): Simon ben Jehuda ha-Kohen, der die Hs. um 1580 fertigstellte.
Ser. Nr. 391.

(120) *mischle chachomin* (Sprüche der Weisen).
Auch *brandspigel katan* (Kleiner Brandspiegel) benannt.
Sammlung von 70 Sprüchen, eigentlich die 49 Sentenzen aus Kap. 44 der bekannten Makamen des Jehuda Alcharsi, mit Zusätzen des Übersetzers, um die kanonische Zahl 70 zu erreichen.
Übers. (Verf.): Jehuda bar Israel Regensburger aus Lundenburg i. Mähren, gen. Scheberl;
Amsterdam 1657, Immanuel Benbeniste, 8°; Amsterdam 1698, 8°.
Ser. Nr. 34.

(121) *ijjun jizachak* (Betrachtung Isaaks).
Sammlung talmudischer Sprüche, alphabetisch geordnet, mit jüd.-dt. Übers. von: Isaak (Itzig) ben Saul ben Hirsch ben Josef Posner (kam Ende 1732 nach Berlin);
Berlin 1734 (2. Schebat-1. Adar), Arron ben Moses Rofe, 12°, 72 Bll.
Fürst, BJ III, 117 (wo 1704, 8°); Steinschneider, ZGJD 1889, 264.

i) Reimbibeln

(122) *targum chumasch megillot.*
Gereimte Paraphrase des aramäischen Targums zu den 5 Megillot (im Anhang: hebr.-jüd.-dt. Glossar mit Worterklärungen);
Freiburg i. Br. 1584, Froben, 8°, 85 S.

Wolf, BH II, 457 (wo Ed. 1583 u. 1649); II, 1177; III, 524, Nr. 1099; Fürst, BJ II, 203; Ser. Nr. 342.

(123) *ezechiel.*
Jüdisch-deutsch in Reimen;
Prag 1602, Abraham ben Mose, 4°.
Wolf, BH II, 457; Zunz, GL, 281; Ser. Nr. 358.

(124) *sefer mizmor letoda* (Buch des Dankliedes).
Poetische, gereimte Paraphrase von Erzählungen des Pentateuchs (1. u. 2. Mose) sowie von Megillotstoffen (außer Threni), verfaßt von: David ben Menachem ha-Kohen;
Amsterdam 1644, Elia Aboab, 4°, 63 S.; Hanau 1717, 4°, 37 Bll.
Ser. Nr. 143; Steinschneider, Cat. Bodl., 4828; Roest., 300; Karpeles, GJL II, 1013; TJE IV, 466; Leitzmann, Bibelübers., 218–225.

(125) *kehillat ja'akob* (Sammlung Jakobs).
Gereimte Bearbeitung des Pentateuchs, der Bücher Josua und Richter unter Verwendung haggadischen Sagen- und Legendengutes.
Verf.: Jakob ben Isaak ha-Levi (Vorbeter in Röthelsee, bei Rothenburg o. T.);
Fürth 1692, 4°; Wilhermsdorf 1718, 4°.
Wolf, BH III, 508, Nr. 1058 b IV, 199; Steinschneider, Cat. Bodl., 1203 f.; 5546; Fürst, BJ II, 20; Ser. Nr. 351; Karpeles, GJL II, 1013; Grünbaum, Chrest., 223 ff.

(126) *sot chanukka bichl.*
Die gereimte Chanukka-Begebenheit, jüdisch-deutsch.
Verf.: Elchanan ben Issachar Katz (aus Kremsir, Schammasch, Chasan und Sofer in Proßnitz);
Frankfurt a. O. 1702, 8°.
Ser. Nr. 58; TJE V, 106.

(127) *Sprüche Salomons.*
Jüdisch-deutsch in Reimen;
Frankfurt a. M. 1713, 8°.
Ser. Nr. 365.

7.) Jüdisch-deutsche Gebetesammlungen

a) Allgemeines Gebetbuch (Seder Tefillot, Sidur)

(128) *torat ha-bajit.*
Deutschland, 16. Jh.; Pergament-Hs.
Kurzes Kompendium der zur Anwendung kommenden Gebete in jüdisch-deutscher Sprache;
Verf.: Salomo Ibn Aderet (?).
Bibl. Bodleiana, Oxford: Ser. Nr. 422 b.
Cod. Oppenh. 1481, 4°.

(129) *tefillo.*
Gebetbuch des Schreibers Josef bar Jakar.

Ichenhausen (Schwaben) 1544, Chajim bar David, Josef bar Jakar, Isaak bar Chajim;
beginnt: »kumt her, ir vrumen vrauen, da wert ir huepsch ding schauen, ir wert eß wol gewar: ein tefillo fom ganzen jar, wol forteutscht un bescheidlich [...]«.

Steinschneider, Suppl. Cat. Bodl., 361; Perles, MGWJ 25/1876, 355; Grünbaum, Chrest., 298 ff.; Karpeles, GJL II, 1014.

(130) *ain taitsch betbichlin.*
Augsburg 1560; Papier-Hs., 103 Blatt.
Verf.: Niklas Baumen Hutmacher.
Gotha, Cod. Chart. B 141 — Hb. Rep. II, 3 (16).

(131) *seder tefillot,* polnischer Ritus.
Hebräisch mit jüdisch-deutscher Übersetzung des Abigdor Sofer ben Moses Eisenstadt, gen. Abigdor Izmunsch;
Krakau 1594, 4° (nebst Einheitshymne u. a. Zugaben);
Prag o. J. (1600), 4°, mit Zugaben (Jozerot, Maarabot, Maamadot, Psalmen usw. – s. Nr. 145 ff.); Amsterdam 1650, 4°, mit Zug.; Frankfurt a. M. 1674, 8°, mit Zug. nebst Osterhaggada; Frankfurt a. M. 1687, 8°, mit Zug; Prag 1688, 4°, mit Zug.; Amsterdam 1704, 8° mit Zug.; Amsterdam 1711, 8°, mit Zug.; Dessau 1680, 4°, mit Zug.; Halle 1710, 4°, mit Zug.; Hamburg 1710, 8°, mit Zug.; Jeßnitz 1720, 4°, mit Zug. u. Ritualbestimmungen des Michael Epstein.

Wolf, BH II, 1456; II, 1457; IV, 1067; Zunz, GL, 298, Nr. 227; Ser. Nr. 338; Fürst, BJ I, 3.

(132) *seder tefillot,* deutscher Ritus.
Hebräisch mit jüdisch-deutscher Übersetzung des Abigdor Sofer ben Moses Eisenstadt, gen. Abigdor Izmunsch; Venedig 1599, 4°; Amsterdam 1715, 8° nebst Hosianna, Maarabot u. Techinnot.

Wolf, BH II, 1456; Ser. Nr. 338.

(133) *seder tefillot,* deutsch-polnischer Ritus.
Hebräisch mit jüdisch-deutscher Übersetzung des Abigdor Sofer ben Moses Eisenstadt, gen. Abigdor Izmunsch;
meist mit Hosianna, Maarabot, Paraschiot, Maamadot, Psalmen und Techinnot in Jüdisch-Deutsch;
Amsterdam 1677, Uri Phoebus, 8°, nebst Einheitslied; Frankfurt a. M. 1687, 8°, mit Jozerot, Hosianna, Maarabot u. Selichot; Sulzbach 1701, 8°; Berlin 1701, 12°; Dyhernfurth 1705, 8°; Berlin 1708, 4°.

Wolf, BH II, 1457; Ser. Nr. 338.

(134) *seder tefillot,* deutsch-polnischer Ritus.
Übersetzt von Eljakim ben Jakob, nebst Psalmen und Techinnot;
Amsterdam 1705, groß 8°.

Wolf, BH II, 1456; III, 117, Nr. 300, wo Amsterdam 1703! Ser. Nr. 338.

(135) *seder tefillot,* deutsch-polnischer Ritus.
Hebräisch mit jüdisch-deutscher Interlinearversion.
Wilhermsdorf 1718, Michael ben Abraham Merkerlieb, 4°;
Sulzbach 1728, 4°.

Ser. Nr. 338.

(136) *seder tefillot,* unbestimmter Ritus.

Frankfurt a. M. 1696, Josef Trier, 8°.
Ser. Nr. 338.

(137) *seder tefillot,* unbestimmter, vielleicht deutscher Ritus.
Mit Beigaben (Jozerot, Selichot, Maarabot usw.) in jüdisch-deutscher Übersetzung von Eljakim Götz ben Jakob, Chasan zu Amsterdam (geb. Komarno, gest. Amsterdam vor 1709);
Amsterdam 1703, Moses Mendez, 8° (vielleicht ident. mit 134).
Wolf, BH II, 1456; III, 117, Nr. 300; – Ser. Nr. 338; Fürst, BJ I, 340.

(138) *seder tefillot.*
Mit Beigaben (Hosianna, Selichot, Psalmen usw.); Amsterdam 1714, Proops, 8°.
Ser. Nr. 338. Wolf, BH II, 1457.

(139) *seder tefillot.*
Mit Beigaben (Perakim, Paraschiot, Selichot usw.);
Amsterdam o. J., Proops, 8°.
Wolf, BH IV, 1067; Ser. Nr. 338.

(140) *derech jeschara* (Gerader Weg).
Mit Ritualbestimmungen, hebräisch und jüdisch-deutsch, verfaßt von: (Jechiel) Michael Epstein ben Abraham;
Frankfurt a. M. 1697, 4°; Frankfurt a. O. 1703, 4°; Frankfurt a. M. 1707, 4°, mit Jozerot, Psalmen usw.
Wolf, BH II, 1456; III, 434, Nr. 995; Ser. Nr. 338.

(141) *tefilla le-mosche* (Gebet Mosis).
Dessau 1696, oblongus 12°; Dessau 1700, 8°.
Wolf, BH II, 1457; Ser. Nr. 338.

(142) *menora* (Leuchter).
Gebetssammlung.
Prag 1700, 8°; Prag 1709, 8°; Frankfurt a. O. o. J., 8°; Prag o. J., 8°; o. O. u. J., 8°; Frankfurt a. O. 1709, 8°.
Ser. Nr. 150.

(143) *ijjun tefilla* (Andacht des Gebets).
Hebräische Urfassung von (dem frommen Märtyrer) Chajim Raschpitz aus Prag (gedr. Amsterdam 1671); lt. Wolf, BH III, 261, Nr. 620b in jüdisch-deutscher Übersetzung bereits Dessau 1699 herausgegeben.
Übersetzung von Zebi Hirsch ben Ahron Samuel Kaidenower (geb. Wilna, gest. Frankfurt a. M. 23. 3. 1712):
Frankfurt a. M. 1709, 8°.
Wolf, BH III, 261, Nr. 620b; Ser. Nr. 231.

(140) *liebliche tefillo oder greftige arznei for guf un' neschemo.*
Verf.: Ahron ben Samuel aus Hergershausen i. Hessen;
Frankfurt a. M. 1709, 8°.
Opp. 8°, 919.
Wolf, BH IV, 1068, Nr. 761; Steinschneider, Cat. Bodl., 479, Nr. 3184;

Ser. Nr. 339; TJE I, 20; Grünbaum, Chrest., 321.

b) Besondere Liturgien
(oft als Zugabe zum allgemeinen Gebetbuch)

(145) *schir ha-jichud* (Lied der Einheit).
Ein für die sieben Wochentage eingerichteter Hymnus, welcher von Abigdor Sofer ben Moses Eisenstadt, gen. Abigdor Izmunsch, aus dem Hebräischen ins Jüdisch-Deutsche übertrug;
Krakau 1609, Baruch Bloch ben Jakob, 4°; Isny o. J., 4°.
Wolf, BH III, 310, Nr. 716 (1); Fürst, BJ I, 3; Ser. Nr. 290; Steinschneider, Cat. Bodl., 663, Nr. 4171 (2).

(146) *ma'amadot* (Posten, Stationen).
Eine ursprünglich für die Bußtage bestimmte, später für die sieben Wochentage angeordnete Zusammenstellung von Bibelversen usw.;
Prag 1688, 4°; Amsterdam 1692, Ascher Anschel, 8°, 34 S.;
Frankfurt a. M. 1704, Johannes Wust, 8°, 45 S.; Hanau 1710, 8°.
Wolf, BH II, 1359, Nr. 391; Ser. Nr. 155.

(147) *schib'im u-sch'tajim pesukim.*
72 Bibelverse, auf Nachmanides zurückgehend;
Dyhernfurth 1696, 4°; Frankfurt a. M. 1700, 8°; Frankfurt a. M. o. J., 8°; o. O. (Prag) u. J., 4°.
Zunz, GL, 298, Nr. 230; Ser. Nr. 282.

(148) *perek schira* (Abschnitt des Gesangs).
Zusammenstellung von Bibelsprüchen, welche den verschiedenen Geschöpfen zum Lobpreise Gottes in den Mund gelegt werden; hebr. u. jüdisch-deutsch, Frankfurt a. M. o. J. (Anf. 1700), 8°.
Ser. Nr. 242.

(149) *jozerot.*
Sammlung von Gebeten für Sabbate und Feiertage, jüdisch-deutsch, teilweise gereimt;
Prag 1605, Jakob Bak ben Gerson Wahl, 4°; Prag o. J., Jakob Bak Söhne, 4°; Frankfurt a. M. o. J. (1606?), 4°.
Wolf, BH II, 1307, Nr. 242; Ser. Nr. 89; Zunz, GL, 283.

(150) *kabbalat schabbat* (Aufnahme des Sabbat).
Rituale des Sabbateingangs und Sabbatgesetze, hebräisch und jüdisch-deutsch;
Prag o. J., 4°; Prag o. J., 8°; Krakau o. J., 4°.
Wolf, BH II, 1417, Nr. 630; Ser. Nr. 251.

(151) *jom kippur katan* (Kleiner Versöhnungstag).
Rituelle Bestimmungen für den Tag vor dem Neumond, auch den Titel *tikkun ereb rosch chodesch* (Ordnung des Neumondvorabends) führend;
Amsterdam 1686, 8°; Prag 1692, 8° (mit einem allgemeinen Abendritual von Nathan Nata, Vorbeter zu Proßnitz); Dyhernfurth 1701, 8°; Amsterdam 1702, Süßkind ben Kalonymos, 8°; Sulzbach 1710, 8°; Prag 1713, 8°.
Wolf, BH I, 925, Nr. 1732; II, 1307; Ser. Nr. 86.

(152) *Neumond-Gebetbuch.*
Dessau 1696, 8°; Prag 1710, 4°.
Ser. Nr. 338.

(153) *Neumond-Gebetbuch.*
Mit Paraschiot;
Amsterdam 1714, Mose Dias, 8°.
Ser. Nr. 338.

(154) *haggada (schel pesach).*
Eine aus mannigfachen Bestandteilen entstandene Liturgie für den Pesachabend und dessen Mahlzeit (s. birkat ha-mason, Nr. 156), häufig als Beigabe zum allgemeinen und zum Festgebetbuch, ebenfalls dem Tischgebet birkat ha-mason beigedruckt. Einzeln gedruckt: Prag 1568; Venedig 1609, Venedig 1629, Fol.; Venedig 1663, Fol.; Amsterdam 1712, Fol.
Wolf, BH II, 1285; III, 1182; Ser. Nr. 50.

(155) *haggada schel pesach ke-minhog aschkenosim we-ke-minhog sefardim.*
Pesachliturgie, aschkenasicher und sefardischer Ritus.
Amsterdam 1781, 4°, 2 u. 52 gez. Bll., mit vorgedrucktem Kupfertitel, Stichen und einer Karte von Palästina am Schluß.
TJE VI, 141.

(156) *birkat ha-mason* (Segen der Speisen).
Nachtischgebet, das dem Genuß des Brotes gewidmet ist;
Amsterdam 1648, 4°; Wilhermsdorf 1687, 4°; Dessau 1699, 4°;
Amsterdam 1702, 4°; Prag 1703, 4°; Frankfurt a. M. 1711, 4°;
Wilhermsdorf 1713, 4° (außer den beiden ersten Ausgaben alle die *haggada schel pesach* (Nr. 154) enthaltend).
Ser. Nr. 31; Nr. 50.

(157) *birkat ha-mason.*
wie (Nr. 156) mit jüdisch-deutscher Paraphrase;
Amsterdam 1694, 4°; Dyhernfurth 1718, 4°; Frankfurt a. M. 1720, 4°; Frankfurt a. M. 1727, 4°.
Ser. Nr. 31; Wolf, BH III, 1179, Nr. 102; IV, 1041.

(158) *birkat ha-mason ke-minhog aschkenas we-polen.*
Das Nachtischgebet, deutsch-polnischer Ritus;
Amsterdam 1722, Salomon Proops, 4°, 71 gez. Bll., mit Holzschnitten, hebr. und jüdisch-deutsch.
S. A. Wolf, Jd. Wb., 61 ff.

(159) *birkat ha-nehenin* (Segen der Genießenden).
Sammlung von Segenssprüchen, die jedem Genuße und einzelnen religiösen Übungen vorausgehen;
Verf.: Löw Sofer ben Chajim (Chasan zu Posen);
o. O. (Amsterdam?) u. J. (Ende 17./Anfang 18. Jh.), 24°.
Wolf, BH II, 1272, Nr. 103; Ser. Nr. 32.

(160) *schomerim la-boker* (Wächter zur Morgenzeit).
(Hebräische) Rituale für den Vortragsgottesdienst, erst spät ins Jüdisch-Deutsche übertragen. Bekannt ist die Übersetzung der Elis bat Mordechai Michaels (aus

Sluzk), die diese auf einer gemeinsam mit ihrem Mann Ahron ben Eljakim Götz unternommenen Palästinareise fertigstellte.
Frankfurt a. O. 1704, Michael Gottschalk. 8°, 56 Bll.
Wolf, BH I, 947, Nr. 1783; II, 1433, Nr. 672. Fürst, BJ II, 91. Ser. Nr. 284.

(161) *kriat schema* (Lesen des Nachtschema).
Gebetsritual vor dem Schlafengehen, im wesentlichen aus den mit dem Worte »Schema« beginnenden Bibelstellen bestehend.
Prag 1719, 8°.
Zunz, Vortr., 369; Ser. Nr. 274.

(162) *nacht-leienen* (Lesen zur Nacht).
wie (Nr. 161); zusammengestellt von Jakob ben Jekutiel;
o. O. u. J., 8°.
Ser. Nr. 215.

(163) *nacht-leienen.*
In Versen;
o. O. u. J., 8°.
Ser. Nr. 216.

(164) *getlech lid* (Göttliches = religiöses Lied).
Lesen des Nachtschema in Versen; dazu Ermahnungen, aus allen prophetischen Büchern zusammengestellt von: Mose Josua ben Eli Nathan;
Amsterdam o. J., 8°.
Ser. Nr. 111.

(165) *obend-segen.*
Zusammengestellt von: Ahorn ben Jomtob ha-Levi;
Amsterdam 1676, Uri Phöbus ben Ahorn ha-Levi, 12°.
Ser. Nr. 9.

(166) *(neuer obend-segen).*
Formel für das Abendgebet.
Amsterdam 1677, Uri Phöbus ben Ahorn ha-Levi, 12°.
Wolf, BH III, 921, Nr.1823 e; Ser. Nr. 9.

(167) *tikkun scheloscha mischmarot* (Anordnung der drei Nachtwachen).
Gebete für die drei Abteilungen der Nacht, meist aus dem Sohar geschöpft. Jüdisch-deutsche Fassung des gleichnamigen liturgischen Werkes des Jakob ben Mordechai Schwerin, gen. Jakob Fulda; hrsg. von seiner Frau Laza, die auch das Vorwort schrieb;
Frankfurt a. O. 1692, 8°.
Wolf, BH III, 644, Nr. 1228 f.; Ser. Nr. 331; TJE VII, 39.

c) *Bußgebete*

(168) *selichot* (Bußgebete).
Hebräisch-jüdisch-deutsche Ausgaben:
Krakau 1594, 4°; Frankfurt a. O. 1720, Fol.; Amsterdam 1721, 4° (als 3. Teil des

Machsor – s. Nr. 215); Frankfurt a. M. 1727, 4°.
Wolf, BH IV, 1054; Ser. Nr. 228.

(169) *selichot in taitschen.*
Zum Druck gegeb. von Henoch, Schammasch der Altneuschul in Prag; zusammengestellt von Jakob ben Elia ha-Levi (aus Teplitz), ausschließlich jüdisch-deutscher Text.
Prag 1602, (20. Juli), Mose ben Bezalel Kaz, Fol., 66 Bll.,
Frankfurt a. O. 1693, Fol.,
Wolf BH I, 580, Nr. 1018; II, 1384, Nr. 513. Fürst, BJ III, 417; Zunz, GL, 281, Nr. 80; Ser. Nr. 228; TJE XI, 176, S. A. Wolf, Jd. Wb., 52 ff.

(170) *selichot.*
Ins Jüdisch-Deutsche übertragen von Eljakim Götz ben Jakob, Chasan in Amsterdam (geb. Komarno, gest. Amsterdam vor 1709). Die Bußgebete sind nach dem Ritus der Frankfurter Synagoge angeordnet.
Amsterdam 1688, Moses Kosman, 4°, 79 S.
Ser. Nr. 228; Wolf, BH II, 1386, Nr. 513; III, 116, Nr. 300; Fürst, BJ I, 340.

(171) *selichot.*
Die Bußgebete in der Übersetzung des Eljakim Götz ben Jakob; in litauischem Ritus.
Amsterdam 1706.
TJE V, 109.

(172) *selichot.*
Die Bußgebete in der Übersetzung des Eljakim Götz ben Jakob; in deutschem Ritus.
Amsterdam 1720.
TJE V, 109.

(173) *selichot.*
Aus dem Hebräischen übersetzt durch Elchanan ben Issachar Kaz (gen.: Kremsir, Schammesch, Chasan und Sofer zu Proßnitz);
Frankfurt a. O. 1703, 8°; Berlin 1712, 12°.
Wolf, BH II, 1386; III, 91, Nr. 226 c; Fürst, BJ I, 229; Ser. Nr. 228; TJE V, 106.

(174) *selichot.*
Jüdisch-Deutsche Ausgabe;
Jozefow 1839, D. S. Wax.
S. A. Wolf, Jd. Wb., 52.

d) Frauengebetbücher

(175) *techinnot.*
Gebete für alle Tage, zusammengestellt von Abraham Apotheker Aschkenasi, dem Verfasser des *sam chajjim* (550), aus der gleichen Presse wie dieses;
Prag 1590, 4°.
Ser. Nr. 324.

(176) *techinnot be-kol jom* (Gebete für die Wochentage).
Zusammengestellt von Akiba Bär ben Jakob Frankfurt (Günzburg)
(gest.: Frankfurt a. M. 1597);
hrsg. von Elia Loanza;
Basel 1599, 8°.
Wolf, BH I, 957, Nr 1802; III, 888, 1802; Fürst, BJ I, 27; Ser. Nr. 56, 60; TJE V, 439.

(177) *techinnot.*
Aus Palästina mitgebracht, hrsg. von Sabbatai Bass;
Dyhernfurth o. J., 8°.
Ser. Nr. 304.

(178) *seder techinnot.*
Gebete für alle Tage;
Amsterdam 1648, 4°; Amsterdam 1650, 4°; Amsterdam 1652, 4°; Amsterdam o. J., Josef Athias, 4°; Fürth 1693, 8°; Amsterdam 1706, 4°; Jeßnitz 1720, 8°; Fürth 1724, 8°; Homburg v. d. H. 1727, 8°.
Wolf, BH II, 1451, Nr. 757; Ser. Nr. 304; Nr. 423.

(179) *seder techinnot.*
Als Anhang dem Seder Tefillot beigedruckt:
Amsterdam 1609, 8°; Frankfurt a. M. 1661–62, 8°; Amsterdam 1667, 8°; Amsterdam 1677, 8°; Frankfurt a. M. 1696, 8°; Sulzbach 1701, 4°; Frankfurt a. M. 1704, 8°; Amsterdam 1705, 8°; Amsterdam 1711, 8°.
Ser. Nr. 304.

(180) *widduj ha-gadol* (Großes Sündenbekenntnis).
Auszugsweise jüdisch-deutsche Übersetzung aus dem Werk *schene luchot ha-berit* (Zwei Tafeln des Buches) des Jesaja ben Abraham ha-Levi Horwitz; zusammengestellt von Meir Simson Werters (aus Prag);
Prag 1688, 4°.
Wolf, BH 1468, Nr. 764; Ser. Nr. 55 a.

(181) *widduj ha-gadol.*
Wie (175), jedoch andere Übersetzung;
Fürth o. J., 8°.
Ser. Nr. 55 b.

(182) *tefilla le-ani* (Gebet des Armen).
Dasselbe wie (Nr.180) unter anderem Titel;
Dessau 1698, 4°.
Ser. Nr. 55 a.

(183) *techinnot.*
Aus dem *schene luchot ha-berit* des Jesaja Horwitz zusammengelesene Gebete;
Zolkow o. J. (nach 1630?), 8°.
Ser. Nr. 321.

(184) *minchat ani* (Geschenk des Armen).
Jüdisch-deutsche Gebete, zusammengestellt von Meir ben Simon Werters (aus Prag);
Prag o. J. (Ende 17. Jh.), 8°.
Wolf, BH II, 1356, Nr. 381; Ser. Nr. 309.

(185) *techinnot.*
Gebete für alle Gegenstände;
Prag 1688, 4°.
Ser. Nr. 322.

(186) *seder techinnot.*
Gebete für die Tage der Woche;
Frankfurt a. M. 1696, 8°; Amsterdam 1698, 8°; o. O. u. J., 4°.
Wolf, BH II, 1451; Ser. Nr. 314–316.

(187) *techinnot u-tefillot.*
Gebete, zusammengestellt von Elasar Kalir;
Amsterdam 1697, 8°, 12 Bll. (zusammen mit *abkat rochel* – s. Nr. 558).
Wolf, BH III, 115, Nr. 295; Ser. Nr. 329.

(188) *jerach jakob* (Hüfte Jakobs).
Gebetsammlung;
Amsterdam 1699, 8°, 4 S.
Wolf, BH II, 1451, Nr. 756 a; Ser. Nr. 303.

(189) *seder techinnot.*
beigedruckt dem *seder tefillot* (s. Nr. 137);
Amsterdam 1703, Moses Mendez, 8°.
Fürst, BJ I, 340; TJE V, 109.

(190) *techinnot.*
Gebete, zusammengestellt von Isaak Loria;
Prag 1708, 4°.
Ser. Nr. 311.

(191) *(Neue Techinnot).*
Zusammengestellt von Isaak Loria;
Prag 1709, 4°.
Ser. Nr. 312.

(192) *seder techinnot.*
Gebete für allerlei Gegenstände und Gelegenheiten;
Prag 1718, Mose Kaz Enkel, 4°.
Ser. Nr. 317.

(193) *seder techinnot.*
Gebete, zusammengestellt von Matatja ben Meir Sobotki;
Prag 1718, Juda Bak Enkel, 4°; Berlin 1725, Nathan Neumark, 4° (unter dem Titel »Preger Techinnot«).
Ser. Nr. 318.

(194) *preger techinnot.*
S. Nr. 193, 2. Ed.

(195) *techinnot.*
Gebete für die Wochentage;
Prag o. J., 4°.
Ser. Nr. 320.

(196) *techinnot.*
Für alle Tage, zum Druck gegeben von Rachel bat Mordechai Sofer;
o. O. u. J., 8°.
Ser. Nr. 326.

(197) *techinnot.*
Für alle Wochentage und Gelegenheiten;
Amsterdam o. J., 8°.
Wolf, BH II, 1451, Nr. 757; Ser. Nr. 310.

(198) *seder techinnot.*
Gebete für allerlei Gegenstände und Gelegenheiten;
zusammengestellt durch Mose Minz und (Schmuel) Sanwel Ginzburg;
Amsterdam o. J., 8°.
Ser. Nr. 313.

(199) *techinnot.*
Neue Gebete, morgens und abends vorzutragen;
o. O. u. J., 8°.
Ser. Nr. 319.

(200) *rachame josef* (Liebe – Barmherzigkeit – Josefs).
Gebetsammlung;
Dyhernfurth o. J., 4°; Prag o. J., 4°; o. O. u. J., 4°, 4 S.
Wolf, BH II, 1429, Nr. 655; Ser. Nr. 277.

(201) *techinnot.*
Gebete für schwangere Frauen;
o. O. u. J., 8°.
Ser. Nr. 305.

(202) *seder techinnot u-bakkaschot* (Ordnung der Gebete und Bitten).
Gebetsammlung, vorausgeht ein *sidur tefilla,* beides zusammengestellt von Eleasar ben Arach (einer der Mischnalehrer des 12. Jhs.); jüdisch-deutsche Fassung:
Basel 1609; Dyhernfurth o. J., 8°; Sulzbach 1730, 8°; Sulzbach 1835, S. Arnstein u. Söhne, 8°, 70 ungez. Bll.
Ser. Nr. 329; 330; 340; Wolf, BH IV, 1065; TJE IV, 551.

e) Festgebetbücher

(203) *machsor.*
Hs. Berlin Or. 4°960, wahrscheinlich im 12. Jh. angelegt, enthält das jüdische Gebetbuch für den Gottesdienst an Sabbaten und Festtagen mit jüdisch-deutschen Worterklärungen.
Hb., Prolegomena, 388.

(204) *machsor.*
Hs. Budapest 395 (Bibliothek Prof. Dr. David Kaufmann, Akademie der Wissenschaften, Budapest) enthält eine jüdisch-deutsche Machsorfassung. Die Übersetzung stammt möglicherweise aus dem Jahre 1465, doch schränkt Enc. Jud. VII, 945 ein, daß auch 1525 als Entstehungsjahr möglich sei, da im Kolophon der entsprechende Buchstabe radiert ist.

Kohn, Hebr. Hss. Budapest, S. 5, Nr. 11; Weiß, Hss. Kaufmann, S. 132, Nr. 395; Enc. Jud. VII, 945; LX, 128.

(205) *machsor.*
Prag, 1481 (?);
Papier-Hs., 158 Blatt;
Gebetsordnung für Sukkot (Laubhüttenfest) und Jom Kippur (Versöhnungstag). Am Ende der Hs. ist zu lesen: »Scritto in Prag 1481«, jedoch von anderer Hand geschrieben als der Text!
Universitätsbibliothek Cambridge: Cod. Or. 795. 11. — Weinreich, in Pinkes I, 23.

(206) *machsor.*
Deutschland, 1590.
Papier-Hs. (29,5 x 20,5 cm), 185 Blatt.
Das Gebetbuch enthält die Liturgie zum Neujahrsfest mit jüdisch-deutscher Übersetzung. Die Schrift ist in zwei Kolumnen angelegt, wovon die innere den hebräischen Haupttext, die äußere – in kleinerer Schrift – die jüdisch-deutsche Fassung enthält. Als Schreiber (nicht mit dem Verfasser identisch!) nennt sich am Schluß: Eljakim ben Simon, gen. Salman Auerbach. Die Hs. wurde am 4. Aw 1590 beendet.
Bayrische Staatsbibliothek, München, Cod. hebr. 89 (= Hs. München 89). — Steinschneider, Kat. München, Nr. 89; Grünbaum, Chrest., 289 ff.; Mon Jud D 41.

(207) *sidur jom kippur und sukkot.*
Deutschland (?), Ende 16. Jh.;
Papier-Hs. (14 x 20 cm), 4 Blatt, Schluß fehlt.
Gebetsordnung für Jom Kippur und Sukkot in jüdisch-deutscher Fassung.
Trinity College, Cambridge: Loewe no. 84. — Weinreich Nr. 1.

(208) *machsor.*
Hs. München 82 (Cod. hebr. 82 der Bayr. Staatsbibliothek) enthält die jüdisch-deutsche Fassung des Festgebetbuchs für Neujahrs- und Versöhnungstag.
Nach Ser. Nr. 405 ist die Hs. vom gleichen Schreiber gefertigt wie Hs. München 89 (s. Nr. 206).
Bayrische Staatsbibliothek, München: Cod. hebr. 82. — Ser. Nr. 405.

(209) *akdamot.*
Die zum Pfingstfest rezitierten chaldäischen Hymnen enthält die Hs. Oppenh. 1261, 4°, die im Jahre 1566 angelegt worden ist.
Ser. Nr. 389.

(210) *odecha.*
Ein mit diesem Worte beginnender Hymnus für das Chanukkafest (verf. von Josef ben Salomo aus Carcassone in der 2. Hälfte d. 11. Jhs.) wird von Ser. Nr. 386 in einer Hs. mit jüdisch-deutscher Übersetzung eines Anonymus genannt.
Ser. Nr. 386.

(211) *kerobot.*
Die jüdisch-deutschen Vorbeterstücke, auch »Deutscher Machsor« genannt, enthält

Cod. Uffenbach 56 (Hamburg). Nach Ser. 405 stammt die Hs. aus dem 16. Jh.; sie enthält eine Ankündigung, die für den Druck dieses Gebetbuchs berechnet scheint (oder aber einem Druck entnommen ist).

Ser. Nr. 405.

(212) *machsor*, polnischer Ritus.
Das Festgebetbuch in der jüdisch-deutschen Übersetzung des Abigdor Sofer ben Moses Eisenstadt, gen. Abigdor Izmunsch.
Krakau ^{1}1571, Fol.; ^{2}1594, Fol.; Prag ^{3}1663, Fol.

Wolf, BH I, 12, Nr. 2; II, 1338; III, 8; Fürst, BJ I, 2; Ser. Nr. 144.

(213) *machsor*.
Festgebetbuch für die drei Hauptfeste des Jahres, ins Jüdisch-Deutsche übertragen von Ascher Anschel ben Josef Mordechai (aus Posen); 2 Teile.
Prag 1600, Mose ben Bezalel, Fol.

Wolf, BH I, 224, Nr. 359; II, 1338; Fürst, BJ I, 46; Zunz, GL, 281, Nr. 79; Ser. Nr. 144; TJE I, 616.

(214) *machsor*.
Nach Zunz, GL, 290, Nr. 161 nur über Buß- und die zwei Hauptfeste (es fällt schwer, zu glauben, daß das zwischen beiden liegende Laubhüttenfest ausgelassen worden ist);
Prag 1615 (29. Mai), Jakob Bak, Fol.

Zunz, GL, 290, Nr. 161 Ser. Nr. 144.

(215) *machsor*.
Mit deutscher Übersetzung, Paraphrase oder Erklärung;
Prag 1629, Fol.; Krakau 1642, 4°; Prag 1657, Fol.; Wilhermsdorf 1670, Fol; Amsterdam 1675, Fol.; Wilhermsdorf 1681, Fol.; Frankfurt a. M. 1691, 4°; Frankfurt a. O. 1702, 4°; Frankfurt a. O. 1709, 4°; Prag 1713, Fol.; Amsterdam 1721, 4° (mit Gebeten und 5 Megillot); Wilhermsdorf 1723, 4°.
Wolf, BH IV, 1050–51 nennt noch Frankfurt a. M. (oder a. O.?) 1674, 8° und Dyhernfurth 1709, 8°, die jedoch Ser. Nr. 144 bezweifelt.

Wolf, BH II, 1338; IV, 1050–51; Zunz, GL, 297, Nr. 216; Ser. Nr. 144.

(216) *machsor*, polnischer Ritus.
Dyhernfurth 1712, Fol.

Ser. Nr. 144.

(217) *machsor*, deutsch-polnischer Ritus.
Amsterdam 1713, Proops, 4°.

Ser. Nr. 144.

(218) *kerobot* (Vorbeterstücke).
Auch *taitsch machsor* genannt;
Prag 1657, Jakob Bak Söhne, Folio; Amsterdam 1671, Uri Phoebus, 12°, 90 Bll.; Prag 1713, Folio.

Wolf, BH II, 1422, Nr. 646; III, 1215, Nr. 546; Ser. Nr. 144.

(219) *gebete zu rosch chodesch*, deutscher und polnischer Ritus.

In jüdisch-deutscher Fassung von: David ben Menachem ha-Kohen (Amsterdam); Hanau 1626.

TJE IV, 466.

(220) *akdamot und archin.*
Das hebräische Original von Meir ben Isaak (lebte um 1060 in Worms) in jüdisch-deutscher Übersetzung. Beide chaldäische Hymnen sind für das Pfingstfest bestimmt, sie sind daher auch verschiedentlich im Festgebetbuch enthalten.
Fürth 1694, 8°.

Ser. Nr. 16.

(221) *mah tobu und techinna.*
Gebete vor dem Blasen des Schofars am Neujahrstag;
Amsterdam o. J., 8°.

Ser. Nr. 141.

(222) *mi kamocha* (Wer ist wie du?).
Auch *adon chasadecha* (Herr, Deine Gnaden) genannt;
ein nach diesen Anfangsworten benannter Hymnus für den Sabbat vor dem Purimfest, zusammengestellt von Jehuda ha-Levi, hrsg. in hebräischer, hochdeutscher, lateinischer und jüdisch-deutscher Sprache (nach Wolf III, 721 ist der hebräische Haupttext von lateinischer und jüdisch-deutscher Übersetzung in Versen und spanischer Prosaübersetzung begleitet; als Übersetzer käme nach der spanischen Vorrede der Proselyt Mosche Aschkenasi, früher Peter Speeth, in Frage);
Amsterdam 1700, 4°.

Ser. Nr. 145; Wolf, BH III, 721.

(223) *Gebet von Neujahr bis zum Versöhnungsfest zu beten.*
Jüdisch-deutsche Originalfassung von: Bella bat Bär ben Hiskia ha-Levi Horwitz, gen. Bella Chasan;
Prag 1718, 4°.

Ser. Nr. 307.

(224) *Gebet von Neujahr bis zum Versöhnungsfest zu beten.*
Anonyme, jüdisch-deutsche Ausgabe;
o. O. u. J., 4°.

Ser. Nr. 308.

(225) *techinnot.*
Gebete für die Zeit zwischen Neujahr und dem Versöhnungstag;
Prag 1718, 8°.

Ser. Nr. 325.

(226) *techinnot.*
Gebete für die Zeit vom 1. Ellul bis zum Versöhnungstag, auch für die drei Hauptfeste;
Prag 1718, 8°; Frankfurt a. O. o. J., 8°.
Wolf, BH III, 1222. Ser. Nr. 306; Nr. 327.

f) Besondere rituelle Gebete

(227) *kaddisch* (Heiligung).
Ein ursprünglich chaldäisches Gebet, später (in jüdisch-deutscher Fassung) als Requien gesungen;
Prag o. J., 8°.
Ser. Nr. 256; s. a. Zunz, Vortr., 372.

(228) *maane laschon* (Rede der Zunge).
47 rhythmische Gebete an den Gräbern, ins Jüdisch-Deutsche übertragen von Elieser Liebermann Sofer ben Löw Rofe (Darschan zu Mainz) unter Verwendung des gleichnamigen hebräischen Gebetbuchs des Jakob ben Abraham Salomo (Ed. princ. Prag 1615, 4°);
Dyhernfurth 1689, Josef Bass, 8°; Prag 1708, 8°; Prag 1709, 8°; Dyhernfurth 1718, 8°; Hamburg 1727, 8°; Frankfurt a. O. o. J., 8°; Amsterdam 1723, 8°.
Wolf, BH III, 1204, Nr. 393; IV, 784; Fürst, BJ II, 248; Ser. Nr. 156; Nr. 409; Zunz, GL, 290, Nr. 166; TJE V, 25.

(229) *schaar schimeon* (Tor Simeons).
Gebete und Ritualien bei Kranken und Sterbenden; jüdisch-deutsch verfaßt und hrsg. von: Moses ben Simon Frankfurter. (Es handelt sich eigentlich nur um einen Auszug aus dem *sefer ha-chajjim* seines Vaters; auch ist nach Wolf, BH III, 818 nur der zweite Teil »dialecto Judaeo-Germanica« abgefaßt, der erste Teil hingegen in hebräischer Sprache);
Amsterdam 1714, 8°.
Wolf, BH III, 818, Nr. 1661 (3); Fürst, BJ I, 295; Ser. Nr. 69; Nr. 297; TJE V, 493; Roest. I, 383.

(230) *bakkaschat ha-memin* (Mem-Gebet).
Das hebr. Gebet des Jedaja ben Abraham Bedersi ins Jüdisch-Deutsche übertragen von: Isaak ben Jesaja Auerbach.
Beigedruckt zu *zaphnath-paaneah* (s. Nr. 599);
Sulzbach 1744, Salman ben Ahron, 4°.
Fürst, BJ I, 72; – TJE II, 302.

8. Jüdisch-deutsche Ritualsammlungen

a) Allgemeine Ritualordnungen

(231) *minhagim* (Gebräuche).
Cod. Paris 586, Ende des 15. Jhs. in Venedig geschrieben, enthält ein jüdisch-deutsches Minhagim-Buch, illustriert mit groben Miniaturzeichnungen.
Ser. Nr. 406; Nr. 406 (Erg.); – Enc. Jud. IX, 128.

(232) *minhagim.*
Cod. Paris 587, geschrieben von Simson ben Menachem (s. Nr. 79), beendet am Montag 25. Elul 5293 (1533) in Soncino, enthält im Anfang eine jüdisch-deutsche Ritualsammlung.
Ser. Nr. 406; Nr. 433 b (Erg.).

(233) *minhagim.*
Cod. Paris 588, geschrieben von Uri ben Jekutiel im 15./16. Jh. in Gasal-Maggiore, enthält die religiösen Gebräuche in Jüdisch-Deutsch nebst einem Kalender.
Ser. Nr. 406 (Erg.).

(234) *minhagim.*
Cod. Paris 205, geschrieben im 16. Jh., enthält die religiösen Gebräuche in Jüdisch-Deutsch. (Wohl identisch mit *sefer al chaggim* (Buch über die Feste) bei Wolf, BH III, 1185, Nr. 200 c.
Ser. Nr. 406 (Erg.).

(235) *minhagim.*
Hs. Oppenh. 1489 A, 4° (Oxford), 1524 von Mosche ben Menachem geschrieben, enthält die Gebräuche in Jüdisch-Deutsch.
Ser. Nr. 406; Nr. 406 A (Erg.).

(236) *minhagim.*
Hs. Benzian C (in 4°) enthält die Gebräuche, geschrieben vor 1550. Am Ende der Vermerk, daß die Hs. einer gewissen Freudline bat Jekutiel gehört, die diese am Montag 8. Kislew 311 (= Ende 1550) in Venedig erstanden (oder gewonnen?) hat.
Ser. Nr. 406 (Erg.).

(237) *minhagim.*
Hs. Benzian D (in 4°), Mitte 16. Jh. angefertigt (mit Zensurvermerk vom Jahre 1609), enthält die Gebräuche in Jüd.-Dt. Hs. ist im Anfang defekt, zuletzt nennt sich eine gewisse Hannah bat Josef Kaz, Frau des Salman Pauers.
Ser. Nr. 406 (Erg.).

(238) *minhagim.*
Cod. Turin 106 (53 Bll. in 4°) enthält die Gebräuche in Jüd.-Dt.; als Schreiber geht aus dem Epigraph Mosche ben Tobia Levi ben Ahron Isserlein (aus Provinciae Amandin?) hervor, der die Hs. unter der Herrschaft Kaiser Ferdinand I. (Mitte 16. Jh.) angefertigt hat.
Ser. Nr. 406; Nr. 406 B.

(239) *minhagim.*
Cod. Uffenbach 95 (Hamburg), 107 Bll. in 4°, enthält die Gebräuche in Jüd.-Dt.; als Schreiber nennt sich Abraham ben Mose, der die Hs. in Sachsen am Dienstag 1. Aw 334 (= 1573) beendete.
Wolf, BH II, 1354; – Ser. Nr. 406; Nr. 406 D.

(240) *minhagim.*
Cod. Uffenbach comp. 149 (232 Bll. in 4°) enthält die Gebräuche in Jüd.-Dt., geschrieben im 17. Jh. (nach einer Druckausgabe?).
Wolf, BH IV, 1051; – Ser. Nr. 406 E.

(241) *minhagim.*
Cod. Uffenbach 128 enthält die jüd.-dt. Minhagimfassung des getauften Christoph Wallich aus dem 18. Jh.; möglicherweise nach Ed. Venedig 1601 (s. Nr. 242) gefertigt).
Wolf, BH II, 1354; – Ser. Nr. 406.

(242) *minhagim*, deutscher Ritus.
Die von Isaak aus Tyrnau zusammengestellten hebr. Ritualien, in der jüd.-dt. Übers. des Simeon Levi Ginzburg;
Mantua 1590, 8°; Venedig 1593, 4° (mit Kalender auf 70 Jahre, am Schluß das

Brautlied des Jakob Ulma – s. Nr. 325); Venedig 1601, 4°; Amsterdam 1662, Uri Phoebus, 4°; Prag 1665, 4°; Frankfurt a. M. 1687, Elieser Plerschum, 8°; Frankfurt a. M. 1690, Josef Trier, 8°; Dyhernfurth 1692, 4°; Amsterdam 1693, 4° (mit einem Kalender von Isaak Aboab); Amsterdam 1700, 4°; Amsterdam 1707, Salomon Proops, 4°, 61 gez. Bll., mit Holzschnitten; Frankfurt a. O. 1707, 4°.

Wolf, BH I, 137, Nr. 214; II, 1354; III, 1203; IV, 1051, Nr. 373; – Ser. Nr. 149; – Roest., 460.

(243) *minhagim,* deutsch-polnischer Ritus.
Amsterdam 1685, 8°; Frankfurt a. M. 1708, Seligman Reis, 8°; Frankfurt a. O. 1714, Salman Hanau, 8°; Frankfurt a. M. 1715, 4°; Frankfurt a. M. 1717, 8°; Frankfurt a. O. o. J. (1724?), 8°; Amsterdam 1728, 8°; Homburg v. d. H. 1729, 8°.

Wolf, BH I, 137, Nr. 214; II, 1354; Ser. Nr. 149.

b) Besondere Ritualiensammlungen

(244) *seder tefilla derech jeschara le-olam ha-ba.*
(Gebetordnung rechter Weg in die zukünftige Welt).
(Hebr.) Gebete mit Ritualbestimmungen, die nebenstehende jüdisch-deutsche Version hat den Titel *schaar ha-jira* (Gottesfürchtige Pforte);
Verf.: Jechiel Michael Epstein ben Abraham ha-Levi (Rabbiner zu Proßnitz, geb. in Lemberg);
Frankfurt a. M. 1685, Johannes Wust, 8°, 150 Bll.; Frankfurt a. M. 1697, 4°; Frankfurt a. M. 1702, 4° (nebst Jozerot, Psalmen usw.); Frankfurt a. M. 1703, 4°.

Wolf, BH II, 1456; I, 575, Nr. 995; III, 434, Nr. 995 (3); Fürst BJ I, 246; Ser. Nr. 46; Nr. 338; Karpeles, GJL II, 1015.

(245) *sefer ha-maharil.*
Die Minhagim des Jakob ben Moses Mölln (MaHaRIL) ins Jüdisch-Deutsche übertragen von Abraham Naftali Herz ha-Levi (Rabbiner in Frankfurt a. M.);
Frankfurt a. M. 1717, Johannes Koelner, 8°, mit Holzschnitten.

Fürst, BJ I, 401 Ser. Nr. 149.

(246) *kehillat schlomoh* (Sammlung Salomos).
Sammlung von Ritualien, Gebeten und Vorschriften, zusammengestellt von Salomo Salman ben Moses Rafael London;
Frankfurt a. M. 1722, 12° (angehängt ist *chinnuk katan,* ein Vokabular zur Unterweisung der Jugend, das aber auch separat gedruckt erschien – s. Nr. 608).

Wolf, BH IV, 984, 1975; Fürst, BJ II, 255; Ser. Nr. 258.

(247) *dine we-seder melichah* (Vorschriften und Ordnung des Fleischsalzens).
Eigentlich nur eine auszugsweise Übersetzung von Moses ben Israel Isserles *torat chaltat,* die Jakob ben Elchanan Heilbronn (Deutscher Rabbiner und Mathematiker in Padua) zusammenstellte;
Venedig o. J. (1602?), Giovanni di Gara, 8°, 8 S.

Wolf, BH III, 441, Nr. 1017 (3); Fürst, BJ I, 371; Ser. Nr. 45; TJE VI, 321.

(248) *berit melach* (Bund des Salzes).
Regeln des (zur Entfernung des Blutes vorgeschriebenen) Fleischsalzens;
Verf.: Jomtob Lipmann Heller Wallerstein (?);

Hrsg.: Mosche ben Jehuda aus Emden;
Amsterdam 1728, Proops, 8°.
Wolf, BH IV, 845; Ser. Nr. 29.

(249) *seder ha-nikkur* (Ordnung des Reinigens).
Kurze Zusammenfassung der Reinhaltungsgesetze für die Fleischzubereitung (wie z. B. unreine Teile zu entfernen sind);
hebräisch und jüdisch-deutsch verfaßt;
Ser. Nr. 224.

(250) *seder ha-nikkur.*
Reinigungsgesetze für das Hinterteil von Tieren, um es rein und genußfähig zu bereiten;
hebräisch und jüdisch-deutsch, verfaßt von Löw Schochet (Schächter in Ostra);
Amsterdam o. J., 8°.
Wolf, BH III, 658, Nr. 1358 b; Ser. Nr. 225.

(251) *schechitot u-bedikot* (Schlachten und Untersuchen).
Anonyme jüdisch-deutsche Übersetzung des bekannten hebräischen Regelwerks des Jakob Weil;
Krakau 1644, 4°; Wilhermsdorf 1670, 4°; Krakau 1685, 4° (mit Zusätzen); Dyhernfurth 1695, 4°; Prag o. J., 8°; Prag o. J., 4° (mit hebräischen Anmerkungen).
Wolf, BH I, 588, Nr. 1038; II, 1433, Nr. 676; Ser. Nr. 286.

(252) *schechitot u-bedikot.*
Dasselbe in kürzerer Zusammenfassung;
o. O. u. J., Samuel ben Mose Zarphati, 16°.
Wolf, BH II. 1433, Nr. 676; Ser. Nr. 286 a.

(253) *schechitot u-bedikot.*
Jüdisch-deutsche Fassung des gleichnamigen Regelwerks des Jakob Weil durch: Alexander Sender ben Mordechai (Rabbinatsassessor in Prag);
Amsterdam 1667, 8°.
Fürst, BJ III, 500 (wo als Druckjahr 1687 angegeben wird); Ser. Nr. 286 a.

(254) *schechitot u-bedikot.*
Dasselbe, bearbeitet von Moses Elsaß;
Hanau 1718, Folio.
Fürst, BJ III, 500.

(255) *schechitot u-bedikot.*
Dasselbe, bearbeitet von Meir ben Zebi Hirsch ben Pesach (aus Darmstadt);
Frankfurt a. M. 1720, 8°.
Fürst, BJ III, 500.

(256) *takkanot.*
Einrichtungen für das Schlachten, Pardon (Entschädigung dafür) und Schächter: »wie alles von heute ab gehalten werden soll«. 33 Paragraphen, in Jüdisch-Deutsch, wahrscheinlich auf Veranlassung des Berliner Gemeinde-Ältesten zusammengestellt.
Die einzelnen Paragraphen tragen verschiedene Unterschriften:
Mordechai Dessau, Sanwel (Samuel) Halberstadt, Meir Rintel, Moses Clef, Zebi Hirsch Levi, Mordechai Halberstadt, Abraham Levi, Simeon Jeitels (gest.: 12. 2. 1754 im Alter von 68 Jahren, ehemaliger Gemeinde-Ältester), Menachem Mendel

Eschwe, Natanal Ferscht (Fürst), Jehuda Loeb Halberstadt, Jesaja Holländer, Meir Sost (Soest?) und Baruch Bendet Kohen.
Berlin (1734), Ahron ben Moses Rofe, Fol., 2 Bll.
L. Geiger, ZGJD III, 265.

(257) *keter malchut* (Königskrone).
Liturgie des Versöhnungsabends, nach dem hebräischen Original des Salomo Ibn Gabirol (1021–1070);
Amsterdam 1674, Uri Phoebus, 4°, 9 Bll.; Prag 1699, 4°; Prag o. J., Enkel Juda Bak, 4°; Prag 1709, 4°.
Wolf, BH I, 1044, Nr. 1966 (2); III, 1030, Nr. 1966 (2); Fürst, BJ II, 321; Ser. Nr. 98.

(258) *dine semachot.*
Trauer- und Totenagende in zwei Teilen, wovon der erste (auch *schaar schimon* genannt) ausschließlich in hebräisch, der zweite jüdisch-deutsch verfaßt ist.
Verf.: Simon ben Israel Frankfurter (geb.: Schwerin a. W.; gest.: Amsterdam 9. 12. 1712);
Amsterdam 1703, Moses Mendez Coutinho ben Abraham, 8°; Köthen 1707, 8°.
Wolf, BH I, 1145, Nr. 2180; III, 1149, Nr. 2180; Ser. Nr. 69; Nr. 297; TJE V, 494.

(259) *sefer ha-chajim* (Buch des Lebens).
Dasselbe wie *dine semachot* (Nr. 258), nach dem Tode des Verf. von seinem Sohn Moses ben Simon Frankfurter (1672–1762) unter obigen Titel herausgegeben;
Amsterdam 1714; Sulzbach 1767, Isaak Leb.
Wolf, BH I, 1145, Nr. 2180; III, 1149, Nr. 2180; TJE V, 494; Ser. Nr. 69; Nr. 297; S. A. Wolf, Jd. Wb., 74 ff.

(260) *hassagot* (Berichtigungen).
Berichtigungen der in den jüdisch-deutschen gedruckten Ritualschriften vorkommenden Unrichtigkeiten;
o. O. u. J., 8°.
Ser. Nr. 53.

(261) *hilchot mila.*
Beschneidungsregeln in Jüdisch-Deutsch, mit allen Gesetzesbestimmungen und Erzählungen;
zusammengestellt von: Naftali ben Samuel Pappenheim;
Amsterdam 1647, 8°, 19 Blatt.
Wolf, BH III, 847, Nr. 1719 c; Fürst, BJ III, 64; Ser. Nr. 52 a.

(262) *berit ha-schem* (Bund Gottes).
Jüdisch-deutsches Kompendium des Beschneidungsrituals, zusammengestellt von David Arje Löw, gen. David de Lida (Rabbiner in Lida, Zwolin, Mainz (1680), Ostrog, Amsterdam (seit 1682), gest.: Lemberg 1690 (1698?).
zuerst gedruckt mit seinem hebräischen, ebenfalls die Beschneidungsregeln behandelndes Werk *sod ha-schem* (Geheimnis Gottes: Amsterdam 1694, David de Castro-Tartas, 4°, 15 Bll.;
Amsterdam 1709, 8°;
der Edition Berlin 1710, 4° ist beigefügt *mikweh jisrael* des Mordechai ben (Juda) Arje Löw Aschkenasi.

Wolf, BH I, 320, Nr. 504; III, 180, Nr. 477 (2, 4); Fürst, BJ II, 247; Ser. Nr. 226; TJE IV, 460.

(263) *mikweh jisrael* (Hoffnung Israels).
Abhandlung über die Beschneidung, jüdisch-deutsch, von:
Mordechai ben (Juda) Arje Löw Aschkenasi;
Berlin 1710, 4° (als Anhang zu *Berit ha-schem,* s. Nr. 252).
Wolf, BH I, 789, Nr. 1472; III, 711, Nr. 1472; Fürst, BJ II, 247; II, 326; Ser. Nr. 226; TJE IX, 14.

II. Weltliche Sachliteratur

1. *Juristische Urkunden, Statuten, Protokollbücher*

(264) *Uhrfehdebrief.*
Hs. B VI 192 des Staatsarchivs, Zürich, enthält auf Blatt 287 v den Urfehdebrief des Zürcher Juden Jedidja, Sohn des Chiskia vom Jahre 1385 (in Kursivschrift).
Schweizer Staatsarchiv, Zürich:
Sign. B VI 192 (fol 287 v). Guggenheim-Grünberg, Urfehdebrief

(265) *Uhrfehdebrief.*
Hs. Ugb. E. 45 des Stadtarchivs Frankfurt, datiert vom 12. Sept. 1392 enthält den Urfehdebrief des Meir ben Baruch ha-Levi von Erfurt, in den auch die Frankfurter Judenschaft eingeschlossen wird.
Stadtarchiv Frankfurt a. M.: Hb. Rep. I, 1.
Sign. Ugb. E. 45 (Pergament).

(266) *Historische Notizen.*
Historische Notizen über die Judenverfolgungen in Deutschland in den Jahren 1417–1547, enthalten in einer Oxforder Hs. (Neub./Cowl. I, No. 2206).
Neub./Cowl. I, No. 2206; Hb. Rep. II, 4 (36).

(267) *Urfehdebrief.*
Hs. V. 128 des Stadtarchivs Breslau vom Jahre 1435 enthält die Verpflichtungsurkunde des Juden Jekutiel ben Benusch.
Stadtarchiv Breslau: Enc. Jud. IX, 118 (Faks.).
Sign. V. 128.

(268) *Urfehdebrief.*
Meir(l), Jud von Werde, schwört am 19. Januar 1475 und verpflichtet sich gegenüber der Jüdin Guetlein Eberls.
HStA München, Juden in Regensburg, Urk. Fasz. 29. M. Stern, Urkundl. Mitt. in: Jb. d. Jüd.-Lit. Ges. 22/1931–32, 20.

(269) *Register-Vermerk.*
Gerichtsbrief des Conrat Graefenrewter, Schultheißen zu Regensburg bezüglich eines Schuldbriefs enthält jüdisch-deutschen Vermerk über den Gerichtsort. Die Urkunde datiert vom 10. April 1453.
Landesregierungsarchiv Innsbruck: Sign. Max. XIV 1516, Nr. 52 a (Pergament). Straus Nr. 1.

(270) *Rückvermerk.*
Schuldbrief der Brüder Hanns und Conrad Coppenwallder, Bürger zu Regensburg, für Eberl und Schymßan, Juden zu Regensburg enthält einen jüdisch-deutschen Rückvermerk über Kredithöhe und Zinsfuß. Das Schriftstück datiert vom 23. September 1467.
HStA München, Reichsstadt Regensburg, Urk. Fasz. 551. — Straus Nr. 94.

(271) *Register-Vermerk.*
Die Urkunde über die Erneuerung alter Privilegien der Regensburger Judenschaft, ausgestellt vom Kaiser Maximilian am 28. Juli 1495 zu Worms, enthält dazu einen jüdisch-deutschen Rückvermerk.
HStA München, Gemeiners Nachlaß K 21. — Straus Nr. 655.

(272) *Zeugenaussage.*
in Zeugnis des Juden Nachman darüber, daß der Jude Meir Werd (Nr. 268) an dem Überfall auf die Guetlein Eberls unbeteiligt war.
Das Dokument datiert um 1500.
HStA München, Juden in Regensburg, Urk. Fasz. 29. — Straus Nr. 713.

(273) *Rückvermerk,*
am Ende des ersten von fünf Berichten über einen Giftmordversuch, den der Regensburger Jude Joel im Auftrage des Bischofs von Bamberg an Wolfgang vom Thuern und zum Rottenpeckh angeblich verübt haben soll. Die Berichte sind vor dem 23. Juni 1509 verfaßt.
HStA München, Gemeiners Nachlaß K. 27 (Abschriften!). — Straus Nr. 765.

(274) *Klageschrift.*
Jüdisch-deutsch verfaßte Klageschrift des Juden Geutz von Fiderholz gegen seinen Stiefvater Mendel, gerichtet an den Gemeindesekretär der Regensburger Judengemeinde, Menzel Schammesch. Die Klageschrift wurde vor dem 12. Februar 1518 niedergeschrieben. Neben der jüdisch-deutschen Ausfertigung ging ein zweites, (hoch-)deutsch verfaßtes Exemplar (übersetzt vom Domprediger Baldasar) an Sigmund Schwebl, Ratsherr zu Regensburg.
Kreisarchiv München, Generalregistratur Fasz. 1260. — Straus Nr. 957.

(275) *Rückvermerk.*
Der am 5. Juli 1518 ausgestellte Schuldbrief des Wolff Teuchler, Richters am Hoff, für Mendl, Jüdin aus Eger, enthält einen jüdisch-deutschen Rückvermerk über den Schuldner und das Pfand sowie die Schuldhöhe. (Ausgestellt in Regensburg.)
Kreisarchiv München, Generalregistratur Fasz. 1260. — Straus Nr. 982.

(276) *Rückvermerk.*
Der am 5. Oktober 1518 in Regensburg ausgestellte Schuldbrief des Wilhelm von Alßperg für Mendl, Jüdin aus Eger, jetzt in Regensburg wohnhaft enthält einen jüdisch-deutschen Rückvermerk über Schuldner und Schuldhöhe.
Kreisarchiv München, Generalregistratur Fasz. 1260. — Straus Nr. 1020.

(277) *Statuten.*
Hs. Wien 144 enthält die Statuten für die Judengemeinden der Provinz Mähren vom Jahre 1708; ursprünglich jüdisch-deutsch abgefaßt, 1754 auf Anordnung der Behörden ins Hochdeutsche übertragen.
G. Wolf, Statuten Mähren, 126ff.; MGWJ 1937, 223–239, Nr. 146.

(278) *Statuten.*
Hs. Wien 145 enthält die Statuten der Judengemeinde in Kremsier vom Jahre 1708; ursprünglich jüdisch-deutsch abgefaßt, 1754 auf Anordnung der Behörden ins Hochdeutsche übertragen.
MGWJ 1937, 223–239, Nr. 146; G. Wolf, Statuten Mähren, 126ff.

(279) *Privileg.*
Judenprivilegium von 1710 für die Judenschaft in Prerau, enthalten in der Hs. Wien 146. Jüdisch-deutsche Fassung.
MGWJ 1937, 223–239, Nr. 153.

(280) *tikkune ka'hal amsterdam.*
Statuten der Judengemeinde zu Amsterdam;
Amsterdam 1711, 8°.
Wolf, BH II, 1471, Nr. 777; Ser. Nr. 333.

(281) *Luxusverbot der Dreigemeinden.*
Jüdisch-deutsche Abfassung des Luxusverbotes der Dreigemeinden (Hamburg-Altona-Wandsbek) in einer Hs. von 1715 (Altona?).
Jb. f. Jüd. Vk. 25/1923, 227–234.

(282) *Urkundensammlung.*
Cod. Straßburg 3963 enthält u. a.:
fol. 1: Judenordnung vom Jahre 1720;
fol. 4: Judensteuer für das Jahr 1727;
fol. 6: Testament des Phöbus ben Josef Moise Kohen aus Metz vom Jahre 1738;
fol. 11: Statuten
fol. 13: Kopie eines Briefes an Moise Blin aus Paris vom Jahre 1755.
Hb. Rep. II, 5, (45).

(283) *Gemeindebuch.*
Im Protokollbuch der Berliner Judengemeinde vom Jahre 1728 (Berliner Hs.) befinden sich u. a. (Bl. 32–33) Verordnungen für das Jahr 1728.
Hb. Rep. II, 1.

(284) *takkanot fiurda.*
Statuten der Judengemeinde Fürth;
Amsterdam (!) 1728, 8°.
Ser. Nr. 341.

(285) *Protokollbuch.*
Protokoll aus dem Gerichtsbuch des Rabbiners in Mutzig vom Jahre 1746 (handschriftlich).
J. Euting/C. T. Weiß, Elsässer Jd.; Hb. Beiträge, Nr. 4.

(286) *Juristisches Gutachten.*
Gutachten über einen an Lévy de Wettolsheim im Jahre 1754 begangenen Justizirrtum, enthalten im Cod. Straßburg 4018 (30 Bll.).
Hb. Rep. II, 5, (45).

(287) *seder han'hagat ben ha-k'nesset [...] amsterdam.*
Synagogenordnung der jüdischen Gemeinde zu Amsterdam;
Amsterdam 1776, Jakob Proops, 8°, 12 Blatt.
Wolf, BH III, 1205, Nr 457b; Ser. Nr. 223. (Wolf, BH IV, 1053 nennt noch eine frühere Ed. 1716!).

(288) *Protokollbuch.*
Protokollbuch und Kassenbuch der jüdischen Gemeinde zu Sulz, handschriftlich hebräisch und jüdisch-deutsch verfaßt, beginnend 1786.
MGWJ NF. 13/1905, 230, Nr. 2.

(289) *Protokollbuch.*
Cod. Hebr. Sim. no. 5 (Sammlung Prof. David Dimonsen, Kopenhagen) enthält ein Protokollbuch, geführt von den executors testamenti des dänisch-jüdischen Kaufmanns Raffael Ascher Unna's Sterbehaus in den Jahren 1798–1860.
Eine Reihe von älteren Protokollen sind in jüdisch-deutsch abgefaßt.
Hb. Rep. II, 2.

2. *Privatbriefe, Memoiren, Merkbücher*

(290) *Brief.*
Brief einer Jüdin an ihre Freundin (Zettelgröße 2,3 × 9,8 cm), geschrieben im Jahre 1478.
HStA München, Gemeiners Nachlaß K 12. Straus Nr. 502; Hb. Rep. II, 238.

(291) *Briefe.*
Hs. Hamburg 1023 enthält jüdisch-deutsche Privatbriefe, die Schmuel Kehlheim um 1550–51 geschrieben hat.
Mitt. f. jüd. Vk. 1906, 99–100.

(292) *Briefe.*
Drei Briefe von der Mutter Rachel, Witwe des Rabbi Elieser Susman Aschkenasi von Jerusalem, an ihren Sohn Moses in Kairo, geschrieben 1567 (3. Oktober). (Aufgefunden in der Genisa der Kairoer Esra-Synagoge.)
Hb. Rep. II, 2.

(293) *Briefe.*
Sieben Briefe des Arztes Johann Crato von Crafftheim (Johann Kraft von Kraftheim) vom Jahre 1588 in der Hs. Breslau, 248 (fol. 163–69).
Jöcher I, 2178.

(294) *Briefe.*
47 Privatbriefe aus dem Jahre 1619, gesammelt in der Hs. Wien Suppl. 1174.
A. Landau/B. Wachstein, Briefe.

(295) *Merkbuch.*

Hs. Hamburg 313 enthält das Notizbuch eines Juden vom Jahre 1669.

Steinschneider, Kat. Hamburg, Nr. 313.

(296) *Briefe.*
21 Briefe von Tevele Schiff und seinem Sohn Moses (gest. 1863), Ms. no. 146,7 (fol. 21) des Jew's College, London, enthält diese Briefe in einer Zusammenfassung vom Jahre 1678.

Hb. Rep. I, 58, (26) u. Erg.

(297) *Briefe.*
48 Briefe der Jahre 1744–48 über die Austreibung der Juden aus Prag, hauptsächlich in Jüdisch-Deutsch.

H. Lieben, Briefe aus Prag.

(298) *Brief.*
Cod. Straßburg 3963 enthält auf Bl. 20 einen jüdisch-deutschen Privatbrief vom Jahre 1755.

Hb. Rep. I, 60 (45).

(299) *megillat eba* (Rolle der Feindschaft).
Hs. Oppenh. 1703, 4° (Oxford) enthält die Autobiographie des R. Jomtob Lipmann Heller Wallerstein, wahrscheinlich Ende des 17. Jhs. niedergeschrieben. (Die Autobiographie wurde erst seit 1837 deutsch und hebräisch im Druck herausgegeben).

Ser. Nr. 404 c.

(300) *megillat eba* (Rolle der Feindschaft).
Die Autobiographie des R. Jomtob Lipmann Heller ha-Levi Wallerstein (1579–1654) soll sich in der Bibliothek des Jacob H. Wagner in Jerusalem befinden. Das 20 Blatt umfassende Manuskript wurde 1764 in Plaun niedergeschrieben.

Aaron Z. Aescoly (Hg.), Bibliothek Jacob H. Wagner. Eine Übersicht, bibliographische Notizen, Berlin 1926, S. 24, Nr. 35.

(301) *sichronot.*
Die Memoiren der Glückel von Hameln (1645–1724), von ihr selbst in den Jahren 1691–1719 niedergeschrieben enthält eine von ihrem Sohn Moses Hameln, Rabbiner in Baiersdorf, niedergeschriebene Frankfurter Hs. aus dem 18. Jh. Sie diente David Kaufmann als Grundlage seines 1896 in Frankfurt a. M. hrsg. Druckes.

A. Feilchenfeld, Denkwürdigkeiten der Glückel v. Hameln, Berlin [3]1923, S. 7. – Hb. Rep. I, 56 (14).

(302) *sichronot.*
Eine andere, in Paris aufbewahrte Kopie der Memoiren der Glückel stammt von ihrem Enkel Chaim Hamel. Die Hs. umfaßt 187 Bll.

Wininger, Jüd. Nationalbiographie II (1927), 431. – Hb. Rep. I, 60 (38).

III. Lyrische Dichtung

1. Größere Liedersammlungen

(303) *Liedersammlung.*
Cod. Merzbacher Nr. 25 (Frankfurt) enthält 43 hebräische Lieder, davon 5 mit

jüdisch-deutschem Paralleltext, zusammengestellt und teils verfaßt von Menachem Oldendorf (geb. Frankfurt a. M.: 1450). Die Hs. ist im Anfang defekt, sie beginnt am Ende des Lieds Nr. 18.

Erik, Lit.-gesch., 33.

(304) *Liedersammlung.*
Hs. Oppenh. 4°, Add. 136 (Oxford) enthält eine Sammlung jüdisch-deutscher Volks- und Gesellschaftslieder, die Eisik Wallich um 1600 in Worms zusammenstellte.

Rosenberg, Sammlung deutscher Volks- und Gesellschaftslieder in hebräischen Lettern.

2. *Religiöse Hymnen, ritueller Gesang*

(305) *Einheitslied.*
Die jüdisch-deutsche Übersetzung des »Einheitsliedes« findet sich in einer illuminierten Pessach-Haggada aus der ersten Hälfte des 15. Jhs. (= Cod. hebr. Paris Nr. 1333).

Enc. Jud. IX, 128; Hb. Rep. II, 4, 5.

(306) *chad gadja.*
Die jüdisch-deutsche Version des Chad-Gadja-Liedes, eines humoristisch-satirischen Liedes in 10 Strophen, findet sich im Cod. Darmstadt Or. 7 (Pessach-Haggada) aus dem 15. Jh.

Enc. Jud. V, 143–144; E. D. Goldschmidt, Pessach Haggada; S. 108.

(307) *akidath-jizhak-lied.*
Hs. Hamburg 209 enthält das Lied von der Opferung Isaaks, verfaßt von: Jizhak Kutnam im Jahre 1574 (oberdeutsche Mda.).

Enc. Jud. IX, 137; Erik, Lit.-gesch., 124.

(308) *akidath-jizhak-lied.*
Hs. im Privatbesitz von Judah A. Joffe, geschrieben im Jahre 1570 von Jehuda Schalit.

Erik, Lit.-gesch., 124.

(309) *akidath-jizhak-lied.*
Italien, um 1579;
Papier-Hs.; Schreiber: Anselm (Anschel) Levi, geschrieben für Perse Wolfin. Fol. 125 b–130 a enthält das Lied von der Opferung Isaaks. Vermerk im Text, daß die Hs. auf einen gewissen *Pichl* Schalit (identisch mit Jehuda Schalit?) zurückgeht!
Bibliothèque Nationale, Paris: Erik, Lit.-gesch., 124.
Inv. Nr.: Fonds hebr. 589.

(310) *ein schön lid/wirt genant judscher stam/wie sich isak hat gewolt losen schlachten.*
Das Lied von der Opferung Isaaks in jüdisch-deutscher Fassung von Josef ben Jehuda Heilbronn;
o. O. u. J. (17. Jh.), 8°; Prag o. J., 8°; Berlin 1717, Baruch Buchbinder (Baruch Radoner), 8°.

Wolf, BH III, 1190, Nr. 239 c; Ser. Nr. 84; Steinschneider, Cat. Bodl., 563, no. 3640–3642.

(311) *semirot purim*

Cod. Reuchlin 13 (Karlsruhe) vom Jahre 1430 enthält im Anfang die jüdisch-deutsche Fassung der Purimslieder von Eleasar ha-Kalir Kerobha (Enc. Jud. IX, 816: Elazar Kilir vulgo Kalir).

Landauer, Nr. 8.

(312) *semirot purim.*
Hebr. mit beigefügter jüdisch-deutscher Übersetzung von:
Samuel Sanwel Poppert ben Mordechai (aus Koblenz, Drucker in Altona 1727–30);
Hamburg 1715, 8°, 12 S.

Wolf, BH II, 1298, Nr. 195; III, 1096, Nr. 2062 d;
Fürst, BJ III, 114; Ser. Nr. 62.

(313) *semer le-purim* (Gesang für Purim).
Jüdisch-deutsche Fassung von: Mose Melammed ben Bär Schak (aus Wien);
o. O. u. J.,

Ser. Nr. 62.

(314) *semer le-purim.*
Jüdisch-deutsche Fassung von: Noah Abraham Ascher Selig;
o. O. u. J. (Prag, Ende 17. Jh.?),

Ser. Nr. 61 d.

(315) *semer le-purim.*
Hebräische und jüdisch-deutsche Fassung in dem Werke *gefen jechidit* (Einziger Weinstock) des (Seeb) Wolf ben Jehuda;
Berlin 1699, 16°.

Ser. Nr. 62.

(316) *semirot we-schirim le-schabbot.*
Gesänge und Lieder für das Sabbatfest, hebräisch und jüdisch-deutsch, angehängt an *techinnot be-kol jom* (s. Nr. 176);
Basel 1599, 8°.

Ser. Nr. 60.

(317) *semirot.*
Festgesänge, in Jüdisch-Deutsch verfaßt von Elieser Liebermann Sofer ben Löw Rofe (Darschan in Mainz);
Prag 1644, 4°.

Ser. Nr. 174.

(318) *mismor schir le-jom ha-schabbot.*
Ein Lied für den Sabbateingang, chaldäisch und jüdisch-deutsch in der Melodie von *akdamot* (s. Nr. 220), verfaßt von Meir ben Samuel (aus Schebryn);
Amsterdam 1654, 16°.

Wolf, BH III, 678, Nr. 1398 c; Ser. Nr. 142.

(319) *simchat torah-lid* (Gesetzesfreude-Lied).
Mit dem Nebentitel *semer nae* (Schönes Lied), hebräisch und jüdisch-deutsch;
Amsterdam 1674, 8°.

Ser. Nr. 296.

(320) *simchat torah-lid.*
Das für den Gesetzesfreudentag bestimmte Lied;
Prag o. J., 8°.

Ser. Nr. 128.

(321) *semer le-chanukka* (Gesang für Chanukka).
Hs. Oppenh. 81, 8° enthält auf Blatt 48 b den Chanukka-Gesang;
nach Ser. Nr. 400 ist aus dem Akrostichon der Name des Verfassers ersichtlich:
Jesaja bar Israel ha-Levi.
Ser. Nr. 400.

(322) *semer le-chanukka.*
Gesang für das Chanukkafest, jüdisch-deutsch verfaßt von: Noah Abraham Ascher Selig ben Chiskija Chassans (aus der Familie Altschul);
Prag o. J. (um 1670/80),
Ser. Nr. 61 b.

(323) *schire jehuda* (Lieder Jehudas).
Hebr. Tischlieder mit Erläuterung und beigedruckter jüdisch-deutscher Fassung, zusammengestellt von Jehuda Löw Minden ben Moses Selichower (geb.: Selichow, gest.: Altona oder Hamburg 26. 5. 1711; war Chasan in Minden a. d. Weser);
Amsterdam 1697, Kosman Emrich, 4°, 28 S.
Wolf, BH I, 445, Nr. 745; III, 329, Nr. 745; Ser. Nr. 291; – Fürst, BJ III, 309.

(324) *Abend-Gesang.*
Verf.: Ahron ben Jomtob ha-Levi;
Amsterdam 1677, 12°.
Wolf BH III, 921, Nr. 1823; Ser. Nr. 9.

3. Hochzeitslieder

(325) *kalla-lid* (Brautlied).
Jüdisch-deutsch, mit wenigen hebräischen Einsprengseln, verfaßt von Jakob Ulma, gedruckt im Anhang der »Minhagim« (s. Nr. 242);
Venedig 1593, 8°.
Ser. Nr. 97.

(326) *ein hübscher semer für choson we-kalla.*
Verfaßt von: Noah Abraham Ascher Selig ben Chiskija Chassans (aus der Familie Altschul);
(Prag) o. J. (Ende 17. Jh.), 8°.
Ser. Nr. 61 c. Steinschneider, Cat. Bodl., 569, no. 3674.

(327) *kalla-lid.*
Mit dem Anfang: »Jungfräulein, Ihr seid gebeten [...]«;
o. O. u. J., 8°.
Ser. Nr. 96.

4. Religiös-mystische Lieder

(328) *zwei schöne göttliche lieder, genannt fromm rabbi jakobs lied.*
Verf.: Jakob ben Elia ha-Levi (aus Teplitz);
Amsterdam 1674, 8°.

Ser. Nr. 128; Nr. 238; Steinschneider, Cat. Bodl., 562, no. 3637–38.

(329) *orach chajim* (Weg des Lebens).
Auch *göttlich lied* genannt;
Fürth o. J. (ca. 1690–1700), 4°.
Wolf, BH II, 1264; Ser. Nr. 19.

(330) *göttlich lied.*
Bringt Ermahnungen aus allen Propheten, verfaßt von Mose Josua ben Eli Nathan;
Amsterdam o. J., 8°.
Ser. Nr. 111.

(331) *göttlich lied.*
Spricht von der Geburt des Menschen und seinem Lebenslauf bis zum Tode;
o. O. u. J. (Prag, Ende 17. Jh.), 8°.
Ser. Nr. 114.

(332) *ein schön göttlich lied.*
Verf.: Josef ben Jehuda Heilbronn; beigedruckt den »Judscher-Stam-Lid« (s. Nr. 310);
Prag o. J. (1713), 8°.
Ser. Nr. 84.

(333) *göttlich lied.*
beginnt: »Welt ir uns nikß for ibel nemen [...]«;
o. O. u. J., 8°.
Ser. Nr. 112.

(334) *göttlich lied.*
Beginnt: »Ale maine gute freind [...]«;
o. O. u. J., 8°.
Ser. Nr. 113.

(335) *göttlich (und) straflied.*
Homburg v. d. H., 1715, 8°.
Ser. Nr. 115.

(336) *ein schön gottesfürchtig lied.*
Alphabetisch angeordnetes Lied, verfaßt von: Salomo ben Naftali, gen. Salomo Singer (aus Prag);
Prag 1692, Moses Kaz, 8°.
Ser. Nr. 116; Steinschneider, Cat. Bodl., 561, no. 3627.

(337) *gottesfürchtig lied.*
Verf.: Isaak Wilna;
Prag (?), o. J., 8°.
Ser. Nr. 117.

(338) *meschiach-lid.*
Lied über den falschen Messias Sabbatai Zewi, verfaßt von:
Jakob Tausk (Taussig);
Amsterdam 1666, 24°; Breslau 1670, 8°.
Wolf, BH IV, 874, Nr. 1125 c; Ser. Nr. 125.

(339) *gar ein schön neuen torah-lied.*
Verf.: Jakob ben Elia ha-Levi (Rabbi in Teplitz); hrsg. von der Tochter des frommen Rabbi Jakob aus Teplitz, Sorel bat Jakob ha-Levi;
o. J., Prag, Jakob Bak (druckte 1605–1615), 8°.
Ser. Nr. 302 b; Steinschneider, Cat. Bodl., no. 3700.

(340) *semer d'arba geulot* (Gesang der vier Erlösungen).
o. O. u. J., 8°; o. O. u. J., 8° (hebr u. jüdisch-deutsch). Ser. Nr. 63.

(341) *mazzil-mi mawet-lid* (Todesretter-Lied).
Ein Lied, das das Schicksal der Menschen nach ihrem Tode behandelt;
Krakau o. J., 8°.
Wolf, BH II, 136 b, Nr. 429; Ser. Nr. 203.

(342) *kauft den semer jungen und maiden.*
Beginnt: »Mir weln zu singn hebn on [...]«; verfaßt von: Noah Abraham Ascher Selig ben Chiskija Chassans (aus der Familie Altschul);
o. O. u. J., 8° (wahrscheinlich Prag, Ende 17. Jh.).
Ser. Nr. 61b; Steinschneider, Cat. Bodl., 568, no. 3672.

(343) *kauft den semer.*
Beginnt: »Hert mir zu, ir lieben leit [...]«; verfaßt von Noah Abraham Ascher Selig ben Chiskija Chassans (aus der Familie Altschul);
o. O. u. J. (Prag, Ende 17. Jh.?), 8°.
Ser. Nr. 61 d; Steinschneider, Cat. Bodl., 568, no. 3675.

(344) *ein schön nei lied jungfrau zart.*
Beginnt: »Es ging einmol ein jung freilein zarte [...]«;
verfaßt von: Natanel Kremsirer;
o. O. u. J. (Frankfurt a. M. 1700 ?), 8°.
Ser. Nr. 122; Steinschneider, Cat. Bodl., 563, no. 3643.

(345) *(vier kurzweilige lieder fun allerhand werken, fun die neie mode? die faule jungfrau, in ehren saß ich gestern).*
o. O. u. J. (Prag Ende 17. Jh.?), 8°.
Ser. Nr. 129.

(346) *Adam-und-Eva-Lied.*
Prag o. J., 8°.
Ser. Nr. 8.

(347) *schlomo-melech-lied* (König-Salomo-Lied).
Prag o. J., 8°.

(348) *Lied.*
Nach der Melodie des *Judscher-Stam-Lieds;*
o. O. u. J., 8°.
Ser. Nr. 102.

(349) *Lied.*
Verfaßt von Lipmann Vorbeter;
o. O. u. J., 8°.
Ser. Nr. 104.

5. Klagelieder

(350) *kinnot* (Klagelieder).
Hebr. mit jüdischdeutscher Übersetzung von: Löw Sofer ben Chajim (Chassan in Posen);
Dessau 1698, 4°; Prag 1703, 4°, 54 Bll.; Prag 1709, 4°; Amsterdam 1718, 4°.
Wolf, BH II, 1419, Nr. 638; III, 659, Nr. 1358 g; Fürst, BJ II, 263; Ser. Nr. 261.

(351) *kinnot,* deutsch-polnischer Ritus.
Altona 1728, 8°.
Ser. Nr. 261.

(352) *kinna.*
Über die Zerstörung Jerusalems, hebr. und jüdisch-deutsch, vermutlich von Löw ben Bezalel verfaßt;
o. O. u. J., 4°.
Ser. Nr. 262.

(353) *kinna.*
Klagelied über den Brand zu Nachod 1663;
o. O. (Prag?) u. J., 8°.
Ser. Nr. 118.

(354) *ein nei klaglid fun chorban k'k wrmeisa.*
Verf.: Saekle ben Liebermann ha-Levi, abgedruckt auf den letzten fünf Seiten der *maasse nissim der stat wormeisa* (s. Nr. 488).
Amsterdam 1696, klein 8°.
Roest. I, 550.

(355) *ein nei klaglid fun der große srefo bikelilla kedoscha frankfurt.*
Klagelied über den Brand zu Frankfurt a. M. am 14. Januar 1711, verfaßt von: David ben Schemaja Saugers (aus Prag);
Frankfurt a. M. 1711, 8°; (wieder abgedruckt bei Schudt, III, 63–73).
Wolf, BH I, 331, Nr. 525; III, 184, Nr. 489 b; Ser. Nr. 269; Steinschneider, Cat. Bodl., 564, no. 3647.

(356) *(ein neu lied von dem brand zu altona bei hamburg).*
o. O. u. J., 8°.
Ser. Nr. 126.

(357) *(ein neu lied vom brande in frankfurt und altona).*
Halle 1712, 8°.
Ser. Nr. 126; Wolf, BH II, 1320.

(358) *chelkat binjamin.*
Drei Klagelieder über eine Panik in der Synagoge am 2. Pfingsttag 1715, bei der viele Frauen verunglückten;
verfaßt von: Benjamin ben David (aus Krailsheim), teils hebr., teils jüdisch-deutsch;
Berlin 1722, Nathan Neumark, 8 Blatt.
Zs. f. d. Gesch. d. Juden i. Dtschl. (ZGJD) 3/1889, 84.

(359) *kinna.*
Klagelied über die Verfolgungen in Litauen, in der Ukraine und in Mähren, ver-

bunden mit einem Gebet für die Märtyrer (*rahomim al mala*), verfaßt von: Josef ben Lipmann;
o. O. u. J., 8°.
Ser. Nr. 265.

(360) *kinna.*
Klagelied über die Verfolgungen in Litauen;
o. O. u. J., 8°.
Ser. Nr. 264.

(361) *geserah-lid* (Leidenslied).
Über das Land Ukrain, verfaßt von Josef ben Lipmann (dessen Name in den Versen akrostichisch erscheint) – vgl. Nr. 359.
o. O. u. J., 8°.
Ser. Nr. 38.

(362) *kinna.*
Klagelied über die Todestangst in Mez (= Metz);
o. O. u. J., 8°.
Ser. Nr. 119.

(363) *winer-geserah-lid.*
Lied über die Leiden der Juden in Wien im Jahre 1420/21;
Krakau 1609, 4°.
Ser. Nr. 57.

(364) *ein schön lid fun win.*
Besingt die Opfer der am 9. Ab 1670 in Wien gegen die Juden verübten Anschläge und die Schließung der Synagoge des Rabbi Zacharia, verfaßt vom Chasan Jakob, gen. Koppel;
o. O. u. J. (nach 1670), 8°.
Ser. Nr. 101; Nr. 395.

(365) *ein schön lid fun ofen.*
Das *geserah-lid* über die Gefangenen in Ofen, verfaßt von Ahron ben Josef (Gefangener in Ofen), gewidmet dem Sender ben Josef Tausk;
Prag 1688, Judah Bak Söhne, 8°.
Ser. Nr. 110; –TJE I, 13; Steinschneider, Cat. Bodl., 566, no. 3654.

(366) *ippusch lid fun prag.*
Klagelied über die Pest in Prag im Jahre 1713, verfaßt von: Moses ben Chajim Eisenstadt (aus der Familie Katzenellenbogen);
Prag 1714, 8°.
Wolf, BH III, 728, Nr. 1514; Fürst, BJ I, 227; Ser. Nr. 268; Steinschneider, Cat. Bodl., 570, no. 3684.

(367) *(Lied über die Pest).*
o. O. u. J., 8°.
Ser. Nr. 106.

(368) *ippusch lid.*

Klagelied über die Pest in Nikolsburg, verfaßt von Jakob ben Salman Singer (aus der Familie Hurwitz);
Prag 1680, 8°.
Ser. Nr. 233.

(369) *kinna.*
Klagelied über den Tod des Abigdor Zuidal, beigedruckt dem Ritualwerk *dine we-seder melichah* des Jakob ben Elchanan Heilbronn (starb im Herbst 1594);
Venedig o. J., 12°.
Ser. Nr. 263.

(370) *ebel kabod* (Ehrentrauer).
D. i.: Testament Kaiser Leopoldus (gest. 1705) und ein schön Lied;
Prag o. J. (nach 1705), 8°.
Wolf, BH I, 336; Ser. Nr. 2; Nr. 78.

(371) *Klaglid.*
Über den Knaben »Simle« Abeles aus Prag (liegt in der Tainkirche begraben);
o. O. u. J., 8°.
Ser. Nr. 271.

(372) *Klaglid.*
Über den Märtyrer Salomo, verfaßt von Samuel ben David Auerbach;
Amsterdam o. J., 8°.
Wolf, BH III, 1079, Nr. 2053 b; Ser. Nr. 267.

(373) *Kedoschim Lid* (Märtyrer-Lied).
Das Klagelied über die Märtyrer von Proßnitz i. Mähren, verfaßt von Chajim B. H. aus Polen, zu singen nach der Melodie der »Opferung Isaaks«;
o. O. u. J., 8°.
Ser. Nr. 254.

(374) *Kedoschim me-Wilne.*
Klagelied über die Märtyrer aus Wilna;
Amsterdam o. J., 8°.
Ser. Nr. 255.

6. Moritaten- und Bänkelgesang

(375) *Kadosch R. Schechna Lid.*
Lied über den Märtyrer R. Schechna. Als Verf. kommt möglicherweise Mordechai ben Abraham Süssels Melammed in Betracht;
Krakau 1682, 8°.
Ser. Nr. 252; Nr. 420.

(376) *ein schön straflied.*
Über das Verhalten des Menschen, verfaßt von Jakob ben Elia ha-Levi (aus Teplitz);
o. O. u. J. (Prag, Ende 17. Jh.), 8°.
Ser. Nr. 108; Steinschneider, Cat. Bodl., 567, no. 3662.

(377) *ein wunderschön göttlich straflied.*

Verfaßt von: Abi Esra Seligmann ben Nathan Raudnitz;
o. O. u. J. (Prag oder Amsterdam, Ende 17. Jh.), 8°.
Ser. Nr. 120; Steinschneider, Cat. Bodl., 567, no. 3663.

(378) *kiddusch ha-schem* (Verherrlichung des Namens).
Das Lied verherrlicht das Märtyrertum; verfaßt wurde es von:
Rabbi Matatja Abraham und Rabbi Pinhas (aus Krakau);
o. O. u. J., 8°.
Wolf, BH II, 1417, Nr. 631; Ser. Nr. 253.

(379) *josef ha-zadik lid.*
Das Lied handelt vom frommen Josef;
o. O. u. J., 8°.
Ser. Nr. 123.

(380) *(Heiliger-aus-Hanau-Lied).*
o. O. u. J., 8°.
Ser. Nr. 131.

(381) *lid fun pauer un' soldat.*
o. O. u. J., 8°.
Ser. Nr. 107.

(382) *kurzweilig lid.*
Von drei Frauen in Posen.
o. O. u. J., 8°.
Ser. Nr. 124.

(383) *steiermark lid.*
Das Lied vom Ritter aus der Steiermark;
o. O. u. J., 8°.
Ser. Nr. 287.

7. *Historische Lieder und »Freudengesang«*

(384) *schir we-semer nae* (Lied und schöner Gesang).
Behandelt das Exil, verfaßt von Elchanan Frankfurt;
Lublin 1624, 8°.
Wolf, BH III, 91, 226 d; Ser. Nr. 289.

(385) *Hymnen.*
Lobgesänge auf Daniel Dilgius vom 2. Adar 1645, enthalten in der Hs. Königsberg S 122 fol. (Bl. 306).
Jöcher II, 126.

(386) *ein schen lid, megillat vinz.*
Das Lied vom Fettmilch-Aufstand in Frankfurt a. M. (1614–1616), verfaßt von Elchanan ben Abraham Helen;
Amsterdam 1648; Frankfurt a. M. 1696, Josef Trier Kohen.
Ed. Amsterdam 1648 abgedruckt bei Wagenseil, Belehrung, 119–145 und Schudt III, 36–62; Ed. Frankfurt a. M. 1696 bei Schudt III, 9–35).
Ave-Lallemant III, 413–414.

(387) *schwedisch lid.*
Handelt darüber, wie es den Schweden in Prag im Jahre 1648 erging;
o. O. u. J., (Prag, Mitte 17. Jh.), 8°.
Ser. Nr. 283; Zunz, GL, 300, Nr. 241.

(388) *(ein schön lied von der frankfurter krönung).*
o. O. u. J., 8°.
Ser. Nr. 121.

(389) *lid.*
Lied von einer Begebenheit, die in Hamburg vorging;
Amsterdam 1675, 8°.

Ser. Nr. 105.

(390) *(Semer über Kaiser Leopold und die Kaiserin).*
Gesang zu Ehren des neugeborenen Sohnes, verfaßt von Noah Abraham Ascher Selig ben Chiskija Chassans (aus der Familie Altschul);
o. O. u. J. (Prag 1676), 8°.
Ser. Nr. 61; Nr. 61 a; Steinschneider, Cat. Bodl., 569, no. 3673.

(391) *freiden lid.*
Über Kaiser Joseph und die Kaiserin Amalia Wilhelmina;
Prag o. J., 8°.
Ser. Nr. 240.

(392 *freiden gesang.*
Als König Carolus nach Lissabon kam;
o. O. u. J., 8°.
Ser. Nr. 238.

(393) *maadanne melek.*
Lobgedicht über das Schachspiel, nach dem hebräischen Original des Leo di Modena (1571–1648) unter Hinzufügung einer Vorrede jüdisch-deutsch verfaßt von Ascher Anschel Worms ben Wolf (gest. Frankfurt a. M. 1769);
Frankfurt a. M. 1726 8°. (Ed. Frankfurt a. M. 1728, 8° hat nur hebräischen Text !).
Fürst, BJ I, 57; TJE XII, 565.

8. Wettstreit-Lieder

(394) *wikkuach.*
Wettstreit zwischen Chanukka und den anderen Festen, enthalten in der Hs. Oppenh. 81, 8° (Oxford), Bl. 51 b, verfaßt von einem gewissen Salman (Runkel), hebräisch und jüdisch-deutsch. Die Hs. stammt aus der Mitte des 16. Jhs.
Ser. Nr. 398.

(395) *wikkuach.*
Die gleiche Humoreske wie Nr. 394 enthält auch die Hs. Michael 666 b (Oxford), ebenfalls aus der Mitte des 16. Jhs.
Ser. Nr. 398.

(396) *massa u-meriba* (Streit und Hader).

Wettstreit zwischen dem Reichen und dem Armen, in Reimen und mit vier Vorreden, hebräisch und jüdisch-deutsch verfaßt von Alexander ben Isaak aus Treis/Mosel (was Ser. Nr. 407 als Trier ließt!), enthalten in der Hs. Oppenh. 1262, 4° aus dem 16. Jh.

Ser. Nr. 407.

(397) *wikkuach ha-jajin we ha-majim* (Wettstreit zwischen Wein und Wasser).
Behandelt die Vorzüglichkeiten dieser Getränke, durch Bibelstellen belegt; hebräisch und jüdisch-deutsch in Reimen, verfaßt von R. Elia ha-Sakan Loanz (geb.: Frankfurt a. M. 1555 oder 1564, gest.: Worms 1636; lebte als Rabbiner und Leiter der talmudischen Lehranstalt in Worms, Autorität in der Überliefererkette der *maasse nissim.)*
Der Wettstreit ist den *techinnot be-kol jom* (s. Nr. 176) beigedruckt;
Basel 1599, 8°.

Ser. Nr. 60; Erik, Lit.-gesch., 57.

IV. Epische Dichtung

(398) *Dukus Horant* u. a.
Deutschland (?), 1382/83;
Papier-Hs. (19 x 13,5 cm), 42 Blatt, im ganzen sehr beschädigt. Die Hs. enthält das Repertoire eines jüdischen Spielmannes, sie zerfällt inhaltlich in acht Abschnitte:

1. fol. 1r–2r: Fragment eines Gedichtes über Moses (?), als Schreiber (Verf. ?), nennt sich »Jizhak der Schreiber«;
2. fol. 2r–6v: Gedicht, das das Paradies beschreibt, als Schreiber (Verf. ?) nennt sich »Jizhak der Schreiber«;
3. fol. 6v–17r: Gedicht über die Jugend Abrahams, als Schreiber (Verf. ?) nennt sich »Jizhak der Schreiber«;
4. fol. 17v–18v: Gedicht über Josef und Potifars Frau;
5. fol. 19r–19v: Gedicht über einen sterbenden Löwen (Löwenfabel), als Schreiber (Verf. ?) nennt sich »der Schreiber Abraham«; am Ende Kolophon mit Datum: 9. November 1382.
6. fol. 20r: Leere Seite;
7. fol. 20v: Liste der Wochenabschnitte des Pentateuchs in hebräischer Sprache und ein hebräisch-jüdisch-deutsches Glossar der Namen der Steine im Brustbild des Hohenpriesters; am Ende der Pentateuchabschnitte Datum: 1382/83.
8. fol. 21r–42v: Dukus Horant, ein Gedicht über eine Brautwerbung, dessen Schluß fehlt.

Universitätsbibliothek Cambridge: T-S. 10. K. 22. — Hakkarainen, Codex Cambridge, 16—19.

(399) *kinig artus hauf.*
Venedig, 16. Jh.;
Papier-Hs. (18 x 13 cm), 85 Blatt, das erste Blatt fehlt. Gereimte Bearbeitung des Ritterromans »Wigalois« (1204–1210) des Wirnt von Grafenberg.
Kopie einer älteren Vorlage des 14. Jhs. durch: Scheftil von Kojetin (Mähren).
Trinity College Library, Cambridge: Loewe no. 135 (= Hs. Cambridge Add. 135 d). — Weinreich Nr. 3; Erik, Lit.-gesch., S. 107.

(400) *kinig artus hauf.*
Gereimte Bearbeitung des Ritterromans »Wigalois« (1204–1210) des Wirnt von

Grafenberg. Kopie einer älteren Vorlage des 14. Jhs. Enthalten in der Hs. Hamburg 289 vom Anfang des 16. Jhs.; die Hs. ist nur im Fragment erhalten.
Erik, Lit.-gesch., S. 107.

(401) *kinig artus hauf.*
Gereimte Bearbeitung des Ritterromans »Wigalois« (1204–1210) des Wirnt von Grafenberg. Kopie einer älteren Vorlage des 14. Jhs. Enthalten in der Hs. Hamburg 255 vom Ende des 16. Jhs.; die Hs. ist nur im Fragment erhalten.
Erik, Lit.-gesch., S. 107.

(402) *sefer schmuel* (Schmuel-Buch).
Gereimte Bearbeitung der Lebensgeschichte Davids nach dem ursprünglich einteiligen biblischen Samuelbuch durch:
Mosche Esrim Wearba;
Augsburg 1544, Chajim bar David (Schwartz) ?, 4°; Krakau 1578, 4°; Krakau 1585, Isaak ben Ahron Proßnitz, 4°; Krakau 1593, 4°; Prag 1609, Jakob ben Gerson Bak, 4°; Basel 1612, Konrad Waldkirch, 4°, 71 S.
Wolf, BH I, 920, Nr. 1724; II, 456; IV, 200; – Fürst, II, 377; Leitzmann, Bibelübers., 245; Ser. Nr. 427 (Erg.); Steinschneider, Cat. Bodl., no. 742; S. A. Wolf, Jd. Wb., 37 f.

(403) *sefer schmuel.*
Deutschland, Anfang 16. Jh.;
Papier-Hs. 21 x 16 cm), 213 u. 3 Vorsatzbll.
Die defekte Hs. enthält das gereimte »Schmuelbuch« des Mosche Esrim Wearba aus der Hand des Schreibers Sanwel.
Nationalbibliothek, Paris: Ms. hébr. 92 (= Hs. Paris 92).
Munk-Zotenberg, Cat. no. 448; Ser. Nr. 427 A (Erg.); Schmuelbuch, ed. Fuks, I, 14–16.

(404) *sefer schmuel.*
Deutschland, Anfang 16. Jh.;
Papier-Hs. (22,5 x 16,5 cm), 164 Blatt.
Die Hs. aus dem Nachlaß Wolfs (s. BH IV, 201) enthält das gereimte »Schmuelbuch« des Mosche Esrim Wearba aus der Hand des Schreibers Liwa von Regensburg.
Staats- u. Universitätsbibliothek, Hamburg: Cod. Ms. hebr. Hamb. 313 (= Hs. Hamburg 313).
Ser. Nr. 427 B (Erg.); Schmuelbuch, ed. Fuks, I. 16–18.

(405) *sefer schmuel.*
Hs. in 4°, früher im Besitz des Rabbiners Nathan Porges in Leipzig, jetzt verschollen, enthält fragmentarisch Strophen des Schmuelbuchs des Mosche Esrim Wearba auf 4 Blatt, geschrieben im 16. Jh.
Schmuelbuch, ed. Fuks, I, 18–19.

(406) *sefer schmuel.*
Handschriftliche Kopie des Schmuelbuchs des Mosche Esrim Wearba, beendet am Donnerstag, d. 16. Ab 1658 im niederländischen Groenlo; Schreiber: Jakob Jehuda Levi.

Ser. Nr. 427.

(407) *sefer melochim* (Buch der Könige).
Gereimte Bearbeitung des biblischen Buches in der Art des »Schmuelbuchs«;
Augsburg 1543, Chajim dar David (Schwartz) ?, 4°;
Krakau 1582, 4°; Prag 1607, 4°.
Ser. Nr. 427 A (Erg., wo Ed. Krakau 1578, 4°); Schmuelbuch, ed. Fuks, I, 27–30.

(408) *sefer melochim.*
Deutschland, letztes Viertel 16. Jh.;
Papier-Hs. (20 x 14,5 cm), 123 Blatt.
Handschriftliche Kopie des gereimten »Melochimbuchs« durch:
Jehuda, Sohn des Märtyrers Rabbi Meir Stengeln.
Bibliotheca Rosenthaliana, Amsterdam: Sign. Hs. Ros. 176.
Schmuelbuch, ed. Fuks, I, 25–27.

(409) *Josua.*
Gereimte Bearbeitung des biblischen Buches in der Art des »Schmuelbuchs« enthalten fol. 129v–155r des Cod. de Rossi 2513 (= Cod. de Rossi polon. 1, klein 4°) der Königlichen Bibliothek zu Parma. Der Schreiber Mosche ben Mordechai beendete seine Arbeit im Jahre 1510/11 in Mantua.
Parma, Cod. de Rossi 2513 (= Cod. de Rossi polon. 1, klein 4°).
Ser. Nr. 426 b (Erg.); Schmuelbuch, ed. Fuks, I, 12.

(410) *Josua.*
Gereimte Bearbeitung des biblischen Buches in der Art des »Schmuelbuchs«;
Krakau 1588 oder 1594.
Ser. Nr. 426 b (Erg.); Steinschneider, Cat. Bodl., 183, no. 1233.

(411) *Richter.*
Gereimte Bearbeitung des biblischen Buches in der Art des »Schmuelbuchs« enthalten fol. 155v–208v des Cod. de Rossi 2513 (= Cod. de Rossi, polon. 1, klein 4°) der Königlichen Bibliothek zu Parma. Der Schreiber Mosche ben Mordechai beendete seine Arbeit im Jahre 1510/11 in Mantua.
Parma, Cod. de Rossi 2513 (= Cod. de Rossi polon. 1, klein 4°).
Ser. Nr. 426 c (Erg.); Schmuelbuch, ed. Fuks, I, 12.

(412) *Richter.*
Die gereimte Bearbeitung des biblischen Buches in der Art des »Schmuelbuchs«;
Mantua 1546.
Schmuelbuch, ed. Fuks, I, 12.

(413) *Daniel.*
Gereimte Bearbeitung des biblischen Buches in der Art des »Schmuelbuches« enthält Hs. Oppenh. 1261, 4° (Oxford) vom Jahre 1566.
Ser. Nr. 432.

(414) *Daniel.*
Gereimte Bearbeitung des biblischen Buches in der Art des »Schmuelbuches«;
Basel 1557, Jakob Kündig; Krakau 1588; Prag 1609; Prag 1673; Prag o. J. (1675 ?); Altona 1730.
Wolf, BH IV, 204; Ser. Nr. 373; Nr. 432.

(415) *Jona.*
Gereimte Bearbeitung des biblischen Buches in der Art des »Schmuelbuchs«; – Prag o. J., Enkel Mose Bak, 8°; Prag o. J., Söhne Juda Bak, 8°; Offenbach 1715, 8°.
Ser. Nr. 359.

(416) *Jona.*
Die gereimte Bearbeitung des biblischen Buches in der Art des»Schmuel-Buches« enthält der Cod. de Rossi 2513 (= Cod. de Rossi polon. 1, klein 4°) der Königl. Bibliothek zu Parma im Anschluß an das Buch der Richter (fol. 208r ff.). Die Hs. wurde 1510/11 in Mantua beendet; Schreiber: Mosche ben Mordechai).
Parma, Cod. de Rossi 2513 (= Cod. de Rossi polon. 1, klein 4°). Ser. Nr. 428 b (Erg.).

(417) *Hiob.*
Das biblische Buch, bearbeitet in der Art des »Schmuel-Buches«; o. O. u. J., 8°.
Ser. Nr. 368.

(418) *Esther.*
Gereimte Paraphrase des biblischen Esther-Stoffs, enthalten in der Hs. Oppenh. 111, fol., die Jussuf ben Jekub unter Benutzung einer älteren Kopie des Eisik Schreiber am Freitag, d. 28. Adar I 304 (= 1544) beendete. Das Esther-Gedicht folgt in der Hs. auf die Pentateuchbearbeitung (Nr. 50).
Ser. Nr. 434 A.

(419) *Esther.*
Hs. München 347, Bl. 86–109, enthält die gereimte Bearbeitung des Esther-Stoffes. Die Hs. stammt aus der ersten Hälfte des 16. Jhs.
Ser. Nr. 434 C.

(420) *Esther.*
Hs. Hamburg 34 enthält die gereimte Bearbeitung des Esther-Stoffes. Die Hs. wurde im Jahre 1590 angelegt, als Schreiber nennt sich ein gewisser Koppelmann (identisch mit dem Verfasser der *mischle schualim,* s. Nr. 475).
Steinschneider, Kat. Hamburg, Nr. 34.

(421) *Esther.*
Cod. Uffenbach 82 (Hamburg) enthält auf 101 Blatt in 4° die gereimte Bearbeitung des Esther-Stoffes. Die im Anfang unvollständige Hs. wurde am 2. Tammus 391 (= 1631) in Goslar (?) beendet, als Schreiber nennt sich am Schluß Abraham ben Mordechai Kohen aus dem Orte »Großen Engels«.
Ser. Nr. 434 B.

(422) *midrasch wajoscha.*
Die jüdisch-deutsche, gereimte Bearbeitung des nach dem Anfangswort »wajoscha« benannten Midrasch über Exod. 14, 30 ff.;
Prag o. J. (vor 1687), 4°; Prag o. J., 8°.
Wolf, BH II, 1329, Nr. 336; Ser. Nr. 140.

V. Dramatische Dichtung

(423) *Ahasverus-Spiel.*

Hs. Leipzig 35 a enthält auf 13 Bl. in 4° »ein schön neu purim schpil neu vorgestellt, wie es is gegangen in achasch-werosch zeiten« in gereimter Fassung, die Johann Jacob Christian Löber alias Mose Kohen 1697 für Wagenseil aus älteren Vorlagen kopierte.

Ser. Nr. 417.

(424) *Ahasverus-Spiel.*
»achaschwerosch-schpil/ein schen nei achaschwerosch-schpil [...] mit hipsche schene klaglidern den reim nach geschtelt [...]«;
Frankfurt a. M. 1708, 8°.

Wolf, BH III, 1175, Nr. 46 b; Ser. Nr. 11 a; S. A. Wolf, Jd. Wb., 59 ff.

(425) *Ahasverus-Spiel.*
(»Akta Esther mit Achaschwerosch, welche die Studirenden in Prag vor dem Fürsten auf der Bühne, die man Tariatrum nennt, aufführten);
Prag 1720, 8°.

Wolf, BH III, 1175, Nr. 46 b; III, 1177, Nr. 64 c; Ser. Nr. 17.

(426) *Ahasverus-Spiel.*
Hs. Berlin Or. 4°, 310 vom Jahre 1787 enthält im zweiten Teil ein *Achaschwerosch-Schpil.*

Enc. Jud. II, 442.

(427) *Goliath-Spiel.*
(Akziohn von König David und Goliath, dem Philister);
Hanau o. J., 8°.

Wolf, BH III, 1177, Nr. 65 b; Ser. Nr. 18.

(428) *mechirat josef* (Verkauf Josefs).
Verf.: Bärmann aus Limburg; Hrsg.: Löw Ginzburg;
Frankfurt a. M. o. J. (1713); 8°; Frankfurt a. M. o. J., Johann Koelner, 8°

Wolf, BH III, 158, Nr. 413 c; II, 1352, Nr. 361; Ser. Nr.

(429) *Lustspiel.*
Amsterdamer Hs. (23 Bll.) vom Jahre 1726 enthält ein von Isaak Behrens verfaßtes Lustspiel.

Roest. II, 1170, Nr. 4.

(430) *reb henoch oder was thut me demit.*
Komödie in fünf Aufzügen von Isaak Euchel (geb.: 1758 in Kopenhagen, gest.: 1804 in Berlin).
Deutschland, um 1800;
Papier-Hs. (20,2 × 18,5 cm), 40 Blatt.
Hs. Breslau 46.

LuW, Jd. Hss., Nr. 4. Reisen, Archiv I, 86 ff.

(431) *reb henoch oder was thut me demit.*
Deutschland, um 1800;
Papier-Hs. (19,3 × 31,7 cm), 11 Blatt.
Jüdisch-deutsche und hochdeutsche Fassung in hebr. Schrift.
Kopenhagen. Det Kongelige Bibliothek, Inv. Nr.: Cod. Sim.

Mon Jud D 103.

VI. Volkstümlicher Lesestoff

1. Volksmedizinisches Schrifttum

(432) *Fragment.*
Deutschland, 1396/97;
Pergament-Hs. (30 x 22 cm), 2 Blatt.
Handelt von allen Kräften des Aderlassens und der Adern nach den Schriften der Ärzte.
Historisches Archiv, Köln: W 332 (vormals Sign. Hebr. 4).
L. Dünner, in: ZHB 8/1904, 113–114 (wo als Entstehungsjahr 1363–64 angegeben wird); S. Birnbaum, in: Teuthonista 8/1932, 197–207 (hat 1396–97 laut Kolophon). Jüd. Lex. III, 1156; Mon Jud B 117.

(433) *sefer ha-sufrat* (Buch des Gelehrten).
Cod. Wien 153, Folio enthält auf Blatt 88 b und 89 a einen jüdisch-deutschen Text (6 Zeilen im unteren Rand, 5 Zeilen quer am linken Rand) mit einer Segensformel für Gebärmutterkrankheit. Es läßt sich nicht feststellen, zu welcher Zeit diese Formel von anderer Hand geschrieben worden ist, möglicherweise kommt noch das 14. Jh. in Betracht.
A. Müller, in ZDAL 19/1876 473–478.

(434) *Rezepte.*
Cod. Vaticanus 45 (Rom), Papierhandschrift in Folio, enthält jüdisch-deutsche Rezepte (z. B. fol. 95 v). Die Hs. ist nicht datiert, sie dürfte aus dem 15 Jh. stammen.
Berliner, Ges. Schr. I, 88.

(435) *Rezeptbuch.*
Mestre (Italien), 1474;
Papier-Hs. (20,5 x 14 cm), 156 Blatt, im ganzen sehr beschädigt. Der Hauptteil der Hs. enthielt ursprünglich 1248 Rezepte und Bewirkungsverfahren, es fehlen die ersten 260 Rezepte, Beginn mit Nr. 261; später folgen einige Ergänzungen. Die Hs. wurde für R. Seligmann Nürnberk geschrieben (Kolophon auf Bl. 150 b); als Schreiber kommt möglicherweise die Frau Mose Meschullam s. A. (jedoch von späterer Hand gelöscht!) in Betracht, die die Hs. am Neumond Adar 1474 in »Meistre im Haus des intelligenten und klugen Mose, Sohn des R. S(alman) aus Ulma« beendete.
Württembergische Landesbibliothek, Stuttgart: Inv. Nr.: H. B. XI. Phys. med. math. 17.
Mon Jud D 140.

(436) *sefer ha-refuot* (Heilmittel-Buch).
Oxforder Hs. (Neub./Cowl. II, no. 2784) enthält Heilmittelbuch vom Jahre 1494, geschrieben vom »Medizinmann« Immanuel aus Saloniki (oder Salnik?).
Enc. Jud. IX, 128.

(437) *sefer ha-refuot.*
Deutschland, 1508;
Papier-Hs. (22 x 14,5 cm), 114 Blatt, im ganzen sehr beschädigt. Jüdisch-deutsches Rezeptbuch mit ursprünglich 506 Rezepten (es fehlen die Nr. 1–10), bis Nr. 411 (Bl. 95 b) Kopie, die am 22. Tammus 1508 beendet worden ist.
Württembergische Landesbiblio-
Mon Jud D 139.

thek, Stuttgart: Inv. Nr.: H.
B. XI. Phys. med. math. 18.

(438) *Spiegel der Arzenei.*
Das bekannte Werk des Laurentius Fries in jüdisch-deutscher Fassung enthält die Hs. Oppenh. 1648, 4° (Oxford), 428 Blatt, geschrieben von Mose ben Jakob im Jahre 1583.
Ser. Nr. 422.

(439) *jediat jedajim.*
Anleitung zur Chiromanthie und Metoposcopie, nach Wolf, BH IV, 1046, Nr. 258 b aus dem Lateinischen ins Jüdisch-Deutsche übertragen, enthält eine Hs. in 4°.
Wolf, BH IV, 1046, Nr. 258 b; Ser. Nr. 403.

(440) *mazzil nefaschot* (Seelenretter).
Heilmittelbüchlein für dringende Fälle, insbes. bei Kindern;
Verf.: Juda Isaak Darschan ben Jakob David Zausmer aus Chentschin (oder Hentschin in Polen);
Amsterdam 1651, Juda ben Mordechai, 4°, 8 S.
Wolf, BH II, 1366, Nr. 430; IV, 833, Nr. 732; Fürst, BJ I, 385; – Ser. Nr. 204.

(441) *jeruschat moscheh* (Erbteil Mosis).
Arznei- und Rezeptbuch;
Verf.: Moses Kalisch ben Benjamin Wolf Mesritz (Arzt in Kalisch);
Frankfurt a. M. 1677, 4°, 28 Bll.
Wolf, BH I, 889, Nr. 1640; III, 744, Nr. 1529 c (2); Fürst, BJ II, 164; – Ser. Nr. 93 (wo Ed. Wilhermsdorf 1677, 8°); – TJE VII, 420 u. 423.

(442) *jarum moscheh* (Es erhebt Moses).
Arznei- und Rezeptbuch;
Verf.: Moses Kalisch ben Benjamin Wolf Mesritz;
Amsterdam 1679, 4°, 16 Bll.
Wolf, BH I, 889, Nr. 1640; III, 744, Nr. 1529 c (1); Ser. Nr. 92 (wo Ed. Dyhernfurth 1679, 4° und Ed. o. O. 1710, 4°); – TJE VII, 420 u. 423.

(443) *beer majim chajim* (Brunnen des lebendigen Wassers).
Jüdisch-deutsche Schrift über Heilkunde und Heilmittel nach den Aphorismen des Hippokrates; 2 Tle., wovon der zweite in Hebräisch verfaßt worden ist;
Verf.: Issachar Bär ben Jehuda Löw Teller (aus Prag);
Prag o. J. (Ende 17. Jh.), 8°.
Wolf, BH I, 714, Nr. 1327; III, 637, Nr. 1327; Fürst, BJ III, 413; Ser. Nr. 21.

(444) *segullot u-refuot* (Heilmittel und Arzneien).
Aus medizinischen und kabbalistischen Schriften zusammengetragen von: Issachar Bär ben Jehuda Löw Teller (aus Prag);
Prag 1694, 8°.
Wolf, BH II, 1377, Nr. 477; Ser. Nr. 219.

(445) *segullot u-refuot.*

U. a. aus der gleichnamigen Schrift des Issachar Bär geschöpft;
Verf.: Zebi Hirsch ben Jerachmiel Chotsch (aus Krakau);
Amsterdam 1703, 8°.
Wolf, BH II, 1377, Nr. 477; Ser. Nr. 221; Nr. 421.

(446) *segullot u-refuot.*
Jüdisch-deutsche Heilmittellehre von: Mordechai Gimpel ben Elasar Hendels (aus Zülz i. Oberschlesien); beigedruckt dem ritualethischen Werk *messammeche leb* (Das Herz erfreuend) seines Vaters Lazarus Hindeles;
Amsterdam 1718, 8°, 24 Bl.
Wolf, BH III, 711, Nr. 1471 b; Fürst, BJ I, 394; II, 324; Ser. Nr. 220.

(447) *sefer ha-refuot.*
Amsterdam o. J., 8°.
Ser. Nr. 278.

(448) *kunstbichl und weiberhilf.*
Populäre Heilmittellehre für Frauen;
Amsterdam o. J., 8°.
Wolf, BH IV, 1058, Nr. 635 b; Ser. Nr. 260.

(449) *Rezepte.*
Hs. Hamburg 232 vom Anfang des 19. Jhs. enthält jüdisch-deutsche Rezepte.
Hb. Rep. I, 57.

2. *Jüdisch-deutsche »Volksbücher«*

(450) *eine wonderbahre geschichte fon eilenspigel.*
Breslau, gedrukt in disem jahr, wo das bier teier wahr, 8°, 8 Bl.
Ser. Nr. 388; Ave-Lallemant III, 485–486.

(451) *wonderbahre geschichte fon eilenspigel.*
Hs. München 100 enthält auf Bl. 134–191 die Geschichte von Eulenspiegel. Als Schreiber nennt sich am Schluß Benjamin ben Josef Rofe (des Arztes) ges. Andenkens von der Familie Merks, der am Mittwoch, dem 3. Marcheschwan 361 (= 11. Oktober 1600) die Abschrift zu Tannhausen beendete.
Ser. Nr. 388.

(452) *Eulenspiegel, allerhand kurzweilige Begebenheiten und Historia's.*
o. O. u. J. (Frankfurt a. M. 18. Jh. ?), 8°.
Wolf, BH II, 1255, Nr. 27; III, 86, Nr. 214 b; Ser. Nr. 10; – Steinschn., Cat. Bodl., 518, no. 3389.

(453) *schildburger selzame un' kurzweilige geschichte.*
Amsterdam o. J., 8°; Amsterdam 1727; Offenbach 1777; Fürth 1798.
Wolf, BH IV, 1060, Nr. 681 b; Ser. Nr. 288; Steinschneider, Cat. Bodl., 644. Avé-Lallemant III, 477–484.

(454) *sigenot.*
Krakau 1597, Isaak Proßnitz, 4°, 22 Bl.
Heitz/Ritter, 177.

(455) *siben weise meinster.*
wie bontionis der kaiser zu rom sein son die lorleins, den siben weise meinster bevielt die siben freien kunst zu lernen, un' wie die selbig her noch durch untreie seiner stief mutter siben molt zum galgen gefurd aber all wegen [...]
enthalten in der Hs. München 100, Bl. 90–117 b, geschrieben Ende des Jahres 1600.
Ser. Nr. 399.

(456) *siben weise meinster.*
Hg. von Jakob ben Abraham Mesritz;
Basel 1602.
Erik, Lit.-gesch., 215.

(457) *siben weise meinster fon rom.*
Mit gereimtem Vorwort und Nachwort, wahrscheinlich aus dem Niederländischen ins Jüdisch-Deutsche übertragen von:
Jakob ben Meir Maarsen;
Amsterdam 1663, 8°; Amsterdam 1677, 8°, 55 S.; Berlin 1707, 8°, 30 S.; Offenbach 1714, Seligmann Reis, 8°, Frankfurt a. M., Koelner, 8°, 28 Bll.
Wolf, BH II, 1297, Nr. 185; III, 1185, Nr. 180; IV, 1045, Nr. 184. Ser. Nr. 59.

(458) *kisar oktafianus.*
Ins Jüdisch-Deutsche übertragen von Abraham ben Abi Esri Selig (aus Glogau);
Homburg v. d. H. 1730, 8°.
Wolf, BH IV, 754, Nr. 45 b; Fürst BJ I, 11; Ser. Nr. 266 b; Steinschneider, Cat. Bodl., 664, Nr. 4173.

(459) *ein schön lied von ein ritter aus provinzian-land, sigmund ist sein namen genant, und magdalena, tochter des königs von england.*
Fürth, Josef Schneior, 8°; Prag o. J. (nach 1704), 8°.
Ser. Nr. 109; Steinschneider, Cat. Bodl., 566, no. 3655, no. 3656.

(460) *historie von ritter siegmund und magdalena.*
Aus dem Deutschen übertragen und in Reime gefaßt;
Offenbach 1714, 8°.
Wolf, BH II, 1364, Nr. 417; Ser. Nr. 51; Steinschneider, Cat. Bodl., 566, no. 3657.

(461) *maglena lid.*
Beginnt: »es war ein melech in spanienland [...]«;
o. O. u. J., 8°, 4 Bl.
Ser. Nr. 130; Steinschneider, Cat. Bodl., 566, Nr. 3658.

(462) *maasse floris un' plankfler.*
Aus dem »Lateinischen« (i. e. Christlichen) übertragen;
o. O. u. J., 8°. Wolf, BH II, 1320, Nr. 288, hat Ed. Offenbach 1714, 8°, 12 S. unter dem Titel *libschaft fon floris un' plankfler.*
Wolf, BH II, 1320, Nr. 288; Ser. Nr. 175; Steinschneider, Cat. Bodl., 617, no. 3923.

(463) *Fortunatus mit seinem Säckel und Wünschhütlein.*
Frankfurt a. M. 1699, 8°.
Ser. Nr. 189 (wo 1696!); Steinschneider, Cat. Bodl., 617, no. 3924.

(464) *ein schen maasse fon kenig artis hof.*
Die Geschichte vom *riter widuwilt* aus einer fremden Sprache deutsch (i. e. jüdisch-deutsch) in Reimen, eine schöne Erzählung von einem Könige und einem Helden, der viele Riesen umbrachte;
Amsterdam 1683, 8°; Hanau 1710, 8°; Wilhermsdorf 1718, 8°; Fürth 1786, 4°.
Wolf, BH I, 211; II, 1364, Nr. 416; Ser. Nr. 266; Nr. 420 (Erg.).

(465) *di getreie parisrin.*
Offenbach 1721, 8°.
Wolf, BH IV, 1042, Nr. 113; Ser. Nr. 39.

(466) *Historie,*
hört ihr lieben leut, lest disus buch, wert daraus gescheut, nehmt ab den mussar un' strafsachen [...]
Prag 1762, Samuel Falkeles, 8°.
Ser. Nr. 401.

(467) *ben ha-melech we-ha-nasir* (Prinz und Derwisch).
Hs. München 355 enthält die jüdisch-deutsche Fassung des hebräischen Originals (d. princ. Konstantinopel 1518) von Abraham Ibn Chasdai ben Samuel ha-Levi (lebte um 1230 in Barcelona) fragmentarisch (Ende 9., Anfang 10 Kap.) als eines von acht abgehängten, losen Blättern. Das Fragment stammt aus dem 16. Jh., was durch die einheitliche Schreibweise belegt wird.
Ser. Nr. 393.

(468) *ben ha-melech we-ha-nasir.*
Hebräisch mit jüdisch-deutscher Übersetzung;
Frankfurt a. O. 1766.
TJE II, 536.

(469) *ben ha-melech we-ha-nasir.*
Fürth 1783, Isaak ben Loeb in der Alexandergasse, 8°, 101 Bll. (die Setzer waren Hirsch ben Mose Österreich Levi, Matatja ben Loeb Gutmann und Henoch ben Isaak Buchbinder).
Ser. Nr. 393.

3. *Rätsel-, Los- und Traumbücher*

(470) *Rätsel.*
Cod. Uffenbach 90 enthält »schöne geistliche auserlesene und sinnreiche rezl stüklein aus gots wort gezogen«.

(471) *pitron chalomot* (Auslegung der Träume).
Jüdisch-deutsche Fassung des dem Haja ben Scherira zugeschriebenen hebräischen Originals durch: Hirz Osers;
Amsterdam 1694, Moses ben Abraham Abinu; Dyhernfurth 1695, Sabbatai Bass; Frankfurt a. M. 1725, 12°.
Wolf, BH II, 1413, Nr. 611; III, 227, Nr. 541 (5); Wolf, BH III, 184, Nr. 489 b; III, 234, Nr. 555 c; vgl. III, 1027, Nr. 1960. Fürst, BJ I, 357; Ser. Nr. 243.

(472) *sefer ha-goral* (Buch des Moses).
Schicksalsbestimmung der Menschen durch das Lösen von Knoten, hrsg. vom Jüngling Pheibel (Phöbus) ben Löw Präger;
Amsterdam 1713, 24°.
Wolf, BH II, 1274, Nr. 111; Ser. Nr. 37.

(473) *chida* (Rätsel).
Hebräisch und jüdisch-deutsch;
Wilhermsdorf 1719.
Wolf, BH, Ser. Nr. 66.

VII. Fabeln und Erzählungen

1. Fabeln

(474) *Ku-Buch.*
Gereimte Fabelsammlung, die Abraham ben Mattathias zusammengestellt hat;
Bern (Verona) 1555, 4°.
Wolf, BH I, 91, Nr. 121; Fürst, BJ I, 9; Karpeles, GJL II, 1021; Ser. Nr. 212; Steinschneider, Cat. Bodl., 701, no. 4270; TJE I, 115.

(475) *sefer mischle schualim* (Fuchsfabeln).
Hebräisches Original des Berechja ben Nitronai Krespia ha-Nakdan, ins Jüdisch-Deutsche übertragen von Jakob ben Samuel Bunem Koppelmann (geb.: Brzesć in Kujawien 1555, gest.: 1598);
Freiburg i. Br. (oder Breisach?) 1588, Israel Sifroni, 8°.
Wolf, BH IV, 800, Nr. 435; IV, 870, Nr. 1099; Fürst, BJ II, 203, 210; III, 322; Ser. Nr. 213; TJE VII, 556; S. A. Wolf, Jd. Wb., 47 f.

(476) *sefer meschalim* (Buch der Gleichnisse).
Ebenfalls *Ku-Buch* genannt; illustriertes Fabelbuch, zusammengestellt von Moses ben Elieser Wallich (geb.: Worms vor 1678, gest.: Frankfurt a. M. 1739);
Frankfurt a. M. 1697, Johann Wust, 4°, 58 Bll. (mit Holzschnitten).
Wolf, BH II, 1369, Nr. 448; III, 617, Nr. 1274; III, 751, Nr. 1544 c; – Fürst, BJ II, 210; III, 196, 492; – Ser. Nr. 212; TJE XII.

(477) *meschal ha-kadmoni* (Altes Gleichnis).
Hebräische Fabelsammlung des Isaak ben Salomon Ibn Abi Sahula, ins Jüdisch-Deutsche übertragen von Gerson Wiener;
Frankfurt a. O. 1749, 8°, 129 S.
Wolf, BH III, 617, Nr. 1274; Fürst, BJ III, 196; Krapeles, GJL II, 714; Ser. Nr. 211; TJE X, 636.

2. Frühe Erzählungen

(478) *ben ha-melech we-ha-nasir.*
Hs. München 355 enthält die orientalische Novelle vom Prinzen und Derwisch in

jüdisch-deutscher Fassung auf dem ersten von 8 losen Blättern, die den folgenden 96 gebundenen Blättern vorgestellt sind.

Ser. Nr. 393.

(479) *Buch der alten Weisen* (kalila we-dimma).

Hs. München 355 enthält die ersten vier Kapitel der Liebesgeschichte von Kalila und Dimna in einer einfachen Umschreibung der deutschen Bearbeitung der *kalila we-dimma* des Grafen Eberhard, die in einer undatierten Inkunabel vorliegt (sie selbst geht wiederum auf eine lateinische Bearbeitung des hebräischen Originals durch den getauften Juden Johann von Capua zurück). Die sich an das *ben ha-melech we-ha-nasir*-Fragment (Nr. 478) anschließenden sieben losen Blätter bilden den Anfang der Geschichte, das zweite Kapitel endet auf Bl. 54, das dritte auf Blatt 88 b. Die Orthographie ist noch schwankend, so daß die Hs. aus dem 16. Jh. datieren kann.

Ser. Nr. 392.

(480) *maasse beria we-simra.*

Hs. München 100 enthält von Bl. 67 bis 73 »maasse is geschen: eine hiß beria un' einer hiß simra. einer hiß hurkaneß der am naessen (= nächsten) bei dem melech (= König) war un' war gar wol gehaltn unter die jehudim un' ein fuirst unter die folk«. Als Schreiber nennt sich zum Schluß Jizhak bar Jehuda s. l. Reutlingen, der die »maasse« im Jahre 1580 niedergeschrieben hat.

Ser. Nr. 412.

(481) *Sammelband.*

Hs. Oppenh. 1706, 4° enthält auf 83 Blatt 11 Erzählungen:

1) »es war ein malt ein reicher socher (= Kaufmann«;
2) Bl. 9: »ein maasse. man sogt es sei an maul (= einmal) gewese ein kaustlicher raw im land uz«;
3) Bl. 18 b: »maasse fun einen juda, der wandert iber feld«;
4) Bl. 19 b: »ein maasse geschach an rabbi pinchas ben jair«;
5) Bl. 20 b: »war ein maasse. rabbi abika hot ein schoen perlin zu farkoufen«;
6) Bl. 21 b: »maasse. es sogt rabbi meir der chosson: es is gewesen in dem jor [...] 121 (= 1361)«;
7) Bl. 35: »daß hot gesogt der grouß her unter die jehudim, der do is worden geheißen serubabel ben schealtiel ...«;
8) »nun wil ich anheben [...] woß sich wert on heben zu kumen maschiach ben david, as wert sein, wenn [...]«;
9) Bl. 41: »doß grouß neß (= Wunder), doß uns geschen is, hot man arausgeschribn aus erez jisrael (Land Israel) [...] 5339 (1579)«;
10) Bl. 54: »(die) gesera aus auschtreich«;
11) Bl. 63 b: »dies bichlein sogt fun der frumen judith, die got al ir tog gefuercht hot [...]«.

Ser. Nr. 410; Nr. 395; Nr. 411 (Nachträge).

(482) *Sammelband.*

Deutschland, 16. Jh.;
Papier-Hs. (21 × 15,4 cm), 31 Blatt.
Bl. 14 a ff.: »maasse me-dansk (Geschichte aus Danzik);
Bl. 23 a ff.: »maasse me-manz« (Geschichte aus Mainz);
Bl. 31 a ff.: »maasse me-wirms« (Geschichte aus Worms).
Trinity College Library Weinreich Nr. 4.
Cambridge: Loewe no. 136.

3. *»Maassioss«*

(483) *Maasse-Buch.*
Sammlung von ursprünglich 300 »maassim«, je nach Ausgabe auf 254 bis 257 gekürzt. Der in der frühesten erhaltenen Edition Basel 1602 genannte Jakob ben Abraham Mesritz ist lediglich der Herausgeber und nicht der Kompilator dieser Sammlung;
Basel 1602, Konrad Waldkirch, 4°; Prag o. J., 4°; Frankfurt a. O. 1665, 4°; Amsterdam 1701,, 4°; Frankfurt a. M. 1703, 4°; Wilhermsdorf 1703, 4°; Frankfurt a. O. 1704, 4°; Dyhernfurth 1706, 4°; Berlin 1709, 4°; Wilhermsdorf o. J., Isaak Gersoni, 4°; Amsterdam 1723, 4° (zusammen mit »Gelilot Erez Jisrael« (s. Nr. 645).
Wolf, BH II, 1360, Nr. 395; IV, 1052, Nr. 395; Ser. Nr. 156; 2. Artikel (27/1866, 1–12); Steinschneider, Cat. Bodl., 613, no. 3901.

(484) *maasse.*
Geschichte eines Frommen, dem der Prophet Elias begegnet und verheißt, daß er sieben gute Jahre haben werde. Zusammen mit den *semirot* des Elieser Liebermann (s. Nr. 317) gedruckt;
Prag 1644, 4°.
Zunz, GL, 301, Nr. 249; Ser. Nr. 174.

(485) *sefer maasse ha-schem* (oder: *sefer maasse adonai*-Geschichte des Herrn).
Eine Sammlung von wunderbaren Gegebenheiten, aus dem Buche *sohar* und anderen kabbalistischen Schriften zusammengestellt von: Simon Akiba Bär ben Josef Henochs (geb.: Wien; 1670 von dort vertrieben, Rabbiner in Zeckendorf bei Bamberg, Schnaitach (Mittelfranken) und Ansbach (Mittelfranken); 2 Teile.
Frankfurt a. M. 1691, 8° (Teil 1); Frankfurt a. O. 1707, 8° (1. Teil); Frankfurt a. M. o. J., 8° (Teil 2); Fürth o. J., Josef ben Salman Schneior, 8° (Teil 2, mit hebräischen Bestandteilen); Frankfurt a M. 1722, 8°, 22 Bll.; Amsterdam 1723, 4° (zusammen mit *maasse nissim der stat wormeisa* – s. Nr. 488); Frankfurt a. M. 1725; Frankfurt a. M. 1732; Frankfurt a. M. 1779.
Wolf, BH II, 1362, Nr. 413; IV, 1052, Nr. 395; Ser. Nr. 158; Nr. 395; TJE I, 304.

(486) *maasse r. meir* [...]
Die in Hs. Oppenh. 1706, 4° unter 6) enthaltene Geschichte, die dem Rabbi Meir ben Isaak (Vorbeter und Synagogendichter, Verfasser des Pfingsthymnus *akdamot* – s. Nr. 220) in den Mund gelegt wird;
Fürth 1694, 8°; Amsterdam 1704, 8°.
Ser. Nr. 164; Nr. 410, VI.

(487) *maasse.*
Geschichte von einem Juden, der in Hamburg eine Hure nahm, dem seine Frau nachreiste und ihn aus Hamburg vertreiben ließ;
Amsterdam 1695, 8°.
Ser. Nr. 172.

(488) *maasse nissim der stat wormeisa* (Wundergeschichten aus Worms).
Sammlung von Wundergeschichten aus der Stadt Worms, gesammelt von Jiftach Josef Juspa ben Naftali Hirz (1604–1678; Schammasch in Worms), ins Jüdisch-Deutsche übertragen und herausgegeben von seinem Sohn Elieser Liebermann ben Jiftach Josef Jospa ben Naftali Hirz (aus der Familie Manzbach);

Amsterdam 1696, klein 8°, 42 Bll. (auf den letzten fünf Seiten *ein nei klaglid fun chorban k"kwrmeisa,* von Saekle ben Liebermann ha-Levi – s. Nr. 354); Frankfurt a. O. 1702, 8°;
Amsterdam 1723, 8° (zusammen mit *sefer maasse ha-schem* – s. Nr. 485); Homburg v. d. H. 1725, 8°; Fürth 1767, 8°.

Wolf, BH III, 112, Nr. 287 c; III, 402, Nr. 898 b; IV, 854, Nr. 898 b; Fürst, BJ II, 248; Ser. Nr. 167; Steinschneider, Cat. Bodl., 960, no. 4994 (1); TJE XII, 564; S. A. Wolf, Jd. Wb., 70 ff.

(489) *maasse ruach.*
Geschichte eines Dämons in Nikolsburg; hebräisches Original von Mose ben Menachem Prag (Fürth 1696); jüdisch-deutsche Übersetzung möglicherweise ebenfalls von ihm;
Amsterdam 1696, 8°.

Ser. Nr. 168.

(490) *maasse ruach.*
Geschichte eines Dämons in Korez;
o. O. u. J., 8°.

Ser. Nr. 169.

(491) *Spanische Heiden und Zigeuner.*
Geschichte einer Zigeunerfrau, die ein Kind stahl; aus einer fremden Sprache ins Hebräische (i. e. Jüdisch-Deutsche) übersetzt von Hendel Elchanan;
o. O. u. J., 8°.

Wolf, BH II, 440, Nr. 728; Ser. Nr. 299.

(492) *ein schön neu taitsch maasse-buch.*
Elf Geschichten, in Jüdisch-Deutsch; verfaßt von: Jonathan ben Jakob (aus Ofen);
Dyhernfurth 1697, 4°, 8 S.

Wolf, BH III, 376, Nr. 846 (2); Fürst, BJ II, 105; Ser. Nr. 157; Steinschneider, Cat. Bodl., 614, no. 3904; Jost, GJ VIII, 287.

(493) *maasse jeschurun.*
Erzählung der wunderbaren Errettung des Isaak Jeschurun zu Ragusa im Jahre 1622 im Zusammenhang mit einer Blutbeschuldigung. Das hebräische Original aus der Feder Ahrons ben David findet sich beigedruckt zu seinem *sekan ahron* (Venedig 1657, Antonio Rizzini, Folio, Bl. 151); jüdisch-deutsche Fassung eines unbekannten Übersetzers;
Wilhermsdorf o. J., 8°; Berlin o. J., Baruch Buchbinder (Baruch Radoner aus Wilna, druckte in Berlin 1708–09, 1712–14, 1717).

Fürst, BJ I, 45; II, 24; II, 194; Ser. Nr. 163; TJE VII, 159.

(494) *maasse beria we-simra.*
Geschichte von Beria und Simra (s. a. Nr. 462);
Prag o. J., Söhne Jakob Bak, 8°; Frankfurt a. O. 1732, 8°.

Zunz, GL, 297; Ser. Nr. 159.

(495) *maasse.*
Geschichte aus Westindien, von einem Manne der ein Idiot war;
Prag o. J. (17. Jh.), 8°.

Ser. Nr. 186 Erik, Lit.-Gesch., 346.

(496) *maasse.*
Geschichte von drei Frauen, welche einen Ring fanden zur Zeit des König Salomos;
o. O. u. J., 8°.
Ser. Nr. 173.

(497) *maasse.*
Geschichte einer Braut und dreier Bräutigame;
o. O. u. J., 8°.
Ser. Nr. 187.

(498) *maasse.*
Geschichte einer Braut in London, Tochter des Rabbi Elieser;
o. O. u. J., 8°.
Ser. Nr. 188.

(499) *maasse.*
Geschichte von einem Mann und einem Weib, von einem persischen König, der eine schwarze Frau hatte; die gereimte Bearbeitung des 6. Beispiels der Kaiserin und des 6. Meisters;
o. O. u. J., 8°.
Ser. Nr. 185; Nr. 399.

(500) *maasse.*
Geschichte von Alexander; die letzte von dem Königsohn vorgetragene Geschichte der sieben weisen Meister;
o. O. u. J., 8°.
Ser. Nr. 181; Nr. 399.

(501) *maasse.*
Geschichte und Lied vom Schornsteinfeger;
o. O. u. J., 8°.
Ser. Nr. 191.

(502) *maasse.*
Geschichte von sieben Gänsen, auch ethisch;
o. O. u. J., 8°.
Ser. Nr. 182.

(503) *schöne artliche geschichten.*
Aus dem Niederländischen (!) übertragen von Josef ben Jakob Maarsen;
Amsterdam 1710, 8°.
Ser. Nr. 194; TJE VIII, 234.

(504) *maasse jeruschalemi.*
Geschichte eines Jerusalemers, welche die Heiligkeit des Eides nachweist. Das hebräische Original geht auf eine Übersetzung aus dem Arabischen durch Abraham Maimoni, dem Sohn des Maimonides, zurück.
o. O. u. J., 8° (Hamburg 1711, 8°?).
Ser. Nr. 162.

(505) *maasse.*

Geschichte eines Reichen, dessen Sohn sich in üble Gesellschaft begibt;
Prag 1713, 8°.
Ser. Nr. 180.

(506) *massim.*
Geschichten, deren 1. Teil sieben Erzählungen enthält, die aus dem Niederländischen übersetzt sind (vgl. Nr. 503);
Amsterdam 1715, 8°.
Wolf, BH II, 1362, Nr. 402; Ser. Nr. 197.

(507) *maasse.*
Geschichte, wie die (spanischen) Scheinchristen nach Amsterdam gekommen sind, gedruckt bei einem Kalender;
Amsterdam 1719, 32°.
Ser. Nr. 190.

(508) *maasse.*
Geschichte von der Jungfrau Rachel in Nemirow (wo 1648 eine große Judenverfolgung stattgefunden hat);
o. O. u. J., 8°.

(509) *maasse ha-gadol* (Große Geschichte).
Über eine Jungfrau, die im polnischen Kriege im Jahre 1706 gefangen worden ist;
Frankfurt a. M. (oder a. O.?) o. J. (nach 1706), 8°.
Wolf, BH II, 1362, Nr. 405; Ser. Nr. 160.

(510) *alerlei g'schichten.*
Aus verschiedenen Schriften gesammelt;
Amsterdam 1723, 4°.
Ser. Nr. 14.

4. Legenden

(511) *petirat mosche* (Tod Mosis).
Hs. Uffenbach 90 (Hamburg) enthält die Legende vom Ableben Mosis.
Wolf, BH II, 1394, Nr. 550; Ser. Nr. 418.

(512) *petirat mirjam.*
Haggadische Erzählung mit dem vollen Titel »Das Ableben der Prophetin Miriam, Ahrons und Mosis« (im Sammelband der Staatsbibliothek, München, Sign. A. Hebr. 4°287) Verfasser, Drucker sowie Druckort und -jahr sind unbekannt, da daß Titelblatt fehlt;
o. O. u. J. (Krakau 16. Jh., Isaak ben Ahron Proßnitz?), 4°.
Ser. Nr. 418; Leitzmann, Bibelübers., 328–333.

(513) *petirat mosche schem olam.*
Gereimte Bearbeitung der Legende vom Tode Mosis (»liber germanicus rhytmicus, quo agitur de morte Mosis ex Midraschim«, lt. Wolf, BH II, 1435, Nr. 692); verfaßt von Ahron ben Samuel;
Frankfurt a. O. 1678, 4°; Frankfurt a. O. 1693, 4°, 20 Bll.
Wolf, BH II, 1394, Nr. 550 (wo Ed. Amsterdam 1693); II, 1435, Nr. 692 (wo Titel »Schem olam«); Fürst, BJ I,

26; Ser. Nr. 237 (wo Ed. Fürth 1693, 8° und kein Verfasser genannt werden); Nr. 418; Steinschneider, Cat. Bodl., 727, no. 4380 (3); TJE I, 20.

(514) *magen abraham* (Schild Abrahams).
Legenden und Wundergeschichten über Abraham; der jüdisch-deutschen Fassung liegt wahrscheinlich die hebräische »Geschichte Abrahams« bzw. die »Sage von Abraham«, welche in einer Sammlung kleinerer Schriften in der Ed. Konstantinopel 1519 vorliegt (vgl. Zunz, Vortr. 130b; 141e; 282c sowie 145);
Lublin 1624, 8°.
Wolf, BH II, 1327, Nr. 328; Ser. Nr. 137.

(515) *maasse malchut bet david* (Geschichte des Reichs des Hauses David).
Hebräisches Original von Isaak ben Abraham Ibn Akrisch;
jüdisch-deutsche Fassung von David ben Josef Töplitz;
2 Teile (Teil 1: Legende von Rabbi Bostanai, die von der Mücke als Vollstrecker göttlicher Strafe berichtet; Teil 2 unter dem besonderen Titel *kol mebasser* = »Eine verkündende Stimme«: Nachricht über die um 1562 freien Juden und die Reste der 10 Stämme);
Amsterdam 1684, 8°; Prag 1705, 8°; Prag o. J. 4° (führt im Titel den Zusatz »zur Zeit der Perser, d. i. Geschichte des Bostanai; hrsg. von Menachem Stummer); Amsterdam o. J., 8°.
Wolf, BH III, 188, Nr. 493e; III, 548, Nr. 1150; Ser. Nr. 165.

(516) *maasse.*
Geschichte vom König Salomo und eine andere von einem Verwandten des Königs Salomo, welcher die Sprachen der Tiere erlernen wollte. (Die zweite Geschichte scheint mit dem aus der Einleitung der »Geschichten aus 1001 Nacht« bekannten Märchen »Ochs und Bauer« identisch zu sein, sie ist auch in *ben ha-melech we-ha-nasir* zu finden.)
Ser. Nr. 667.

(517) *maasse mordechai* [...]
Geschichte von Mordechai und Esther sowie Daniel und Susanne; aus den christlichen Apokryphen ins Jüdisch-Deutsche übertragen;
o. O. u. J., 8°.
Wolf, BH II, 458; Ser. Nr. 166.

(518) *maasse susanna* [...]
Geschichte von Susanna und dem Propheten Daniel, aus den christlichen Apokryphen ins Jüdisch-Deutsche übertragen;
Offenbach 1715, 8°.
Ser. Nr. 171.

(519) *maassim.*
Geschichten über Judith, Tobias und Jehuda Makkabi;
o. O. u. J., 4°.
Ser. Nr. 196.

(520) *maasse.*
Geschichte des Josef, aus dem *sefer ha-jaschar* (s. Zunz, Vortr., 156) gesammelt;
o. O. u. J., 8°.
Ser. Nr. 176.

(521) *maasse.*
Geschichte aus dem Buche *sohar* (Abschnitt »lech lecha«);
o. O. u. J., 8°.
Ser. Nr. 177.

(522) *maasse.*
Geschichte von Isaak Loria sowie Geschichte zweier Männer, die von (Susan) nach (Spet) kamen u. a.;
o. O. u. J., 8°.
Ser. Nr. 179.

(523) *maasse.*
Geschichte, die sich zur Zeit Isaak Lorias (1534–1572) ereignete: von einem Dämon, der in eine Frau gefahren war;
o. O. u. J., 8°.
Ser. Nr. 178.

(524) *maasse.*
Geschichte des Rabbi Adam Baal Schem, eines kabbalistischen Wundertäters, der vor dem Kaiser Proben seines Könnens ablegen mußte;
Amsterdam o. J., 8°; Prag o. J., 8°.
Ser. Nr. 183.

(525) *maasse r. jose.*
Geschichte des Rabbi Jose und seines Sohnes Rabbi Chanina;
Wilhermsdorf o. J., 8°.
Wolf, BH II, 1361, Nr. 397; Ser. Nr. 161.

5. Historische Berichte

(526) *chidduschim* (Neuigkeiten).
Merkwürdige Neuigkeiten von der türkischen Belagerung Wiens im Jahre 1683, mitgeteilt vom Jüngling Meir ben Perez (aus Prag);
Prag 1684, 8°.
Ser. Nr. 65.

(527) *ein schön maasse is geschen, ehe noch jehudim haben zu prag gewont.*
Geschichte der Ankunft der Juden in Prag, hrsg. von Bella bat Bär ben Hiskia ha-Levi Horwitz, gen. Bella Chassan, zusammen mit Rachel bat Nathan Raudnitz, gen. Rachel Porges;
Prag o. J. (Anf. 18. Jh.), 8°.
Wolf, BH II, 1362, nach Nr. 405; III, 157, Nr. 411 b; Fürst, BJ I, 99; Ser. Nr. 184; Steinschneider, Cat. Bodl., 618, no. 3935; TJE VI, 472.

(528) *kuntschaft*
von den Juden in Kochin, mitgeteilt in einem Brief des Moses Pereira de Paiva (Originaltitel »Noticas des Judios de Cochin«, Amsterdam 1687, 4°), ins Jüdisch-Deutsche übertragen;
Amsterdam 1713, 12° o. O. u. J., 8°.

Wolf, BH II, 1387, Nr. 519 (wo eine angeblich zweite Ed. Prag 1688, 8°); Ser. Nr. 259.

(529) *chorban ha-gadol* (Große Zerstörung).
Bericht von der großen Zerstörung in Ungarischbrod (in Mähren); o. O. u. J.
Ser. Nr. 68.

(530) *beschreibung*
des Prager Aufzuges, von den Juden daselbst am Geburtstag Leopolds, Erzherzog und Prinz von Österreich, am 26. Ijjar 1716 veranstaltet zu Ehren des Kaisers; Prag 1716, 4°.
Wolf, BH III, 1179, Nr. 108 b; Ser. Nr. 240 b.

(531) *beschreibung*
des Prager Aufzuges, in einer Hamburger Hs., die nach Wolf, BH III, 401, Nr. 897 d angeblich von Josef Judle angefertigt worden ist.
Wolf, BH III, 401, Nr. 897 d; Ser. Nr. 394.

VIII. Ethisches Schrifttum

1. Frühe Mussarliteratur

(532) *seder mizwot naschim.*
Auch *ein schoen fraun buechlein* genannt;
Vorschriften für Frauen über Nidda (Menstruation), Challa (Teigabhub), Hadlaka (Sabbatlicht) u. ä.; jüdisch-deutsch in Reimen hrsg. von Daniel Adelkind; Venedig 1552, Kornelius Adelkind, 8°.
Ser. Nr. 200 (wo Ed. princ. Venedig 1548, 8°); Nr. 414.

(533) *seder mizwot naschim.*
In einigen Ausgaben (z. B. Dessau 1699, Frankfurt a. M. 1713) auch nur *mizwot naschim* betitelt;
jüdisch-deutsche Bearbeitung von Benjamin Ahron ben Abraham Salnik (geb.: um 1550, gest.: nach 1619; polnischer Talmudist aus Grodno);
Krakau 1577, Isaak ben Ahron Proßnitz, 4°; Krakau 1595, 4°; Basel 1602, 4°; o. O. 1627, 4°; Dessau 1699, 8°; Prag 1705, 4°; Frankfurt a. M. 1713, 4°; Frankfurt a. M. 1719, 8°; Prag o. J., 4°; Fürth 1776; o. O. 1795.
Wolf, BH I, 245, Nr. 387; III, 149, Nr. 387; IV, 797, Nr. 387; Fürst, BJ I, 49; Karpeles, GJL II, 1016; Ser. Nr. 200; Nr. 414; TJE XI, 408.

(534) *seder naschim* (Frauenordnung).
Vorschriften über Nidda, Challa, Hadlaka u. ä. wie im *seder mizwot naschim;* zusammengestellt von Samuel Schmelka ben Chajim Schammesch (aus Prag); Prag 1629, 4°.
Wolf, BH I, 1150, Nr. 2197; III, 1157, Nr. 2197; Ser. Nr. 200.

(535) *seder mizwot naschim.*
Hs. Oppenh. 618 B, 4° enthält die Frauenordnung. Die Hs. ist undatiert, sie stammt wahrscheinlich aus dem 16. Jh.
Ser. Nr. 414.

(536) *dine naschim.*
Cod. Sorbonne 244 (= Hs. Paris 1312) enthält Vorschriften für die Frauen, in der Art des *seder mizwot naschim* angelegt. Die Hs. ist undatiert, sie stammt vermutlich aus dem 16. Jh.
Ser. Nr. 414; Nr. 414 (Erg.).

(537) *sefer ha-middot* (Buch der Sitten).
Von einem unbekannten Autor verfaßtes Sittenbuch, das die 28 guten Eigenschaften des Menschen unter Berücksichtigung seiner 5 Sinne behandelt. Das Werk wurde zwischen 1430–60 in Süddeutschland geschrieben, doch liegen erst spätere Ausgaben des 16. Jhs. vor, deren Ed. Princ.:
Isny 1542, 4°.
Ser. Nr. 20; Nr. 404 d (Erg.); Wi/Wü III, 536–537.

(538) *sefer ha-middot.*
Hs. Leipzig 27 aus dem 16. Jh. enthält das Sittenbuch in der Anordnung der Ed. Isny 1542, 4°.
Ser. Nr. 404 d (Erg.).

(539) *sefer ha-middot.*
Hs. Benzian B (in Folio), geschrieben von Jakob Kohen (?) im 16. Jh. (vielleicht 1598) enthält das Sittenbuch in der Anordnung der hebräischen Ausgaben.
Ser. Nr. 404 d (Erg.).

(540) *orchot zadikim* (Pfade der Gerechten).
Hebräisch mit jüdisch-deutscher Übersetzung; das von Salomo Salman ben Moses Rafael London bearbeitete und erweiterte *sefer ha-middot;*
Hanau 1710, 4°; Fürth o. J., 4°; Amsterdam 1735, 4°.
Wolf, BH II, 164; III, 1177; Ser. Nr. 20; S. A. Wolf, Jd. Wb., 65 ff.

(541) *sefer ha-gan* (Buch des Garten).
Weit verbreitetes hebräisches Sittenbuch des Isaak ben Elieser, das nach den sieben Wochentagen angeordnete Vorschriften enthält; in jüdisch-deutscher Fassung beigedruckt der Hohelied-Ausgabe des Isaak Sulkes (s. Nr. 78), mit einem Vorwort von Moses Särtels;
Krakau 1579, Isaak ben Ahron Proßnitz, 4°.
Ser. Nr. 370.

(542) *sefer ha-gan* oder *sefer olam ha-ba* (Buch der künftigen Welt).
Einzeln herausgegeben;
Krakau o. J., 4°; Prag o. J., 4°; Fürth 1692, 4°; Hanau 1718, 4°.
Ser. Nr. 41.

(543) *schaare gan eden* (Pforten des Garten Eden).
Kabbalistische Schrift nach dem hebräischen Original gleichen Titels des Moses Romi (das einen Anspruch des Rabbi Josua ben Levi über das Paradies behandelt);
o. O. u. J., 8°.
Ser. Nr. 298.

(544) *Rosengarten.*

Über die Leiden zur Messiaszeit, vom Zustand der Seele nach dem Tode usw.; Prag 1609, 8°.

Wolf, BH II, 1427, Nr. 653; Zunz, GL, 285; Ser. Nr. 276 (wo Ed. Prag 1569).

(545) *sod ha-neschama* (Geheimnis der Seele).
Jüdisch-deutsche Abhandlung über Grabesfolter, Auferstehung u. ä.;
Basel 1609, Konrad Waldkirch, 4°; Amsterdam 1652 u. 1696, 4°.

Wolf, BH I, 111, Nr. 3; Ser. Nr. 227; Fürst, BJ I, 1.

(546) *jeschuot we-nechamot* (Hilfen und Tröstungen).
Vorbereitung auf die künftige Erlösung, eschatologische Kompilationen aus verschiedenen Schriften, hrsg. von Jakob ben Meschullam, gen. Jakob Bachur, aus Hedernheim;
Hanau 1620, 4°; Fürth 1691, 8°; Amsterdam 1719, 4°.

Wolf, BH II, 1310, Nr. 258 (wo Ed. Amsterdam 1649); Ser. Nr. 94.

(547) *jezirat odom* (Schöpfung des Menschen).
Ethische Lehre über die Schöpfung des Menschen, über sein Leben und seinen Tod, über Lohn und Strafe seiner Taten;

Wolf, BH II, 1309, Nr. 254; Ser. Nr. 90.

(548) *chibbut ha-keber* (Grabesfolter) oder *getlich bichl.*
Eine aus Talmud, Midrasch u. a. Sittenschriften gesammelte Ethik;
o. O. u. J., 8°; Prag o. J., 8°.

Ser. Nr. 64.

(549) *sefer chajje olam* (Buch vom ewigen Leben)
Das Buch handelt von der Vorbereitung auf das Jenseits;
Freiburg i. Br. (oder Breisach?) 1583, Israel Sifroni, 8°, 14 Bll.

Wolf, BH II, 1031, Nr. 214; Ser. Nr. 70; S. A. Wolf, Jd. Wb., 43 ff.

(550) *sam chajjim* (Lebensbalsam).
Sittenbüchlein, hebräisch und jüdisch-deutsch, verfaßt von Abraham Apotheker Aschkenasi (Abraham Heilprun), gedruckt durch die Bemühungen seines Landsmanns Moses ben Sabbatai aus Lokaczy;
Prag 1590, Mordechai ben Gerson Kohen, 4°, 24 S.

Ser. Nr. 229; Steinschneider, Cat. Bodl., 665, no. 4183; TJE II, 22.

(551) *innuj nefesch* (Peinigung der Seele).
Über Tod, Grabesfolter, Peinigung der Seele und Errettung der Seele;
Fürth o. J., 8°; Frankfurt a. M. 1723, 8°.

Wolf, BH II, 1392, Nr. 536; IV, 1055; Ser. Nr. 232.

(552) *chajje odom* (Leben des Menschen).
Zusammen mit dem folgenden *chokmat odom* die bedeutendste Kondifikation seit Josef Caro; verf. von: Abraham ben Jechiel Danzig (geb.: Danzig 1747 oder 1748, gest.: Wilna 12. 9. 1820). Hebräisches Original erstmals Wilna 1810 veröffentlicht; jüdisch-deutsche Übersetzung:
Wilna 1868, Josef Reuben ben Menachem Man Romm, 8°, 168 S.

Fürst, BJ I, 196; TJE IV, 438.

(553) *chokmot odom* (Weisheit des Menschen).
Verf.: Abraham ben Jechiel Danzig; hebr. Original erstmals Wilna 1814 oder 1815 veröffentlicht; jüdisch-deutsche Fassung:
Wilna 1868, Josef Reuben ben Menachem Man Romm, 8°, 80 S. (später meist zusammen mit *chajje odom* gedruckt).
Fürst, BJ I, 196; TJE IV, 438.

2. Sittenspiegel

(554) *sefer brantspigel.*
Verf.: Moses Jeruschalmi, gen. Moses Henochs, aus der Familie Altschul;
Basel 1602, 4° 233 Bll. foliiert und 2 Bll. Inhaltsverzeichnis unfoliiert; Prag 1610, 4°; Hanau 1626, 4°; Frankfurt a. M. 1676, 4°; Frankfurt a. M. 1706, 4°.
Wolf, BH I, 819, Nr. 1544 (wo noch eine Ed. Krakau o. J.); II, 1272, Nr. 107; III, 750, Nr. 1544; Fürst, BJ I, 383; Ser. Nr. 33; Steinschneider, Cat. Bodl., 1823; TJE I, 478; VI, 347.

(555) *mareh mussar* (Zuchtspiegel).
Gleichnisse und ethische Sentenzen aus Talmud u. a., alphabetisch geordnet und in Reime gesetzt; Verf. lt. Ed. Offenbach 1716 (die auf Ed. Frankfurt a. M. 1680 beruht): Seligmann Ulma Günzburg (= Seligmann Ulma ben Moses Simeon, Drucker in Hanau 1610–1616). Ser. Nr. 280 behauptet, daß Seligmann Ulma Günzburg lediglich Vorwort zur Ed. Frankfurt a. M. 1680 geschrieben hat, nicht aber der Verfasser sei!
Hrsg.: Abigdor ben Elieser Lipman Hildesheim; Prag 1610, 4°; Prag 1614, 4°; Lublin 1640, 4°; Frankfurt a. O. 1627 (nur lat. durch Theodor Ebert besorgte Übers.?); Prag 1678, 4°; Frankfurt a. M. 1680, 4°; Offenbach 1716, 8°; Sulzbach 1733, 4°.
Wolf, BH I, 12, Nr. 25; II, 1368, Nr. 438; Ser. Nr. 208; Wi/Wü III, 546–552.

(556) *mareh le-hitkaschschet* d. i. Zierspiegel anzuhängen an die Wand.
Ethische Sentenzen, verfaßt von Elchanan ben Issachar Katz (geb.: Kremsir; Schammesch, Chasan und Sofer in Proßnitz);
Dyhernfurth 1693.
TJE V, 106.

3. Kritische Mussarliteratur

(557) *leb tob* (Gutes Herz).
Originelle jüdisch-deutsche Sittenschrift, verfaßt von:
Isaak ben Eljakim (aus Posen);
Prag 1620, Juda Bak, Folio; Krakau 1641, 4°; Amsterdam 1670, Folio; Wilhermsdorf 1679, Folio; Frankfurt a. M. 1686, Folio; Sulzbach 1701, Folio Sulzbach 1703, Folio; Amsterdam 1703, Folio; Amsterdam 1706, Folio; Frankfurt a. M. (?), Folio; Prag 1709, Folio; Frankfurt a. M. 1712, 4°; Wilhermsdorf 1714, Folio; Sulzbach o. J., Isaak ben Juda Lichtenthaler, Folio; Amsterdam 1723, Josef Dajjan, 4° (zusammen mit *leb chachomim* s. Nr. 565).
Wolf, BH I, 650, Nr. 1168; III, 555, Nr. 1168; Fürst, BJ II, 140; Zunz, GL, 293, Nr. 185; Karpeles, GJL II, 1017; Ser. Nr. 99; Wi/Wü III, 541–542; Roest., 466.

(558) *abkat rochel* (Gewürzkrämer-Staub) oder *taitsche aptek*.
Sittenwerk über Zeichen und Tröstungen zur Zeit des Messias;
verfaßt von: Naftali ben Samuel Pappenheim;
Amsterdam 1652, 12°; Amsterdam 1697, 8°; Offenbach 1655, 8°.
Ser. Nr. 4; Nr. 329; Wolf, BH III, 115, Nr. 295.

(559) *beer scheba* (Sieben Brunnen).
Hs. Oppenh. 956, fol. enthält dieses Sittenbuch in zwei Teilen (deren erster vom Paradies, der zweite von der Hölle handelt); als Verf. nennt sich Issachar Bär Eibschütz (Dajjan in Prag), der diese Schrift für seine Frau Bella bat Jakob Perlhefter um 1670 anfertigte.
Wolf, BH II, 1265, Nr. 74; Ser. Nr. 390.

(560) *darke zion* (Wege Zions).
Ethischer Wegweiser nach Jerusalem, Gebet- und Lehrweise daselbst Pforten genannt (Pforte des Gebets, Pforte des Studiums, Pforte der Erinnerung. Wolf, BH III, 764, Nr. 1581 b nennt Mosche ben Jisrael Naftali aus Prag als Verf.;
Amsterdam 1650, 4°.
Wolf, BH I, 830; II, 1284, Nr. 141; III, 764; Nr. 1581 b; Ser. Nr. 47.

(561) *tikkune teschubah erez ha-zebi* (Verordnungen der Buße des Landes der Herrlichkeit).
Ethisches Werk, aus verschiedenen Schriften gesammelt von:
Löw Arje ben Zachariah (Hoher Rabbi Löw von Prag);
Krakau 1636; Krakau 1666; Amsterdam 1701, 12°; o. O. u. J., 4°; o. O. u. J., 8°; o. O. u. J., 12°.
Wolf, BH II, 1471, Nr. 780; II, 781; – Ser. Nr. 334; TJE VII, 146.

(562) *tarjag mizwot* (613 Gebote) oder *pikku deha-schem jescharim* (Gottes Bestimmungen sind gerecht).
Sammlung der 613 Gebote mit beigefügten Bußregeln der Elasar aus Worms und Isaak Loria jüdisch-deutsch verfaßt von:
Zadok Wahl ben Ascher (aus Polen);
Amsterdam 1690, 8°.
Ser. Nr. 344.

(563) *abir jakob* (Mächtiger Jakob).
Ethisches aus dem Buche »Sohar«, zusammengestellt von:
Simon Akiba Bär ben Josef Henochs (aus Schnaitach);
Sulzbach 1700, 4°; Amsterdam 1717, 8°.
Wolf, BH III, 889, Nr. 1803 (3); IV, 948, Nr. 1803; Fürst, BJ I, 27; TJE I, 304; Ser. Nr. 1.

(564) *kab ha-jaschar* (Rechtes Maß).
Ethisches und paränetisches Werk in 102 Kapiteln, hebräisch mit jüdisch-deutscher Übersetzung, verfaßt von: Zebi Hirsch ben Ahron Samuel Kaidenower. Hebräische Erstausgabe: Frankfurt a. M. 1705; jüdisch deutsche Ausgaben:
Frankfurt a. M. 1709, Matthias Andreae, 4°, hebr. Teil 102 Bll., jüdisch-deutscher Teil 84 Bll.;
(Wolf, BH IV, 961, Nr. 1861 hat noch eine reine jüdisch-deutsche Ed. Sulzbach 1724, 4°).

Wolf, BH I, 997, Nr. 1861; III, 957, Nr. 1861; IV, 961, Nr. 1861; Fürst, BJ II, 200; Ser. Nr. 250; Karpeles, GJL II, 1017 TJE VII, 414; Roest., 629.

(565) *leb chachomin* (Herz der Weisen).
Ethische Schrift, verfaßt von: Chajim ben Jakob Arbich Drucker aus Franken; beigedruckt dem *leb tob*, Ed. Amsterdam 1723 (s. Nr. 557) somit:
Amsterdam 1723, Josef Dajjan, 4°. (Nach Ser. 99 soll angeblich bereits Ed. Amsterdam 1706 des *leb tob* die Schrift *leb chachomin* beigedruckt sein).

Ser. Nr. 99.

(566) *simchat ha-nefesch* (Seelenfreude).
Sittenlehre in Gleichnisse und Sentenzen aus Talmud, Midrasch usw. nebst religiösen Bestimmungen und Gebräuchen, in zwei Teilen zusammengestellt von: Elchanan Hendel Kirchhahn ben Benjamin Wolf (Schwiegersohn des Zebi Hirsch Ahron Samuel Kaidenower);
Frankfurt a. M. 1707, Matthias Andreas, 4°, 98 S. (angeblich nur Teil 1); Sulzbach 1715, 4°; Amsterdam 1723, 4°, 88 Bll. (bei Salomon ben Josef Proops); Fürth 1727, 4°, 22 Bll. (angeblich nur Teil 2 – als Ergänzung zur Ed. Frankfurt a. M. 1707); Rödelheim 1752, 4°, 90 Bll.

Wolf, BH III, 234, Nr. 555 b; III, 1221, Nr. 698; IV, 815, Nr. 555 b; IV, 1064, Nr. 698; Fürst, BJ II, 189; Karpeles, GJL II, 1017; Ser. Nr. 294; TJE V, 106; VII, 414; Roest., 637.

(567) *dibre mussar* (Worte der Sittenlehre).
ein hübsch buch, zusammengestellt aus verschiedenen Sittenschriften von: Isaak ben Elia Levi Bresner, gen. Melammed (aus Prag);
Prag 1712, 8°, 16 Bll.

Fürst, BJ I, 131; – Wolf, BH III, 558, Nr. 1176 f; Ser. Nr. 44; – TJE III, 372.

(568) *marpe le-nefesch* (Heilung der Seele).
Moralschriften zur Förderung der Askese; Gebete, Ritualien und dergl., bis S. 13 hebräisch, dann jüdisch-deutsch bis zum Schluß; zusammengestellt von: Nathan Nata ben Samuel;
Fürth 1712, 8°, 27 S.

Wolf, BH IV, 933, Nr. 1734 b; Fürst, BJ III, 22; Ser. Nr. 209.

(569) *schebet mussar* (Zuchtrute).
52 Kapitel über Moral und Askese, hebr. verfaßt von Elia ben Salomon Abraham ha-Kohen, Dajjan zu Smyrna (hebr. Ed. princ. Konstantinopel 1712, Jona ben Jakob Aschkenasi, 4°, 165 Bll.); jüdisch-deutsche Fassung:
Wilhermsdorf 1726, 4°, 99 Bll.;
lt. Roest., 343: hebr. und jüd.-dt. Ed. Amsterdam 1732, 4°, 199 Bll.

Wolf, BH III, 108, Nr. 263 c; Fürst, BJ I, 238; Wi/Wü III, 538–541; TJE V, 135; Roest., 343.

(570) *meziat asarja* (Fund Asarjas).
Moralbüchlein, das in 13 Kapiteln alle 613 Gebote behandelt;
hrsg. von Menachem Asarja ha-Kohen (in gereimter Form), der die Schrift unter den Hss. eines Moses Sulzbach gefunden hatte (Titel dort: *sam chajjim* = »Lebens-

balsam«);
Amsterdam 1727, Hirz Levi Rofe, 8°, 24 Bll.
Wolf, BH IV, 900, Nr. 1447b; Fürst, BJ I, 56; Ser. Nr. 202; Roest., 795.

(571) *meirat enajim* (Die Augen erleuchtend).
Abhandlung über die 613 Gebote, mit kurzen Erläuterungen; zusammengestellt von Isaak Eisak ha-Levi ben Elija (aus Kappeln in Schleswig);
Fürth 1730, 8°, 45 Bll.
Wolf, BH IV, 879, Nr. 1157d; Fürst, BJ II, 141; Ser. Nr. 135b.

(572) *chakirot ha-leb* (Forschungen des Herzens).
Moralbuch, in 61 Kapiteln über Unsterblichkeit, Zukunft, Glückseligkeit u. a. handelnd; verfaßt von: Salomo Salman ben Simon Wetzlar (Ser. Nr. 74 nennt Salomo Salman London);
Amsterdam 1731, Salomon ben Josef Proops, 8°, 74 Bll.
Wolf, BH IV, 983; Fürst, BJ III, 511; Ser. Nr. 74.

4. *Ethische Übersetzungsliteratur*

(573) *torat lekach tob* (Gute Lehre).
Übersetzung des hebr. Katechismus *lekach tob* des Abraham Jagel ben Chananja dei Galicchi (Ed. princ. Venedig 1587) ins Jüdisch-Deutsche durch: Jakob Treves ben Jeremia Mattatja ha-Levi;
Amsterdam 1658, Uri Phoebus ben Ahron Levi, 8°.
Wolf, BH I, 55, Nr. 78; III, 34, Nr. 78; Fürst, BJ II, 10, 11; III, 444; Ser. Nr. 133; – Karpeles, 998; GJL II, TJE VII, 63; Roest., 517 (wo der Verf. Jakob ben Mattitja ha-Levi zum Unterschied von Jakob ben Mattitja Treves).

(574) *lekach tob* (Gute Lehre).
Anonyme Übersetzung des hebr. Katechismus *torat lekach tob;*
Amsterdam 1675, 4°; Wilhermsdorf 1714, 8°; Jeßnitz 1719, 8°, mit einer hochdeutschen Übers. von Hermann Hardt (bereits Ed. Leipzig 1694, 8° ist eine reine hochdeutsche Fassung vom getauften Juden Friedrich Wilhelm Bock).
Wolf, BH I, 54, Nr. 78; III, 34, 78; Ser. Nr. 133.

(575) *augn-efner.*
Anleitung zur Gottesfurcht, dessen hebr. Original Mose Jakir Aschkenasi unter dem Titel *petach enajim* verfaßte; jüdisch-deutsche Übersetzung von: Elieser ben Achimelech; hebr. und jüdisch-deutsche Fassung zusammen erschienen:
Amsterdam 1664, Uri Phoebus ben Ahron Levi, 4°, 12 Bll. (beigedruckt ist *scheloch esre middot* – s. folgende Nr.).
Wolf, BH III, 762, Nr. 1579 (vgl. I, 829, Nr. 1579); Fürst, BJ I, 231; II, 12; Ser. Nr. 11.

(576) *scheloch esre middot* (13 Eigenschaften des Menschen).
Hebr. und jüdisch-deutsch verfaßt von: Salomo ben Gabirol (oder Gafriel?); beigedruckt dem *augen-efner* (Nr. 575);
Amsterdam 1664, Ura Phoebus ben Ahron Levi, 4°.
Ser. Nr. 11.

(577) *tam we-jaschar* (Einfältig und gerade).
Jüdisch-deutsche Bearbeitung des hebr. *sefer ha-jaschar* (s. Zunz, Vortr., 155) durch Jakob Treves ben Jeremia Mattatja ha-Levi;
Frankfurt a. M. 1674, 8°; Frankfurt a. M. o. J., 8°; Hanau 1718, 4°.
Wolf, BH II, 1311; I, 602, Nr. 1063; III, 1193; Fürst, BJ II, 20, 111; – Ser. Nr. 337; – Roest., 189.

(578) *derech ha-jaschar le-olem ha-ba* (Rechter Weg in die zukünftige Welt).
Sitten- und Religionsvorschriften in 40 Kapiteln in einer jüdisch-deutschen Fassung des hebräischen Originals des Jechiel Michael Epstein ben Abraham ha-Levi (Rabbiner zu Proßnitz in Mähren);
Frankfurt a. M. 1685, 8°, 150 Bll.; Frankfurt a. M. 1704, 8°; Frankfurt a. M. 1713, 8° (mit angehängten Gebeten für schwangere Frauen – vgl. Nr. 201); Frankfurt a. M. 1717, 8°.
Ser. Nr. 46; Wolf, BH I, 575, Nr. 995; Fürst, BJ I, 246.

(579) *sefer chobot ha-lebabot* (Buch über die Pflichten der Herzen).
Die bekannte Ethik des Bachja ben Josef Ibn Pakuda, von Zadok Wahl ben Ascher (aus Polen) ins Jüdisch-Deutsche übertragen;
Sulzbach 1691, 4°.
Fürst, BJ III, 490.

(580) *sefer chobot ha-lebabot.*
Hebräisch und jüdisch-deutsche Fassung hrsg. von Isaak ben Moses Israel Schwerin aus der Familie Tobias (aus Posen; Rabbinatsassessor in Schwerin);
Amsterdam 1716, Salomon Proops, 4°, 162 Bll.; Amsterdam 1768, Erben Salomon Proops, 8°.
Wolf, BH III, 143, Nr. 375; III, 605, Nr. 1241 c; Fürst, BJ I, 78; III, 433; Ser. Nr. 67; Wi/Wü III, 537; S. A. Wolf, Jd. Wb., 78 ff.

(581) *sefer chobot ha-lebabot.*
Jüdisch-deutsche Fassung von Samuel ben Arje Löw ha-Levi (aus Posen);
Amsterdam 1717, 4°.
Wolf, BH III, 1077, Nr. 2044 b; Fürst, BJ I, 78; III, 118; Roest., 131.

(582) *sefer chobot ha-lebabot.*
Jüdisch-deutsche Bearbeitung des Moses Steinhart ben Josef, mit einer beigefügten Übersetzung der »1. Pforte der Gotteseinheit« sowie philosophischen, theologischen und physikalischen Anmerkungen;
Fürth 1765, 4°.
Fürst, BJ I, 78; III, 381; Ser. Nr. 401.

(583) *chuchba de-schabit* oder *stern-schuß.*
Aus dem Hebräischen übertragenes Sittenbuch für Frauen, mit Ermahnung wegen Stolz und Eitelkeit der Frauen;
Amsterdam 1695, 4°; Frankfurt a. M. 1719, 8°.
Wolf, BH II, 1311; IV, 1047; Ser. Nr. 95.

(584) *derech mosche* (Weg Mosis).

Hebräisch mit jüdisch-deutschen Bestandteilen, zusammengestellt aus ethischen Schriften vom Strafredner (Prediger) Mose ben Meir Kohen (Oberrabbiner in Gewitsch in Mähren).
Amsterdam 1699, 24°.
Wolf, BH III, 770, Nr. 1592c (wo Ed. Amsterdam 1689); Ser. Nr. 48.

(585) *menorat ha-maor* (Leuchte des Lichts).
Jüdisch-deutsche Übersetzung des hebräischen ethischen Werks des Isaak Aboab, mit hebräischem, darübergestelltem Text;
Übersetzer: Moses ben Simon Frankfurter (geb.: 1672; gest.: 1762; Dajjan und Drucker – seit 1720 – in Amsterdam);
Amsterdam 1722, Folio.
Wolf, BH III, 537, Nr. 1139 (1); III, 818, Nr. 1661 (5); Fürst, BJ I, 5; I, 295; Ser. Nr. 151; TJE V, 493 Roest. I, 489.

(586) *maabar jabbok* (Übergang über den Jabbok).
Die kabbalistische Ethik des Ahron Berechja ben Moses ben Nehemia, durch Elias bat Mordechai Michaels (aus Sluzk; Frau des Ahron ben Eljakim Götz) ins Jüdisch-Deutsche übertragen. (Populärer als das Gesamtwerk dürfte ein Auszug unter den Titeln *kizzur maabar jabbok* bzw. *refuot neschama* gewesen sein.)
Frankfurt a. O. 1704, 8° 30 S. (*refuot neschama*).
Wolf, BH III, 73, Nr. 180; Fürst, BJ I, 22; Ser. Nr. 284.

(587) *iggeret ha-teschuba* (Brief über die Buße).
Abhandlung über die Buße des Jona Gerundi, ins Jüdisch-Deutsche übertragen; beigedruckt dem *sefer ha-jirah* (s. Nr. 595);
Frankfurt a. M. 1711, Johann Koelner, 12°.
Wolf, BH III, 373, Nr. 837 (5); Fürst, BJ I, 327; Ser. Nr. 379.

(588) *iggeret ramban* (Brief des Moses ben Nachman).
Beigedruckt dem *sefer ha-jirah* (s. Nr. 595) zusammen mit *iggeret ha-teschuba* (s. Nr. 587);
Frankfurt a. M. 1711, Johann Koelner, 12°.
Wolf, BH III, 373, Nr. 837 (5); Fürst, BJ I, 327; Ser. Nr. 379.

(589) *iggeret ha-kodesch* (Heilige Abhandlung).
Jüdisch-deutsche Fassung des hebräischen Originals des Moses ben Nachman;
o. O. u. J. (Fürth 1692?), 8°.
Ser. Nr. 6; Wolf, BH III, 796.

(590) *eben bochan im derech jaschar* (Probierstein und rechter Weg).
Jüdisch-deutsche, verkürzende Paraphrase des hebräischen Originals des Kalonymos ben Kalonymos, verfaßt von: Moses ben Chajim Eisenstadt (aus der Familie Katzenellenbogen);
Sulzbach 1705, 4°.
Wolf, BH I, 801, Nr. 1514; III, 728, Nr. 1514; Fürst, BJ I, 227; Ser. Nr. 3.

(591) *meschib chema* (Der abwendet den Zorn).
Hebräisches Sittenbuch für Frauen, verfaßt von Isaak Zoref ben Berl (aus Nikols-

burg). Der jüdisch-deutsche Teil dieses ethischen Werkes erscheint darin unter dem besonderen Titel *minhage eschet chajil* (Gebräuche eines Binderweibes); Frankfurt a. M. 1715, 8°, 18 Bll.

Wolf, BH III, 557, Nr. 1176 b; Fürst, BJ I, 109; Ser. Nr. 210.

(592) *chissuk emuna* (Stärkung des Glaubens).
Ethisches Werk des Isaak ben Abraham (aus Troki in Polen; geb.: 1533 daselbst, gest.: 1594 daselbst). Die jüdisch-deutsche Fassung erfolgte nach dem von Wagenseil 1681 veröffentlichten hebräischen Text; Amsterdam 1717, 8°, 134 Bll.

Wolf, BH III, 546; Fürst, BJ II, 138; Ser. Nr. 68 a.

(593) *iggeret baale chajim* (Abhandlung über die Tiere).
Jüdisch-deutsche Übersetzung des hebräischen Original des Kalonymos ben Kalonymos ben Meir (Ed. princ. Mantua 1557) durch: Chanoch ha-Levi ben Zebi Hirsch (aus Frankfurt a. M.);
Hanau 1718, Johann Jakob Beausang, 4°, 44 Bll.

Wolf, BH III, 972, Nr. 1892; IV, 823, Nr. 632 b; Fürst, BJ I, 164; Ser. Nr. 5; TJE VII, 428.

(594) *sefer ha-jirah* (Buch der Gottesfurcht).
Jüdisch-deutsche Übersetzung des hebräischen Originals des Jona Gerondi durch Löw Driesen (aus Driesen in der Neumark);
Frankfurt a. M. 1719, Johann Koelner, 8°, 8 S.

Wolf, BH IV, 893, Nr. 1358 i; Fürst, BJ I, 212; Ser. Nr. 91.

(595) *sefer ha-jirah.*
Möglicherweise vom gleichen Übersetzer wie Nr. 575;
Frankfurt a. M. 1711, Johann Koelner, 12°, 42 S. (zusammen mit *iggeret ha-teschuba* – s. Nr. 587 – und *iggeret Ramban* – s. Nr. 588 – gedruckt).

Ser. Nr. 379.

(596) *talmid zachkan* (Der Schüler ein Spieler).
Jüdisch-deutsche Fassung des hebräischen Originals des Jehuda Arja de Modena (Titel: *sur mera)* durch: Elia ben Elieser (Vorbeter zu Amsterdam);
Amsterdam 1698, 8°; Fürth 1723, 8° (*eldad u-medad*).

Wolf, BH IV, 828; III, 298; Ser. Nr.12; Ser. Nr. 336.

(597) *schiwo schaarim* (Sieben Pforten).
Hebräisches Moralienbuch in 7 Abschnitten mit jüdisch-deutscher Übersetzung; Verf.: Samuel Sanwel Poppert ben Mordechai (aus Koblenz; 1727–30: Drucker in Altona); Altona 1736, 8°.

Fürst, BJ III, 114.

(598) *mibchar ha-peninim* (Perlenauswahl).
Jüdisch-deutsche Paraphrase des hebräischen Originals des S. Juda Ibn Gabriol; hrsg. und mit einem kurzen Kommentar versehen von Ahron Hirsch (aus Dessau);
Homburg v. d. H. 1739, 8°.

(599) *sefer bechinat olom im bakkaschat ha-memin* (Prüfung der Welt und Memin-Gebet) oder *zaphnath-paaneah* (Offenbarer des Geheimnisses).

Jüdisch-deutsche Übersetzung des didaktischen hebräischen Werkes *bechinat ha-olam* (= Prüfung der Welt) des Jedaja ben Abraham Bedersi durch: Isaak ben Jesaja Auerbach; gedruckt mit dem Gebet *bakkaschat ha-memin* (s. Nr. 230);
Sulzbach 1744, Salman ben Ahron, 4°, 42 Bll.
Fürst, BJ I, 72; TJE II, 302; Roest., 536; S. A. Wolf, Jd. Wb., 68 ff.

(600) *leb chochma* (Weises Herz).
Hs. Michael 359 enthält die aus mehreren hebräischen ethischen und asketischen Schriften gezogene Kompilation, die Nathan Hekscher ben Simon (aus Wetzlar) im Jahre 1750 niederschrieb.
Ser. Nr. 404.

(601) *emmunot jisrael.*
Die ethischen Prinzipien des Judentums, hebr. mit jüdisch-deutscher Paraphrase von: Gedalja Taikos ben Abraham Menachem;
Amsterdam 1764, 8°.
Fürst, BJ I, 323; III, 406; TJE XI, 669.

(602) *sefer torat katan.*
Teil 1: *eleh ha-mizwot* (hebr. Original von Moses Chagis);
Teil 2: chen ha-loschon (über die hebräische Grammatik).
Beide Teile von Gedalja Taikos ben Abraham Menachem ins Jüdisch-Deutsche übertragen;
Amsterdam 1765, 12°.
Fürst, BJ I, 323; III, 406; TJE XI, 669.

(603) *sippure maassioss.*
Hebräische und jüdisch-deutsche fantastische Geschichten, verfaßt von Nachmann ben Simcha von Bratzlav (geb.: Uman 1811, Gründer der chassidischen Sekte *bratzlaver chassidim*); ins Jüdisch-Deutsche übertragen von seinem Schüler Nathan ben Naftali Herz von Nemirow;
o. O. 1815.
TJE IX, 144.

IX. Didaktisches Schrifttum

1. *Kinderlehren*

(604) *ajjalah scheluchah* (Schnelle Hirschkuh).
Einführung und grammatischer Kommentar zur Hl. Schrift, mit jüdisch-deutschen Worterklärungen; verfaßt von: Naftali Hirsch ben Ascher Altschul;
Krakau 1593–95, Isaak ben Ahron Proßnitz, Folio.
Wolf, BH I, 916, Nr. 1710; III, 843, Nr. 1710 (1); Fürst, BJ I, 44; Karpeles, GJL II, 1012; TJE I, 479.

(605) *em ha-jeled* (Mutter des Kindes).
Hebr. Grammatik-Kompendium für Kinder mit Konjugationstafeln und jüdisch-deutschen Erklärungen; zusammengestellt von: Josef ben Elchanan Heilbronn (lebte im 16. Jh. in Posen);
Prag 1597, 8°; Prag 1702, 8°.
Wolf, BH III, 384, Nr. 866; I, 506, Nr. 866; Fürst,

BJ I, 371; Ser. Nr. 15; Steinschneider, Cat. Bodl., 1472; TJE VI, 321; Roest., 568; Zunz, GL, 279, Nr. 62.

(606) *sirische grammatika.*
Ch. Theophili de Murr, Memorabilia bibliothecarum publicarum Norimbergensium, Norimbergae 1768, I, 28 (Syriaca) erwähnt eine handschriftliche syrische Grammatik (in Fol. min.), die Julius Conrad Otto im Jahre 1600 angelegt hat, in Jüd.-Dtsch.
Hb. Rep. II, 4 (35).

(607) *mikra dardeki* (Kinderlehren).
Erklärung hebräischer Wurzeln, jüdisch-deutsch und spanisch, Bibelglossar; o. O. u. J., Fol. (alter Druck, Anfang 17. Jh.?).
Ser. Nr. 375.

(608) *sefer chinnuk katan* (Unterweisung des Kleinen).
Eine Stelle aus *sidra ekeb* (Dt. 7) zum Gebrauch für die Jugend erläutert. Am Schluß eine Einübung von mehreren 100 Wörtern mit jüdisch-deutscher Übersetzung; Krakau 1640, 16°, 12 Bll.; Amsterdam 1658, Uri Phoebus ben Ahron Levi, 16°, 12 Bll.; Dessau o. J., Moses ben Simchah Bonem (druckte in Dessau 1696–1701, 1704), 24°, 12 Bll.; Jeßnitz o. J., Israel ben Abraham (druckte in Jeßnitz 1719–1726, 1739–1744), 24°, 12 Bll.; Frankfurt a. M. 1722, 12° (beigedruckt dem Ritualwerk *kehillat schlomoh* (s. Nr. 246).
Wolf, BH III, 630, Nr. 1309 b; Fürst, BJ II, 104; Ser. Nr. 73; Steinschneider, Cat. Bodl., no. 3540–3543; TJE XI, 453.

(609) *Regel die Juden ihr Schreib Art und Aus Sprache. Nach dem Alef Beth. Was ein jeder Buchst. im Teutschen A. B. C. bedeut.*
Hs. (4 Bll. in Folio) aus dem 17./18. Jh.: Versuch einer Grammatik, mit angehängten Wörterbuch von 223 Vokabeln (in Currentschrift). Die Hs. ist fehlerhaft und unvollständig.
Avé-Lallemant III, 247–255, 535.

(610) *masach ha-petach* (Vorhang des Eingangs).
Grammatische Anleitung in 3 Kap. für Kinder, verfaßt von: Phoebus Metz; Amsterdam 1710, Salomon Proops, klein 12°, 9 Bll.
Steinschneider, Cat. Bodl., 2102, no. 6745.

(611) *girsa de-januka* (Lernen des Knaben).
Kleine hebr. Grammatik für Anfänger, mit Konjugationstafeln, jüdisch-deutsch zusammengestellt von: Isaak ben Jesaja Auerbach, gen. Eisak Reis oder Eisak Medakdak (Grammatiker und Raschi-Ausleger, lebte in Fürth, Amsterdam und Frankfurt a. M.);
Fürth 1712, 8°.
Wolf, BH III, 87, Nr. 216 b; TJE II, 302.

(612) *mafteach leschon ha-kodesch* (Schlüssel der hl. Sprache).
Zusammengestellt von: Israel ben Abraham Abinu;
Amsterdam 1713, 8°.
Wolf, BH III, Nr. 1308; IV, 1053, 416 b; Ser. Nr. 199.

(613) *mareh ha-ketab bi-leschon aschkenas we-rasche tebot.*
Unterweisung in der Schrift in jüdisch-deutscher Sprache und Erklärung der Abbre-

viaturen, zusammengestellt von: Chajim ben Menachem Manusch Glogau;
o. O. u. J. (Berlin?, vor 1717), 8°, 6 Bll.

Wolf, BH III, 258, Nr. 616 b; Fürst, BJ II, 322; Ser. Nr. 207; Steinschneider, Cat. Bodl., 831, no. 4701. TJE VI, 275.

(614) *mareh ha-ketab we-rasche tebot.*
Jüdisch-deutsche Unterweisung in der Schrift und Erklärung der Abbreviaturen. Gekürzte Plagiat von Nr. 613, als Verfasser nennt sich: Eber ben Petachja Ungarisch-Brod;
o. O. u. J., 8°, 4 Bll.

Wolf, BH III, 865, Nr. 1760 c; – Fürst, BJ I, 219; Ser. Nr. 206; – Steinschneider, Cat. Bodl., 901; TJE V, 30.

(615) *derech ha-kodesch* (Hl. Weg).
Anleitung und Einführung in die hebräische Grammatik, mit angehängter jüdisch-deutscher Abhandlung über die Akzente; zusammengestellt von Alexander Süßkind ben Samuel Zanwil;
Köthen, Israel ben Abraham, 4°, 50 Bll.

Wolf, BH III, 119, Nr. 308 c; Fürst, BJ III, 398; Karpeles, GJL II, 1028; TJE I, 357.

(616) *jesod leschon ha-kodesch* (Grundlage der hl. Sprache).
Hebr. Grammatik mit jüdisch-deutscher Übersetzung, nebst einem angehängten hebräisch-jüdisch-deutschen Vokabular und einer Lehre vom Zeitwort; zusammengestellt von Juda Arje ben Zebi Hirsch Carpentrasi (geb. in Krotoschin, lebte in Avignon und Carpentras), gen. Juda Arje Loeb; hrsg. von Mordechai ben Naftali;
Wilhermsdorf 1721, Hirsch ben Chajim, 4°, 22 Bll.

Wolf, BH IV, 829, Nr. 692 b; Fürst, BJ I, 146; TJE VII, 339. Steinschneider, Cat. Bodl., 1378, no. 5788 (3).

(617) *schuta de-januka* (Rede des Knaben).
Einführung in die hebr. Sprache für Kinder, jüdisch-deutsch verfaßt von: Isaak ben Jesaja Auerbach;
Frth 1725, 8°, 21 Bll.

Wolf, BH IV, 775, Nr. 216 b; Fürst, BJ I, 72; Roest., 127; TJE II, 302.

(618) *chen ha-leschon.*
Einführung in die hebr. Grammatik, in jüdisch-deutscher Übersetzung von Gedalja Taikos ben Abraham Menachem; als Teil 2 des *sefer torat katan* (s. Nr. 602);
Amsterdam 1765, 12°.

Fürst, BJ I, 323; III, 406; TJE XI, 669.

(619) *eben jisrael.*
Hebr. Grammatik in 2 Teilen, jüdisch-deutsch verfaßt von: Jakob Israel Elasser (Lehrer in Metz);
Metz 1766, 4°.

Fürst, BJ I, 240.

2. *Wörterbücher*

(620) *sefer dibur tow* (Buch der guten Sprache).

Dreisprachenwörterbuch (hebr.-italienisch-jüdisch-deutsch);
Krakau 1590.

S. A. Wolf, Jd. Wb., 48 f.

(621) *sefer safa berurah* (Buch der reinen Sprache).
Viersprachenwörterbuch (hebr.-jüdisch-deutsch-lateinisch-italienisch), zusammengestellt von Nathan (Nata) ben Moses Hanover Aschkenasi (gest. nach 1661);
Prag 1660, Söhne Juda Bak, 4°, 44 Bll.

Wolf, BH I, 924; III, 852; Ser. Nr. 378; Steinschneider, Cat. Bodl., 2047.

(622) *sefer safa berurah.*
Vermehrte Neuauflage, mit einer beigefügten französischen Spalte durch: Jakob ben Seeb;
Amsterdam 1701, Moses Mendez Continho, 4°, 32 Bll.

Steinschneider, Cat. Bodl., 2047.

(623) *aruch ha-kazur* oder *kizur aruch.*
Umfangreiches allgemeines Wörterbuch (hebräisch-jüdisch-dt.), o. O. u. J.

Wolf, BH III, 850; Ser. Nr. 377.

3. *Briefsteller*

(624) *et sofer* (Stil des Schreibers).
Moraldichtungen und Stilübungen, hebr., am Ende jüdisch-dt.; zusammengestellt von: Moses ben Michael Kohen;
Fürth 1691, Josef ben Zalman Schneor, 8°; Prag 1705, klein 8°; Frankfurt a. M. 1706, klein 8°.

Wolf, BH III, 771, Nr. 1593 g; Fürst, BJ I, 183; Ser. Nr. 230.

(625) *chanoch-la-naar* (Unterweise den Knaben).
Jüdisch-deutscher Briefsteller nebst einem Glossar mit mehr als 100 lateinischen, französischen und hochdeutschen Wörtern, zusammengestellt von: Moses Bendin ben Josef Sundel u. a. (z. B. Josef ben Jakob Maarssen);
Amsterdam 1713, 8°.

Wolf, BH II, 593; III, 758, Nr. 1566 b (1); TJE VIII, 234; Ser. Nr. 72 (wo eine 2. Ed. Amsterdam 1715, 8°).

(626) *miktam le-david* (Schreiben Davids).
Jüdisch-deutsche Schreiblehre und Briefsteller für Knaben, Teil 2 des hebr. Briefstellers *leschon sahab* (Goldzunge); beide Teile zusammengestellt von Josef ben Jakob Maarssen;
Amsterdam 1715, 8°.

Wolf, BH III, 411, Nr. 926 b (2); Ser. Nr. 135 a TJE VIII, 234.

(627) *hatschalot we-s'leschon pas* (Anfänge und Sprache).
Briefeingangsformeln in jüdisch-deutscher Sprache;
Homburg v. d. H. 1724, 8°.

Wolf, BH IV, 1044, Nr. 165; Ser. Nr. 54.

(628) *iggeret schlomoh* (Brief Salomos).
1. Teil: jüdisch-deutscher Briefsteller mit 55 Musterbriefen;
2. Teil: hebräischer Briefsteller *kitbe schlomoh* (Schreiben Salomos);
zusammengestellt von Salomo Salman ben Juda Löw Dessau (geb. um 1662, gest. nach 1734);
Wandsbek 1732, Israel ben Abraham, 8°,
Wolf, BH IV, 984, Nr. 1972 d; Fürst, BJ I, 207; Ser. Nr. 7; TJE XI, 453.

(629) *taitsche brifen-kunzepten.*
Jüdisch-deutscher Briefsteller;
Amsterdam o. J., 8°.
Ser. Nr. 76.

4. Arithmetische Lehrbücher

(630) *chochmat ha-mispar* (Rechenkunst).
Hs. Oppenh. 1664, 4° (Oxford) enthält eine jüdisch-deutsche Rechenlehre auf 51 Bll., niedergeschrieben im 18. Jh.
Wolf, BH III, 728, Nr. 1514; Ser. Nr. 402.

(631) *chochmat ha-mispar.*
Jüdisch-deutsches Rechenbuch, zusammengestellt von: Moses ben Chajim Eisenstadt (aus der Prager Familie Katzenellenbogen). Nach Wolf, BH III, 728, Nr. 1514 ist diese Edition der 1. Teil und die obige Hs. (Nr. 630) die Fortsetzung (so sei der vollständige Titel der Hs. zu deutschen: »In diesem andern Teil des Sefer Chaochmat ha-Mispar will ich erklären die große Chochma (Wissenschaft) usw.«;
Dyhernfurth 1712, 12°, 104 Bll.
Wolf, BH I, 801, Nr. 1514; III, 728, Nr. 1517; Fürst, BJ I, 227; Ser. Nr. 71; Nr. 402.

(632) *jediat ha-cheschbon* (Rechenkunst).
Jüdisch-deutsches arithmetisches Lehrbuch eines unbekannten Verf., hrsg. von Arje Löw (Vorbeter in Amsterdam);
Amsterdam 1699, Ascher Anschel, 8°, 32 Bll.
Wolf, BH III, 134, Nr. 352 c; Fürst, BJ II, 263; Ser. Nr. 79.

(633) *sefer maasse charasch we-choscheb* (Werk des Künstlers und Rechners).
Jüdisch-deutsche Rechenlehre, zusammengestellt von: Moses ben Josef ben Samuel Haida (Mathematiker, lebte 17./18. Jh. in Hamburg, Enkel des Kabbalisten Samuel Haida);
Frankfurt a. M. 1711, Johann Koelner, 8°, 160 Bll.
Wolf, BH I, 870, Nr. 1600; III, 791, Nr. 1600; Fürst, BJ I, 368; Ser. Nr. 198.

5. Kaufmännische Lehrbücher

(634) *massechet derech erez* (Traktat des Erdenwegs).
Jüdisch-deutsche Unterweisung für Kaufleute in drei Teilen:
1. *derech zadikim* (Weg der Gerechten): Gebete für Reisende,

2. *derech ha-taggarim* (Weg der Kaufleute): Maße, Gewichte u. Geldsorten aus Talmud und europäischen Ländern,
3. *moreh derech* (Wegweiser): Postrouten, Entfernungstabellen u. ä.;
zusammengestellt von: Sabbatai Bass ben Josef (geb.: Kalisch 1641, gest.: Breslau 22. Tamus 1718);
Amsterdam 1680, 16°, 82 Bll.

Wolf, BH III, 1006, Nr. 1923 (6); Fürst, BJ I, 93; Karpeles, GJL, 1028; Ser. Nr. 153; TJE II, 583.

(635) *tikkun sochrim we-tikkun chillufim* (Einrichtung der Kaufleute und Wechsel).
Jüdisch-deutsche Wechselkunde mit Beispielen von Geschäftsbriefen; zusammengestellt von Moses Bendin ben Josef Sundel, Josef ben Jakob Maarssen und Zebi Hirsch ben Gerson Szcebrszeszyn;
Amsterdam 1714, 8°, 230 S.

Wolf, BH II, 593; III, 411, Nr. 926; III, 758, Nr. 1566 b; Fürst, BJ I, 102; – Ser. Nr. 332.

X. Historisches und geographisches Schrifttum

vgl. Nr. 526–Nr. 531!

(636) *jossipon.*
Jüdisch-deutsche Fassung des im 10. Jh. in Italien verfaßten hebr. Pseudojosephus durch: Michael Adam;
Zürich 1546, Christopherus Froschauer, 4°, 501 Bll. (mit guten Holzschnitten); Krakau o. J., 4° (mit Holzschnitten).

Wolf, BH I, 758, Nr. 1410; I, 519, Nr. 873; III, 680, Nr. 1410; Fürst, BJ I, 17; II, 113; Ser. Nr. 88.

(637) *Jossipon.*
Jüdisch-deutsche Volksausgabe des *josef ben gorion;*
Prag 1607 (1. Febr.), Mose ben Bezalel, 4°; Amsterdam 1661, 8°; Frankfurt a. M. 1707 (oder 1708?), Seligmann Reis, 8°.

Wolf, BH I, 1020; III, 379; IV, 1020; Ser. Nr. 88.

(638) *Jossipon.*
Gekürzte Ausgabe, zusammengestellt von: Edel bat Moses Mendel;
Krakau 1670, 4°.

Wolf, BH I, 520, Nr. 873; Fürst, BJ II, 113; Karpeles, GJL II, 1018; TJE VII, 260.

(639) *keter malchut* (Königskrone) und *scheerit jisrael* (Rest Israels).
Fortsetzung von *mispar jossipon,* jüdisch-deutsch verfaßt von: Menachem Mann ben Salomon ha-Levi Amelander (gest.: vor 1767);
Amsterdam 1741; Fürth 1767, Chajim ben Zebi Hirsch.

Wolf, BH III, Nr. 1458 b; Fürst, BJ II, 320; Karpeles, GJL, 1018; Steinschneider, Cat. Bodl., no. 6365; Roest., 63; TJE I, 490. S. A. Wolf, Jd. Wb., 75 ff.

(640) *Beschreibung.*
Von einem Deutschen, Poliak und einem Manne aus dem Lande Böhmen, welche um die Vorzüge ihres Vaterlandes wettstreiten; jüdisch-deutsch, in Reimen;
Prag o. J., 8°.

Ser. Nr. 35.

(641) *judischer teriak* oder *zori ha-jehudim.*
Gegenschrift des Salomo Salman Zebi Hirsch Aufhausen (aus Offenhausen) gegen den antijüdischen »Jüdischer Schlangenbalg« des Samuel Friedrich Brenz aus Osterburg i. Bayern (Nürnberg 1614);
Hanau 1615, 4°; Amsterdam 1677, Sußmann Rudolfsheim, 8° (mit dem Titel *nizzachon* = Disputation).
Wolf, BH I, 358, Nr. 576; III, 245, Nr. 576; Fürst, BJ III, 46; Karpeles, GJL II, 1027; Ser. Nr. 83.

(642) *buch der ferzeichnung.*
Widerlegung der Christen, aus prophetischen Büchern gesammelt von Isaak Jakob ben Saul Abraham (aus Minden, gest.: Anfang 18. Jh. in Hamburg);
Amsterdam 1696, Ascher Anschel ben Elieser und J. Bär ben Abraham, 12°.
Wolf, BH II, 1266, Nr. 78; III, 577, Nr. 1207 b; III, 1178, Nr. 78; IV, 489; Fürst, BJ II, 141; Ser. Nr. 23; TJE X, 109.

(643) *midrasch »ele eskera« im taitschen gedruckt in der barmtliche Sach zu leien* [...]
Jüdisch-deutsche Fassung des hebr. Originals (nach den Anfangsworten Ps. 42, 5 benannt); behandelt die Leidensgeschichte von 10 Mischnalehrern;
Bern (?) o. J., 8°.
Wolf, BH III, 1199, Nr. 334 b; Ser. Nr. 139.

(644) *asara haruge malchut.*
Die Leidensgeschichte der 10 Märtyrer des (römischen) Reichs (vgl. Nr. 643);
Wilhermsdorf o. J., 4°.
Ser. Nr. 234.

(645 *gelilot erez jisrael* (Kreise des Landes Israel).
Beschreibung einer Reise nach Palästina, mit historischen Anmerkungen. Die Ed. princ. Lublin 1635 wurde auf Geheiß der Jesuiten öffentlich verbrannt; danach: Fürth 1691, 8°, 5 S.; Fürth 1693, 8°; Amsterdam 1705, 8°; Amsterdam 1723, 4° (beigedruckt dem »Maasse-Buch« – s. Nr. 483).
Wolf, BH I, 283, Nr. 460; III, 174, Nr. 460; – Fürst, BJ I, 329; Karpeles, GJL II, 1028; – Ser. Nr. 40; – TJE V, 639.

(646) *maasse mi-malche jisrael* (Geschichte von den Königen Israels).
Ein Teil von *geliot erez jisrael* (Nr. 645);
Amsterdam o. J., 8°.
Wolf, BH I, 499, Nr. 851; Ser. Nr. 195.

(647) *tazaot erez jisrael* (Ausgänge des Landes Israel).
Reisebeschreibung mit historischen Anmerkungen, verfaßt von: Mordechai ben Jesaja Litters (Litsch, Lattes);
Amsterdam 1649, Mordechai Gumpel und Samuel ben Moses Levi, 8°, 5 Bll.
Wolf, BH I, 794, Nr. 1484; III, 717, Nr. 1484; Fürst, BJ II, 225; II, 325; Karpeles, GJL II, 1028; Ser. Nr. 301.

(648) *jewen mezulah* (Kot der Tiefe).
Jüdisch-deutsche Fassung des hebr. Originals des Nathan Nata ben Moses Hanover

(Ed. princ. Venedig 1635) durch: Moses ben Abraham Abinu (geb. Nikolsburg, gest. Amsterdam 1733 od. 34; konvertierte zum Judentum; Drucker in Amsterdam 1686–94, in Halle a. S. 1709–14). Das Werk berichtet von den Judenverfolgungen in Rußland und Polen durch die Kosaken;
Amsterdam 1686, 4°.

Wolf, BH I, 923, Nr. 1728; IV, 933 (wo Ed. o. O. 1725, 8° bei Jakob ben Chajjim); Ser. Nr. 87; TJE IX, 61.

(649) *mikweh jisrael* (Hoffnung Israels).
Die Geschichte des Exils der 10 Stämme Israels, original von Manasse ben Israel spanisch verfaßt (»Esperanca de Israel«, 1650), niederländisch unter dem Titel »De hoop van Israel« (Amsterdam 1666) hrsg., von Eljakim Götz ben Jakob ins Jüd.-Deutsche übertragen;
Amsterdam 1691, Chajim ben Jakob Arbich Drucker, 8°; Frankfurt a. M. 1712, 8°.

Wolf, BH I, 183, Nr. 300; I, 783, Nr. 1463; III, 707, Nr. 1463 (11); Fürst, BJ II, 326; II, 341; Ser. Nr. 205.

(650) *zemach david* (Sproß Davids).
Die geschichtliche Chronik des David ben Salomo ben Seligman Gans (hebr. Ed. princ. Prag 1592) von Salman ben Juda Hanau? (geb.: Hanau 1687, gest.: Hannover 4. 9. 1746, Drucker zu Frankfurt a. M. 1692–1714);
Frankfurt a. M. 1698, Salman ben Juda Hanau, 4°.

Wolf, BH I, 294; Fürst, BJ I, 317; Ser. Nr. 248; TJE V, 565.

(651) *schebet jehuda* (Stab Jehudas).
Die Geschichte des jüdischen Exils von Salomon Ibn Verga nach den Materialien seines Vaters hebr. verfaßte, ins Jüdisch-Deutsche übertragen von Eljakim Götz ben Jakob (geb.: Komarno, gest.: Amsterdam vor 1709; Vorbeter in Amsterdam);
Amsterdam 1700, Salomon Proops, 8°, 87 Bll.

Wolf, BH I, 1051, Nr. 1971; III, 117, Nr. 300; III, 1037, Nr. 1971; Fürst, BJ I, 341; Ser. Nr. 281.

(652) *eine beschreibung fun die rebelerei zu amsterdam,*
die im Jahre 1696 stattgefunden hat. Aus dem Niederländischen ins Jüdisch-Deutsche übertragen von: Josef ben Jakob Maarssen, hrsg. von seinem Vater;
Amsterdam 1707, 8°.

Ser. Nr. 275; TJE VIII, 234.

(653) *eldad ha-dani.*
Bericht von den 10 Stämmen Israels und dem Fluß Sambatian und den dort wohnenden Juden;
Jeßnitz 1712, 8°.

Wolf, BH III, 89 (wo eine ältere Ed. o. O. u. J., 1/2 Bogen in 8°, die Jeßnitzer Ed. als »cum canticis nonnullis« in 12°); Ser. Nr. 13.

(654) *telaot mosche* (Mühseligkeiten Mosis).
Bericht über die 10 Stämme und den Fluß Sambatian;
nach hebr. Schriften des Abraham Farissol und des Gedalja Ibn Jachja jüdischdeutsch verfaßt von: Moses Abraham Abinu;
Halle a. S. 1712, 8°.

Wolf, BH II, 1451, Nr. 758; Fürst, BJ II, 392; Ser. Nr. 335; TJE IX, 61.

(655) *schachor al laban secher le-chorban* (Schwarz auf Weiß das Andenken der Zerstörung).
Mahnschrift über das Exil; wahrscheinlich von Salomo Salman ben Moses Rafael London verfaßt;
Frankfurt a. M. 1715, Anton Henschet, 8°.
Wolf, BH III, 245, Nr. 574; III, 1039, Nr. 1975; III, 1219, Nr. 675; Ser. Nr. 285.

(656) *bet jisrael* (Haus Israel).
Geschichtswerk in 2 Teilen, jüdisch-deutsch verfaßt von: Alexander ben Moses Ethausen;
Offenbach 1719, Seligman Reis, 4°, 80 Bll.; Amsterdam 1724, 4°.
Wolf, BH III, 118, Nr. 306 b; IV, 785, Nr. 306 b; IV, 821, Nr. 606 b; Fürst, BJ I, 259; Karpeles, GJL II, 1018; Ser. Nr. 25; TJE V, 244.

(657) *sibbub kibre zadikim* (Umkreisung der Gräber der Gerechten).
Beschreibung einer Wallfahrt zu den Gräbern frommer und berühmter Juden in Palästina, jüdisch-deutsch verfaßt von: Simcha ben Pesach;
Frankfurt a. M. o. J., 8°.
Wolf, BH II, 1377, Nr. 474 (wo Übersetzung eines anonymen hebr. Werkes – Ed. princ. Mantua 1676); Fürst, BJ III, 326; Ser. Nr. 326.

(658) *sefer maasse nissim.*
Abhandlung über die 10 Stämme und den Fluß Sambatian, hebr. und jüdisch-deutsch verfaßt von: Moses (ben Isaak) Edrehi (geb. 3. Tischri 1775 in Agadir/Marokko);
Amsterdam 1818, 8°, 26 Bll. (jüdisch-deutsche Fassung Bl. 15 ff.).
Fürst, BJ I, 222; Roest,. 321; TJE V, 41.

Das hier folgende systematische Verzeichnis der jiddistischen Fachliteratur soll einen Überblick über den Stand der Erforschung der westjiddischen Sprache und ihrer Literatur geben und auf die Schwerpunkte der bisherigen wissenschaftlichen Arbeit hinweisen. Dabei erhebt das Literaturverzeichnis keineswegs den Anspruch auf Vollständigkeit, doch dürfte es fürs erste dem dringenden Bedürfnis einer fehlenden Bibliographie des Fachschrifttums abhelfen. Gemäß der dieser Darstellung der Entwicklung des jüdisch-deutschen Schrifttums zugrunde liegenden Arbeitsweise sind am Schluß des Literaturverzeichnisses kultur-, sozial- und wirtschaftshistorische Untersuchungen aufgeführt. Allerdings erfahren nur umfassende und grundlegende wissenschaftliche Veröffentlichungen dieser Art Berücksichtigung.

Literaturverzeichnis

I. Enzyklopädien 257

II. Gedenk- und Sammelschriften 257

III. Darstellungen 258

1. zur Jiddistik 258

2. zur Sprache 259
a) Einführungen 259
b) Sprachlehren 261
c) Lexika 263
d) Etymologie 266
e) Dialektologie 267
f) Soziolinguistik 270

3. zur Literatur 270
a) Bibliographien und Bibliothekskataloge 270
b) Einführungen, Gesamtdarstellungen, Chrestomathien 273

4. Einzeldarstellungen zur Literatur 277
a) zu den Anfängen des Schrifttums 277
b) zur Spielmannsdichtung 279
c) zum Cambridger Codex T-S. 10. K. 22 280
d) zu Elia Levita 281
e) zur Folklore 282
f) zum volkstümlichen Gesang 284
g) zum mittelalterlichen Erzählstoff 285
h) zum *maasse-buch* 286
i) zum *sefer maasse nissim* 286
j) zur Frauenliteratur 286
k) zur Typographie 287
l) zu den *Volksbüchern* 287
m) zum Schauspiel 288
n) zu Briefen und Memoiren des 17./18. Jhs. 288

IV. Religionswissenschaftliche Darstellungen 291

V. Politisch- und kulturhistorische Darstellungen 289

VI. Sozial-, wirtschafts-, rechtsgeschichtliche- und sozialgeographische Darstellungen . 289

I. Enzyklopädien

Brockhaus Enzyklopädie, 17. völlig neu bearb. Aufl. des ›Großen Brockhaus‹, Bd. 1 ff., Wiesbaden 1966 ff.
Cassel, David und *Steinschneider*, Moritz: Plan der Real-Encyclopädie des Judentums, Krotoschin 1844.
Chamber's Encyclopaedia, new rev. ed.; esp. vol. 14, London 1969.
Deutsch, G.: Supplementary explanations to the plan of co-operative work in collecting material for studies in Jewish history and literature, (Chicago) 1907.
Enciclopedia Judaica Castellana, ed. E. *Weinfeld* y J. *Babani*, 10 vols., Mexico-City 1948–51.
Encyclopedia Americana, esp. vol. 29, New York 1965.
Encyclopaedia Brittannica, esp. vol. 23, London 1957.
Encyclopaedia Judaica, Bd. 1 ff., Berlin 1928 ff.
Encyclopaedia Judaica, vol. 1 ff., Jerusalem 1972.
Ersch, J. S. und *Gruber*, J. G.: Allgemeine Encyclopaedie der Wissenschaften und Künste, Bd. 1 ff., Leipzig 1840 ff.
Grote Winkler Prins, spec. deel 10, Amsterdam-Brüssel 1970.
Jüdisches Lexikon, hg. von G. *Herlitz* und B. *Kirchner*, 4. Bde., Berlin 1927–30.
Oppenheimer, John F. (Hg.): Lexikon des Judentums, Gütersloh 1967.
Reisen, Salmen: Leksikon fun der jidischer literatur, prese un' filologie, Warsche 1926–30.
– Leksikon fun der naier jidischer literatur, New York 1956 ff.
The Jewish Encyclopedia, 12 vols., New York-London 1916.
The Standard Jewish Encyclopedia, ed. Cecil *Roth*, Jerusalem 1958–59.
Universal Jewish Encyclopedia, vol. 1 ff., New York 1939–48.
Vallentine's Jewish Encyclopaedia, London 1938.
Zedler, Johann Heinrich, Großes vollständiges Universal-Lexikon, Bd. 1 ff., Leipzig-Halle 1732 ff.

II. Gedenk- und Sammelschriften

Festschrift zum 50-jährigen Bestehen des Schweizerischen Israelitischen Gemeindebunds, 1904-1954, Zürich-Basel 1954.
Festschrift zur Wiedereinweihung der Alten Synagoge zu Worms, Frankfurt a. M. 1961.
Finkelstein, Louis (Ed.): The Jews. Their History, Culture and Religion, New York 1949.
(*Freimann*, Aron:) Festschrift für Aron Freimann zum 60. Geburtstag, hg. von Alexander *Marx* und Hermann *Meyer*, Berlin 1935.
(*Gaster*, Moses:) Occident and Orient (Gaster Anniversary Volume in Honour of his 80th birthday), London 1936.
(*Grätz*, Heinrich:) Jubelschrift zum 70. Geburtstag von Heinrich Grätz, Breslau 1887.
(Das) jiddische wissenschaftliche Institut (1925–1928), hg. vom Verein zur Förderung des Jiddischen Wissenschaftlichen Instituts, Berlin 1929.
Jubiläumsschrift der Israelitischen Gemeinde Basel aus Anlaß des 150-jährigen Bestehens, 1805–1955, Basel 1955.
Judah A. Joffe-Buch, hg. von Judel *Mark*, New York 1958.
Juden im deutschen Kulturbereich, hg. von Siegmund *Kaznelzon*, 3. erg. u. bericht. Ausgabe, Berlin 1962.
(Die) Juden in Prag. Festgabe der Loge Praga des Ordens B'nai Brith zum Gedenktage ihres 25-jährigen Bestandes, hg. von Samuel *Steinherz*, Prag 1927.

Judentum. Schicksal, Wesen und Gegenwart, hg. von Fr. *Böhm* u. W. *Dirks,* 2 Bde., Wiesbaden 1965.

Judentum und Christentum, 4. Sonderheft ›Der Jude‹, Berlin 1927.

Judentum und Deutschtum, 3. Sonderheft ›Der Jude‹, Berlin 1926.

(*Kaplan,* Mordechai M.:) Mordechai M. Kaplan Jubilee Volume, ed. Moshe *Davis,* vol. 1 u. 2, New York 1953.

(*Kohut,* George A.:) Jewish Studies in Memory of George A. Kohut, New York 1935.

(*Landau,* Alfred:) ›Landau-Buch‹.Filologische schriftn fun yiwo, bd. 1, Wilne 1926.

(*Weinreich,* Max): For Max Weinreich on his 70th birthday. Studies in Jewish Languages, Literature, and Society, London-Den Haag usw. 1964.

Weinreich, Uriel: The Field of Yiddish. Studies in Yiddish Language, Folklore, and Literature, vol. 1 New York 1954, vol. 2 New York 1961.

– College Yiddish, New York 1967.

III. Darstellungen

1. Zur Jiddistik

Beem, H.: Yiddish in Holland: Linguistic and Socio-Linguistic Notes, in: The Field of Yiddish I, p. 122–133 (s. o. *Weinreich,* Uriel).

Beranek, Franz J.: Die Erforschung der jiddischen Sprache, in: Zs. f. dt. Philol. 70/1947–48, S. 163–174.

– Das Jiddische in Ost-Mitteleuropa als Aufgabe der deutschen Sprachwissenschaft, in: Zs. f. Ostforsch. 5/1956, S. 233 ff.

– Deutsche und jiddische Philologie, in: Nachrichten der Gießener Hochschulgesellschaft 30/1961, S. 127 ff.

Birnbaum, Salomo: Two Problems of Yiddish Linguistics, in: The Field of Yiddish I, p. 63–72 (s. o. *Weinreich,* Uriel).

Fishman, Joshua A.: Yiddish in America: Socio-Linguistic Description and Analysis, Bloomington-Den Haag 1965.

Geiger, Ludwig: Das Studium der hebräischen Sprache in Deutschland vom Ende des 15. bis zur Mitte des 16. Jahrhunderts, Breslau 1870.

Germano-Judäus: Deutsch, Polnisch oder Jiddisch? Betrachtungen und Urkunden zur Ostjudenfrage, Berlin 1916.

Gininger, Ch.: Sainéan's Accomplishments in Yiddish Linguistics, in: The Field of Yiddish I, p. 147–178 (s. o. *Weinreich,* Uriel).

(Das) jiddische wissenschaftliche Institut (1925–1928), hg. vom Verein zur Förderung des Instituts, Berlin 1929.

Kloss, Heinz: Das Schicksal der jüdischen Sprache, in: Die neue Zeitung (München-Frankfurt), 5./6. 9. 1953, Nr. 210.

L. H.: Bewahrer des Jiddischen (Würdigung Salomo *Birnbaums*), in: Allgemeine Wochenzeitung der Juden in Deutschland, d. i. Jüdisches Gemeindeblatt für die britische Zone, 28. 12. 1956.

Noble, S.: Yiddish lexicography, in: Jewish book Annual 62/1961, S. 17–22.

Wolf, Siegmund A.: Die Lage der Jiddischforschung in Deutschland, in: Mitteilungen aus dem Arbeitskreis für Jiddistik, hg. von Franz J. *Beranek* (Gießen), Bd. 2 (1960–64), S. 1–5.

– Jiddistik und Stadtkernforschung, in: Mitteilungen aus dem Arbeitskreis für Jiddistik, hg. von Franz J. *Beranek* (Butzbach), Bd. 1 (1955–59), S. 17–21.

2. zur Sprache

a) Einführungen

Adelung, Johann Christoph: Jüdisch-Deutsch, die verderbte Hebräische und mit Deutsch vermischte Sprache der heutigen Juden, in: Grammatisch kritisches Wörterbuch der Hochdeutschen Mundart (Leipzig) II/1796.

Andree, Richard: Zur Volkskunde der Juden, Bielefeld-Leipzig 1881, S. 95–119: Die Juden und die Sprache.

Bach, Adolf: Geschichte der deutschen Sprache, Heidelberg [4]1949, S. 199, 233: Jiddisch (enthält Bibliographie).

– Deutsche Mundartenforschung, Heidelberg 1950, S. 247 f.: Jiddisch (enthält Bibliographie).

Behagel, Otto: Geschichte der deutschen Sprache, Berlin-Leipzig [5]1928, S. 173–174.

Beranek, Franz J.: Jiddisch, in: W. Stammler (Ed.), Deutsche Philologie im Aufriß, Bd. 1, Berlin [2]1957 [1]1952, Sp. 1551–1590, Sp. 1555–2000.

Berliner, Abraham A.: Die mittelhochdeutsche Sprache bei den Juden, in: Jb. für jüdische Geschichte und Literatur (Berlin), Jg. 1898, S. 162–182.

Birnbaum, Salomo: Praktische Grammatik der Jiddischen Sprache, Wien 1915.

– Jiddische Sprache, in Germ.-Roman. Monatsschr. 11/1923, 149 ff.

– Jiddische Sprache, in: Jüdisches Lexikon, Bd. 3, Berlin 1928, S. 269 ff.

– Jiddisch, in: Encycl. Judaica, Bd. 9, Berlin 1911, S. 112–127.

– The Age of the Yiddish Language, in: Transactions of the Philological Society, London 1939, S. 31–43.

Blach, Friedrich: Die Juden in Deutschland, Berlin 1911 (enthält Kapitel ›Sprache‹).

Bloch, N.: Entstehung und Wesen der jiddischen Sprache, in: Allgemeine Wochenzeitung der Juden in Deutschland, d. i. Jüdisches Gemeindeblatt für die britische Zone, 18. 2. 1955.

Brod, L.: Zum Judendeutsch im 18. Jahrhundert, in: Wochenblatt für die Schweiz, (Zürich) 63/1963, Nr. 47, S. 68.

Calvary, Moses: Jiddisch, in: Der Jude 1, (Berlin-Wien) 1916/17, S. 25–32.

Dauzat, A.: L'Europe linguistique, Paris 1953, Yiddish: S. 13, 77, 197 ff., 201 f., 217 u. 222.

Dawidiwicz, Lucy S.: Yiddish: Past, Present and Perfect, in: Commentary 33/1962, S. 375–385.

Dohm, Christian Wilhelm: Denkwürdigkeiten meiner Zeit, 5 Bde., Lemgo-Hannover 1814–19 (enthält verschiedene Bemerkungen zum Jiddischen und seiner Literatur).

Dubnow, Simon: Über die Umgangssprachen der Juden im allgemeinen und die jüdischdeutsche Mundart im besonderen, in: Weltgeschichte des jüdischen Volkes, Bd. 6, Berlin 1927.

Einert, Paul Nikolaus: Entdecker jüdischer Baldober, o.O. (Coburg?) 1737.

Elia ben ascher ha'levi (Elia Levita): Sefer schemot debarim, Isny 1542.

Frank, Jehuda Leopold: Loschen Hakodesch. Jüdisch-deutsche Ausdrücke, Sprichwörter und Redensarten der Naussauischen Landjuden, Cholon 1961.

Galinsky, H.: Die Sprache des Amerikaners, Heidelberg [2]1952, Jiddisch, Juden: S. 55–57, 116, 347–348, 484.

Gerzon, Jacob: Die jüdisch-deutsche Sprache. Eine grammatisch-lexikalische Untersuchung ihres deutschen Grundbestandes Frankfurt a. M. 1902.

Grünbaum, Max: Jüdisch-deutsche Chrestomatie, Leipzig 1882 (enthält zahlreiche Worterklärungen und grammatikalische Anmerkungen).

– Mischsprachen und Sprachmischungen, Berlin 1886.

Grünwald, Moritz: Über den jüdisch-deutschen Jargon vulgo Kauderwälsch genannt, [1]Budapest 1876, [2]Prag 1888.

Guggenheim-Grünberg, Florence: The Horse Dearler's Language of the Swiss Jews in Endingen and Lengau, in: The Field of Yiddish I, S. 48–62 (s. v. *Weinreich,* Uriel).

Habersaat, Karl: Beiträge zur jiddischen Dialektologie, in: Rivista degli studi orientali, (Rom) 26/1951, S. 23ff. u. 27/1952, S. 23ff. (bringt reichhaltige bibliographische Angaben).

Hagen, Friedrich von der: Die romantische und Volksliteratur der Juden in Jüdisch-Deutscher Sprache, Berlin 1855.

Hakel, Hermann: Jiddisch – Sprache einer zweitausendjährigen Wanderung, in: Literatur und Kritik, (Salzburg) 1967, H. 15, S. 293–307.

Harkavy, Alexander: Die jüdisch-deutsche Sprache, New York 1886.

Joffe, Judah A.: Yiddish During the Past 150 Years, in: Yivobleter 15/1940, S. 87–102.

Jost, J. M.: Juden-Teutsch, in Allgem. Encycl. d. Wiss. u. Künste hg. von J. S. *Ersch* und J. G. *Gruber,* Bd. 27, Leipzig 1850, S. 322–324.

Kahn, Hermann: Sprache der Völker; Nachklänge zum Ideom der einstigen jüdischen Bevölkerung Süddeutschlands; gebundenes Ms., o. O. u. J.

Kloss, Heinz: Die Entwicklung neuer germanischer Kultursprachen von 1800–1950, München 1952 (= Schriftenreihe des Goethe-Inst. Bd. 1), bes. S. 40ff.

– Das Schicksal der jiddischen Sprache, in: Neue Zeitung, (München-Frankfurt a. M.) 5. 6. 9. 1953.

Kloss, Heinz: Deutsch und Jiddisch, in: Mitteilungen aus dem Arbeitskreis für Jiddistik, hg. von F. J. *Beranek,* (Butzbach), Bd. 1 (1955–59), S. 4–5, 16–17.

– Das Schicksal der jiddischen Sprache, in: Muttersprache, (Lüneburg) 1956, S. 151.

– Neues vom Jiddischen, in: Muttersprache, (Lüneburg 1957, S. 29 f.

Krause, G.: Jiddisches, Jüdisches in Wort und Ton, in: Münchener Jüdische Nachrichten, (München) 21. 9. 1960.

Landmann, Salcia: Jiddisch. Das Abenteuer einer Sprache, Olten-Freiburg i. Br. 1962.

– Ergänzungen zu ›Jiddisch. Abenteuer einer Sprache‹, in: Zs. f. dt. Sprache 23/1967, H. 1/2, S. 116–117.

Landau, Leo: Dialect, in: Arthurian Legends, Leipzig 1912.

Loewe, Heinrich: Die Sprachen der Juden, Köln 1911.

Loewe, R.: Die jüdisch-deutsche Sprache, in: Ost und West. Illustrierte Monatsschrift für das gesamte Judentum, (Berlin) 4/1904.

Maor, H.: Das Esperanto der Juden, in: Allgemeine Wochenzeitung der Juden in Deutschland, d. i. Jüdisches Gemeindeblatt für die britische Zone, 4. 3. 1955.

Mieses, Matthias: Die Entstehungsursachen der jüdischen Dialekte, Wien 1915.

– Die Gesetze der Schriftgeschichte. Konfession und Schrift im Leben der Völker. Ein Versuch, Wien-Leipzig 1919.

Moser, Hugo: Deutsche Sprachgeschichte, Stuttgart 1950, Jiddisch: S. 106, 161 f. u. 164.

Oppenheimer, Eberhard Carl Friedrich: Hojedus Ebraeo-Rabbinicus. Das ist kurtze und deutliche Anweisung wie überhaupt Hebräisch und Rabbinisch [...] des heutigen Judenteutsch zu lesen und zu verstehen [...] Leipzig 1731.

Prilutzki, N.: Spottsprache, in: Jidische filologie, (Wilne) 1/1926, H. 4–6.

Saineanu (= Sainean), Lazar: Studiu dialectologic asupra graiului evreo-german, Bucuresti 1889 (Grammatik: S. 13–16, 54–57 u. 65–67; Lexikalisches: S. 39–53 u. 58–64).

Schipper, Ignacy: Die Anfänge der jiddischen Sprache, in: Jidische Filologie, (Wilna) 1/1926, H. 4–6.

Schulman, Elieser: Sefat jehudit-aschkenazit we-safruta. (Die Jüdisch-Deutsche Sprache und ihre Literatur vom Ende des 15. bis zum Ende des 18. Jahrhunderts, hg. von J. Ch. *Tawjo),* Riga 1913.

Schwarz, Ernst: Deutsche und Germanische Philologie, Heidelberg 1951, Judensprache: S. 145.

Steinschneider, Moritz: Jüdische Literatur und Jüdisch-Deutsch. Mit besonderer Rücksicht auf Avé-Lallemant, in: Serapeum, hg. von R. *Naumann,* (Leipzig) 25/1864, S. 33–46.

Stiff, Nahum: Bezeichnungen für die jüdische Umgangssprache von den Zeiten Raschis an, Wilna 1926.

Teweles, H.: Der Kampf um die Sprache. Linguistische Plaudereien, Leipzig 1884, bes. S. 14–19 u. 54–59.

Thiele, A. F.: Die jüdischen Gauner in Deutschland, ihre Taktik, ihre Eigentümlichkeit und ihre Sprache, Berlin [2]1842.

Wallach, Luitpold: Ashkenaz-German, in: Historia Judaica, vol. 3, Nr. 2, (New York) oct. 1941, S. 102–106.

Weinreich, Max: Studien zur Geschichte und dialektischen Gliederung der jiddischen Sprache, Marburg 1923.

– Überblick über die Geschichte der jiddischen Sprache, in: bilder fun der jidischer literaturgeschichte, Wilne 1928.

– Form versus Psychic Function in Yiddish, in: Gaster Anniversary Volume, London 1936.

– Ashkenaz: The Yiddish Period in Jewish History, in: Yivo-bleter 35/1951, S. 7–17.

– Outlines of Western Yiddish, in: Judah A. Joffe-Buch, hg. von Judel *Mark,* New York 1958, S. 158–194.

– Prehistory and Early History of Yiddish: Facts and Conceptual Framework, in: The Field of Yiddish I, S. 73–101 (s. v. *Weinreich,* Uriel).

– Yidishkayt and Yiddish: On the Impact of Religion on Language in Ashkenazic Jewry, in: Mordechai M. Kaplan Jubilee Volume, New York 1953, S. 481–514.

Weinreich, Max: Fundamentals in the History of Yiddish, in: Jidische Sprach, (New York) 14/1954, S. 97–110 u. 15/1955, S. 12–19.

– The Jewish Language of Romance Stock and Their Relation to Earliest Yiddish, in: Romance Philology, (Berekeley-Los Angeles) 9/1955–56, S. 403–428.

– History of the Yiddish Language. The Problems and Their Implications, in: Proceedings of the American Philosophical Society, 103/1959, S. 563–570.

Weinreich, Uriel: Stress and Word Structure in Yiddish, in: The Field of Yiddish I, p. 1–27 (s. v. *Weinreich,* Uriel, S. 258).

Weinreich, Uriel: Yiddish Language, in: Encyclopaedia Judaica, vol. 16, Jerusalem 1971, col. 789–798.

– u. Beatrice: Say it in Yiddish, New York 1958.

Wolf, Siegmund A.: Jiddisch und Rotwelsch, in: Mitteilungen aus dem Arbeitskreis für Jiddistik, hg. von F. J. *Beranek* (Butzbach), Bd. 1 (1955–59), S. 47–49.

– Zur Geschichte des Jüdischdeutschen, in Muttersprache, (Lüneburg) 1955, S. 66–69.

– Jiddisches Wörterbuch, Mannheim 1962, S. 11–23.

Zivy, A.: Jüdisch-Deutsch im Elsaß, in: Jüdische Rundschau Maccabi, (Basel) 22. 2., 6. 3. u. 27. 3. 1959.

– Jüdisch-Deutsch, in: Isr. Wochenbl. f. d. Schweiz, (Zürich) 62/1962.

Zweig, Arnold: Klage über den Untergang einer schöpferischen Sprache, in: H. Lamm, Von Juden in München, München 1958; auch in: Mitteilungen aus dem Arbeitskreis für Jiddistik, hg. von F. J. *Beranek* (Butzbach), Bd. 1 (1955–59), S. 125–126.

b) Sprachlehren

Abraham *Ben Meidl:* Ma'areket Abraham, Fürth 1769. (Grammatik mit Schreibregeln).

Adam, Gottfried: Anweisung zum Jüdisch-Teutschen, Tübingen 1750.

Ammersbach ABCbuch, auch Anweisung, die rabbinischen teutschen Bücher und Briefe ohne Puncta zu lesen, Magdeburg 1689.

Avé-Lallemant, Friedrich Christian Benedict: Das Deutsche Gaunerthum in seiner socialpolitischen, literarischen und linguistischen Ausbildung zu seinem heutigen Bestande, Tl. 3, Leipzig 1862.

Callenberg, Johann Heinrich: Kurtze Anleitung zur jüdischdeutschen Sprache, Halle a. S. [1]1733, [2]1738, [3]1749.

Calvör, Caspar: Gloria Chrsiti. Beweisthum der Wahrheit christlicher Religion [...], Leipzig 1710. (Enthält am Schluß: Anleitung wie das Jüdisch-Teutsche zu lesen).

Chajim Ben Menachem Manusch Glogau: Mareh ha-ketab bi-Leschon Aschkenaz we-Rasche Tebot, Berlin 1715. (Bringt grammat. Materialien und Erläuterungen der im Jüdisch-Deutschen benutzten Abbreviaturen. Ansonsten eine Unterweisung in Schrift und Sprache des Jüdisch-Deutschen).

Christian, Gustav Christian: Anleitung über das Schreiben des Jüdischdeutschen, Berlin 1719.

Chrysander, Wilhelm Christian Justus: Jüdisch-Teutsche Grammatik, Leipzig-Wolfenbüttel 1750. Nachdruck mit jidd. u. engl. Einl. von Max *Weinreich* hg., New York 1958.

– Unterricht vom Nutzen des Juden-Teutschen, Wolfenbüttel 1750.

Fagius, Paul: Anleitung zum Lesen des Jüdisch-Deutschen (Succincta ratio legendi Hebraeo-Germanica), Constanz 1543.

– Compendiari Isagoge in linguam hebraeam, Constantiae 1543.

Friedrich, Carl Wilhelm: Unterricht in der Judensprache, und Schrift zum Gebrauch für Gelehrte und Ungelehrte, Prenzlau 1784.

Fridrich, F.: Populäre Anleitung auf mnemonischen Wege binnen 3 Tagen die Kenntnis der Lautbedeutung sämtlicher hebräischer Quadrat-, jüdisch-deutscher Currentbuchstaben sich anzueignen, Prag (1885).

Frumm, Damian Hugo: Unterricht, wie man nicht nur das Juden-Deutsch auf eine leichte Art recht schreiben und lesen lernt, o. O. 1799.

(Die) Geheime Geschäftssprache der Israeliten. Ein Handbuch für Alle, welche mit Israeliten in Geschäftsverbindung stehen und der hebräischen Sprache (der sog. Marktsprache) unkundig sind, Neustadt a. Aisch [7]1886, [8]1888.

Gerzon, Jacob: Die jüdisch-deutsche Sprache. Eine grammatisch-lexikalische Untersuchung ihres deutschen Grundbestandes, Frankfurt a. M. 1902.

Goethe, Johann Wolfgang von: Anweisung zur teutschhebräischen Sprache, in: Labores juveniles, o. O. 1759.

Habersaat, Karl: Materialien zur Geschichte der jiddischen Grammatik, in: Orbis 11/1962, H. 1, S. 352–368.

– Zur Geschichte der jiddischen Grammatik. Eine bibliographische Studie, in: Zs f. dt. Philol. 84/1965, H. 3, S. 419–435.

Jakob Josef *Ben Meir Sofer:* Eben Jisrael we-Luhot ha-Berit, 2 Tle., Metz 1766. (Jüdischdeutsche Grammatik im 1. Teil).

Joffe, Judah A.: Elia Bachur's poetical works in 3 vols. with commentary, grammar, and dictionary of Old Yiddish, New York 1949.

Judenfibel oder Anweisung die Judenschrift in ein paar Tagen lesen und schreiben zu können, mit einer Vorrede zum Todtlachen und drei erprobten Mitteln gegen Ratten, Mäusen, Raupen und Zahnweh von Dr. Sc – H., Hamburg 1827.

Koch, Johann Michael: Brevis manuductio ad lectionem Scriptorum Judaeorum-Germanicorum, Frankfurt a. M. 1709.

Lebrecht, Philipp Nicodemus: Anweisung das Jüdisch-deutsche richtig zu erlernen, Leipzig-Dresden 1719.

Lewi, Moses u. *Matthieu*, L.: Gründlicher Unterricht der jüdisch-deutschen Schreibart, Bernburg 1799.

Loeb, Bensew Jehuda: kurze Anweisung zum Jidischdeitsch lesen, in: Bet ha-Sefer I., Wien 1827, S. 124–126.

Luach, woraus das jüdisch-teitsch auf eine leichte Art geschwinder zu erlernen, Hamburg 1799.

Mark, J.: Schulgrammatik in Beispielen und Aufgaben, Kowno [2]1923. (in Jiddisch!)

Mieses, Matthias: Die jiddische Sprache. Eine historische Grammatik des Ideoms der integralen Juden Ost- und Mitteleuropas, Berlin-Wien 1924.

Möller, M. Christian: Bericht wie das Jüdisch-Teutsche zu lesen, Frankfurt a. M. 1700.

Pfeiffer, August: Manuductio facilis ad lectionem talmudico – rabbiniciam. Sectio I: De lectione Ebraeo-Germanica, in: G. Hübner, Critica Sacra, S. 377–383, Dresden [1]1680, Leipzig [4]1702, Leipzig [5]1712.

(*Lütke*, J. P.:) Kurtze und gründliche Anweisung zur Teutsch-Jüdischen Sprache, aus welcher nicht nur Teutsch-Jüdisch zu schreiben und zu lesen, sondern auch zu sprechen kann erlernt werden, So wohl den Studiosis Theologiae als auch denen Handels-Leuten und allen denen, die mit Jüden zu correspondiren oder sonst zu thun haben, zum besten entworffen von Philo Glotto, Freiburg 1733.

Rehfuß, K.: Leschon jehudit oder Leslehre des Jüdisch-Deutschen, Frankfurt a. M. 1833.

Reisen, Salman: Gramatik fun der jidischer sprach, Wilne 1928.

Sachs, M.: Deutsch-hebräische Grammatik, o. O. 1858.

Saineanu (Sainean, Lazar: Studiu dialectologic aupra graiului evreo-german, Bucuresti 1889, Grammatik: S. 13–16, 54–57 und 65–67.

Sapir, Edward, Notes on Judeo-German Phonology, in: The Jewish Quarterl y Review, (London-Philadelphia) NS. 6/1915; wieder abgedruckt in: Selected Writings, Berkeley-Los Angeles 1949, S. 257 ff.

Selig, Gottfried: Kurze und gründliche Anleitung zu einer leichten Erlernung der jüdischdeutschen Sprache, Leipzig 1767.

– Lehrbuch zur gründlichen Erlernung der jüdischdeutschen Sprache für Beamte, Gerichtsverwandte, Advocaten und insbesondere für Kaufleute; mit einem vollständigen hebräisch- und jüdisch-deutschen Wörterbuche [...], Leipzig 1792.

Tekones fun jidischn oißleig, Stuttgart [3]1947.

Theodor, Gottfried Paul: Der Hebräisch-Teutsche Sprachmeister, Tübingen 1765.

Trubnik (Seidel), Jona: Jargon-Lehrer. Praktisches Lehrbuch zu leicht erlernen vermittels einem Lehrer die jargonische Sprache in ein kurze Zeit, Warschau 1886. (in Jiddisch!)

Tychsen, Ols Gerhard: Introductio in Linguam Judaeo-Teutonicam, o. O. 1775.

Vollständiger Unterricht die hebräisch-deutsche Druck- und Kurrentschrift in einer kurzen Zeit lesen und schreiben zu lernen, Prag 1816.

Vollständiger Unterricht, die hebräisch-deutsche Druck- und Currentschrift lesen und schön schreiben lernen, Prag 1817.

W., J.: Jüdischer Sprach Meister oder Erklärung was zwischen zweyen Juden [...] in einen Discours von verschiedenen Sachen, auf ihre gewöhnliche Redensart, abgehandelt wird [...], o. O. 1702.

Wagenseil, Johann Christoph: Belehrung der Jüdisch-Teutschen Red- und Schreibart [...] usw., Königsberg [1]1699, Frankfurt a. M. [2]1715.

Weißgerb, Josef: Johann Christof Wagenseils »Bericht, Wie das Jiddische-Teutsche zu lesen.«, in: Zs. f. dt. Sprache 25/1969, H. 3, S. 154–168.

c) Lexika

Abraham Schwab *Ben Menachem Mendel:* Meliz Joscher. Kleines hebräisches Wörterbuch mit jüdisch-deutscher Erklärung, mit Hilfe von Menachem ben Jakob herausgegeben, Amsterdam 1767.

Adler, Hans Günther: Theresienstadt 1941–1945. Das Antlitz einer Zwangsgemeinschaft. Geschichte, Soziologie, Psychologie, Tübingen 1955. S. XV-XLV: Das Wörterbuch der Lagersprache, welches auf jiddischen Bestand hinweist.

Avé-Lallemant, Friedrich Christian Benedict: Das Deutsche Gaunerthum in seiner social-politischen, literarischen und linguistischen Ausbildung zu seinem heutigen Bestande, Tl. 4, Leipzig 1862. (enthält jüdisch-deutsches Lexikon).

Bibliophilus: Jüdischer Sprachmeister oder Hebräisch-Teutsches Wörterbuch, [...], Franckfurt a. M. – Leipzig ¹1742, Ansbach ²1750.

(*Bierbrauer*, J. J.:) Beschreibung derer berüchtigten jüdischen Diebes-, Mörder- und Rauberbanden [...], Cassel 1753.(enthält Lexikon der Gaunersprache mit jiddischen Bestandteilen.)

Buxtorf, Johann: Thesaurus grammaticus linguae sanctae hebraeae, Basel ¹1609. Darin: Lectiones hebraeo-germanicae usus et exercitatio (³1621, S. 659–690, ⁵1651, S. 658–690, ⁶1663, S. 639–669). Auch unter dem Titel »Lexicon Hebraicum et Chaldaicum« (z. B. Basel ³1621) bekannt.

Callenberg, Johann Heinrich: Jüdischteutsches Wörterbüchlein, welches meistens bey dem Jüdischen Instituto edirten Schriften colligirt, Halle a. S. 1736.

Christian, Gustav Christian: Schil't. Hebräisch-deutsche Vocabula und Wörterbüchlein, [...] O. O. ¹1727, Nürnberg ²1728 (unter dem Titel »Sefer al'h ha-doborim«. Im 5. Buch Mose am 1. Kapitel. Neu vermehrtes und zum zweytenmal aufgelegt – verbessertes Vocabulorum Hebraeicum [...]«).

– Jüdischer Dolmetscher, oder Hebräisch- und Teutsche Vocabula [...] von C. G. C. L. L. O., Nürnberg 1735.

Frank, Jehuda Leopold: Loschen Hakodesch Jüdisch-deutsche Ausdrücke, Sprichwörter und Redensarten der Nassauischen Landjuden, Cholon 1961.

Gerzon, Jacob: Die jüdisch-deutsche Sprache. Eine grammatisch-lexikalische Untersuchung ihres deutschen Grundbestandes, Frankfurt a. M. 1902.

Grolmann, F. L. A. von: Wörterbuch der in Teutschland üblichen Spitzbuben-Sprachen in zwei Bänden, die Gauner- und Zigeunersprache enthaltend. Bd. 1 (einziger): Die Teutsche Gauner- Jenische- oder Kochemer-Sprache enthaltend, mit besonderer Rücksicht auf die Ebräisch-Teutsche Judensprache, Gießen 1822.

Handlexikon oder Sammlung [...] in jüdisch-deutscher Sprache, Nürnberg 1765.

Handlexikon der jüdisch-deutschen Sprache [...], Prag 1780.

Harkavy, Alexander, Sfat jehudit, Paris 1886.

– Jidisch-englisch-hebräischer werterbuch. Yiddish-English-Hebrew Dictionary, New York ²1928.

Hebräisch-Deutsches Glossar in Reimen, Hamburg 1799.

Hebräisch und teutsches Sprachbuch, Nürnberg 1735.

(*Holzschuher*, Heinrich:) Lexikon der jüdischen Geschäfts- und Umgangssprache. Zwei Theile. Vom Jüdischen in's Deutsche und vom Deutschen in's Jüdische. Mit einem Anhang zur Erlernung der Lussnekoudischen Sprache. Verfaßt von Itzig Feitel *Stern*, München ¹1833, Leipzig-Meißen ²1859 (als achter Band der ges. Schriften Itzig Feitel *Sterns*).

Joffe, Judah A.: Elia Bachur's poetical works in 3 vols. with commentary, grammar, and dictionary of Old Yiddish, New York 1949.

– Great Dictionnary of the Yiddish Language, 2 vols. (vol. 1: a-ªum, vol. 2: ªum-ªainb), New York 1961.

Josef *Ben Elchanan Heilprun:* Em ha-Jeled, (Grammatik mit jüdisch-deutschen Erklärungen und Worterklärungen), Prag 1702.

Krackherr, C. F.: Bequemes und nützliches Handlexikon, in welchem die Wörter, Redensarten usw. aus fremden Sprachen erkläret sind, Nürnber 1766; (im Anhang jüdisch-deutsches und rotwelsches Wörterbuch: S. 492–514).

Kretschmar, A.: Allgemeines Fremdwörterbuch. Alphabetisches Verzeichnis der in Sprache und Schrift vorkommenden nichtdeutschen Wörter, deren Abstammung, Betonung und Verdeutschung, bearb. von K. Böttcher. Mit einem Anhang, die gebräuchlichsten der dem kaufmännischen Verkehr eigenthümlichen jüdisch-deutschen Ausdrücke enthaltend, Leipzig 1882.

Lipschitz, J. M.: Jüdisch-russische Wörterbücher, Schitomir 1876 und 1886.

M., J. H.: Sem und Japhet. Die hebräischen Worte der jüdischdeutschen Umgangssprache zusammengestellt und erklärt, Leipzig ¹1882, Leipzig ²1889 (unter dem Titel: Dolmetsch der Geheimsprache bearb. nach dem Avé-Lallemant für Beamte, Gerichtspersonen und besondere Kaufleute).

Nathan *Ben Moses Hannover:* Sefer sofo beruro (Hebräisch-Jüdisch-Deutsch-Lateinisch-Italienisches Vokabular), Prag 1660. Vermehrte Neuauflage Amsterdam 1701.

Noble, S.: Yiddish lexicography, in: Jewish book Annual 62/1961, S. 17–22.

Philipp, Walther: Neu vermehrtes Teutsch-Hebräisches Wörter-Buch, darinnen ein vollkommener Bericht, auf was Weise das Hebräische zu schreiben, lesen und ausreden am leichtesten zu begreifen, und zu erlernen, Hamburg 1732.

Reizenstein, Wolf Ehrenfried von: Verzeichnis der von den Juden [...] gebräuchlichsten hebräischen Wörter und Redensarten, Uffenheim [1]1764, Anspach [2]1780. (Als Anhang zu: »Der vollkommene Pferdekenner«).

Saineanu (Sainean), Lazar: Studiu dialectologic asupra graiului evreo-german, Bucuresti 1889; (S. 39–53 und 58–64 enthält ein jiddisches Lexikon).

Salomo Salman *Ben Moses Rafael London:* Kehillat Schlomoh, Frankfurt a. M. 1722. (Verzeichnis hebräischer Vokabeln nebst deren deutschen Übersetzungen am Ende des Buchs u. d. T. »Chinnuk Katan«).

Sefer Chinnuk Katan (Hebräisch-Jüdisch-Deutsches Vokabular), Krakau [1]1640, Jeßnitz [2]1719, Fürth o. J. (ca. 1750).

Sefer dibur tow, Krakau 1590. (Nach dem hebräischen Alphabet angeordnetes dreisprachiges Wörterbuch: kodesch-deitsch-welsch).

Selig, Gottfried: Lehrbuch zur gründlichen Erlernung der jüdisch-deutschen Sprache [...] mit einem vollständigen ebräisch- und jüdischdeutschen Wörterbuche [...], Leipzig 1792.

Strack, Hermann L.: Jüdisches Wörterbuch, Leipzig 1916.

– Nachbemerkung (zum jüd. Wörterbuch), in: Der Jude, (Berlin-Wien 1/1916–17, S. 636 ff.

(Der) Talmud oder die Sittenlehre des Judenthums, nebst kulturgeschichte des Judenthums, Aussprüche hervorragender Männer aller Zeiten und jüdisch-deutschen Wörterbuch [...] Marburg [7]1889.

(Neu eingerichtetes) Teutsch-Hebräisches Wörterbuch, Oettingen [1]1764, [2]1774 u. [3]1790.

Tirsch, Leopold: Handlexicon der jüdisch-deutschen Sprache usw., Prag [1]1776, [2]1780 u. [3]1782.

– Nützliches Handlexicon der jüdischen Sprache, Prag [1]1773, [2]1774, [3]1777 u. [4]1778.

– Kleines jüdisch-deutsches Wörterbuch [...], Prag 773.

Ullrich, Johann Caspar: Jüdische Wörter, in: Sammlung jüdischer Geschichten in der Schweiz, Basel 1768, S. 132, 141–142.

Verzeichnis, woraus diejenigen Redens-Arten können erlernt werden, deren sich die Juden in ihrem Umgang gegen einander sonderlich auf Roßmärken und Handlungen bedienen, o. O. u. J.

Vollbeding, Johann Christoph: Handwörterbuch der jüdischdeutschen Sprache, Leipzig 1804.

Vollständiges jüdisch-deutsches und deutsch-jüdisches Wörterbuch, Hamburg o. J. ([1]1805, [2]1808?).

Wolf, Siegmund A.: Wörterbuch des Rotwelschen. Deutsche Gaunersprache, Mannheim 1956.

– Vokabular des Jenischen von Schopfloch, in: Mitteilungen aus dem Arbeitskreis für Jiddistik, hg. von F. J. *Beranek* (Butzbach), Bd. 1 (1955–59), S. 131–134.

– Aus dem Wortschatz des Schweizer Jenischen, Luzern 1958.

– Jiddisches Wörterbuch. Wortschatz des deutschen Grundbestandes der jiddischen (jüdischdeutschen) Sprache, Mannheim 1962.

Wolff, J.: Die Geheimsprache der Handelsleute oder Dolmetscher und Lexikon zur Entzifferung aller beim Handel und Wandel vorkommenden jüdischen und jargonischen Wörter und Redensarten für Metzger, Viehhändler, Oekonomen und Gewerbetreibende aller Art, Berlin o. J. (1880?).

d) Etymologie

Ahne, L.: Von Massel, toffte und malochen. Über die jüdischen Worte in unserer Sprache, in: NRZ, Duisburg-Hamborn, 6. 4. 1961.

Althaus, Hans-Peter: Zur Etymologie von ›schummeln‹, ›beschummeln‹, in: Zs. f. Mda.-forsch. 30/1963–64, S. 66–69.

Beranek, Franz J.: Die Rabbinerin. Eine wortgeschichtliche Untersuchung, in: Mitteilungen aus dem Arbeitskreis für Jiddistik, hg. von F. J. Beranek (Butzbach), Bd. 1, S. 127–131.

– ›Sukke‹, ›Sukkes‹, in: Mitteilungen aus dem Arbeitskreis für Jiddistik, hg. von F. J. Beranek (Gießen), Bd. 2 (1960–64), S. 66–71.

– ›Gêfen‹, ›gâfen‹, ›gôfen‹, ebd., S. 113–115.

Fraenkel, Meir: Ein pseudojiddisches Wort, in: Mitteilungen aus dem Arbeitskreis für Jiddistik, hg. von F. J. *Beranek* (Butzbach), Bd. 1 (1955–59), S. 68–70 (befaßt sich mit ›Stift‹).

– ›Ketowes‹. Ein neuer Deutungsversuch, ebd. S. 112–115.

– Mauscheln ›plaudern‹, in: Mitteilungen aus dem Arbeitskreis für Jiddistik, hg. von F. J. *Beranek* (Gießen), Bd. 2 (1960–64), S. 101–102.

– ›Schmuh‹, in: Muttersprache (Lüneburg), 70/1960, S. 18 f.

– Erkannte jüdische, verkannte deutsche Ausdrücke in der Umgangssprache, in: Nordpfälzer Geschichtsverein (Rockenhausen), 40/1960, S. 429 ff.

– ›Dawenen/Dawnen/Dafuen‹ = beten. Zur Deutung eines jüdisch-deutschen Ausdrucks, in: Archiv f. d. Studium d. neuen Sprachen (Braunschweig), 197–112/1961, S. 305 ff.

– ›Bores-Matina‹ ›Schweiz‹. Sprachliche Kuriosität, in: Das Neue Israel (Zürich), Mai 1961.

– ›Schäker‹ = Spaßvogel; ›schäkern‹ = scherzen, lachen, in: Sprachwart (Stuttgart), 11/ 1961, S. 191 f.

– Was ist ›Sege‹? in: Muttersprache (Lüneburg), 72/1962, S. 86.

– ›Schnorrer‹, in: Muttersprache (Lüneburg), 72/1962, S. 86 f.

– Hebräische Ausdrücke in unserer Umgangssprache, in: Nordpfälzer Geschichtsverein Kaiserslautern), 43/1963, Nr. 2.

– ›Däumerle‹ und ›Bäumerle‹, in: Die Liberale Rundschau (Tel Aviv), Sept. 1963.

Gebhardt, H.: Berliner Zahlenallerlei, in: Berliner Heimat (Berlin), Jg. 1958, H. 3, S. 107 ff. (S. 110: Jiddisches im Berlinischen).

Guggenheim-Grünberg, Florence: Westjiddisch ›khal‹ und Verwandtes, in: Mitteilungen aus dem Arbeitskreis für Jiddistik, hg. von F. J. *Beranek* (Gießen), Bd. 2 (1960–64), S. 65–66.

Hutterer, Claus Jürgen: Etymologische Bemerkungen, ebd., S. 97–101.

Joffe, Judah A.: The Etymology of ›Davenen‹ and ›Katowes‹, in: American Academy for Jewish Research, Proceedings (New York), 28/1959, S. 77 ff.

Lauer, Ch.: Le mot ›Mané‹ en Judeo-Allemand, in: Revue des Etudes Juives 74/1922, S. 104–105.

Perles, Josef: Etymologische Studien zur Kunde der rabbinischen Sprache und Altertümer, Breslau 1871.

Porges, N.: Le mot ›Kippe‹ en Judeo-Allemand, in: Revue des Etudes Juives 74/1922, S. 103–104.

Storch, K.: Jüdische Ausdrücke im Volksmund, mit Kommentar von O. Jung, in: Nordpfälzer Geschichtsverein (Rockenhausen), 38/1958, S. 246 ff.

Stutschkow, N.: Der oizer fun der jidischer sprach. (Thesaurus of Yiddish Language), ed. Max *Weinreich* (Yiddish Scientific Institute Yivo), New York 1950.

Tawrogi. Hebräische Ausdrücke in der heimischen Umgangssprache, in: Nordpfälzer Geschichtsverein (Rockenhausen), 38/1958, S. 283 ff.

Wolf, Siegmund A.: Zur Geschichte des Rotwelschen und seiner Erforschung, in: Muttersprache (Lüneburg), Jg. 1954, S. 289 (behandelt den Anteil des Jiddischen am Rotwelschen).

– Rotwelsche Redensarten, ebd., S. 468 f. (behandelt jiddische Ableitungen von ›kol‹ und ›pleto‹).

– »Ja Kuchen!« – und Ähnliches, ebd., S. 468 f. (behandelt jidd. Ableitungen von ›chochom‹, ›ewil‹, ›zenna‹ und ›eppel‹).
– »Hast wohl 'n Vogel?« in: Muttersprache (Lüneburg), Jg. 1955, S. 23 f.
– Zur Geschichte des Jüdischdeutschen, ebd. S. 66 ff.
– Bombe, ebd., S. 102. (Hinweise auf jidd. ›pombe‹ bei mit ›Bombe‹ zusammengesetzten deutschen Wörtern).
– Berliner, Charlottenburger und Potsdamer, ebd., S. 146 ff. (Ableitung von jiddischen Wortwurzeln).
– Schnulze und Knüller, ebd. S. 283 f.
– Nassauer und Usinger, verkannte »Landsleute«, ebd., S. 339 f.
– Auf dem Kien sein, ebd., S. 385 f. (Ableitung von jidd. ›kiwen‹).
– Der mißverstandene ›Rüpel‹, ebd., S. 475 ff. (Ableitung des rotwelschen ›Juffart‹ von jiddisch ›jopho‹).
– Beschummeln und einseifen, in: Muttersprache (Lüneburg), Jg. 1956, S. 68–70.
Wolf, Siegmund A.: Erklärungen einiger Berliner Redensarten, in: Muttersprache (Lüneburg), Jg. 1956, S. 27 ff. (Ableitung von jiddischen Wortwurzeln).
– Geschichtliches im Spiegel des Rotwelschen, ebd., S. 55 ff. (Zahlreiche Ableitungen aus dem Jiddischen).
– Schmonzes Berjanzes, in: Muttersprache (Lüneburg), Jg. 1957, S. 393.
– Die Kaffern und das Kaff, ebd., S. 27 ff.
– Woher kommt das Wort ›Zaster‹, in: Berliner Heimat (Berlin), Jg. 1959, H. 3, S. 188 ff.
– Der jiddische Ursprung von »Schmu«, in: Muttersprache (Lüneburg), 70/1960, S. 128.
– Der arisierte Schabbesdeckel, in: Sprachwart (Stuttgart), 10/1960, S. 132 f.
– Achtjroschenjungs und falsche Fuffziger, ebd., S. 163.
– Das aufgenordete Bockshorn, in: Sprachwart (Stuttgart), 11/1961, S. 113 f.
– Ursprung des Namens Ghetto für ›Judenviertel‹, in: Beiträge zur Namensforschung (Heidelberg), 12/1961, S. 280–283.
– Umgangssprachliche Redensarten jiddischer Herkunft, in: Mitt. aus dem Arbeitskreis für Jiddistik, hg. von F. J. *Beranek* (Butzbach), Bd. 1 (1955–59), S. 83–85.
– So ein Nepp! in: Sprachwart (Stuttgart), 12/1962, S. 15 f.
– Barches, in: Sprachwart (Stuttgart), 12/1962, S. 49 f.
– Verkannte jiddische Etymologien, in: Muttersprache (Lüneburg), 72/1962, S. 184 f.

e) Dialektologie

Beranek, Franz J.: Westjiddischer Sprachatlas, Marburg 1965.
Wilenkin, Leiser: Jidischer sprachatlas fun ßowetnfarband (afn grund fun di dialektologische materialn, woß seinen zunaufgesamlt geworn fun jidischn ßektor fun der weißrussischer wissnschaft-akademie unter Mordechai Weingerß onfirung), Minsk 1931.
Althaus, Hans-Peter: Jüdisch-hessische Sprachbeziehungen, in: Zs. f. Mda.-forsch. 30/1963, H. 2, S. 104–156.
– Wortgeographie und sprachsoziologische Studien zum jiddischen Lehnwortschatz am Beispiel Kassow ›Fleischer‹, in: Zs. f. dt. Sprache 21/1965, S. 20–41.
Beranek, Franz J.: Jiddisch in Tschechoslowakei, in: Yivo-bleter 9/1936. S. 63 ff.
– Die jiddische Mundart Nordostungarns, Brünn-Leipzig 1941.
– Sprachgeographie des Jiddischen in der Slowakei, in: Zs. f. Phonetik u. allgemeine Sprachwissensch. (Berlin), 3/1949, S. 25–46.
– Jiddische Ortsnamen, in: Zs. f. Phonetik u. allgemeine Sprachwissensch. (Berlin), 5/1951, S. 88–100.
– Das Pinsker Jiddisch und seine Stellung im gesamtjiddischen Sprachraum, Berlin 1958.
– Zur Sprachgeographie des Westjiddischen, in: Mitteilungen aus dem Arbeitskreis für Jiddistik, hg. von F. J. *Beranek* (Butzbach), Bd. 1 (1955–59), S. 21–24 u. 37–40.
– Die räumliche Gliederung des Jiddischen, ebd., S. 63–65.

– Germ. s.-, s. im Jiddischen Vokalismus, ebd., S. 99–102, 116–118 u. 148–151.
– Der jiddische Name der Prager Judenstadt, ebd., S. 110–112.
– K. W. Fridrichs mundartliche Einteilung des Jiddischen, ebd., S. 143–148.
– Die Verkleinerungsformen im Jiddischen, in: Mitteilungen aus dem Arbeitskreis für Jiddistik, hg. von F. J. *Beranek* (Gießen), Bd. 2 (1960–64), S. 5–9.
– Nichtzwiegelautetes mhd. î, iu û im Jiddischen, ebd., S. 40–42.
– Wortgeographie des jüdischen Alltags, ebd., S. 102–105.
– Die mundartliche Gliederung des Westjiddischen, ebd., S. 148–152.
– Zur Geschichte des jiddischen Vokalismus, in: Zs. f. Mda.-forsch. 32/1965, H. 3/4, S. 260–274.
Berliner, Abraham A.: Mittelhochdeutsches in jüdischen Quellen, in: Jüdische Presse (Berlin), 1/1870, Literaturblatt Nr. 1.
Birnbaum, Salomo: Praktische Grammatik der Jiddischen Sprache, Wien 1915, bes. S. 6–18.
– Das hebräische und aramäische Element in der jiddischen Sprache, Leipzig 1922.
– Übersicht über den jiddischen Vokalismus, in: Zs. f. Mda.-forsch. 18/1923, S. 122–130.
– Die Umschrift des ältesten datierten jiddischen Schriftstücks, in: Theutonista 8/1931–32, S. 197–207.
– Die Umschrift des Jiddischen, in: Theutonista 9/1933, S. 90–105.
– The History of Old u-Sounds in Yiddish, in: Yivo-bleter 6/1934, S. 25–60.
– Old Yiddish or Middle High German, in: The Journal of Jewish Studies (London), 12/1961, S. 19 ff.
Dalberg: Volkskunde der Hessen-Kasseler Juden, Kassel 1931. (Enthält auf den Seiten 123–143 Mitteilungen über die Mda. der Hessen-Kasseler Juden.)
Eliasberg, Alexander: Die heiligen Schriftzeichen, in: Süddt. Monatshefte 13/1916, H. 5, S. 819–820.
Epstein, Jizachak: Die jüdischen Dialekte, in: Der Jude (Berlin-Wien), 2/1917–18, S. 720–725 (Stellungsnahme zu Mieses' »Die Entstehung der jüduschen Dialekte«).
Faber, C. W.: Zur Judensprache im Elsaß, in: Jb. f. Gesch., Sprache u. Lit. Elsaß-Lothringens 13/1897, S. 171–183.
Fischer, J.: Das Jiddische und sein Verhältnis zu den deutschen Mundarten unter besonderer Berücksichtigung der ostgalizischen Mundart, 1. Teil, 1. Hälfte, Leipzig 1936 (Heidelberger Diss.).
Fleiß, Pauline Miriam: Das Buch Simchat Hanefesch von Helene Kirchhain aus dem Jahre 1727. Reimuntersuchung als Beitrag zur Kenntnis der jüdisch-deutschen Mundarten, Bern 1913.
Frank, Jehuda Leopold: Loschen Hakodesch. Jüdisch-deutsche Ausdrücke, Sprichwörter und Redensarten der Nassauischen Landjuden, Cholon 1961.
Fraenkel, Meir: Materialien zum schlesischen Judendeutsch, in: Mitteilungsblatt des Irgun Olej Merkas Europa, Tel Aviv 21. 10. 1960.
Guggenheim-Grünberg, Florence: Die Sprache der Schweizer Juden von Endingen und Lengnau, Zürich 1950.
– Die Sprache der Zürcher Juden im 14. Jahrhundert, in: Isr. Wochenblatt (Zürich), 25. 5. 1954.
– Ein deutscher Urfehdebrief in hebräischer Schrift aus Zürich vom Jahre 1385, in: Zs. f. Mda.-forsch. 22/1954, S. 207 ff.
– Zur Umschrift deutscher Mundarten des 14./15. Jahrhunderts mit hebräischer Schrift, in: Zs. f. Mda.-forsch. 24/1956, S. 229–246.
– Zur Phonologie des Surbtaler Jiddischen, in: Phonetica 2/1958, S. 86–108.
– Gailinger Jiddisch, Göttingen 1961 (= Lautbibliothek der deutschen Mundarten, H. 22).
– Schweizer Ortsnamen im Surbtaler Jiddisch, in: The Field of Yiddish II/1961 (s. v. *Weinreich*, Uriel, S. 258).
Herzog, Marvin I.: The Yiddish Language in Northern Poland. Its Geography and History, Bloomington-Den Haag 1965.

(Die) jiddische Schrift, in: Süddt. Monatshefte 13/1916, H. 5, S. 792.

Joffe, Judah A.: Dating the origin of yiddish dialects, in: The Field of Yiddish I/1954, p. 102–121 (s. v. *Weinreich*, Uriel, S. 258).

Kormann, Bruno: Die Reimtechnik der Estherparaphrase Cod. Hamburg 144. Ein Beitrag zur Erschließung des altjiddischen Lautsystems, Kolomea 1930 (Hamburger Phil. Diss. 1930).

Landesmann, Benjamin: Ebräisch-deutsche Orthographie, Wien 1815.

Landau, Alfred: Das Deminutivum der galizisch-jüdischen Mundart, in: Deutsche Mundarten, hg. von J. W. *Nagl*, Bd. 1, Wien 1895–1901, S. 46–58.

– Die Sprache der Glückeln von Hameln, in: Mitt. zur jüd. Volkskunde 7/1901, S. 20–68.

Leibowitz, Nechama: Die Übersetzungstechnik der jüdisch-deutschen Bibelübersetzungen des 15. und 16. Jahrhunderts, dargestellt an den Psalmen, Marburger Phil. Diss. 1931, abgedr. in: Beitr. z. Gesch. d. dt. Sprache u. Lit., Bd. 55, S. 377–463.

Lewy, Heinrich: Zum Elsässer Judendeutsch, in: Jb. f. Gesch., Sprache u. Lit. Elsaß-Lothringens 14/1898, S. 78–82.

Loewe, Heinrich: Die jüdisch-deutsche Sprache der Ostjuden. Ein Abriß (Im Auftrage des »Komitees für den Osten«), Berlin 1915. – S. auch in: Süddt. Monatshefte 13/1916, H. 5, S. 711–718.

Mansch, Phillip: Der jüdisch-polnische Jargon, in: Der Israelit (Lemberg), Jg. 1888–90.

Mehring, Siegfried: Zwei Humoresken in Breslauer Jiddisch, 1815–1865, in: Ost und West. Illustrierte Monatsschrift für das gesamte Judentum (Berlin), Jg. 1912 u. 1913.

Meisinger, Othmar: Die Rappenauer Mundart, in: Zs. f. hochdt. Mda., hg. von O. Heilig u. Ph. Lenz, Bd. 2, S. 97–137 u. 246–276, (einige jidd. Bestandteile).

Meiss, Honel: Traditions populaire alsaciennes; àtravers le dialecte Judeo-Alsacien, Nice (1928).

Meitlis, Jakob: London Yiddisch Letters of Early 18th Century, in: Journal of Jewish Studies (London), 6/1955, S. 153 ff. and 237 ff.

Mieses, Matthias: Die Entstehungsursachen der jüdischen Dialekte, Wien 1915.

Neumann, H.: Sprache und Reim in den judendeutschen Gedichten des Cambridger Codex T. S. 10. K. 22., in: Indogermanica, Festschrift für W. *Krause*, Heidelberg 1960, S. 145 ff.

Paper, H. H.: An Early Case of Standard German in Hebrew Orthography, in: The Field of Yiddish I, p. 143–146 (s. v. *Weinreich*, Uriel, S. 258).

Perles, Fritz: Zur Erforschung des Jüdisch-Deutschen, in: Beiträge zur Geschichte der deutschen Sprache und Literatur (Halle), 43/1918, S. 296–309.

Rapp, E.: Schum, in: Festschrift für Georg Biundo (= Veröffentlichungen d. Vereins f. Pfälzer Kirchengeschichte 4), Grünstadt 1952. (Behandelt jüdisch-deutsche Wörter der pfälzischen Sprachlandschaft.)

Roback, Abraham A.: Sarcasm and Repartee in Yiddish Speech, in: The Jewish Frontier 18, April 1951, S. 19–25.

Röll, Werner: Das älteste datierte jüdisch-deutsche Sprachdenkmal: ein Verspaar im Wormser Machsor von 1272/73, in: Zs. f. Mda.-forsch. 33/1966, H. 2, S. 127–138.

Schadeus, Elias M.: Mysterium das ist Geheimnis St. Pauli Röm. II. Von Bekehrung der Juden sampt andern gleichen Inhalts. Sodann auch ein gewisser Bericht Von der Juden Teutsch-Hebreischer Schrift, Straßburg 1592.

Schnitzler, Leopold: Prager Judendeutsch, Gräfeling bei München 1966.

Schudt, Jakob Johann: Jüdische Merkwürdigkeiten, Teil 2, Buch 6, Cap. 16, S. 281–296: Von der Frankfurter und anderer Juden Teutsch-Hebräischer Schrift, Frankfurt a. M. 1714.

Szaikowski, Z.: Doß loschn fun di Jidn in di Arbe kehiles fun komtat-Wenessen (The Language of the Jews in the Four Communities of Comtat Venaissin), New York 1948 (in Jiddisch mit englischer Zusammenfassung).

Weinger, Mordechai: Jidische dialektologie, Minsk 1929.

Weill, Emmanuel: Le Yiddish Alsacien-Lorrain; Recueil de mots et locutions hébraeo

araméens employés dans le dialecte des Israélites d'Alsace et de Lorraine, in: Revue des Etudes Juives 70/1927, S. 180–194, 71/1928, S. 66–68 et 165–189, 72/1929, S. 65–88.
Weinreich, Max: Studien zur Geschichte und dialektischen Gliederung der jiddischen Sprache, Marburg 1923.
Weiß, Carl Theodor: Das Elsässer Judendeutsch, in: Jb. f. Gesch., Sprache u. Lit. Elsaß-Lothringens 12/1896, S. 121–182.
Weißgerb, J.: Das Konsonantensystem des »Dukus Horant« und der übrigen Texte des Cambridger Manusskripts T. S. 10 K. 22, verglichen mit dem Mittelhochdeutschen, in: Zs. f. Mda.-forsch. 32/1965, H. 1, S. 1–40. – u. d. T. »The vowel system of MS Cambridge T. S. 10 K. 22 compared with Middle High German« in: Jewish Studies 14/1963, S. 37–51.
Weißenberg, S.: Jüdische Berufssprachen in Südrußland, in: Zs. d. Wiener Anthros. Ges., Jg. 1913, S. 127 ff.
Wiener, Leo: The Lord's Prayer in Judeo-german, in: Modern Language Notes 9/1894, S. 156–158.
Wiener, Leo: On the Hebrew element in Slavo-Judaeo-German, in: Hebraica 10/1894, esp. S. 183.
– On the Judaeo-German spoken by the Russian Jews, in: American Journal of Philology 14/1894, S. 41–68 a. 456–483.
Wolf, Siegmund A.: Studien zum Vokalismus des älteren Jiddisch, in: Phonetica 8/1962, S. 31–54.
– Zur Bestimmung des jiddischen Dialekts bei Avé-Lallemant, in: Mitt. aus dem Arbeitskreis für Jiddistik, hg. von F. J. *Beranek* (Gießen), Bd. 2 (1960–64), S. 49–53.

f) Soziolinguistik

Althaus, Hans-Peter: Wortgeographie und sprachsoziologische Studien zum jiddischen Lehnwortschatz im Deutschen am Beispiel Kassow ›Fleischer‹, in: Zs. f. dt. Sprache 21/1965. S. 20–41.
Fishman, Joshua A.: Yiddish in America: Socio-Linguistic Description and Analysis, Bloomington-Den Haag 1965.
Hansen, R.: Aus dem Sprachschatz der Arbeiter eines Dortmunder Betriebes, in: Muttersprache (Lüneburg), Jg. 1955, S. 266 ff.
Prilutzki, N.: Spottsprache, in: Jidische Filologie (Wilne), Jg. 1926, H. 4–6.
Ree, A.: Die Sprachverhältnisse der heutigen Juden im Interesse der Gegenwart und mit besonderer Rücksicht auf Volkserziehung, Hamburg 1844.
Weißenberg, S.: Jüdische Berufssprachen in Südrußland, in: Zs. d. Wiener Anthrop. Ges., Jg. 1913, S. 127 ff.
Hier sind auch die Lexika von H. G. *Adler,* F. C. B. *Avé-Lallemant,* J. J. *Bierbrauer,* F. L. A. *Grolmann,* H. *Holzschuher,* C. F. *Krackherr,* A. *Kretzschmar,* J. H. M., W. E. von *Reizenstein,* S. A. *Wolf* (Wb. d. Rotwelschen) und J. *Wolff* zu berücksichtigen!

3. zur Literatur

a) Bibliographien und Bibliothekskataloge

Berger, Abraham: The Literature of Jewish Folklore, in: Journal of Jewish Bibliography, (New York) 1/1939, S. 12–20, 40–49.
Berliner, Abraham A.: Ein Gang durch die Bibliotheken Italiens. Ein Vortrag, in: Gesammelte Schriften, Frankfurt a. M., S. 3–29, 110–120. – S. auch in: Magazin f. d. Wissenschaft d. Judenthums 7/1880, S. 111–120.
Bernheimer, Carl: Codices Hebraici Bybliothecae Ambrosianae, Florentiae 1933.
(*Bernstein,* Ignaz:) Jüdische Sprichwörter und Redensarten, hg. mit einer Einf. u. Bibliogr. von Hans Peter *Althaus,* Hildesheim 1969 (Bibliogr. S. XXIII–XXVII).

Bibliographie des jüdischen Buches, Frankfurt a. M. 1/1933 ff.
Bibliographische Jahrbücher des Jiddischen Wissenschaftlichen Instituts, Wilna 1/1926 ff.
Blau, Ernst: Katalog der Gemeindebibliothek der Israelitischen Gemeinde Frankfurt a. M., Frankfurt a. M. 1932, mit einem Nachtrag 1936.
Caron, Pierre et *Stein*, Henri: Répertoire bibliographique de l'histoire de France, Paris 1927, P. II, S. 152, no. 3329–3341: Juifs.
Catalogue des Manuscits Hébreux et Samaritains de la Bibliothéque Impériale, Paris 1866; ed. *Munk, Salomon* et *Zotenberg*, Hirsch.
Catalogue of books printed in the XVth century now in the British Museum, P. I–IX, London 1908–1962.
Chajes, Saul: Thesaurus Pseudonymus quae in Litteratura Hebraica et Judaeo-Germanica inveniunter (= Pseudonymen-Lexikon der hebräischen und jiddischen Literatur), Hildesheim 1967 (Reprint d. Ed. 1933).
Davidson, Israel: Nochbiblische literatur fun glaichwertlech (= A Bibliography of Post-Biblical Literature of Sayings and Proverbs), in: Yivo-bleter 13/1938, S. 354–372.
Davies, Hugh William: Catalogus of a collection of early German books in the library of C. Fairfax Murray, London 1913.
Dukes, Leopold: Bibliographische Notizen über verschiedene Ritualien und besondere Gebetsammlungen. Deutsche Machsorim, in: Literaturblatt d. Orients, (Leipzig) 1844, Nr. 15.
Epshteyn, N.: Notes on Jokes and Humorus Stories, in: Yidisher Folklor, O. S. (Vilna) 1938, S. 319–321.
Fraenkel, J.: Guide to Jewish Libraries of the World, London 1959 (ed. by World Jewish Congress, Cultural Dept.).
Freimann, Aron: Katalog der Bibliothek der Israelitischen Religionsschule, Frankfurt a. M. 1909.
– Katalog der Judaica und Hebraica der Stadtbibliothek Frankfurt a. M., Graz 1968 (Reprint d. Ed. Frankfurt a. M. 1932).
Friedberg, Bernhard: Bet eked sefardim. Lexique bibliographique de tous les ourages de la littérature hébraique et judéo – allemande [...], livre 1, 2, Anvers 1928–29.
Fürst, Julius: Bibliotheca Judaica. Bibliographisches Handbuch der gesamten Jüdischen Literatur mit Einschluß der Schriften über Juden und Judenthum und einer Geschichte der jüdischen Bibliographie, 3 Tle., Leipzig 1849–63.
Habersaat, Karl: Beiträge zur jiddischen Dialektologie (mit Bibliographie), in: Rivista degli studi orientali, (Rom) 26/1951, S. 23 ff., 27/1952, S. 23 ff.
– Repertorium der jiddischen Handschriften, in: Rivista degli studi orientali 29/1954, S. 53–70, 30/1955, S. 235–249, 31/1956, S. 41–49.
– Beitrag zur Chronologie der datierten jiddischen Handschriften (1307–1619), in: Mitt. aus dem Arbeitskreis für Jiddistik, hg. von F. J. *Beranek* (Gießen), Bd. 2 (1960–64), S. 117–118.
– Materialien zur Geschichte der jiddischen Grammatik, in: Orbis 11/1962, H. 1, S. 352–368.
– Prolegomena zum Repertorium der jiddischen Handschriften, in: Zs. f. dt. Philol. 81/1962, S. 338 ff.
– Zur Geschichte der jiddischen Grammatik. Eine bibliographische Studie, in: Zs. f. dt. Philol. 84/1965, H. 3, S. 419–435.
Hoffmann-Krayer, E.: Volkskundliche Bibliographie für die Juden, 1923–1924, Berlin-Leipzig 1929.
Kaufmann, J.: Vollständiges Verlagsverzeichnis, Katalog Nr. 92, Frankfurt a. M. 1936.
Kayserling, Meyer: Biblioteca Espanola-Portugueza-Judaica, Nieuwkoop 1961 (Reprint d. Ed. 1888).
(Buchhandlung) *Kedem:* Katalog der jüdischen Literatur, Berlin [1]1924, [2]1930 (Nachdruck).
Landau, Alfred: Bibliographie des Jüdisch-Deutschen. Als Anhang zu F. *Mentz*, Biblio-

graphie der deutschen Mundartenforschung, Leipzig 1892, in: Deutsche Mundarten, hg. von J. W. *Nagl*, Bd. 1 (1895–1901), Wien 1897, S. 126–132.

(*Landau*, Alfred:) Bibliografie fun Dr. Alfred Landaus schriftn, in: Landau-Buch, d. i. Filologische schriftn fun Yiwo, bd. 1, 4–10.

Littera Judaica in Memoriam Edwin Guggenheim, hg. von Paul *Jacob* und E. L. *Ehrlich*, Frankfurt a. M. 1964.

Loewe, Herbert: Catalogue of the Manuscripts in the Hebrew Character collected and bequeathed to Trinity College Library by the late William Aldis Wright, Vice-Master of Trinity College, Cambridge 1926.

Löwinger, S. und *Weinryb*, B.: Jiddische Handschriften in Breslau, Budapest 1936.

Loewy, E.: Frankfurti Judaica at the City and University Library, in: The Wiener Library Bulletin, (London) 12/1958, S. 38.

Muneles, O. and *Bothatec*, M.: Bibliographical Survey of Jewish Prague, Prague 1952.

Margoliouth, G.: Descriptive List of the Hebrew and Samaritan Mss. in the British Museum, London 1893.

– Catalogue of the Hebrew and Samaritan Mss. in the British Museum, vols. I–III, London 1899–1915.

Mss. Codices Hebr. Bibliothecae J. B. De Rossi, 2 vol., Parmae 1803.

Moll, Otto: Sprichwörterbibliographie, Frankfurt a. M. 1958, S. 318–321: Jiddische Sprichwörter.

Neubauer and *Cowley:* Catalogue of the Hebrew Manuscripts in the Bodleian Library and in the College Libraries of Oxford, 2 vols., Oxford 1886–1906.

Perles, Josef: Bibliographische Mittheilungen aus München. 1. Seltene hebräische Drucke (a. Thannhausen; b. Krakau; c. Prag; d. Ichenhausen; e. Augsburg). 2. Hebräische Handschriften, in: Monatsschrift f. Gesch. u. Wissensch. d. Judenthums, (Breslau) 25/1876, S 350–376.

Pinczower, L. und *Porges*, Nathan: Bibliotheca Judaica-Hebraica-Rabbinica. (Bücherkatalog 431–436 von Harrassowitz), Leipzig 1931–32.

Preußischer Landesverband jüdischer Gemeinden (Hg.): Wanderbücherei. Ein besprechendes Bücherverzeichnis, Berlin 1937.

Rabbiner-Seminar zu Berlin (Hg.): Katalog der Lesesaal-Babliothek, Berlin 1933.

Rivkind, Isaac: Jidisch in hebräische drukn bisn jor 1648, in: Pinkes 1/1927, S. 26–38, 263–256, 294–296.

Roest, Meijer Marcus: Catalog der Hebraica und Judaica aus der L. Rosenthal'schen Bibliothek, 2 Bde., Amsterdam 1875.

Schwab, Moise: Répertoire des Articles relatifs à la Littérature juives parus dans les Périodiques de 1665 à 1900, Paris 1914–23.

Schwarz, A. Z.: Die hebräischen Handschriften der Nationalbibliothek in Wien, Leipzig 1925.

– Die hebräischen Handschriften in Österreich, Tl. 1 (einziger), Leipzig 1931.

Short-title catalogue of books printed in the German-speaking countries and German books printed in other countries from 1455 to 1600 now in the British Museum, London 1962.

Shunami, Shlomo: Bibliography of Jewish Bibliographies, Jerusalem [2]1965.

Steinschneider, Moritz: Jüdisch-Deutsche Literatur nach einem handschriftlichen Katalog der Oppenheim'schen Bibliothek (Oxford), in: Serapeum, hg. von R. *Naumann*, (Leipzig) 9/1848, S. 313–336, 344–352, 363–368 und 375–384; 10/1849, S. 9-16, 25–32, 42–48, 74–80, 88–96, 107–112 und im Intelligenzblatt zu No. 8, S. 57–59 und 68–70.

– Jüdische Litteratur und Jüdisch-Deutsch, in: Serapeum, hg. von R. Naumann, (Leipzig) 25/1864, S. 33–46, 49–62, 65–79, 81–95 und 97–104; 27/1866, S. 1–12; 30/1869, S. 129-140 und 145–159.

– Catalogus Librorum Hebraeorum in Bibliotheca Bodleiana, Berolini 1852–1860.

– Catalogus Codicum Hebraeorum in Academia Lugduno-Batava, Lugduni Batavorum 1858.

– Hebräische Bibliographie, Vol. I–XXI, Berlin 1858–1882.
– Die hebräischen Handschriften der Kgl. Hof- und Staats-Bibliothek in München [1]1875, [2]1895.
– Catalog der hebräischen Handschriften in der Stadtbibliothek zu Hamburg 1878.
– Verzeichnis der hebräischen Handschriften der Kgl. Bibliothek zu Berlin, 2 Bde., Berlin 1878–1897.
– Die hebräische Übersetzung des Mittelalters und die Juden als Dolmetscher, Berlin 1893.
– Supplementum Cat. Libr. Hebr. in Bibliotheca Bodleiana, in: Centralblatt für Bibliothekwesen, Jg. 1894, S. 484 ff.
– Die Geschichtsliteratur der Juden, Frankfurt a. M. 1905.
Stiff, Nahum: A geschribene jidische bibliotek in a jidischen haus in Venezie in mitten dem 16. Jh., in: Zeitschrift (Minsk), I–III.
Systematische Catalogus van de Judaica der Bibliotheca Rosenthaliana, bd. 1 ff., Amsterdam 1964 ff.
Wachstein, Bernhard: Randbemerkungen. Berichtigungen zu Schwab, Répertoire des Articles relatifs à la Littérature juives parus dans les Périodiques de 1665 à 1900, Paris 1914–23.
Wagner, Josef Maria: Die Literatur der Gauner- und Geheim-Sprachen seit 1700, Dresden 1861 ((Nr. 76–100). – Auch in: Neuer Anzeiger für Bibliographie und Bibliothekwissenschaft, hg. von J. *Petzholdt,* Jg. 1861, mit Nachträgen 1862 und 1863.
Weinreich, Uriel und Beatrice: Yiddish Language and Folklore, s'Gravenhagen 1959.
Weller, Emil: Repertorium typographicum. Die deutsche Literatur im ersten Viertel des 16. Jahrhunderts, 2 Bde. und Supplement, Nördlingen 1864–1885.
Wiener Library Comp. (Hg.): Postwar Publikations on German Jewry, Books and Articles, 1945–55, London 1965.
Wolf, Siegmund A.: Jiddisches Wörterbuch, Mannheim 1962. (Verzeichnis des Schrifttums: S. 27–34.).
Wolff, Ilse R.: German Jewry, London 1958.
Wolfskehl, K.: Deutsch-Jüdische Bibliothek, in: Jb. d. Leo-Baeck-Instituts, (London- Jerusalem-New York) 5/1960, S. 333 ff.
Zedner, Joseph: Catalogue of the Hebrew Books in the Library of the British Museum, London-Berlin 1867.

b) Einführungen, Gesamtdarstellungen und Chrestomathien

Andree, Richard: Zur Volkskunde der Juden, Bielefeld-Leipzig 1881, S. 95–119: Die Juden und die Sprache (behandelt auch die jüdisch-deutsche Literatur).
Ausubel, Nathan: The book of Jewish knowledge, New York 1864.
Avé-Lallemant, Friedrich Christian *Benedict:* Das Deutsche Gaunerthum in seiner socialpolitischen, literarischen und liguistischen Ausbildung zu seinem heutigen Bestande, Tl. 3, Leipzig 1862.
Ba'al-Mahaschabot. Das Darom-(Süd-)Judentum und die jüdische Literatur im 19. Jahrhundert. Berlin 1922 (in Jiddisch !).
Ba'al-Dimjon. Humanismus in der älteren jüdischen Literatur, Berlin [2]1922 (in Jiddisch !)
Bäck, Samuel: Die Geschichte des jüdischen Volkes und seiner Literatur vom babylonischen Exile bis auf die Gegenwart, Frankfurt a. M. [2]1894.
Bassin, M.: Finfhundert jor jidische poesie, 2 bde. mit hakdomoh un anmerkung fun B. Borochow, niu jork 1917.
Beranek, Franz J.: Jiddische Literatur, in: Paul *Merker*/Wolfgang *Stammler* (Hg.), Reallexikon der Deutschen Literaturgeschichte, Bd.1 Berlin [2]1958, S. 766–770.
Berdyczewski, M. J.: Der Born Judas, 6 Bde., Leipzig 1919-24.
Berliner, Abraham A.: Mittelhochdeutsches in jüdischen Quellen, in: Jüdische Presse 1/1870 (Literaturblatt I).

Bernheimer, Karl: Codices Hebraici Bibliotheca Ambrosianae, Florentiae 1933.-Darin: S. 134, Fragmentum glossarii hebrei-germanici S. 192–93, Appendices.

Birnbaum, Salomo: Jiddische Literatur, in: Jüdisches Lexikon, Bd. 3, Berlin 1929, Sp. 1156–1175.

Boeschenstein. Johann: Contenta in hoc libello nuper a joanne boeschenstein esslingensi edita Elementale introductorium in Hebreas literas teutonice et hebraice legendas, Auguste ex officina Erhardi Oeglin mese [...] 1514.

Borochow, Ber: Di geschichte fun der jidischer literatur, in: literatur un leben, niu jork 1915.

Brüll, Adolf: Beiträge zur Kenntnis der jüdisch-deutschen Literatur, in: Jahrb. f. jüd. Gesch. u. Lit., hg. von N. Brüll, (Frankfurt a. M.) 3/1887, S. 87–119.

Buchwald, Nathaniel: History of Yiddish Literature in America, New York 1921.

Buxtorf, Johannes: Thesaurus grammaticus linguae sanctae hebraeae, Basel [1]1609, [3]1621, [5]1651, [6]1663. – Darin: Lectiones Hebraeo-Germanicae usus et exercitatio.

Cassel, David: Lehrbuch der jüdischen Geschichte und Literatur, Leipzig 1879.

Doctor, Max: Lehrbuch der jüdischen Geschichte und Literatur, Leipzig [9]1914.

Dohm, Christian Wilhelm: Denkwürdigkeiten meiner Zeit, 5 Bde., Lemgo-Hannover 1814–19.

Eisenmenger, Johann Andreas: Entdecktes Judenthum, Königsberg 1711.

Erik, Max: Wegn alt-jidischn roman un nowele, Warsche 1926. – Di geschichte fun der jidischer literatur [...], Warsche 1928.

Fischer, B.: Der kleine Avé-Lallemant, Leipzig 1887.

Freimann, Aron; Elbogen, Ismar U. A.: Germanica Judaica, Tübingen 1963.

Frankl, Pinkus Friedrich: Über die Erbauungs- und Unterhaltungslektüre unserer Altvorderen, in: MGWJ, (Breslau) 34/1885, 145 ff.

Fürst, Julius: Bibliotheca Judaica. Bibliographisches Handbuch der gesamten Jüdischen Literatur mit Einschluß der Schriften über Juden und Judenthum und einer Geschichte der jüdischen Bibliographie, 3 Tle., Leipzig 1849–63.

Fuks, Laib: The oldest known literary documents of yiddish literature, 2 vols., Leiden.

– Die jiddische Literatur, in: Wolfgang von *Einsiedel* (hrsg.), Die Literatur der Welt [...] –, Mailand-Zürich 1964, S. 101–109.

Gaster, Moses: Jewish folklore in the Middle Ages, London 1887.

– Studies and texts in folklore, magic, medieval romance, Hebrew apocrypha and Samaritan archaeology, collected and reprinted, 3 Bde., London 1925–28.

Gelbhaus, S.: Mittelhochdeutsche Dichtung und ihre Beziehungen zur biblisch-rabbinischen Literatur, Frankfurt 1889–1893.

Ginzberg, L.: The Legends of the Jews, 7 Bde. Philadelphia 1909–1938.

Grünbaum, Max: Jüdischdeutsche Chrestomathie, Leipzig 1882.

– Die jüdisch-deutsche Literatur in Deutschland, Polen und America, in: Winter, J. u. Wünsche, Aug., Die Jüdische Literatur seit Abschluß des Kanons, Bd. 3, S. 533–623 mit Nachträgen und Berichtigungen auf S. 905, Hildesheim 1965 (reprografischer Nachdruck. der Ausg. Trier 1896).

Güdemann, Moritz: Geschichte des Erziehungswesens und der Cultur der abendländischen Juden während des Mittelalters und der neueren Zeit, 3 Bde., 2. mit einem Nachdruck verm. Aufl., Amsterdam 1966.

Hagen, Friedrich von der: Die romantische und Volkslitteratur der Juden in Jüdisch-Deutscher Sprache. Erster Theil (einz.), Berlin 1855 (= Abh. d. Kgl. Akademie d. Wissensch. zu Berlin, Phil.-Hist. Abh. 1854, 1–11).

Hakel, Hermann: Jiddisch – Sprache einer zweitausendjährigen Wanderung, in: Literatur und Kritik (Salzburg), Jg. 1967, H. 15, S. 293–307.

Helvicus: Jüdische Historien, Gießen 1612.

Hildebrand, Karl: Über jüdisch-deutsche Literatur, in: Verhandlungen der 26. Versamm-

lung deutscher Philologen und Schulmänner in Würzburg (30. 9.–3. 10. 1868), Leipzig 1869, S. 215.
– Über die jüdisch-deutsche Literatur. Das Samuelbuch, in: Germania, hg. von K. *Bartsch,* (Wien) 14/1869, S. 127ff.
Höxter, Julius: Jüdische Geschichte und Literatur, Frankfurt a. M. 1935.
– Quellenbuch zur jüdischen Geschichte und Literatur, 5 Bde., Frankfurt a. M. 1930.
Joffe, Judah A.: Yiddish During the Past 150 Years, in: Yivobleter 15/1940, S. 87–102.
– Dating the origin of yiddish dialects, in: The Field of Yiddish I, p. 102–121 (s. v. *Weinreich,* Uriel, S. 258).
Karpeles, Gustav: Geschichte der Jüdischen Literatur, 2 Bde., Berlin 1886.
Kayserling, Meyer: Handbuch der jüdischen Geschichte und Literatur, Leipzig [7]1900 ([9]1914 s. v. Doctor).
Landau, Leo: Hebrew-German Romances and Tales and Their Relation to the Romantic Literature of the Middle Ages, Leipzig 1912 (= Teutonia. Arbeiten zur germanischen Philologie, 21).
Landmann, Salcia: Jiddisch. Das Abenteuer einer Sprache, Olten-Freiburg i. Br. 1962.
Levi, Hermann: Lehrbuch und Jugendbuch im jüdischen Erziehungswesen des 19. Jahrhunderts in Deutschland, Köln 1933.
Levin, Moritz: Lehrbuch der jüdischen Geschichte und Literatur, Berlin [3]1900.
Löwenstein, Leopold: Zur Geschichte der Juden in Fürth, Frankfurt a. M. 1913.
Lotze, Hermann: Zur jüdisch-deutschen Literatur, in: Archiv d. Literaturgesch., hg. von R. *Gosche,* (Leipzig) 1/1870, S. 90–101.
Meisl, N.: Jiddische Literatur, in: Encyclopaedia Judaica, Bd. 9, Berlin 1932, S. 127–180.
– Forgeier un mitzaitler, niu jork 1946.
Mark, Judel: Yiddish Literature, in: Encyclopaedia of Literature, vol. 2/1946, S. 1025ff.
– Yiddish Literature, in: L. Finkelstein, The Jews: Their History, Culture, and Religion, New York [2]1960, S. 1191–1232.
Minkoff, N. B. and *Joffe,* Judah A.: Old-Yiddish Literature, in: The Jewish People Past and Present, vol. III, New York 1952.
Niger, Samuel: Wegn jidische schraiber, 2 tle., Wilne 1912.
– Studies zu der geschichte fun der jidischer literatur, in: Pinkes (Wilna), Jg. 1913.
– B. Borochows plan far a geschichte fun jidisch, in: Filologische schriften, bd. 1 (Landau-Buch), Wilne 1926, Sp. 21–28.
– Derzeilers un romantistn, niu jork 1946.
Niger, Samuel: Yidisch Literature in the Past Two Hundred Years, in: The Jewish People Past and Present, Bd. 3, New York 1952.
– und *Schatzki,* Jacob: Leksikon fun der naier jidischer literatur, bd. 1ff., niu jork 1956ff.
Norman, Frederick: Early Yiddish Literature, in: The Jewish Chronicle, 21. 2. 1958.
Oppenheim, D.: Jüdisch-Culturhistorisches, in: Allgem. Zeitung d. Judenthums, Jg. 1863, Nr. 23.
Pascheles, Wolf: Sippurim, Prag 1846 (Geschichte in Hochdeutsch).
Perles, Felix: Die Poesie der Juden im Mittelalter, Frankfurt a. M. 1907.
Perles, Josef: Etymologische Studie zur Kunde der rabbinischen Sprache und Altertümer, Brelau 1871.
– Beiträge zur Geschichte der hebräischen und aramäischen Studien, München 1884.
Pines, Meyer Isser: Histoire de la littérature judéo-allemande. Mit einem Vorwort von Charles *Andler,* Paris 1911.
– Die Geschichte der jüdischdeutschen Literatur. Nach dem französischen Original bearbeitet von Georg *Hecht,* Leipzig 1913.
Rappopaort, A. S.: The Folklore of the Jews, London 1937.
Reisen, Salman: Leksikon fun der jidischer literatur, prese un filologie, bd. 1–4, Wilna 1926–1929.
Roback, Abraham A.: Curiosities of Yiddish Literature, Cambridge/Mass. 1933.

– The Story of Yiddish Literature, New York 1940.
– Contemporary Yiddish literature, London 1957.

Saineanu (Sainean), Lazar: Studiu Dialectologic Asupra Graiulur Evreo-German, Bucuresti 1889 (S. 17–28: Literatur).

Schatzki, Jacob: di erschte geschichte fun jidischn teater, in: Filologische schriftn, bd. 2, Wilne 1928, Sp. 215–264.

Schipper, Ignacy: Geschichte fun jidischer teater-kunst un drame fun die eltste zeiten bis 1750, 2 bde., Warsche 1923–25.
– di eltste spuren fun der jidischer sprach un literatur, in: Die jüdische Welt, Nr. 1, Wilna 1928.

Schudt, Johann Jacob: Jüdische Merckwürdigkeiten [...], 4 Tle., Frankfurt a. M. 1714–1717.

Schulmann, Elieser: Sefat jehudit-aschkenasit we-safruta [...] (Die jüdisch-deutsche Sprache und ihre Literatur vom Ende des 15. bis zum Ende des 18. Jahrhunderts, hg. von J. Ch. *Tawjow*), Riga 1913.
– Yiddish Literature, in: American Jewish Yearbook 51/1950, S. 210 ff.

Schwarz, Werner: Die weltliche Volksliteratur der Juden, in: Paul Wilpert u. Paul Eckert, Judentum im Mittelalter. Beiträge zum christlich-jüdischen Gespräch, Berlin 1966, S. 72–91.

Schwarzbaum, Haim: Studies in Jewish and World Folklore, Berlin 1968.

Shmeruk, Chone, Yiddish Literature, in: Encyclopaedia Judaica, vol. 16, Jerusalem 1971, col. 798–833.

Simchowitz, Sascha: Die jüdisch-deutsche Literatur, Dortmund 1910 (= Mitteilungen d. literaturhistorischen Gesellschaft Bonn, Jg. 5, Nr. 3).

Staerk, Willy und *Leitzmann,* Albert: Die Jüdisch-Deutschen Bibelübersetzungen von den Anfängen bis zum Ausgang des 18. Jahrhunderts. Nach Handschriften und alten Drucken. Frankfurt a. M. 1923 (= Schriften, hg. v. d. Gesellschaft z. Förderung d. Wissenschaft d. Judentums, Nr. 26).

Steinschneider, Moritz: Jüdische Literatur, in: J. S. *Ersch* und J. G. *Gruber,* Allgemeine Encyclopaedie der Wissenschaften und Künste, Bd. 27.
– Jüdisch-Deutsche Literatur nach einem handschriftlichen Katalog der Oppenheim'schen Bibliothek (Oxford), in: Serapeum, hg. von R. *Naumann,* (Leipzig), 9/1848, S. 313–336, 344–352, 363–368 und 375–384; 10/1949, S. 9–16, 25–32, 42–48, 74–80, 88–96, 107–112 und im Intelligenzblatt zu No. 8, S. 57–59 und 68–70.
– Jüdische Litteratur und Jüdisch-Deutsch, in: Serapeum, hg. von R. *Naumann,* (Leipzig) 25/1864, S. 33–46, 49–62, 65–79, 81–95 u. 97–104; 27/1866, S. 1–12; 30/1869, S. 129–140 u. 145–159.
– Über die Volksliteratur der Juden, in: Archiv für Literaturgeschichte, hg. von R. *Gosche,* (Leipzig) 2/1872, S. 1–21.
– Allgemeine Einleitung in die jüdische Literatur des Mittelalters, Amsterdam 1966 (Reprint).
– Hebräische Drucke in Deutschland, in: Zs. f. d. Gesch. d. J. i. Deutschland, hg. von L. *Geiger,* (Braunschweig) 1/1887, S. 103 ff.; 2/1888, S. 200 ff. u. 3/1889, S. 84 ff.

Steinschneider, Moritz: Die hebräischen Übersetzungen des Mittelalters und die Juden als Dolmetscher, 2 Bde., Berlin 1893.

Stern, Moritz, Tabellen zur Geschichte der Juden und ihrer Litteratur, Kiel ^{2}1896.
– Deutsche Sprachdenkmäler in hebräischen Schriftcharakteren, Berlin 1922.

Tendlau, Gottfried: Sprichwörter und Redensarten deutsch-jüdischer Vorzeit. Als Beitrag zur Volks-, Sprach- und Sprichwörter-Kunde. Aufgezeichnet aus dem Munde des Volkes und nach Wort und Sinn erläutert, Frankfurt a. M. 1860. – Stark gekürzte Neuausgabe Berlin 1934.

Trunk, J. J.: Jidische prose in oiln, niu jork 1949.

Ullrich, Johann Caspar: Sammlung jüdischer Geschichten in der Schweiz, Basel 1768 (in Hochdeutsch).

Wagenseil, Johann Christoph: Belehrung der Jüdisch-Teutschen Red- und Schreibart [...], Königsberg [1]1699, Frankfurt a. M. [2]1715, S. 305–334 u. a.: Jüdisch-deutsche Literaturproben.

Waxman, Meir: A History of Jewish Literature, 4 vols., New York 1931–41. (Vol. 4: Jiddische Literature).

Weinreich, Max: Bilder fun der jidischer Literaturgeschichte, Wilne 1928.

– Zu der geschichte fun der jidischer literatur in 19ten jorhundert. niu jork 1945/46 –

– Prehistory and early history of Yiddish, in: The Field of Yiddish I, p. 73–101 (s. v. *Weinreich,* Uriel, S. 258).

– Old Yiddish Poetry in Linguistic-Literary Research, in: World, (New York) 16/1960, S. 100 ff.

Weinreich: Uriel: Yiddish Poetry, in: A Dictionary of Poetry and Poetics, ed. A. *Preminger* und F. J. *Warnke,* New York 1957.

Weller, Emil: Repertorium typographicum. Die deutsche Literatur im ersten Viertel des 16. Jahrhunderts, 2 Bde. u. Suppl., Nördlingen 1864–1885.

Wiener, Leo: The History of Yiddish Literature in the 19th century, New York 1899.

Winter, Jakob u. *Wünsche,* August: Die jüdische Litteratur seit Abschluß des Kanons, 3 Bde., Trier u. Berlin 1894–97. – Reprografischer Nachdruck Hildesheim 1965. (s. v. *Grünbaum,* Max).

Wolf, Johann Christoph: Bibliotheca Hebraea, 4 vol., Hamburg 1715–1733. (Vol. II, 453–460: Versio Hebraeo-Germanica; vol. IV, 182–206: Versio Judaeo-Germanica. Zusammenstellung jüdisch-deutscher Pentateuchübersetzungen).

Wolf, Siegmund A.: Jiddisches Wörterbuch, Mannheim 1962, S. 35–87: Leseproben aus der jiddischen Literatur.

Zinberg, Israel: Ouß der alt-jidischn literatur, in: Filologische schriftn, bd.3 , Wilne 1929, Sp. 173–184.

– Die geschichte fun der literatur bai jidn, Wilne 1930.

Zunz, Leopold: Zur Geschichte und Literatur, Berlin 1845.

– Die gottesdienstlichen Vorträge der Juden historisch entwickelt, Berlin [1]1832 (bes. S. 438–442); Frankfurt a. M. [2]1892 (s. auch bei Avé-Lallemant III, S. 200 ff.); Hildesheim 1966 (Repr. d. Ausg. 1892).

– Die synagogale Poesie des Mittelalters, Hildesheim 1967 (Repr. d. Ausg. Ausgaben 1859 u. 1920).

– Literaturgeschichte der synagogalen Poesie, Hildesheim 1966 (Repr. d. Ausg. 1865).

– Gesammelte Schriften, 3 Bde., Berlin 1875–76.

4. Einzeldarstellungen zur Literatur

a) zu den Anfängen des Schrifttums

Berliner, Abraham A.: Gesammelte Schriften, Bd. 1, Frankfurt a. M. 1913, S. 88–89.

Bernheimer, Karl: Codices Hebraici Bibliotheca Ambrosianae, Florentiae 1933. – Darin S. 134: Fragmentum glossarii hebrei-germanici, S. 192–93: Appendices).

Birnbaum, Salomo: Umschrift des ältesten datierten jiddischen Schriftstücks, in: Teuthonista 8/1931–32, S. 197–207.

– Das älteste datierte Schriftstück in jiddischer Sprache, in: Beiträge z. Gesch. d. dt. Sprache u. Lit. 56/1932, S. 11–22.

– (Jüdisch-deutscher Privatbrief vom Jahre 1478), in: Bet Jacob (Lotz), 8/1931, S. 18, no. 71–72.

Dünner, L.: Die hebräischen Handschrift-Fragmente im Archiv der Stadt Cöln, in: Zeitschrift f. hebr. Bibliographie (Frankfurt), 8/1904, S. 113.

Dukes, Leopold: Bibliographische Notizen über verschiedene Ritualien und besondere Gebetsammlungen. Deutsche Machsorim, in: Literaturblatt d. Orients, Jg. 1844, Nr. 15.

Eis, Gerhard: Frühneuhochdeutsche Bibelübersetzungen, Texte 1400–1600, Frankfurt a. M. 1949, S. 74 ff.

– Judeneid aus Hostau in Böhmen, in: Journal of English and German Philology (Urbana/Illinois), 52/1953, S. 86 ff.

Epstein, A.: Die Wormser Minhagimbücher, in: Kaufmann-Gedenkbuch, (Breslau) 1900.

Freimann, Aron: Der Judenmeister Meiher von Erfurt wird vom Frankfurter Rat auf Verwendung des Königs Wenzel aus dem Gefängnis entlassen und schwört Unfehde, in die auch die Frkftr. Juden inbegriffen sind: 1392. 19. März (23. Adar II 5152), in: Zeitschr. für hebr. Bibliographie (Frankfurt a. M.), 11/1907, S. 107–112.

Fuks, Laib: The oldest known literary documents of yiddish literature, S. 1, Leiden 1957, S. XIII-XVIII.

Guggenheim, Florence: Aus einem alten Endinger Gemeindebuch. – Der Schatz- und Schirmbrief für die Judenschaft zu Endingen und Lengnau vom Jahre 1776, Rürich 1952.

– Ein deutscher Urfehdebrief in hebräischer Schrift aus Zürich vom Jahre 1385, in: Zs. f. Mda.-forsch. 22/1954, S. 207–214.

– Faksimili des Urfehdebriefs eines Zürcher Juden aus dem Jahre 1385, in: Festschrift zum 50jährigen Bestehen des Schweiz. Isr. Gemeindebundes. Zürich 1954, S. 264 ff.

– Zur Umschrift deutscher Mundarten des 14./15. Jahrhunderts mit hebräischer Schrift, in: Zs. f. Mda.-forsch. 24/1956, S. 229–246.

Habersaat, Karl: Zur Datierung der jüdisch-deutschen Hohelied-Paraphrasen, Frankfurt a. M. 1934.

– Die jüdisch-deutschen Hohelied-Übertragungen, Frankfurt a. M. 1934.

– Materialien zur Geschichte der jiddischen Grammatik, in: Orbis 11/1962, H. 1, S. 352–368.

Kormann, Bruno: Die Reimtechnik der Estherparaphrase Cod. Hamburg 144. Beitrag zur Erschließung des altjiddischen Lautsystems, Kolomea 1930 (Hamburger Phil. Diss. 1930).

Kracauer, I.: Urkundenbuch zur Geschichte der Juden in Frankfurt am Main, 1150–1400, Frankfurt a. M. 1914, S. 187–191.

Landau, E.: Aus den Raths- und Gerichtsbüchern von Zürich, in: Zs. f. d. Gesch. d. Juden i. Dtschl., hg. von Ludwig *Geiger,* (Braunschweig) 4/1890, S. 281–282.

Leibowitz, Nechama: Die Übersetzungstechnik der jüdisch-deutschen Bibelübersetzungen des 15. und 16. Jahrhunderts, dargestellt an den Psalmen, Marburger Diss. 1931, abgedr. in: Beiträge z. Gesch. d. dt. Sprache u. Lit. (Halle), 55/1931, S. 377–463.

Löwinger, S. u. *Weinryb,* B.: Jiddische Handschriften in Breslau, Budapest 1936.

Lunski, KH.: Jidisch bei r. jekub weiln, in: Filologische schriftn, bd. 1 (Landau-Buch), Wilne 1926, Sp. 285–288.

Müller, Alois: Ein mit hebräischen Buchstaben niedergeschriebener deutscher Segen gegen die Bärmutter, in: Zs. f. dt. Altertum u. dt. Lit., hg. von Elias *Steinmeyer,* (Berlin) 19/1876, S. 473–478.

Perles, Josef: Jüdisch-deutsche Glossen. 13. Jahrhundert, in: Beiträge zur Geschichte der hebräischen und aramäischen Studien, München 1884, S. 145–153.

– Die Berner Handschrift des kleinen Aruch, in: Jubelschrift zum 70. Geburtstag von H. *Grätz,* Brelau 1887.

Peyser, E.: Eine hebräische medizinische Handschrift. Beitrag zur Komplexionslehre, Basel 1944, S. 18, 42.

Ringelblum, E.: Anotazieß un bamerkungen in loschon-kodesch un alt-jidisch fun 15. jh., in: Filologische schriftn, bd. 1 (Landau-Buch), Wilne 1926, Sp. 333–338.

Röll, Werner: Das älteste datierte jüdisch-deutsche Sprachdenkmal: ein Verspaar im Wormser Machsor von 1272/73, in: Zs. f. Mda.-forsch. 33/1966, H. 2, S. 127–138.

Roth, Ernst: Das Wormser Machsor, in: Festschrift zur Wiedereinweihung der Alten Synagoge zu Worms, Frankfurt a. M. 1961, S. 217–227.

Sadan, Dow: Der eltster gram in jidisch, in: Goldene Keit (Tel Aviv), 47/1963, S. 158–159.
Schipper, Ignacy: Die eltste spuren fun der jidischer sprach un literatur, in: Die jüdische Welt, Wilna 1928, Nr. 1.
Staerk, Willy u. *Leitzmann*, Albert: Die Jüdisch-Deutschen Bibelübersetzungen von den Anfängen bis zum Ausgang des 18. Jahrhunderts, Frankfurt a. M. 1923 (= Schriften, hg. von der Gesellschaft zur Förderung der Wissenschaft des Judentums, Nr. 26).
Stern, Moritz: Urkundliche Mitteilungen, in: Jb. d. jüd.-lit. Gesellschaft (Frankfurt a. M.), 22/1931–32, S. 40.
Straus, Raphael: Urkunden und Aktenstücke zur Geschichte der Juden in Regensburg 1453–1738, München 1960 (= Quellen und Erörterungen zur bayrischen Geschichte, N. F. 18).
Weinreich, Max: Jidische jokor-hamezieten in keimbridsch, england, in: Pinkes 1/1927, S. 23 ff.
– A jidischer saz fun far sibn hundert jor. Analis fun gor a wichtikn schprachikn gefins, in: Jidische Schprach 23/1963, Nr. 3, S. 87–93; 24/1964, Nr. 2, S. 61 ff.
Wiener, Leo: The Lord's Prayer in Judaea-german, in: Modern Language Notes 9/1894, S. 156–158.
Wolf, Siegmund A.: Über eine jiddische Arzneibuch-Handschrift von 1474, in: Zur Geschichte der Pharmazie, 17/1965, S. 26–29.

b) zur Spielmannsdichtung

Erik, Max: Inventar fun der jidischer spilmandichtung, in: Zeitschrift (Minsk), 2, 3/1928.
– Wegen alt-jidischn roman und nowele, 14.–16. jh., Warsche 1926, (bes. S. 16–32 u. 91–142).
Falk, Felix: Die Bücher Samuelis in deutschen Nibelungenstrophen des 15. Jahrhunderts, in: Mitt. z. jüd. Volkskunde, hg. von M. *Grünwald*, (Leipzig) 11/1908, S. 79 ff.
– Das Schmuelbuch des Mosche Esrim Wearba. Ein biblisches Epos aus dem 15. Jahrhundert, hg. von Laib *Fuks*, 2 Bde., Assen 1961.
Fuks, Laib: Das altjiddische Melokim-Buk, 2 Tle., Assen 1965.
Kormann, Bruno: Die Reimtechnik der Estherparaphrase Cod. Hamburg 144. Beitrag zur Erschließung des altjiddischen Lautsystems, Kolomea 1930 (Phil. Diss. Hamburg 1930).
Landau, Leo: Arthurian Legends, or the Hebrew-German Rhymed version of the legend of King Arthur. Publ. for the first time from the Ms. and the parallel text of editio Wagenseil (»Belehrung der jüdisch-teutschen Red- und Schreibart«, Königsberg 1699, S. 157–292) together with an introduction, notes, two appendices by L. Landau, Leipzig 1912.
– Arthurian Legends, in: Teutonia 21/1912.
– A nischt-bakanter jidisch-deitscher nussach fun der artus-legende, in: Filologische schriftn (Landau-Buch), bd. 1, Wilne 1926, Sp. 129–140.
– A Hebrew-German (Judeo-German) Paraphrase of the Book of Esther of the 15th century, in: The Journal of English and Germanic Philology (Urbana/Illinois), 28/1919, S. 497–555.
Leviant, C.: King Artus A Hebrew Arthurian Romance of 1273, Assen 1969.
Schüler: Der »Artushof« und Josef Witzenhausen, in: Zeitschrift für hebr. Bibliographie (Frankfurt a. M.), 8/1904, S. 117–123, 145–148 u. 179–186.
Staerk, Willy u. *Leitzmann*, Albert: Die Jüdisch-Deutschen Bibelübersetzungen von den Anfängen bis zum Ausgang des 18. Jahrhunderts, Frankfurt a. M. 1923 (= Schriften, hg. von der Gesellschaft zur Förderung der Wissenschaft des Judentums, Nr. 26), (bes. S. 199 ff., 228–229, 235–236, 241 u. 271).
Stiff, Nahum: Ditrich fun bern, in: Jidische Filologie, (Warsche) jg. 1924, H. 2–3.
Weinreich, Max: A jidischer gruß fun far 400 jor, in: Zukunft III-IV/1923.
Wolf, Albert: Fahrende Leute bei den Juden, in: Mitteilungen zur Jüd. Volkskunde, Jg. 1909.

c) zum Cambridger Codex T-S. 10. K. 22

Beranek, Franz J.: Neues zur jiddischen Gudrunsage, in: Mitteil. aus dem Arbeitskreis für Jiddistik, hg. von F. J. Beranek (Giessen), Bd. 2 (1960–64), S. 49–52.

Birnbaum, Salomon A.: Old Yiddish or Middle High German? In: The Journal of Jewish Studies, (London) 12/1961, S. 19–31.

Buchmann, Oskar: Kurze Anzeige in der Zeitungsschau, in: Muttersprache (Lüneburg), Jg. 1954, S. 117.

Carles, J.: Un fragment judéo-allemand du cycle de Kudrun, in: Etudes germaniques 13/1958, S. 248–351.

Colditz, Siegfried: Das jiddische Fragment vom Herzog Horand in seinem Verhältnis zum Gudrunepos und dem König Rother, in: Mitt. aus dem Arbeitskreis für Jiddistik, hg. von F. J. *Beranek* (Gießen), Bd. 2 (1960–64), S. 17–24.

– Studien zum hebräisch-mittelhochdeutschen Fragment vom »Dukus Horant« (C. 1382), Diss. Leipzig 1964 (maschinenschriftl.).

Curschmann, Michael: »Spielmannsepik«. Wege und Ergebnisse der Forschung von 1907–1965, in: Deutsche Vierteljahrsschrift 40/1966, S. 434–478 u. 597–647 (S. 474–478: »Dukus Horant«).

Forster, L. W.: Ducus Horant, in: German Life and Letters, N. S. 11/1958, S. 276–285.

Fourquet, Jean: Ernest Henry Lévy (1867–1940) et le Dukus Horant, in: Etudes germaniques 14/1959, S. 50–56.

Fuks, Laib: The Oldest Literary Works in Yiddish in a Manuscript of the Cambridge University Library, in: Journal of Jewish Studies, (London) 4/1953, S. 176–181.

– Der eltster literarischer dokument in jidisch, in: Jidische Kultur 16/1954, S. 30–35.

– On the Oldest Dated Work in Yiddish Poetry, in: The Field of Yiddish I, p. 267–274 (s. v *Weinreich,* Uriel, S. 258).

– The Oldest known Literary Documents of Yiddish Literature (C. 1382), Part 1, 2, Leiden 1957.

G., F.: Jiddisch in Israel unerwünscht, in New York aber anerkannt. Gudrun-Sage jiddisch, in: Der Sudetendeutsche, 24. 7. 1954.

Ganz, Peter F.: Dukus Horant – An Early Yiddish Poem from the Cairo Genzah, in: The Journal of Jewish Studies, (London) 9/1958, S. 47–62.

– and *Norman,* F. and *Schwarz,* W.: Zu dem Cambridger Joseph, in: Zs. f. dt. Philologie 82/1963, S. 86–90.

– Dukus Horant. Mit einem Exkurs von S. A. *Birnbaum,* Tübingen 1964 (= Altdeutsche Textbibliothek, Ergänzungsreihe Bd. 2).

Gininger, Chaim: A Note on the Yiddish Horant, in: The Field of Yiddish I (s. v. *Weinreich,* Uriel), S. 275–277.

Guggenheim, S.: Die Gudrunsage, in: Allgemeine Wochenzeitung der Juden in Deutschland, d. i. Jüdisches Gemeindeblatt für die britische Zone, 30. 4. 1954.

Hakkarainen Heikki J.: Studien zum Cambridger Codex T-S. 10. K. 22, Turku 1967 (mit reicher Bibliographie).

Katz, Eli: Six Germano-Judaic Poems from the Cairo Genizah, Diss University of California, Los Angeles 1963 (microfilmed 1964).

Kroes, H. W. J.: Ducus Horant een jiddische Kudrun? In: Duitse Kroniek 11/1959, S. 89–93.

Lockwood, W. B.: Die Textgestalt des jüngeren Hildebrandliedes in jiddisch-deutscher Sprache, in: Beiträge z. Gesch. d. dt. Sprache u. Lit. (Halle), 85/1963, H. 2/3, S. 433–447.

Marschand, James W.: Einiges zur sogenannten »Jiddischen Kudrun«, in: Neophilologus (Groningen), 45/1961, S 55–63.

– und Tubach, Frederic C.: Der keusche Joseph. Ein mitteldeutsches Gedicht aus dem 13–14. Jahrhundert. Beitrag zur Erforschung der hebräisch-deutschen Literatur, in: Zs. f. dt. Philologie 81/1962, S. 30–52.

Menhardt, Hermann: Zur Herkunft des »Dukus Horant«, in: Mitteil. aus dem Arbeitskreis für Jiddistik, hg. von F. J. *Beranek* (Gießen), Bd. 2 (1960–64), S. 33–36.
Neumann, Hans: Sprache und Reim in den judendeutschen Gedichten des Cambridger Codex T-S. 10. K. 22, in: Indogermanica, Festschrift für Wolfgang *Krause*, Heidelberg 1960, S. 145–165.
Norman, Frederick: Remarks on the Yiddish Kudrun, in: The Journal of Jewish Studies, (London) 5/1954, S. 85–86.
Norman, Frederick: Early Yiddish Literature, in: The Jewish Chronicle, 21. 2. 1958.
Röll, Walter: Die Abenteuer einer Handschrift. Das deutsche Heldenepos von »Dukus Horant« liegt wieder vor, in: Die Welt, 13. 2. 1965.
– Zum Konsonantensystem der Cambridger Handschrift, in: Zs. f. Mda.-forsch. 33/1966, S. 144–146.
Rosenfeld, Hellmut: Der Dukus Horant und die Kudrun von 1233, in: Mitteil. aus dem Arbeitskreis für Jiddistik, hg. von F. J. *Beranek* (Gießen), Bd. 2 (1960–64), S. 129–134.
Sadan, Dow: The Midrashic Background of The Paradise«: Its implications for the evalution of Cambridge Yiddish Codes (1382), in: The Field of Yiddish II, p. 253–262 (s. v. *Weinreich*, Uriel, S. 258).
Schröbler, Ingeborg: Zu L. Fuks' Ausgabe der ältesten bisher bekannten Denkmäler jiddischer Literatur, in: Zs. f. Altertum u. dt. Lit., (Wiesbaden) 89/1958–59, S. 135–162.
Schwarz, Werner: Einige Bemerkungen zur jiddischen Gudrun, in: Neophilologus, (Groningen) 42/1958, S. 327–332.
– Die weltliche Volksliteratur der Juden, in: Paul Wilpert und Paul Eckert, Judentum im Mittelalter. Beiträge zum christlich-jüdischen Gespräch, Berlin 1966, S. 72–91.
– Prinzipielle Erwägungen zur Untersuchung der Cambridger Hs. T-S. 10. K. 22., in: Zs. f. Mda.-forsch. 33/1966, S. 138–144.
Thiel, Erich Josef: Zur Cambridger jiddischen Gudrunhandschrift, in: Mitteil. aus dem Arbeitskreis für Jiddistik, hg. von F. J. *Beranek* (Butzbach), Bd. 1 (1955–59), S. 34–36.
Trost, Pavel: Hebrejsky rukopis nemecké šwilmanské básne, in: Časopis pro moderni filologii 1959, no. 2, S. 112–113.
– Zwei Stücke des Cambridger Kodex T-S. 10. K. 22., in: Philologica Pragensia 4/1961, S. 17–24.
– Noch einmal zur Josefslegende des Cambridger Kodex, in: Philologica Pragensia 5/1962, S. 3–5.
– Glosse zu den Erzväterlegenden des Cambridger Kodex, in: Mitt. aus dem Arbeitskreis für Jiddistik, hg. von F. J. *Beranek (Gießen)*, Bd. 2 (1960–64), S. 152–153.
Weinreich, Max: Old Yiddish Poetry in Linguistic Literary Research, in: Word 16/1960, S. 100–118.
Weißberg, Josef: The vowel system of MS Cambridge T-S. 10. K. 22. compared with Middle High German, in: Jewish Studies 14/1963, S. 37–51. – U. d. T.: Das Konsonantensystem des »Dukus Horant« und der übrigen Texte des Cambridger Manusskripts T-S. 10. K. 22. verglichen mit dem Mittelhochdeutschen, in: Zs. f. Mda.-forsch. 32/1965, S. 1–40.
Wilhelm, K.: Jüdisch-deutsche Spielmannslieder aus Ägypten. Ältestes Dokument in jüdisch-deutscher Sprache in Cambridge entdeckt, in: Allgemeine Wochenzeitung der Juden in Deutschland, d. i. Jüdisches Gemeindeblatt für die britische Zone, 7. 11. 1958.

d) Zu Elia Levita

Erik, Max: Wegen alt-jidischn roman un nowele, 14.–16. jh., Warsche 1926, S. 59–63.
Kaltenbacher, R.: Der altfranzösische Roman »Paris et Vienne«, Erlangen 1904.
Joffe, Judah A.: Elia Bachur's poetical works in 3 vols. with commentary, grammar, and dictionary of Old Yiddish, New York 1949.
– Elia Bachur Levita, Bovo Buch, New York 1949.

Schatzki, Jakob: »Paris un wienah«, in: Filologische Schriftn, Bd. 1 (Landau-Buch), Wilne 1926, Sp. 187–196.

Steinschneider, Moritz: Die italienische Literatur der Juden, in: Monatsschrift für Geschichte und Wissenschaft des Judenthums (Breslau), Jg. 1898, S. 422 ff.

e) zur Folklore

Almi, A.: Barimte jidische folkswertlech. fun wanen hobn sei sich genumen, in: Forwerts (Niu Jork), Jg. 1928, Nr. 11.

Anski, Samuel: Yiddish Folk Riddles, in: S. Anski, Folklor un Etnografie, Wilne-Warsche-Niu York 1925, S. 225–229.

Ajalti, H. J.: Yiddish Proverbs, New York 1949.

Ausubel, Nathan: A Treasury of Jewish Humor, New York 1951.

Beem, H.: Jerosche. Jiddische spreekworden en zegswijsen uit het Nederlandse Taalgebied, Assen 1959.

Bernstein, Ignaz: Jüdisch-deutsche Sprichwörter und Redensarten. Gesammelt und erklärt von Ignaz Bernstein, 4 Bde. Manuskript.

– Katalog dziel tresci przyslowiowey, skladajacych bibljotke Ignacego Bernstein, Warszawa 1900 (2 Bde.).

– Jidische sprichwerter un redensarten. gesamelt un derklert fun Ignaz Bernstein, 2. stark ferm. u. derb. oifl., bai welchen es hot mitgehelfen B. W. Segel, Warsche 1908.

– Jüdische Sprichwörter und Redensarten. Gesammelt und erklärt von Ignaz *Bernstein.* Im Anhang Erotica und Rustica. Mit einer Einf. u. Bibliogr. von Hans Peter Althaus, Hildesheim 1969 (Repr. d. Ausg. 1908). (Ausführliche Bibliogr. zur jidd. Parömiologie).

Blass, Moritz: Jüdische Sprichwörter, Leipzig 1857.

Bloch, Chaim: Das jüdische Volk in seiner Anekdote, Berlin 1931.

Bonydhady, Benjamin: Sprichwörter kroatischer und slavonischer Juden, in: Am Urquell 6/1896, 33–34.

Brüll, Nehemia: Beiträge zur jüdischen Sage- und Spruchkunde des Mittelalters, in: Jb. f. jüd. Gesch. u. Lit., (Frft./M) 9/1889, S. 1–71.

Cohn, Hilde: Kulturgeschichte der jüdischen Frau in Deutschland. Teil 1: Vom Mittelalter bis zur Emanzipation, hg. vom Materialamt des Ringes, Bund Jüdischer Jugend, Berlin 1936 (!). Bes. S. 23–26.

Davidson, Leibusch: A bintl sprichwerter fun Poiln, in: Jidische Sprach 7/1947, S. 79–80.

Ehrlich, J.: Judendeutsche Sprüchwörter und Redensarten, in: Der Urquell N. F. 1/1897, S. 172–175.

Einhorn, S.: Mischli wejidisch, in: Reschumot 5/1927, S. 338–348; 6/1930, S. 398–407; N. S. 1/1945, S. 197–207; 2/1947; S. 196–208; 3/1947, S. 240–251; 4/1947, S. 174–187 u. 5/1953, S. 304–312.

Feist, S.: Jüdische Sprichwörter, in: Jüdische Rundschau 39/1934, Nr. 86, S. 5.

Frank, Jehuda Leopold: Loschen Hakodesch. Jüdisch-deutsche Ausdrücke, Sprichwörter und Redensarten der Nassauischen Landjuden, Cholon 1961.

Gaster, Moses: Jewish folklore in the Middle Ages, London 1887.

– Studies and texts in folklore, magic, medieval romance, Hebrew apocrypha and Samaritan archeology, collected and reprinted, 3 Bde., London 1925–28.

Gestetner, A.: Sammlung sinnreicher jüdisch-deutscher Sprichwörter, Budapest 1897.

Golemb, G. N.: Mischli chachomim. sprichwerter welche is on gehert fun chachomim un on gesehn, Wilne 1897.

Grunwald, Max: Aus unseren Sammlungen. Aus fremden Kreisen, in: Mitt. d. Ges. f. jüd. Volkskunde 1898/99, I, S. 1–116 III, S. 3–40; IV, S. 120–146.

Gurewicz, David: Sefer chinuch gatalmidim beatoko, Odessa 1896, S. 30–32: scheine wertlech.

Ilöw, K.: Jüdische Sprichwörter und Redensarten, Prag 1871. Je länger ein Blinder lebt, desto mehr sieht er. Jiddische Sprichwörter, Frankfurt a. M. 1965 (Insel-Bücherei, 828).
Jellinek, A.: Der jüdische Stamm. Ethnographische Studien 1869, 1881–85, S. 153–178: Der jüdische Stamm in talmudischen und jüdisch-deutschen Sprichwörtern.
Jüdische Schwänke. Eine volkskundliche Studie, Wiesbaden o. J. (1965?).
Kahan, J. L.: Der jidn wegn sich un wegn andere in saine sprichwerter un redensartn, Niu Jork 1933.
Kulke, Eduard: Judendeutsche Sprichwörter aus Mähren, Böhmen und Ungarn, in: Am Urquell 6/1896, S. 119–121, 150 u. 153; N. F. 1/1897, S. 119–121.
Landau, Alfred: Sprichwörter und Redensarten, in: Jb. f. jüd. Volkskunde 1923, S. 335–361.
– bamerkungen zum jidischn folklor, in: Filologische schriftn, bd. 1 (Landau-Buch), Wilne 1926, Sp. 13–22.
Landmann, Salcia: Der jüdische Witz. Soziologie, Sammlung, Glossar, Olten-Freiburg 1960.
– Jüdische Anekdoten und Sprichwörter, München 1965 (dtv 317).
Landsberger, Arthur F.: Jüdische Sprichwörter, Leipzig 1912.
Lehmann, S.: Sozialer moment inem jidischen sprichwort, in: Literarische Bleter, Warsche 1935, Nr. 45.
L(ewi)n, A(aro)n: Sprichwörter galizischer Juden, in: Am Urquell 2/1891, S. 66–67, 112–113, 131, 178, 196; 3/1892, H. 1.
Litwin, A.: Main names wertlech, in: Leben un Wissenschaft, Wilne 1912, S. 8–9.
Lobethal, M.: Tausend jüdisch-deutsche und deutsche Sprichwörter und Redensarten, zumeist in kunstlosen Reim gesetzt, Breslau 1887.
M., S.: Jüdische Sprichwörter und Redensarten, in: Jb. f. jüd. Volkskunde, (Berlin) 1923, S. 362–370.
Maiszim un Schnokes von e Handelewos, in: Pinkel (Leipzig), 1/1845, S. 39–49: Sprüchwörtlech.
Mandl, Leopold: Sprichwörter deutscher Juden, in: Am Urquell 4/1893, S. 75–76.
Mark, Judel: Sprichwerter wos es is kedai sei zu nizn, in: Jidische Sprach 2/1942, S. 28–29, 59–61, 91–93, 152–154, 184–186; 3/1943, S. 58–60, 90–93, 151–153, 4/1944, S. 58–60, 137–140; 5/1945, S. 87–90; 10/1950, S. 58–62; 11/1951, S. 55–58; 12/1952, S. 62–63, 92, 125–126; 13/1953, S. 26–28 u. 14/1954, S. 61–62,
Mittelmann, A.: Judendeutsche Sprichwörter, in: Der Urquell N. F. 1/1897, S. 273–279.
Mylius, C.: Aus Volkes Mund. Sprichwörtliche Redensarten. Citate aus classischen Dichtungen, aus der Oper, aus der Bibel. Jüdisch-Deutsch, Frankfurt a. M. 1878.
Nathan der Weise. Sammlung sinnreicher jüdisch-deutscher Sprüchwörter, Budapest 1897.
Olsvanger, Immanuel: Elsässisch-jüdische Sprichwörter und Redensarten, in: Schweizer Volkskunde 1922, Nr. 11, S. 4–6.
– Rosinkess mit Mandlen. Aus der Volksliteratur der Ostjuden. Schwänke, Erzählungen, Sprichwörter und Rätsel, Basel [2]1931 (= Schriften zur jüdischen Volkskunde 1), Zürich [3]1965.
Olsvanger, Immanuel: Röyte Pomerantsen. Jewish Folk Humor Gathered and Edited, New York 1947.
Ostjüdische Sprichwörter, in: Süddt. Monatshefte 13/1916, H. 5, S. 767–768.
Pirozschnikow, J.: Jidische sprichwerter, Wilne 1908.
Priluzki, Noah: Samelbicher far jidischen folklor, Warsche 1912.
Proverbia Judaeorum Erotica et Turpia. Jüdische Sprichwörter erotischen und rustikalen Inhalts. Als Manuskript gedruckt Wien-Berlin 1918 (= Jüdische Liebhaber-Bibliothek 2).
Rätsel, in: Süddt. Monatshefte 13/1916, H. 5, S. 791.
Rappoport, A. S.: The Folklore of the Jews, London 1937.
Ravnitski, J. K. H.: Jidische witsn, Berlin 1932.
Roback, Abraham A.: The Yiddish Proverb: A Study in Folk Psychology, New York 1918.

– Reprint in: The Jewish Forum (New York), July/August 1918, S. 331–338, 418–426.
– Humor in Jewish Folklore, in: Chicago Jewish Forum 6/Spring 1948, S. 167–173.
Rubinstein, Schmuel: Sprichwerter un redensarten, in: Filologische schriftn, bd. 1 (Landau-Buch), Wilne 1926, S. 411–426.
Schwarbaum, Haim: Studies in Jewish and World Folklore, Berlin 1968.
Spektor, M.: Jidische sprichwerter ois einem manuskript des herrn J. B. Seperat. – Abdruck aus: Hoisfraint, hg. von M. Spektor, Warsche, 1888/89 (2 Tle.).
Tendlau, Abraham: Sprichwörter und Redensarten deutschjüdischer Vorzeit. Als Beitrag zur Volks-, Sprach- und Sprichwörterkunde. Aufgezeichnet aus dem Munde des Volkes und nach Wort und Sinn erläutert, Frankfurt a. M. 1860. – Gekürzte Neuausgabe Berlin 1934.
Weingarten, Josef A.: Yiddish Proverbs and Proverbial Expressions Compared with Proverbs of Other Nations, Revised and Enlarged, New York 1944.
Weinig, N.: Geschichte un problemen fun jidische paremiologie, in: Jivobleter 8/1935, S. 356–370.
Weinreich, Beatrice Silverman: Formale problemen baim forschn dos jidische sprichwort, in: For Max Weinreich on His 70th Birthday. Studies in Jewish Languages, Literature, and Society, London-The Hague etc. 1964, S. 383–394.
Zivy, Arthur: Jüdisch-deutsche Sprichwörter und Redensarten. Gesammelt und glossiert, Basel 1966.

f) zum volkstümlichen Gesang

Brann, M.: Ein schön neues Kaffeelied, in: Monatsschrift f. Geschichte u. Wissensch. d. Judenthums (Breslau), Jg. 1915.
Cahan, Judak Loeb: Jidische folkslieder mit melodien, 2 bde., Niu Jork-Warsche 1912.
– Yiddish Folksongs with Melodies, ed. Max Weinreich, New York 1957.
Dalmann, Gustav Hermann (Hg.): Jüdische Volkslieder aus Galizien und Rußland, Leipzig 1888.
Diamant, P. J.: Althochdeutsches Schlummerlied. Ein Gelehrtenstreit über deutsch-jüdische Zusammenhänge im Mittelalter, in: Jb. des Leo-Baeck-Instituts (London-Jerusalem-New York), 5/1960, S.338 ff.
Donath, Adolf: Judenlieder, Wien 1920.
Feiwel, Berthold: Lieder des Ghetto, Berlin 1902.
Finkelstein, Z. S.: Lieder des Ghettos. Morris Rosenfeld – der dichtende Rebell, in: Allgemeine Wochenzeitung der Juden in Deutschland, d. i. Jüdisches Gemeindeblatt für die britische Zone, 26. 7. 1957.
Grunwald, Max: Aus meiner Liedersammlung, in: Jb. f. jüd. Volkskunde (Berlin), Jg. 1923, S. 235–279.
Günzburg, S. M. und Marek, P. S.: Jüdische Volkslieder in Rußland, St. Petersburg 1901.
Idelsohn, A. Z.: Der jüdische Volksgesang im Lichte der orientalischen Musik, in: Ost und West. Illustrierte Monatsschrift f. d. gesamte Judentum 16/1916, S. 253–258 u. 331–334.
Katscherginski, Schmuel: Lider fun di getos un lagern, ed. H. Leyvig, Niu Jork 1957.
Kaufmann, Fritz Mordechai: Das jüdische Volkslied, Berlin 1919.
– Die Aufführung jüdischer Volksmusik vor Westjuden, In: F. M. Kaufmann, Vier Essays über ostjüdische Dichtung und Kultur, Berlin 1919.
– Die schönsten Lieder der Ostjuden, Berlin [2]1935.
Landau, Alfred: Das jüdische Volkslied in Rußland. Jewreyskija narodnyja pjessni w Rossii, in: Mitt. d. Ges. f. jüd. Volkskunde, hg. von M. *Grunwald,* (Hamburg) Jg. 1903, I, H. 11, S. 65–80.
Löwenstein, Leopold: Jüdische und jüdisch-deutsche Lieder (Menachem-Oldendorf-Sammlung), in: Monatsschrft. f. Gesch. und Wissensch. d. Judenthums (Breslau), Jg. 1894, S. 78–89.

– Historische Lieder, in: Zs. f. hebr. Bibliogr. (Frankfurt a. M.), 14/1910, S. 125–127.
Nadel, Arno: Jüdische Volkslieder, in: Der Jude (Berlin-Wien), 1/1916–17, S. 112ff.
– Jüdische Liebeslieder (Volkslieder). Übertragen und erläutert, Berlin-Wien 1923.
Pipe, Sch.-Z.: Yiddish Children's Songs and Ditties, in: Yivobleter 12/1937, S. 494–507.
Priluzki, Noah: Jidische folkslider, 2 bde., Warsche 1910–13.
Rosenberg, Felix: Über eine Sammlung deutscher Volks- und Gesellschaftslieder in hebräischen Lettern, in: Zs. f. d. Gesch. d. J. in Deutschland (Braunschweig), 2/1888, S. 232–296 u. 3/1889, S. 14–28. (Auch als Berliner Diss. 1888).
Rosenfeld, Morris: Songs from the Ghetto, Boston 1898.
Rubin, R.: A Treasury of Jewish Folksong, New York 1950.
– Nineteenth-Century Yiddish Folksongs of Children in Eastern Europe, in: Journal of American Folklore 65/1952, S. 227ff.
Salmen, Walter: Das Erbe des ostdeutschen Volksgesanges. Geschichte und Verzeichnis seiner Quellen und Sammlungen, Würzburg 1956 (= Marburger Ostforschungen 6). – Bes. S. 92–95 u. 117.
Sasninsky, Lazare: Music of the ghetto and the Bible, New York 1934.
Strauß, Ludwig: Jüdische Volkslieder (aus dem Jiddischen übers.), Berlin 1935.
Szmeruk, Ch.: The Earliest Aaramaic and Yiddish Version of the »Song of the Kid« (Khad Gady), in: The Field of Yiddish I, p. 214–218 (s. v. *Weinreich,* Uriel, S. 258).
Weinreich, Max: Zwei jidische spotlider auf jidn, in: Filologische schriftn, bd. 3, Wilne 1929, Sp. 537–554.

g) zum mittelalterlichen Erzählstoff

Bastomski, Schlomo: Jidische folksmeisses un legendes, 2 bde., Wilne 1926–27.
Bergmann, J.: Die Legenden der Juden, Berlin 1919.
Brüll, Nehemia: Beiträge zur jüdischen Sage- und Spruchdichtung des Mittelalters, in: Jb. f. jüd. Gesch. u. Lit. 9/1889, S. 1–71.
Cahan, Judak Loeb: Jidische folksmeisses, Wilne [1]1931, [2]1940.
– On Yiddish Folktales, in: J. L. Cahan, Studies wegn jidischer folkschafung, hg. von M. *Weinreich,* New York 1952.
Field, Claude: Jewish Legends of the Middle Ages, New York 1914.
Gelbhaus, S.: Mittelhochdeutsche Dichtung und ihre Beziehungen zur biblisch-rabbinischen Literatur, Frankfurt a. M. 1889–1893.
Ginzberg, L.: The Legends of the Jews, 7 vols., Philadelphia 1909–38.
Grunwald, Max: Märchen und Sagen der Juden, in: Mitt. d. Ges. f. jüd. Volkskunde 1/1898, H. 2, S. 1–36 u. 62–76.
Helvicus: Jüdische Historien, Gießen 1612.
Kohut, Alexander: Zur rabbinischen Sprach- und Sagenkunde, Breslau 1873.
Kuttner, B.: Jüdische Sagen und Legenden für Jung und Alt, 5 Bde., Frankfurt a. M. [3]1920.
Mayer, S.: Jüdisch-deutsche Volkspoesie, in: Literaturblatt des Orients (Leipzig), Jg. 1845, Nr. 19.
Meitlis, Jacob: Di schwohim fun r. schmuel un r. juda chassid, London 1961.
Olsvanger, Immanuel: Rosinkess mit Mandlen, Basel [1]1920, [2]1931.
Perles, Felix: Die Poesie der Juden im Mittelalter, Frankfurt a. M. 1907.
Perles, Josef: Etymologische Studien zur Kunde der rabbinischen Sprache und Altertümer, Breslau 1871.
Rabinowitsch, S. (Hg.): Die jüdische Volksbibliothek, Bd. 1ff., Kiew 1888ff.
Schwarzbaum, Haim: Studies in Jewish and World Folklore, Berlin 1968.
Staerk, Willy: Aus di alt-jidische uzrut fun der minchener mluchischer bibliothek, in: Filologische schriftn, bd. 1 (Landau-Buch), Wilne 1926, Sp. 55–68.
Steinschneider, Moritz: Über die Volksliteratur der Juden, in: Archiv für Literaturge-

schichte, hg. von R. Gosche, (Leipzig) 2/1872, S. 1–21.
Tendlau, Abraham: Das Buch der Sagen und Legenden jüdischer Vorzeit, Stuttgart [1]1842, [3]1873.
– Fellmeiers Abende, Märchen und Geschichten aus grauer Vorzeit, Frankfurt a. M. 1856.
Weinreich, Beatrice Silverman: Four Variants of the Master-Thief Tale, in: The Field of Yiddish I, p. 119–213 (s. v. *Weinreich,* Uriel, S. 258).

h) zum »Maasse-Buch«

Beranek, Franz J.: Das Tiroler Maißebuch, in: Der Schlern (Bozen), 38/1964, S. 36 ff.
Birnbaum, Salomo A.: Das Datum des Codex Zimt-Sand, in: Mitteil. aus dem Arbeitskreis für Jiddistik, hg. von F. J. *Beranek* (Gießen), Bd. 2 (1960–64), S. 9–10.
Cahan, Judak Loeb: Parallels to the Ma'aseh Book, in: Studies wegn jidischer folkschafung, hg. von M. *Weinreich,* New York 1952, S. 262–266.
Dyck, R.: Ein mittelalterliches jiddisches Geschichtenbuch, in: Aufbau (USA), 22. 6. 1956.
– Ein seltener Fund. Ein bisher unbekanntes Exemplar des Maasse-Buchs, in: Der Zeitgeist. Monatsbeilage des Aufbau (USA), 31. 5. 1957, S. 19 u. 20.
Gaster, Moses: Maaseh Book, Book of Jewish Tales and Legends. Translated from the Judeo-German, 2 vols., Philadelphia 1934.
– The Maasehbuch and the Brantspiegel, in: Jewish Studies in Memory of George A. Kohut, New York 1935, S. 270 ff.
Grunwald, Max: Sagen und Märchen (der deutschen Juden), in: Mitt. d. Ges. f. jüd. Volkskunde, 1/1898, H. 1, S. 72–80; 2/1899, H. 1, S. 23 ff.
Heller, Bernhard: Beiträge zur Stoff- und Quellengeschichte des Ma'assebuchs, in: Occident and Orient, London 1936, S. 234 ff.
– Neue Schriften zum Maasse-Buch, in: Monatsschrft. f. Gesch. u. Wissensch. d. Judenthums (Breslau), 80/1936, S. 128–141.
Meitlis, Jacob: Das Ma'assebuch. Seine Entstehung und Quellengeschichte, Berlin 1933.
– The Ma'aseh in the Yiddish Ethical Literature, London 1958.
– Di schwohim fun r. schmuel un r. juda chassid, London 1961.
(Pappenheim, Bertha:) Allerlei Geschichten. Maasse-Buch. Buch der Sagen und Legenden aus Talmud und Midrasch nebst Volkserzählungen in jüdisch-deutscher Sprache, Frankfurt a. M. 1929.
Rosenbaum-Grünfeld, J.: A Contribution towards the Sources of the Ma'ase Buch, in: Occident and Orient, London 1936, S. 181–183.
Sand, Ilse Zimt: An Extract from an Unpublished Manuscript of the Mayse-Bukh of 1541 prepared for the Conference on Yiddish Studies, New York, April 7–10, 1958.
– The Vocabulary of the Mayse-Bukh, a Sample Glossary to a Middle Yiddish Text, M. A. Thesis, Columbia University 1956.
Schwarzbaum, Haim: Studies in Jewish and World Folklore, Berlin 1968.
Stiff, Nahum: (Ma'asseh-Bukh), in: Zeitschrift, Minsk 1928, S. 535.
Strauß, Ludwig: Geschichtenbuch. Aus dem jüdischdeutschen Maassebuch ausgew. u. übertragen, Berlin 1934.

i) zum »Sefer Maasse Nissim«

Epstein, A.: Jüdische Altertümer in Worms und Speyer, Breslau 1896.
– Die Wormser Minhagbücher, in: Kaufmann-Gedenkbücher, Breslau 1900, S. 303–307.
Steinschneider, Moritz: Die Geschichtsliteratur der Juden, Frankfurt a. M. 1905, Nr. 147.

j) zur Frauenliteratur

Bato, J. L.: Ein altes jüdisches Frauenbuch, in: Allgemeine Wochenzeitung der Juden in Deutschland, d. i. Jüdisches Gemeindeblatt für die britische Zone, 10. 7. 1964.

Erik, Max: Der ›brantspigel‹, di enziplopedie fun der jidischer frau in dem 17. jh., in: Zeitschrift, Minsk 1926.
Fleiß, Pauline Miriam: Das Buch Simchat Hanfesch von Helene Kirchhain aus dem Jahre 1727. Reimuntersuchung als Beitrag zur Kenntnis der jüdisch-deutschen Mundarten, Bern 1913.
Gaster, Moses: The Maasehbuch and the Brantspiegel, in: Jewish Studies in Memory of George A. Kohut, New York 1935, S. 270 ff.
Geiger, Ludwig: Das Studium der hebräischen Sprache in Deutschland vom Ende des 15. bis zur Mitte des 16. Jahrhunderts, Breslau 1870.
Güdemann, Moritz: Geschichte des Erziehungswesens und der Cultur der abendländischen Juden während des Mittelalters und der neueren Zeit, Bd. 3, [2]Amsterdam 1966, S. 146.
Meitlis, Jakob: »Die Sprüche der Väter« der jüdischen Frau, in: Allgemeine Wochenzeitung der Juden in Deutschland, d. i. Jüdisches Gemeindeblatt für die britische Zone, 26. 7. 1963.
Niger, Samuel: Di jidische literatur un di leserin, in: Pinkes, Wilne 1913.
Schatzki, Jacob: Simchat ha-nefesch. Fotografischer Neudruck des 2. Teils mit einer kulturhistorischen Einführung, New York 1926.
Schipper, Ignacy: Kultur-geschichte fun di jidn in pouln bessn mitlalter, warsche 1926, S. 70–77.
Schulman, Elieser: Sefat jehudit- aschkenazit we-safruta [...] Riga 1913, S. 88–96.
Zunz, Leopold: Zur Geschichte und Literatur, Berlin 1845, S. 109–130, 149–157 u. 191.

k) zur Typographie

Amram, D. W.: The Makers of Hebrew Books in Italy, Philadelphia 1909.
Balaban, M.: Zu der geschichte fun di jidische drukereien in pouln, in: Moment-Almanach, Warschau 1921, S. 189–208.
Freimann, Aron: Annalen der hebräischen Druckerei in Wilhermsdorf, Berlin 1903.
Kaznelson, Siegmund: Verlag und Buchhandel, in: Juden im Deutschen Kulturbereich, hg. von S. *Kaznelson*, Berlin 1962, S. 131 ff.
Lieben, S. H.: Der hebräische Buchdruck in Prag im 16. Jahrhundert, in: Samuel *Steinherz* (Hg.), Die Juden in Prag, Prag 1927.
Löwenstein, Leopold: Zur Geschichte der Juden in Fürth. 3. Die Hebräischen Druckereien in Fürth, Frankfurt a. M. 1913.
Neufeld: Die hebräischen Druckereien in Isny, in: Allgemeine Wochenzeitung der Juden in Deutschland, d. i. Jüdisches Gemeindeblatt für die britische Zone, 29. 12. 1961.
Rabin, Israel: Aus Dyhernfurths jüdischer Vergangenheit, Breslau 1929.
Steinschneider, M. u. *Cassel*, M.: Jüdische Typographie, in: *Ersch* u. *Gruber*, Allg. Enc. d. Wissensch. u. Künste, II, Bd. 28, 21 ff.
Weinberg, Magnus: Die hebräischen Druckereien in Sulzbach (1669–1851), in: Jb. d. Jüd.-Lit. Ges., (Frankfurt a. M.) 1/1904.
– Verbesserungen und Ergänzungen, in: Jb. d. Jüd.-Lit. Ges. 15/1923.
Zunz, Leopold: Annalen der Prager Druckereien, in: L. Zunz, Zur Geschichte und Literatur, Berlin 1845, S. 268–303.

l) zu den »Volksbüchern«

Erik, Max: Wegn alt-jidischn roman un nowele, Warsche 1925, S. 204 ff.
– wegn ›Maasse Beria we-Simra‹, in: Filologische schriftn, bd. 1 (Landau-Buch), Wilne 1926, S. 153–162.
Hagen, Friedrich von der: Die romantische und Volkslitteratur der Juden in Jüdisch-Deutscher Sprache, Berlin 1855.

Paucker, Arnold: Yiddish versions of Early German Prose Novels, in: The Journal of Jewish Studies 10/1959, S. 151–167.
– Das Volksbuch von den Sieben Weisen Meistern in der jiddischen Literatur, in: Zs. f. Volkskunde (Stuttgart), 57/1961, S. 177 ff.
– Das deutsche Volksbuch bei den Juden, in: Zs. f. dt. Philologie 80/1961, S. 302 ff.
(*Wallich*, Mosche Ben Elieser:) Das Buch der Fabeln oder Kuhbuch. Eine Sammlung von Fabeln und Parabeln aus Maschal ha-Kadmomim und Mischle Schualim. Übers. von R. Beatus und mit einem Vorw. von A. Freimann, Berlin 1926.
Wolf, Siegmund A.: Zwei jiddische Arzneibücher von 1677 und 1679, in: Zur Gesch. d. Pharmazie 14/1962, S. 13–15.
– Über ein dem Maimonides zugeschriebenes jiddisches Arzneibuch, in: Zur Geschichte der Pharmazie 15/1963, S. 12–13.

m) zum Schauspiel

Abrahams, Israel: Jewish Life in the Middle Ages, New York 1896, S. 260 ff.: The Purim-Play and the Drama in Hebrew.
Bastomski, Schlomo: Purim-schpiln, Wilne 1926.
Beranek, Franz J.: Eine angebliche Schweizer Tellparodie, in: Mitt. aus dem Arbeitskreis f. Jiddistik, hg. von F. J. *Berabek* (Gießen), Bd. 2 (1960–64), S. 134–137.
Erik, Max: Di erschte jidische komedie, in: Filologische schriftn, bd. 3, Wilne 1929, Sp. 555–584.
Erbt, W.: Die Purimsage in der Bibel [...], Berlin 1900.
Hirschfeld, Georg: Das jüdische Drama, in: Gemeindeblatt d. Jüd. Gemeinde zu Berlin 20/1930, S. 113–116.
Lagarde, Paul de: Purim, ein Beitrag zur Geschichte der Religion, in: Abhandlungen der Kgl. Gesellsch. f. Wissenschaft zu Göttingen, Bd. 34, 1887.
Mehring, Siegfried: (Zwei Humoresken in Breslauer Jiddisch, 1815–1865), in: Ost und West, Jg. 1912 u. 1913.
(Purim Plays) in: J. L. *Cahan*, Jidischer folklore, Wilne 1938, S. 219–274 u. 310–318.
Schatzki, Jacob: Di erschte geschichte fun jidischn teater, in: Filologische schriftn, bd. 2, Wilne 1928, Sp. 215–264.
Schipper, Ignacy: Geschichte fun jidischer teaterkunst un drame fun di eltste zeitn bis 1750, 2 bde., Warsche 1923–25.
– Jidische folks-dramatik, Warsche 1928.
Steinschneider, Moritz: Purim und Parodie, in: Israelitische Letterbode. hg. von M. Roest, Jg. 7, S. 1–19, Jg. 9, S. 45–49.
Trost, Pavel: Ein angebliches Prager Purimspiel, in: Mitteilungen aus dem Arbeitskreis für Jiddistik, hg. von F. J. *Beranek* (Gießen), Bd. 2 (1960–64), S. 53–57.
Weinreich, Max: Zu der geschichte fun der elterer Ahaschveroschspil, in: Filologische schriftn, bd. 2, Wilne 1928, Sp. 425–452.
Weißenberg, S.: Das Purimspiel von Ahasverus und Esther, in: Mitt. d. Ges. f. jüd. Volkskunde, hg. von Max *Grunwald*, (Hamburg) Jg. 1904, H. 13, S. 1–27. – ed. S. 29–37 Anmerkungen von A. Landau.
Zylbercweig, Zalman: Lexikon of Yiddish Theatre (Leksiokon fun jidische teater), vol. 1, New York 1931; vol. 2, Warschau 1934 u. vol. 3, New York 1959.

n) zu Briefen und Memoiren des 17./18. Jahrhunderts

Feilchenfeld, Alfred: Denkwürdigkeiten der Glückel von Hameln 1646–1719, Berlin [3]1923.
Landau, Alfred: Die Sprache der Memoiren Glückels von Hameln, in: Mitt. z. jüd. Volkskunde 7/1901, S. 20–68.
– und *Wachstein*, Bernhard: Jüdische Privatbriefe aus dem Jahre 1619, Wien-Leipzig 1911.

Lieben, H.: Briefe von 1744–1748 über die Austreibung der Juden aus Prag, in: Jb. d. Gesellsch. f. d. Juden in der Tschechoslow. Rep. 4/1932, S. 343–469.
Meitlis, Jakob: London Yiddish Letters of the Early 18th Cent., in: Journ. of Jewish Stud. (London), 6/1955, S. 153 ff., 237 ff.

IV. Religionswissenschaftliche Darstellungen

Baeck, Leo: Das Wesen des Judentums, Köln [6]1960.
Baron, Salo W.: A Social and Religious History of the Jews, 8 vols., New York 1952–58.
Bauer, Viktor: Kurze Soziologie des jüdischen Volkes, Prag 1933.
Bayer, Jissi: 27 Kapitel jüdischer Brauchdeutung, Bingen 1935.
Fromer, Jacob: Das Wesen des Judentums, Berlin-Leipzig-Paris 1905.
Gamm, H.-J.: Judentumskunde. Eine Einführung, München-Frankfurt a. M. [3]1961.
Geiger, Abraham: Das Judentum und seine Geschichte, Breslau 1910.
Goldschmidt, Israel: Das Wesen des Judentums, Frankfurt a. M. 1907.
Güdemann, Moritz: Das Judentum in seinen Grundzügen und nach seinen geschichtlichen Grundlagen dargestellt, Wien [2]1902.
Günther, Albrecht Erich: Die Entstehung des Judentums. Die Theorien Max Webers und Siegfried Passarges, in: Deutsches Volkstum (Hamburg), 12/1930, Bd. 1, S. 19–28.
Haller, Max: Das Judentum. Geschichtsschreibung, Prophetie und Gesetzgebung, übers. u. mit einer Einleitung versehen von Max *Haller*, Göttingen [2]1925.
Hertz, Joseph Hermann (Hg.): Jüdische Gedanken und Gedanken über das Judentum, Leipzig 1924.
Hirsch, Leo: Praktische Judentumskunde, Berlin 1935.
Lamparter, Eduard: Das Judentum in seiner kultur- und religionsgeschichtlichen Erscheinung, Gotha 1928.
Lieschnitzer, Adolf: Das Judentum im Weltbild des Mittelalters, Berlin 1935.
Meisl, Josef: Haskalah. Geschichte der Aufklärungsbewegung unter den Juden in Rußland, Berlin 1919.
Mensching, Gustav: Soziologie der großen Religionen, Bonn 1966, S. 154–214: Soziologie der israelitischen Religion.
Moscati, Sabatino: Geschichte und Kultur der semitischen Völker, Einsiedeln-Zürich-Köln 1961, S. 133–192: Israel.
Passarge, Siegfried: Das Judentum als landschaftskundlich-ethnologisches Problem, München 1929.
Rengstorf, Karl Heinrich: Wissenschaft des Judentums, Köln-Opladen 1956 (= Aufgaben deutscher Forschung, S. 53 ff.).
Rudy, Zvi: Soziologie des jüdischen Volkes, Reinbeck bei Hamburg 1965.
Schoeps, Hans Joachim: Jüdische Geisteswelt, Darmstadt-Genf 1953.
Scholem, Gershom Gerhard: Bibliographia Kabbolistica, Leipzig 1927 (= Quellen u. Forschungen zur Jüd. Geschichte, BdZ).
– Die jüdische Mystik in ihren Hauptströmungen, Frankfurt 1957.
– Zur Kabbala und ihrer Symbolik, Zürich 1960.
– Ursprung und Anfänge der Kabbala, Berlin 1962.
Tokarew, S. A.: Die Religion in der Geschichte der Völker, (Ost-)Berlin 1968, S. 449–485: Die jüdische Religion.
Weber, Max: Das antike Judentum, in: Gesammelte Aufsätze zur Religionssoziologie, Bd. 3, Tübingen [1]1920, [4]1966.

V. Politisch- unb kulturhistorische Darstellungen

Adler, Hans Günther: Die Juden in Deutschland. Von der Aufklärung bis zum Nationalsozialismus, München 1960.

Aronius, Julius: Regesten zur Geschichte der Juden im fränkischen und deutschen Reich bis 1273, Berlin 1887–1902.
Asari, Zvi (Hg.): Die Juden in Köln. Von den ältesten Zeiten bis zur Gegenwart, Köln 1959.
Blach, Friedrich: Die Juden in Deutschland, Berlin 1911.
Bosse, Friedrich: Die Verbreitung der Juden im Deutschen Reich, Berlin 1885.
Bretholz, Bertold: Geschichte der Juden in Mähren im Mittelalter, Brünn (1934).
Cohen, Israel: The Jews in Germany, London 1933.
Depping, Georges Bernhard: Die Juden im Mittelalter, Stuttgart 1834.
Doctor, Max: Lehrbuch der jüdischen Geschichte und Literatur, Leipzig [9]1914.
Dohm, Christian Wilhelm: Denkwürdigkeiten meiner Zeit, 5 Bde., Lemgo-Hannover 1814–19.
Dubnov, Semen Markovich: Weltgeschichte des jüdischen Volkes, 10 Bde., Berlin 1925–29.
Elbogen, Ismar: Geschichte der Juden seit dem Untergang des jüdischen Staates, Berlin-Leipzig 1919.
– Hebräische Quellen zur Frühgeschichte der Juden in Deutschland, in: Zs. f. Gesch. d. Juden i. Dtschl. (Braunschweig), NF 1929, S. 34–43.
Finkelstein, Louis: The Jews. Their History, Culture, and Religion, New York 1949.
Fürst, Julius: Urkunden zur Geschichte der Juden, Leipzig 1844.
Gold, Hugo (Hg.): Die Juden und die Judengemeinden Mährens in Vergangenheit und Gegenwart. Ein Sammelwerk, Brünn 1929.
Graetz, Heinrich: Geschichte des Judentums von den ältesten Zeiten bis auf die Gegenwart, 11 Bde., Leipzig [1]1855–75, [2]1894–1909.
Grau, Wilhelm: Antisemitismus im späten Mittelalter. Das Ende der Regensburger Judengemeinde. 1450–1519, München-Leipzig 1934.
Güdemann, Moritz: Geschichte des Erziehungswesens und der Cultur der abendländischen Juden während des Mittelalters und der neueren Zeit, Wien [1]1880–88, Amsterdam [2]1966 (3 Bde.).
– Das Judentum in seinen Grundzügen und nach seinen geschichtlichen Grundlagen dargestellt, Wien [2]1902.
Henne am Rhyn, Otto: Kulturgeschichte des Judentums von den ältesten Zeiten bis zur Gegenwart, Jena 1880.
Hoeniger, Robert: Der schwarze Tod in Deutschland. Ein Beitrag zur Geschichte des 14. Jahrhunderts, Berlin 1882.
Höxter, Julius: Quellenbuch zur jüdischen Geschichte und Literatur, 5 Bde., Frankfurt a. M. 1930.
– Jüdische Geschichte und Literatur, Frankfurt a. M. 1935.
Kaplun-Kogan, Wladimir W.: Die Wanderbewegungen der Juden, Bonn 1913 (= Kölner Studien zum Staats- und Wirtschaftsleben, H. 2).
Kastein, Joseph: History and destiny of the Jews, London 1933.
– Juden in Deutschland, Wien 1935.
Katz, Jakob: Die Entstehung der Judenassimilation in Deutschland und deren Ideologie, Frankfurt a. M. 1935.
Kayserling, Meyer: Handbuch der jüdischen Geschichte und Literatur, Leipzig [7]1900. – (9. Aufl. s. v. Doctor).
Kaznelson, Siegmund: Juden im deutschen Kulturbereich. Ein Sammelwerk, hg. von S. Kaznelson, Berlin [3]1962.
Kisch, Guido: The Jews in Medieval Germany, Chicago 1949.
Knoche, Gerhard: Die Juden unter den Karolingern, Greifswald 1924.
Kohut, Adolph: Geschichte der deutschen Juden, Berlin 1898.
Kracauer, Isidor: Urkundenbuch zur Geschichte der Juden in Frankfurt am Main, 1150–1400, Frankfurt a. M. 1914.
– Geschichte der Juden in Frankfurt am Main, 2 Bde., Frankfurt a. M. 1926–27.

Liebe, Georg: Das Judentum in der deutschen Vergangenheit, Leipzig 1903.
Lisowsky, Gerhard: Kultur- und Geistesgeschichte des jüdischen Volkes, Stuttgart 1968.
Littmann, Ellen: Studien zur Wiederaufnahme der Juden durch die deutschen Städte nach dem schwarzen Tod. Ein Beitrag zur Geschichte der Judenpolitik der deutschen Städte im späten Mittelalter, Breslau 1928.
Löwenstein, Leopold: Zur Geschichte der Juden in Fürth, Frankfurt a. M. 1913.
Lowenthal, Marvin: The Jews of Germany, New York 1936.
Mannheimer, Moses: Die Judenverfolgungen in Speyer, Worms und Mainz im Jahre 1096 [...], Darmstadt 1877.
Menczel, Josef Salomon: Beiträge zur Geschichte der Juden von Mainz im 15. Jahrhundert, Berlin 1933.
Neubauer, A. und *Stern*, M.: Hebräische Berichte über die Judenverfolgungen während der Kreuzzüge, ins Deutsche übertragen von S. Baer, Berlin 1892.
Nübling, Eugen: Die Judengemeinden des Mittelalters, insbesondere die Judengemeinde der Reichsstadt Ulm, Ulm 1896.
Oppenheimer, Franz: Siedlung und jüdische Siedlung in Deutschland. Ein Vortrag, Berlin 1930.
Rothschild, L.: Die Judengemeinden in Mainz, Speyer und Worms, 1349–1438, Berlin 1904.
Schudt, Johann Jacob: Jüdische Merckwürdigkeiten [...], 4 Tle., Frankfurt a. M. 1714–1717.
Schwarz, Salomon M.: The Jews in the Soviet Union, New York 1955.
Steinberg, Augusta: Studien zur Geschichte der Juden in der Schweiz während des Mittelalters, Zürich 1902.
Stern, Moritz: Urkundliche Beiträge über die Stellung der Päpste zu den Juden, 2 Bde., Kiel 1893–95.
Stern, Moritz: Tabellen zur Geschichte der Juden und ihrer Litteratur, Kiel [2]1896.
Stobbe, Otto: Die Juden in Deutschland während des Mittelalters in politischer, sozialer und rechtlicher Beziehung, Braunschweig [1]1866, Berlin [3]1923.
Straus, Raphael: Urkunden und Aktenstücke zur Geschichte der Juden in Regensburg 1453–1738, München 1960 (= Quellen und Erörterungen zur bayrischen Geschichte, NF 18).
Train, Joseph Karl von: Die wichtigsten Thatsachen aus der Geschichte der Juden in Regensburg, von ihrer Ansiedlung bis zu ihrer Vertreibung, in: Zs. f. d. hist. Theologie, hg. von Christian Fr. *Illgen*, (Leipzig), 7/1837, H. 3, S. 39–138.
Unna, Josef: Statistik der Frankfurter Juden bis zum Jahre 1866, Frankfurt a. M. 1920.
Weinryb, Sucher B.: Studien zur Wirtschaftsgeschichte der Juden in Rußland und Polen im 18./19. Jahrhundert, Breslau 1933.
Wiener, Moritz: Regesten zur Geschichte der Juden in Deutschland während des Mittelalters, Hannover 1862.
Wilpert, Paul und *Eckert*, Paul (Hg.): Judentum im Mittelalter. Beiträge zum christlich-jüdischen Gespräch, Berlin 1966.
Wolf, Gerson: Die Vertreibung der Juden aus Böhmen im Jahre 1744, in: Jb. f. d. Gesch. d. Juden u. d. Judentums, hg. von O. *Leiner*, (Leipzig) Jg. 1869.
Zuncke, Walter: Die Judenpolitik der fränkischen Könige und Kaiser bis zum Interregnum, Zeulenroda 1941 (Jenaer Diss.).
Zweig, Arnold: Bilanz der deutschen Judenheit, Köln 1960.

VI. Sozial-, wirtschafts-, rechtsgeschichtliche und sozialgeographische Darstellungen

Abrahams, Israel: Jewish Life in the Middle Ages, London 1896.
Andree, Richard: Zur Volkskunde der Juden, Bielefeld-Leipzig 1881.

Arendt, Hannah: Privileged Jews, in: Jewish Social Studies (NewYork), 8/1946, no. 1, S. 3–30.

Baron, Erwin: Über Berufslage und Berufsumschichtungsbestrebungen innerhalb der jüdischen Bevölkerung Deutschlands, Rostock 1925.

Berliner, Abraham: Aus dem Leben der deutschen Juden im Mittelalter, Berlin [2]1900.

Boyce, Gray C.: Law and Justice for the Jew: The Jew in Medieval Germany, in: Historia Judaica (New York), 12/Oct. 1950, pt. 2, S. 159–170.

Bromberger, Siegmar: Die Juden in Regensburg bis zur Mitte des 14. Jahrhunderts, Berlin 1934.

Carlebach, Ephraim: Die rechtlichen und sozialen Verhältnisse der jüdischen Gemeinden Speyer, Worms und Mainz von ihren Anfängen bis zur Mitte des 14. Jahrhunderts, Rostock 1901 (Diss.).

Caro, Georg: Sozial- und Wirtschaftsgeschichte der Juden im Mittelalter und der Neuzeit, Leipzig 1909–20.

Cohn, Hildegard: Kulturgeschichte der jüdischen Frau in Deutschland, hg. vom Materialamt des Ringes, Bund Jüdischer Jugend, Berlin 28. April 1936 (!).

Dalberg, J.: Volkskunde der Hessen-Kasseler Juden, Kassel 1931.

Dicker, Hermann: Die Geschichte der Juden in Ulm. Ein Beitrag zur Wirtschaftsgeschichte des Mittelalters, Rottwell 1937 (Phil. Diss. Zürich 1937).

Dohm, Christian Wilhelm: Über die bürgerliche Verbesserung der Juden, Frankfurt a. M. – Leipzig 1781–83 2 Tle.).

Eisenstein, Ahron: Die Stellung der Juden in Polen im 13. und 14. Jahrhundert, Cieszyn/ Polen 1934.

Faust, Georg: Sozial- und wirtschaftsgeschichtliche Beiträge zur Judenfrage in Deutschland vor der Emanzipation unter besonderer Berücksichtigung der Verhältnisse in der ehemaligen Grafschaft Solms-Rödelheim, Gießen 1937 (Diss.).

Fischer, Herbert: Die verfassungsrechtliche Stellung der Juden in den deutschen Städten während des 13. Jahrhunderts, Breslau 1930 (Diss.).

Goldmann, Simon: Die jüdische Gerichtsverfassung innerhalb der jüdischen Gemeindeorganisation. Ein Beitrag zur Geschichte des Judenbischofs im Mittelalter in seiner Entwicklung von den ältesten Zeiten bis zum 15. Jh., Köln 1924 (Diss.).

Grunwald, Max: Berufe der Juden, in: Jb. f. jüd. Volkskunde (Berlin), 1/1923, S. 394–426.

Güdemann, Moritz: Das Leben des jüdischen Weibes, Breslau 1859.

Hahn, Bruno: Die wirtschaftliche Tätigkeit der Juden im fränkischen und Deutschen Reich bis zum 2. Kreuzzug, Freiburg i. Br. 1911 (Diss.).

Hoenig, Kurt: Die Entwicklung der Rechtseinheit des Ghettos im Rahmen des Judenrechts des deutschen Mittelalters, Münster 1942 (Diss.).

Hoffmann, Georg: Die Juden im Erzstift Köln im 18. Jahrhundert mit besonderer Berücksichtigung ihrer Stellung in der Hoffinanz, Aachen 1928.

Hoffmann, Moses: Der Geldhandel der deutschen Juden während des Mittelalters bis zum Jahre 1350, Leipzig 1910.

Hüllmann, Karl Dietrich: Staedtewesen des Mittelalters, Bonn 1827.

Kahn, Fritz: Die israelitischen Religionsgemeinschaften im deutschen Reich, ihre staatskirchenrechtliche Stellung im allgemeinen und ihre Verfassungen in ihren Grundzügen. Mit besonderer Berücksichtigung Bayerns, Erlangen 1922 (Diss.).

Katz, Jakob: Die Entstehung der Judenassimilation in Deutschland und deren Ideologie, Frankfurt a. M. 1935 (Diss.).

Kayserling, Meyer: Die jüdischen Frauen in der Geschichte, Literatur und Kunst, Leipzig 1879.

Kisch, Guido: Die Rechtsstellung der Wormser Juden im Mittelalter, in: Zs. f. d. Gesch. d. Juden i. Dtschl., hg. von Ismar *Elbogen,* (Berlin) 5/1934, Nr. 2/3.

– Jewry-Law in Medieval Germany, 2 vols., New York 1949.

– Forschungen zur Rechts- und Sozialgeschichte der Juden in Deutschland während des Mittelalters, Zürich 1955.
Kober, Adolf: Studien zur mittelalterlichen Geschichte der Juden in Köln am Rhein, Breslau 1903.
– Aus der Geschichte der Juden im Rheinland, Düsseldorf 1931.
Kötzschke, Rudolf: Allgemeine Wirtschaftsgeschichte des Mittelalters, Jena 1924.
Mannheimer, Moses: Die Judenverfolgungen in Speyer, Worms und Mainz im Jahre 1096 [...], Darmstadt 1877.
Neumann, Max: Geschichte des Wuchers in Deutschland, Halle 1865.
Pinthus, Alexander: Die Judensiedlung der deutschen Städte. Eine stadtbiologische Studie, Berlin 1931 (Diss. TH Hannover 1929). – U. d. T. Studien über die bauliche Entwicklung der Judengassen in den deutschen Städten, in: Zs. f. d. Gesch. d. Juden i. Dtschl., hg. von Ismar *Elbogen*, (Berlin) 2/1930, S. 101–130, 197–217 u. 284–300.
Scherer, Julius: Die Rechtsverhältnisse der Juden in den deutsch-österreichischen Ländern während des Mittelalters, Leipzig 1901.
Schudt, Johann Jacob: Jüdische Merckwürdigkeiten [...], 4 Tle., Frankfurt a. M. 1714–1717.
Silbergleit, Heinrich: Über die Bevölkerungs- und Berufsverhältnisse der Juden in Deutschland, Berlin 1929.
Sombart, Werner: Die Juden und das Wirtschaftsleben, Leipzig 1911.
Steinthal, Hugo: Die Juden im Fränkischen Reiche. Ihre rechtliche und wirtschaftlich-soziale Stellung, Breslau 1922 (MS Diss.).
Stobbe, Otto: Die Juden in Deutschland während des Mittelalters in politischer, sozialer und rechtlicher Beziehung, Berlin ^{3}1923.
Täubler, Eugen: Zur Geschichte der Kammerknechtschaft, in: Mitt. d. Ges. f. dt. Juden, Jg. 4, S. 44–58.
Weinryb, Sucher B.: Studien zur Wirtschaftsgeschichte der Juden in Polen im 18./19. Jahrhundert, Breslau 1933 (Diss.).

Namenregister

Abi Esra Seligmann ben Nathan Raudnitz 133
Abigdor ben Elieser Lipmann Hildesheim 118
Abigdor ben Isaak Kara 59
Abigdor Sofer ben Moses Eisenstadt, gen. Abigdor Izmunsch 90
Abraham ben Elijahu 79
Abraham ben Gottschalk Speier 140
Abraham ben Jehuda 73
Abraham ben Mattathias 108, 112
Abraham ben Meir Ibn Esra 28
Abraham ben Samuel ha-Levi Ibn Chisdai 46
Abraham ben Samuel Pikarteia 80
Abraham, der Schreiber 39
Abraham ben Mordechai Farisol 73, 80
Abraham Jagel ben Chananja dei Galicei 141
Abraham Naftali Herz ha-Levi 91
Adam, Michael 36, 68, 76, 79, 95, 99
Adelkind, Daniel 92
Adelkind, Kornelius 92, 101
Aemilius, Paulus 76, 99
Ahron ben Abraham Batkowitz 99
Ahron ben Jomtob ha-Levi 88
Ahron ben Mordechai Trebitsch 75
Ahron ben Samuel 88, 111
Akiba Bär ben Jakob Frankfurt 88
Alexander ben Isaak Treis 59
Alexander ben Moses Ethausen 144
Amram, Rabbi 24, 86
Andreae, Matthias 124
Anselm (Anschel) Levi 58, 75
Aretino, Pietro 63
Arnim, Achim von 30
Arje Löw 107
Ascher Anschel ben Elieser 125
Ascher Anschel ben Josef Mordechai 90
Ascher Leml, gen. Rabbi Anschel 68, 82
Athias, Josef 135

Bachja ben Josef Ibn Pakuda 142
Bärmann ha-Levi 123
Bärmann Limburg 115
Baruch ben Jizhak 8
Bella bat Bär ben Hiskia ha-Levi Horwitz, gen. Bela Chasan 89
Bella bat Jakob Perlhefter 122
Benbeniste, Immanuel 96
Benjamin Ahron ben Abraham Salnik 92
Benjamin ben Josef Rofe 100
Benjamin Zerechs (Zürich) 41
Berechja ben Nitronai Krespia ha-Nakdan 107
Blau, Ludwig 126
Brentano, Clemens 30
Boccaccio, Giovanni 109
Bomberg, Daniel 55, 61
Brenz, Samuel Friedrich 125
Buxdorf, Johannes d. Ä. 65
Buxdorf, Johannes d. J. 65

Chajim bar David Schwartz 86
Chajim ben Jakob Drucker 136
Chajim ben Menachem Manusch Glogau 106
Chajim ben Nathan 78
Chajim ben Zebi Hirsch 99
Chanoch ha-Levi ben Zebi Hirsch 143
Conti, Vincentio 76

David ben Abraham de Castro-Tartas 137, 139
David ben Arje Löw, gen. David de Lida 137 f.
David ben Jakob 10
David ben Menachem ha-Kohen 83
David ben Salomo ben Seligmann Gans 144
David Ulff 115
Drossel Fischls 98

Eber ben Petachja Ungarisch-Brod 106
Edel bat Moses Mendel 99
Eisik ben Mosche Abraham Wallich, gen. Eisik Wallich 32, 36, 40, 52 f.
Eisik Schreiber 57
Elchanan ben Abraham Helen Frankfurt 131
Elchanan ben Issacher Katz 83, 118
Elchanan Hendel Kirchhahn ben Benjamin Wolf 123
Eleasar ben Nathan 25
Eleasar ben Jehuda, gen. Rokeach 23
Elia ben Mose de Vidas 122
Elia ben Salomon Abraham ha-Kohen 123
Elia ha-Sakan ben Mosche ben Josef Loanz, gen. Elia Loanz 22, 48, 59, 87
Elia Levi Bresner, gen. Melammed 123
Elia Ulma (ha-Poel) 225
Elieser ben Achimelech 141
Elieser ben Jisrael 84, 95
Elieser ben Nathan 7

Elieser Liebermann Sofer ben Löw Rofe 22, 89, 113
Elieser Sussmann Aschkenasi 126
Elieser Sussmann ben Isaak Roedelsheim 136
Elijahu ben Ascher ha-Levi Aschkenasi, gen. Elia Levita Bachur (Germanicus) 36, 60 ff., 76 f., 84, 93, 101, 136
Eljakim ben Simon 89
Eljakim Götz ben Jakob 136, 144

Fagius, Paulus 61, 76, 93
Falkeles, Samuel 101
Fettmilch, Vinzenz 131
Fries, Laurentius 73
Froschauer, Christoph 99

Gedalja Taikos ben Abraham Menachem 136, 144
Gerson ben Elieser ha-Levi Jiddels 99
Gersonides 80
Gerson Wiener 108
Gesner, Conrad 76
Geutz von Fiderholz 19
Glückeln von Hameln 124, 126
Graefenrewter, Conrat 19
Gratius, Ortuin 65

Hallel Cahan 63
Henschet, Anton 144
Hirsch ben Chajim 136
Hochstraten, Jakob 65
Holbein, Hans 68
Holzschuher, Johann Friedrich Sigmund Freiherr von, Pseud. Itzig Feitel Stern 147

Immanuel Salonik 15
Isaak s. a. Jizhak
Isaak Abraham Euchel 147
Isaak bar Chajim 86
Isaak ben Ahron Proßnitz (Prostitz) 69, 80, 85, 92, 95 f., 98, 105, 122
Isaak ben Elieser 95
Isaak ben Eljakim 118, 122
Isaak ben Jesaja Auerbach 106, 136
Isaak ben Jakob Alfasi 7
Isaak ben Moses Israel 142
Isaak ben Nathan Kalonymos 68
Isaak ben Salomon Ibn Abi Sahula 108
Isaak ben Simson ha-Kohen 73, 76
Isaak (Eisak) ben Elia 123
Isaak Jakob ben Saul Abraham 125
Isaak Kohen 81
Isaak Leb 138
Isaak Loria 112
Isaak Sulkes 79
Isaak Tyrnau 90
Isaak Zoref ben Berl 141
Israel ben Abraham Abiner 105
Israel Ger 125
Issachar Bär ben Jehuda Löw Teller 103
Issachar Bär Eibschütz 122

Jakar, Rabbi 36
Jakob Bär ben Abraham 125
Jakob ben Abraham Mesritz 97 f., 112
Jakob ben Abraham Salomo 89
Jakob ben Ascher 122
Jakob ben Elchanan Heilbronn 92, 137
Jakob ben Elia ha-Levi Tepliz 46, 132
Jakob ben Isaak Aschkenasi 77 f.
Jakob ben Isaak ha-Levi 83
Jakob ben Meir Maarsen 100
Jakob ben Mordechai Schwerin, den. Jakob Fulda 88
Jakob ben Samuel Bunem Koppelmann 57, 73, 82, 107
Jakob Gelnhausen 36
Jakob Jehuda Levi 55
Jakob Levi Mölln, gen. Maharil 46, 91
Jakob Luzzatto 25
Jakob Tausk 132
Jakob Treves ben Jeremia Mattatja ha-Levi 141
Jakob Wetzlar 78
Jechiel ben Schalom 73, 102
Jechiel Michael ben Abraham Epstein ha-Levi 88, 90
Jedaja ben Abraham Bedersi 136
Jedidja bar Chiskia 18
Jehuda s. a. Juda
Jehuda Alcharsi 96
Jehuda bar Israel Regensburger, gen. Löw Scheberl 96
Jehuda ben Jakob ben Elija Carcassonne 7
Jehuda ben Samuel ha-Chassid, gen. Jehuda Chassid 7, 23 f., 112
Jehuda Kaliz 122
Jehuda Löw Minden ben Moses Selichower 127 ff., 133
Jehuda »Pichl« Schalit 58
Jekel Sofer ben Moses 82
Jekutiel ben Benusch 19
Jekutiel ben Isaak Blitz 135
Jiftach Josef Juspa ben Naftali Hirz, gen. Juspa Schammesch 22, 113

Jizhak s. a. Isaak
Jizhak Kutnam 58
Jizhak Leib Perez 146
Jizhak bar Jehuda Reutlingen 110
Jizhak ben Mordechai ha-Kohen 71, 79
Jizhak, der Schreiber 39
Joel Sirks 99
Jomtob Lipmann ben Nathan ha-Levi Heller Wallerstein 75, 120, 137
Jomtob Lipmann Mühlhausen 94
Jona Gerondi ha-Chassid 95, 141
Jonathan ben Jakob 113
Josef bar Jakar 85 f.
Josef ben Elchanan Heilbronn 105
Josef ben Gerson Bak 110
Josef ben Jakob 78
Josef ben Jakob Maarsen 96, 109, 140
Josua ben Jussuf Oppenheim 22
Josef (Josel) ben Alexander Witzenhausen 100, 135
Josef (Josel, Joselmann) von Rosheim 22, 66
Josua ben Jehozadak 96
Juda s. a. Jehuda
Juda ben Jakob Bak 122
Juda ben Mordechai 102
Juda ben Moses Naftali, gen. Löb Bresch 76
Juda Isaak Darschan ben Jakob David Zausmer 102
Juda Löw ben Josef Mehler 75
Jussuf ben Jekub 57
Jütlin bat Naftali Levi 78

Kalonymos ben Kalonymos 142
Karben, Viktor von 125
Koelner, Johann 75, 91, 115, 141
Kosman Emrich 133
Kündig, Jakob 56

Leo Juda 76
Leon da Modena 28, 126
Liwa von Regensburg 55
Löber, Johann Jakob Christian, alias Mose Kohen 115
Löw Arje ben Zachariah, gen. Rabbi Löw 123
Löw ben Bezalel 131
Löw Driesen 141
Löw Ginzburg 115
Löw Sofer ben Chajim 131
Luther, Martin 65, 82, 135

Machir, Rabbi 122
Mar Kohen Zedek 86
Margarita, Antonius 125
Meier, Martin 36
Meir ben Baruch ha-Levi Erfurt 18
Meir ben Baruch Rothenburg 7
Meir ben Simson Werters 46, 88
Meir Stern 135
Menachem Asarja ha-Kohen 123
Menachem Mann ben Salomon ha-Levi Amelander 99
Menachem Oldendorf 32 f., 36, 41, 48, 59
Mendele Mocher Sforim s. Scholem Jakob Abramowitsch
Mendelssohn, Moses 139, 146
Michael ben Abraham Kohen, gen. Michael Fürth 136
Michel Löbel (May) 139
Mordechai ben Jakob (Alexander) 80, 96
Mordechai ben Jesaja Litters 144
Mordechai ben (Juda) Arje Löw Aschkenasi 137
Mordechai ben Menachem 81
Mordechai Gimpel ben Elasar Hendels 103
Mordechai Gumpel, gen. Gottfried 137
Mosche s. a. Mose, Moses
Mosche ben Jehuda 137
Mosche ben Jisrael Naftali 122
Mosche ben Mordechai Hunt 56, 60, 84
Mosche Esrim Wearba 55 f., 83
Mosche ha-Darschan 7
Mosche Kohen 59
Mose, s. a. Mosche, Moses
Mose ben Bezalel 82, 89
Mose ben Jakob 73, 102
Mose Jakir Aschkenasi 142
Mose Meschullam 14
Mose Wittmund ben Elija Nathan 96
Moses, s. a. Mose, Mosche
Moses ben Abraham Abinu 145
Moses ben Benjamin Wolf Mesritz, gen. Mosche Kalisch 102 f.
Moses ben Chajim Eisenstadt 107, 142 f.
Moses ben Elieser Wallich 108
Moses ben Israel Isserles 137
Moses ben Issachar ha- Levi, gen. Moses Särtels 80, 82
Moses ben Jakob Petachja 152, Anm. 63
Moses ben Maimon, gen. Maimonides 103 f.
Moses ben Michael Kohen 106
Moses ben Nachman, gen. Nachmanides 80, 141
Moses ben Simon Frankfurter 89, 138
Moses Jeruschalmi, gen. Moses Henochs 116 f.
Moses Mendez Coutinho ben Abraham 138

Moses Steinhart ben Josef 142
Moses Stendal 84
Moses Sulzbach 123
Münster, Sebastian 65

Naftali ben Samuel Pappenheim 122, 137
Naftali Hirsch ben Ascher Altschul 105
Nathan Hekscher ben Simon 143
Nathan (Nata) ben Moses Hanover Aschkenasi 106, 145
Niklas Baumen Hutmacher 87
Noah Abraham Ascher Selig ben Chiskija Chassans 139

Otto, Julius Conrad 106

Peslin bat Jakob 84
Pfefferkorn 65, 125
Pheibel (Phöbus) ben Löw Präger 29, 105
Pinchas ben Jehuda Halprun Neuersdorf 116
Pinchas Koßmann, gen. Seligmann 138
Pinchas Hurwitz 22
Piscator 135

Rahel Ackermann 126
Renaut de Beaujeu
Reuchlin Johannes 65
Rösel Fischel 84
Rudolf von Ems 35

Sabbatai Bass ben Josef 82, 105, 107, 131, 135
Sabbatai Zewi 121, 123, 127, 132
Sachs, Hans 107, 114
Salaman ben Juda Hanau 144
Salman ben Jakar Erfurt, gen. Rabbi Salman 36
Salman Runkel 59
Salomo ben Gabirol (Gafriel) 141
Salomo ben Isaak, gen. Raschi 5, 8, 24, 73, 75
Salomo ben R. Isaak 89
Salomo ben Jakob ha-Kohen 96
Salomo ben Juda Löw Dessau 105
Salomo ben Naftali, gen. Schlomo Singer 33, 132

Salomo Ibn Aderet 87
Salomo Ibn Gabirol 46, 94, 138, 141
Salomo Ibn Varga 145
Salomon Proops 141
Salomo Salman ben Moses Rafael London 136, 144
Salomo Salman Zebi Hirsch 125
Samuel ben Arje Löw ha-Levi 142
Samuel ben Isaak Pihem 69
Samuel ben Josef ha-Levi Zoref 88
Samuel ben Mose Uri Hogerlin 36, 59
Samuel David Ottolenghi 88
Samuel Schmelka ben Chajim Schammesch 93
Sanwel, der Schreiber 55
Schalom ben Abraham 98, 135
Schalom bar Joez Rofe 102
Scheit, Caspar 32
Scheftil Horwitz 122
Scheftil Kojetin 37 f.
Scholem Alejchem 146
Scholem Jakob Abramowitsch, Pseud. Mendele Mocher Sforim 146
Schmuel, Rabbi 23 f., 112
Seligmann Nürnberk 14
Seligmann Ulma ben Moses Simeon 118
Seligmann Ulma Günzburg 118
Sifroni, Israel 77, 95, 108
Simcha ben Jehuda 8
Simeon Levi Ginzburg 90
Simon Akiba Bär ben Josef Henochs 123
Simon ben Jehuda ha-Kohen 96
Simon ben Israel Frankfurter 138
Simson 10
Simson ben Menachem 80
Springer, Daniel 131

Ullenberg 135
Uri Phoebus ben Ahron ha-Levi 75, 89, 135, 138, 141

Wachstein, Bernhard 126
Waldkirch, Konrad 41, 68, 111, 116 f.
Wagenseil, Johann Christof 41 ff., 80, 125
Weise, Christian 115
Wirnt von Grafenberg 36, 101
Wolfsohn, Ahron 147
Wülfer, Johannes 125
Wust, Johann 108

Zadok Wahl ben Ascher 123, 142
Zebi Hirsch ben Ahron Samuel Kaidenower 123 f.
Zebi Hirsch ben Jerechmiel Chotsch 74, 103
Zwingli, Huldrych 76

Steinschneider, Moritz: Die hebräischen Handschriften der Königlichen Hof- und Staats-Bibliothek in München, München 1875.

Straus Nr.

Straus, Raphael: Urkunden und Aktenstücke zur Geschichte der Juden in Regensburg 1453–1738, München 1960.

TJE

The Jewish Encyclopedia, 12 vols., New York-London 1916.

K. Vollers, Katalog II

Vollers, Karl: Katalog der islamischen, christlich-orientalischen, jüdischen und samaritanischen Handschriften der Universitäts-Bibliothek zu Leipzig, Leipzig 1906 (= Katalog der Handschriften der Universitätsbibliothek, Bd. 2).

Walde, Chr. Hebr.

Walde, Bernhard: Christliche Hebraisten Deutschlands am Ausgang des Mittelalters, Münster 1916 (= Alttestamentliche Abhandlungen, Bd. 6, 2–3).

Weinreich Nr.

Weinreich, Max: Jidische jokerhamezieten in keimbridsch, england, in: Pinkes 1/1927, S. 23 ff.

Weinryb, JEGP 33/1934

Weinryb, Bernhard; in: The Journal of English an Germanic Philology, ed. by Gustaf E. *Karsten* and James Morgan *Hart,* (Bloomongton) 1/1897 ff.; hier: 33/1934.

Weiß, Hss. Kaufmann

Katalog der hebräischen Handschriften und Bücher des Professor Dr. David Kaufmann, beschrieben von Max *Weiß,* Frankfurt a. M. 1906.

Wiss. Zs. f. jüd. Theol.

Wissenschaftliche Zeitschrift für jüdische Theologie, hrsg. von Abraham *Geiger,* (Frankfurt a. M.) 1/1885 ff.

Wi/Wü III

Grünbaum, Max: Die jüdisch-deutsche Litteratur in Deutschland, Polen und America, in: *Winter,* Jacob u. *Wünsche,* August (Hrsg.): Die Jüdische Literatur seit Abschluß des Kanons, Hildesheim 1965 (Reprograf. Neudr. d. Ausg. Trier 1896).

G. Wolf, Statuten Mähren

Wolf, G.: Die alten Statuten der jüdischen Gemeinden in Mähren, sammt den nachfolgenden Synodalbeschlüssen veröffentlicht, Wien 1880, 126–133.

Wolf, BH

Wolf, Johann Christoph: Bibliotheca Hebraea, 4 vol., Hamburg 1715–1733.

S. A. Wolf, Jd. Wb.

Wolf, Siegmund A.: Jiddisches Wörterbuch, Mannheim 1962.

Yiwo-Bleter

Yiwo-Bleter, hg. fun YIWO, Wilne 1/1931 ff.

Zedner, Cat. Br. Mus.

Zedner, Joseph: Catalogue of the Hebrew Books in the Library of the British Museum, London-Berlin 1867.

ZGJD

Zeitschrift für die Geschichte der Juden in Deutschland, hrsg. von Ludwig *Geiger,* (Braunschweig) 1/1887 ff.

ZHB

Zeitschrift für hebräische Bibliographie, hrsg. von Heinrich *Brody,* Berlin 1/1896 ff.

Zunz, GL

Zunz, Leopold: Zur Geschichte und Literatur, Berlin 1845.

Zunz, Vortr.

ders.: Die gottesdienstlichen Vorträge der Juden historisch entwickelt, Hildesheim 1966 (Repr. d. Ausg. Frankfurt a. M. 1892).

Mitt. f. jüd. Vk.
Mitteilungen der Gesellschaft für jüdische Volkskunde, (Berlin) 1/1898 ff.

Mon Jud
Monumenta Judaica. 2000 Jahre Geschichte und Kultur der Juden am Rhein. Dokumente zu einer Geschichte der Juden in Deutschland. Katalog einer Ausstellung im Kölnischen Stadtmuseum (15. Okt. – 15. März 1964), hrsg. von Konrad *Schilling*, Köln [2]1964.

A. Müller, in ZDAL 19/1876, 474–478
Müller, Alois: Ein mit hebräischen Buchstaben niedergeschriebener Segen gegen die Bärmutter, in: Zeitschrift für deutsches Altertum und Literatur 19/1876, 473–478.

Munk-Zotenberg, Cat.
Munk, Salomon u. *Zotenberg,* Hirsch: Catalogue des manuscrits hébreux et samaritains de la Bibliothèque impériale, Paris 1866.

Neub./Cowl. Cat.
Neubauer, Adolf u. *Cowley,* Arthur Ernest: Catalogue of the Hebrew manuscripts in the Bodleian library and in the College libraries of Oxford, vols. 1–2, Oxford 1886–1906.

Reisen, Archiv I
Reisen, Salman; in: Archiv far der geschichte fun jidischn teater un drame, (Wilne) 1/1930, 86 ff.

R. E. J.
Revue des Etudes Juives, (Paris) 1/1880 ff.

Röll, ZMF 33/1966
Röll, Werner: Das älteste datierte jüdisch-deutsche Sprachdenkmal: ein Verspaar im Wormser Machsor von 1272/73, in: Zeitschrift für Mundartenforschung, (Wiesbaden) 33/1966, 127–138.

Roest.
Roest, Meijer Marcus: Catalog der Hebraica und Judaica aus der L. Rosenthal'schen Bibliothek. Bearbeitet von Meijer Marcus Roest, 2 Bde., Amsterdam 1875 (die Seitenzählung ist fortlaufend: Bd 1 bis 910, Bd 2: 911–1218).

Rosenberg, Sammlung deutscher Volks- und Gesellschaftslieder in hebräischen Lettern
Rosenberg, Felix: Über eine Sammlung deutscher Volks- und Gesellschaftslieder in hebräischen Lettern, in: ZGJD 2/1888, 232–296 u. 3/1889, 14–28.

Ser. Nr.
Steinschneider, Moritz: Jüdisch-Deutsche Literatur nach einem handschriftlichen Katalog der Oppenheim'schen Bibliothek (Oxford), in: 9/1848; 10/1849 u. im Intelligenzbl. zu No. 8.
Jüdische Litteratur und Jüdisch-Deutsch, in: Serapeum 25/1864; 27/1866 u. 30/1869.

Schmuelbuch, ed. Fuks
Fuks, Laib (Hrsg.): Das Schmuelbuch des Mosche Esrim Wearba, 2 Bde., Assen 1961.

M. Schwab, Mss. hebr. B.
Schwab, Mose: Manuscrits hébreux de Bâle, in: R. E. J., Jg. 1882, 250–257.

Steinschneider, Cat. Bodl.
Steinschneider, Moritz: Catalogus Librorum Hebraeorum in Bibliotheca Bodleiana, Berolini 1852–1860.

Steinschneider, Kat. Berlin
ders.: Verzeichnis der hebräischen Handschriften der Königlichen Bibliothek zu Berlin, 2 Bde., Berlin 1878–1897.

Steinschneider, Kat. Hamb.
Steinschneider, Moritz: Catalog der hebräischen Handschriften in der Stadtbibliothek zu Hamburg, Hamburg 1878.

Steinschneider, Kat. München

Avé-Lallemant
Avé-Lallemant, Friedrich Christian Benedict: Das Deutsche Gaunerthum in seiner socialpolitischen, literarischen und linguistischen Ausbildung zu seinem heutigen Bestande, Teil 3, Leipzig 1862.

Berliner, Schr. I
Berliner, Abraham (A.): Gesammelte Schriften, Bd. 1, Frankfurt a. M. 1913, 88–89.

Bernheimer
Bernheimer, Karl: Codices Hebraici Bibliothecae Ambrosianae, Florentiae 1933.

S. Birnbaum, in: Teuthonista 8/1932
Birnbaum, Salomo: Umschrift des ältesten datierten jiddischen Schriftstücks, in: Teuthonista 8/1931–32, 197–207.

Birnbaum, Jidd. Ps.
Birnbaum, Salomo: Die jiddischen Psalmenübersetzungen, in: Bibel und deutsche Kultur. Bericht des Deutschen Bibel-Archivs, Bd. 2 u. 3, Potsdam 1932 (= Materialien zur Bibelgeschichte und religiöser Volkskunde des Mittelalters, NF 2 u. 3).

Cassuto, Mss. Palat.
Cassuto, Umberto: manoscritti palatini ebraici della Biblioteca apostolica Vaticana e la loro storia, Citta del Vaticano 1935 (= Studi e Testi, Vol. 66).

L. Dünner, in: ZHB 8/1904, 113–114.
Dünner, L.: Die hebräischen Handschrift-Fragmente im Archiv der Stadt Cöln, in: ZHB 8/1904, 113–114.

Enc. Jud.
Encyclopaedia Judaica, Bd. 1 ff., London-Berlin 1928 ff.

Erik, Lit.-gesch.
Erik, Max: Di geschichte fun der jidischer literatur, warsche 1928.

J. Euting/C. T. Weiß, Elsässer Jd.
Euting, Julius: Das Elsässer Judendeutsch, von C. T. *Weiß* etymologisch berichtigt, Straßburg 1896.

Fränkel, ADB
Fränkel, in: Allgemeine Deutsche Biographie, hrsg. durch die historische Kommission bei der Königlichen Akademie der Wissenschaften, Bd. 43, Leipzig 1898, 663 ff.

Fürst, BJ
Fürst, Julius: Bibliotheca Judaica. Bibliographisches Handbuch der gesamten Jüdischen Literatur mit Einschluß der Schriften über Juden und Judenthum und einer Geschichte der jüdischen Bibliographie, 3 Tle., Leipzig 1849–63.

E. D. Goldschmidt, Pessach Haggada
Die Pessachhaggada, hrsg. u. erklärt von E. D. *Goldschmidt,* Berlin 1937.

Guggenheim-Grünberg, Urfehdebrief
Guggenheim-Grünberg, Florence: Ein deutscher Urfehdebrief vom Jahre 1385, in: Zeitschrift für Mundartenforsch., (Wiesbaden) 22/1954, 207–214.

Grünbaum, Chrest.
Grünbaum, Max: Jüdischdeutsche Chrestomathie, Leipzig 1882.

Hb. Cant. Cant.
Habersaat, Karl: Die jüdisch-deutschen Hohelied-Paraphrasen. Beitrag zur einer Canticum-canticorum Bibliographie, Berlin 1933.

Hb. Beiträge
ders.: Beiträge zur jiddischen Dialektologie, in: Rivista degli studi orientali, (Rom) 26/1951, 23 ff. (= I); 27/1952, 23 ff. (= II).

Hb. Rep.
ders.: Repertorium der jiddischen Handschriften, in: Rivista degli studi orientali, (Rom) 29/1954, 53 ff. (= I); 30/1955, 235 ff. (= II) u. 31/1956, 41 ff. (= III).

Hb. Prolegomena

ders.: Prolegomena zum Repertorium der jiddischen Handschriften, in: Zeitschrift für deutsche Philologie 81/1962, 338 ff.

Hakkarainen, Codex Cambridge

Hakkarainen, Heikki J.: Studien zum Cambridger Codex T-S. 10. K. 22, Bd. 1 (Text), Turku 1967.

Heitz/Ritter

Heitz, Paul u. *Ritter,* Fr.: Versuch einer Zusammenstellung der Deutschen Volksbücher des 15. und 16. Jahrhunderts, Straßburg 1924.

Jb. f. jüd. Vk.

Jahrbuch für jüdische Volkskunde, hg. von Max Grunwald, (Berlin) 1/1923 ff. (= Forts. d. Mitt. d. Ges. f. jüdische Volkskunde).

Jöcher

Jöcher, Christian Gottlob: Allgemeines Gelehrten-Lexikon [...], 4 Bde., Leipzig 1750–51.

Jost, GJ

Jost, Isaak Marcus: Geschichte der Israeliten seit der zeit der Maccabaer bis auf unsre tage, nach den quellen bearbeitet von J. M. Jost, 9 Bde., Berlin 1820–26.

Karpeles, GJL

Karpeles, Gustav: Geschichte der Jüdischen Literatur, 2 Bde., Berlin 1886 (Jüdischdeutsche Lit. in Bd. 2, 320–343.)

Kohn, Hebr. Hss. Budapest

Kohn, Samuel: Die hebräischen Handschriften des ungarischen Nationalmuseums zu Budapest, Berlin 1877.

A. Landau/B. Wachstein, Briefe

Landau, Alfred u. Wachstein, Bernhard: Jüdische Privatbriefe aus dem Jahre 1619, Wien-Leipzig 1911.

S. Landauer, Hss. Karlsruhe

Landauer, Samuel: Die Handschriften der Großherzoglich badischen Hof- und Landesbibliothek in Karlsruhe, Bd. 2 (Orientalische Handschriften), Karlsruhe 1892.

Leitzmann, Bibelübers.

Staerk, Willy u. *Leitzmann,* Albert: Die Jüdisch-Deutschen Bibelübersetzungen von den Anfängen bis zum Ausgang des 18. Jahrhunderts. Nach Handschriften und alten Drucken, Frankfurt a. M. 1923.

H. Lieben, Briefe aus Prag

Lieben, H.: Briefe von 1744–1748 über die Austreibung der Juden aus Prag, in: Jahrbuch der Ges. f. d. Čechoslowakische Republik 4/1932, 343–469.

Loewe

Loewe, Herbert: Catalogue of the Manuscripts in the Hebrew Character collected and bequeathed to Trinity College Library by the Late William Aldis Wright, Vice-Master of Trinity College, Cambridge 1926.

LuW, Cat.

Löwinger, David Samuel u. *Weinryb,* Bernhard (Ber): Catalogue of the Hebrew manuscripts in the library of the Juedisch-theologisches Seminar in Breslau, Wiesbaden 1964.

LuW, Jd. Hss.

dies.: Jiddische Handschriften in Breslau, Budapest 1936.

Marg. Cat.

Margoliouth, George: Catalogue of the Hebrew and Samaritan Manuscripts in the British Museum, vols. 1–3, London 1889–1935.

MGWJ

Monatsschrift für Geschichte und Wissenschaft des Judenthums, begr. von Z. Frankel, hrsg. von M. *Brann,* später I. *Heinemann,* Breslau 1/1852 ff.